C0-AKV-995

LA BASSE VALLÉE DE L'EUPHRATE SYRIEN DU NÉOLITHIQUE À L'AVÈNEMENT DE L'ISLAM :

géographie, archéologie et histoire

INSTITUT FRANÇAIS DU PROCHE-ORIENT

AMMAN - BEYROUTH - DAMAS

BIBLIOTHÈQUE ARCHÉOLOGIQUE ET HISTORIQUE - T. 166

INSTITUT FRANÇAIS D'ARCHÉOLOGIE DU PROCHE-ORIENT

MISSION ARCHÉOLOGIQUE DE MARI TOME VI

LA BASSE VALLÉE DE L'EUPHRATE SYRIEN DU NÉOLITHIQUE À L'AVÈNEMENT DE L'ISLAM :
géographie, archéologie et histoire

Volume II : Annexes

sous la direction de

Bernard GEYER
et
Jean-Yves MONCHAMBERT

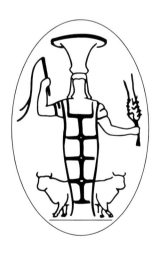

*Ouvrage publié avec le concours
de la direction générale de la Coopération internationale et du Développement
du ministère des Affaires étrangères*

BEYROUTH
2003

Size 2
DS
99
.M3
M57
v.6
pt.2

Maquette : Rami YASSINE
PAO : Antoine EID
Suivi de la publication : Emmanuelle CAPET
Traduction en arabe : Hassan SALAMÉ-SARKIS
Directeur de la publication : Jean-Louis HUOT

© 2003, INSTITUT FRANÇAIS DU PROCHE-ORIENT

B.P. : 11-1424 Beyrouth, Liban

Tél. : 961.1.420 299

Télécopie : 961.1.615 866

Email : ifapo@lb.refer.org

ISBN 2-912738-24-5

Dépôt légal : 4ᵉ trimestre 2003

Annexe 1. Le travail de la pierre taillée dans deux sites de la vallée de l'Euphrate : Hasīyet 'Abīd et Dheina 3

Éric Coqueugniot [*]

Lors de la prospection de la moyenne vallée de l'Euphrate, deux sites de surface ont livré un abondant matériel lithique en silex. Le premier, Hasīyet 'Abīd (139), a fourni une série à la fois abondante et cohérente, dominée — et caractérisée — par des outils lourds du type hache/herminette/houe, façonnés sur de gros éclats par retouches bifaces. Le second site, Dheina 3 (82) a fourni une série plus réduite et moins homogène, sans qu'il soit possible d'affirmer s'il s'agit de témoins de faciès culturels différents, d'un mélange ou si les aléas d'échantillonnage justifient à eux seuls les différences.

HASĪYET 'ABĪD (139)

Ce site atteste un faciès d'atelier spécialisé dans la production et l'entretien de petites haches/herminettes non polies, avec des pièces non utilisées (« neuves ») dont le taillant est très frais et des pièces abandonnées au dernier stade d'exhaustion, probablement après leur remplacement dans le manche par de nouvelles « lames ».

La matière première choisie pour façonner ces haches/ herminettes (**fig. 1, 2** et **3 : 1**) est un silex gris beige à grain moyen ou important, présentant généralement des taches ou des bandes noires (manganèse). L'approvisionnement en était aisé car ce type de silex est présent dans toutes les formations pléistocènes de l'Euphrate sous forme de gros galets roulés. Il s'agit d'un matériau homogène et très bien adapté à la fabrication des outils lourds destinés à un usage en percussion lancée [1] car sa structure granuleuse induit une bonne résistance à l'écaillement lors des chocs.

Les supports de ces outils sont de gros éclats, présentant souvent des plages de cortex (**fig. 1 : 2-3, 2 : 1-3, 3 : 1**) étoilé et rubéfié ; dans un cas, le tailleur préhistorique a utilisé un petit galet plat (cortex présent sur les deux faces, **fig. 2 : 3**) et non pas un éclat épais. Leur face supérieure est toujours reprise par de grandes retouches périphériques directes, généralement détachées au percuteur dur, tandis que la face inférieure présente des retouches bilatérales envahissantes qui — sauf exception (**fig. 1 : 3**) — ne concernent que la zone du talon de l'outil, probablement dans le but de faciliter son emmanchement. Dans quelques rares cas, la face inférieure est non retouchée. Le taillant est asymétrique et il semble avoir été obtenu en deux étapes : le chanfrein inférieur est constitué soit par la face inférieure de l'éclat originel (**fig. 1 : 2, 4**), soit plus souvent par un grand enlèvement axial qui permet de redresser l'asymétrie générale de la pièce (**fig. 1 : 1**). Dans un cas, le chanfrein inférieur a été obtenu par le détachement d'un enlèvement latéral, selon la technique « du coup de tranchet » (**fig. 1 : 3**). À partir de cette surface inférieure plane, le chanfrein supérieur était obtenu par retouches directes axiales, éventuellement détachées au percuteur tendre (retouches lamellaires, **fig. 3 : 1**), ces retouches permettant d'aménager un contour arrondi et d'affûter le taillant. Dans un seul cas, les deux chanfreins sont constitués par le négatif d'un grand enlèvement axial (**fig. 2 : 3**). Il faut noter que le grand enlèvement inverse axial de mise en forme du taillant devait être détaché après le façonnage du talon et des bords, car il recoupe les négatifs des enlèvements latéraux inverses (voir notamment **fig. 3 : 1**). En cas de reprise (réaffûtage) du taillant, suite à l'usure ou à des accidents, cette réparation était effectuée par retouches directes plus ou moins abruptes (**fig. 1 : 3**), ce qui rendait rapidement l'outil non utilisable.

Il n'a pas été possible de déterminer si ces artefacts étaient destinés au travail du bois ou d'un autre matériau et s'ils étaient emmanchés en hache (taillant dans le plan du manche) ou en herminette/houe (taillant dans un plan sécant à celui du manche), car il s'agit d'outils recueillis en surface, patinés et éolisés de sorte qu'une analyse microscopique des traces d'utilisation (« tracéologie ») n'est pas envisageable. Toutefois, nous pensons pouvoir écarter l'hypothèse d'un travail de la terre (usage en houe), car il aurait produit un émoussé très développé que l'altération de surface n'aurait pas totalement fait disparaître. Sur le plan typologique, l'asymétrie du taillant est classiquement associée au groupe des *herminettes*, mais l'ethnographie et la technologie expérimentale montrent que de telles pièces peuvent aussi bien être emmanchées en *hache* (travail du bûcheron) qu'en *herminette* (travail du charpentier) et nous ne pouvons donc qu'envisager leur utilisation pour le travail du bois.

* UMR 5647 - GREMMO, Maison de l'Orient méditerranéen, CNRS-université Lumière-Lyon 2.

1 - Plus en amont, un silex similaire était déjà utilisé au Xe millénaire av. J.-C. pour les herminettes de Mureybet et de Jerf el Ahmar.

À côté de ces outils à taillant courbe ou droit, le groupe des outils lourds comporte quelques rares pics à section triédrique (**fig. 3 : 6**) qui semblent avoir été façonnés sur des haches usagées.

Des outils sur lame ou sur éclat sont également présents : pièces retouchées, grattoirs frustes surélevés (**fig. 3 : 4**), rares burins (**fig. 3 : 5**), pièces denticulées (**fig. 3 : 2**) et une pointe de flèche losangique à retouche inverse obtenue par pression (**fig. 3 : 7**). Les lames (retouchées ou brutes) attestent un débitage unipolaire très régulier (**fig. 3 : 2**), avec des talons toujours lisses, une lèvre souvent importante et des bulbes amples ; certaines de ces lames étroites ont dû être débitées par pression (**fig. 3 : 3**). Tant ces indices technologiques que le type de pointe de flèche excluent d'emblée un Néolithique précéramique (PPN), qui aurait pu être suggéré par l'abondance des « herminettes », ces dernières n'étant pas sans rappeler celles du Mureybetien du Xe millénaire. Après le Mureybetien, les houes/herminettes disparaissent pour ne réapparaître en Mésopotamie qu'à l'époque Samarra [2]. Une appartenance au Chalcolithique final (Uruk) et à l'âge du Bronze est, elle aussi, à exclure ; une attribution à l'Obeid semble la plus probable (cf. notamment la flèche losangique), sans que le Néolithique final puisse être totalement exclu puisqu'en Mésopotamie des houes/herminettes sont présentes dès le Samarra.

DHEINA 3 (82)

L'industrie recueillie sur ce site est très patinée et ne comporte pas d'outil caractéristique. Il faut cependant noter que la technique de débitage dominante était la percussion directe au percuteur de pierre dure (talons lisses larges, cônes proéminents...), le débitage étant toujours unipolaire. Cinq fragments d'obsidienne verdâtre attestent des importations anatoliennes et un tronçon de lame en silex, large et à section trapézoïdale, évoque le débitage cananéen. Bien que le site ait livré de nombreux restes de plâtre, aucun indice dans l'industrie lithique ne peut suggérer une appartenance au Néolithique précéramique [3]. En l'absence de fossile directeur clair, cette série restreinte est difficilement datable, mais elle pourrait appartenir à l'Uruk récent ou au Bronze ancien si le tronçon de lame prismatique est bien cananéen.

CONCLUSION

Concernant le reste du matériel archéologique recueilli et plus particulièrement la céramique, des tessons du Dynastique archaïque 1 ont été trouvés à Dheina 3, tandis qu'un site voisin (Dheina 4, **83**) a fourni des tessons Uruk et Bronze ancien. Ces vestiges sont donc cohérents avec l'attribution proposée pour le matériel lithique, une datation Bronze ancien semblant la plus probable.

À Hasīyet 'Abīd, la zone de l'atelier lithique n'a pas fourni de céramique, mais d'autres secteurs du site ont livré des tessons dont les plus anciens sont attribués au Bronze moyen. Les industries du Bronze moyen sont très mal connues, pour ne pas dire inconnues, dans cette région et nous ne pouvons donc pas totalement exclure que l'ensemble des artefacts (céramiques et lithiques) appartiennent à cette seule période. Nous ne pensons toutefois pas que ce soit le cas et nous suggérons plutôt que, après une première occupation par un atelier spécialisé dans la taille des haches/herminettes à l'Obeid, la butte de Hasīyet 'Abīd a été réoccupée à partir du Bronze moyen.

---

2 - P. Mortensen 1973 : A Sequence of Samarran Flint and Obsidian Tools from Tchoga Mami, *Iraq* XXXV, 1, p. 37-55.

3 - L'usage intensif du plâtre (ou de la chaux) pour les sols et la vaisselle blanche suggérerait *a priori* une occupation PPNB moyen à final.

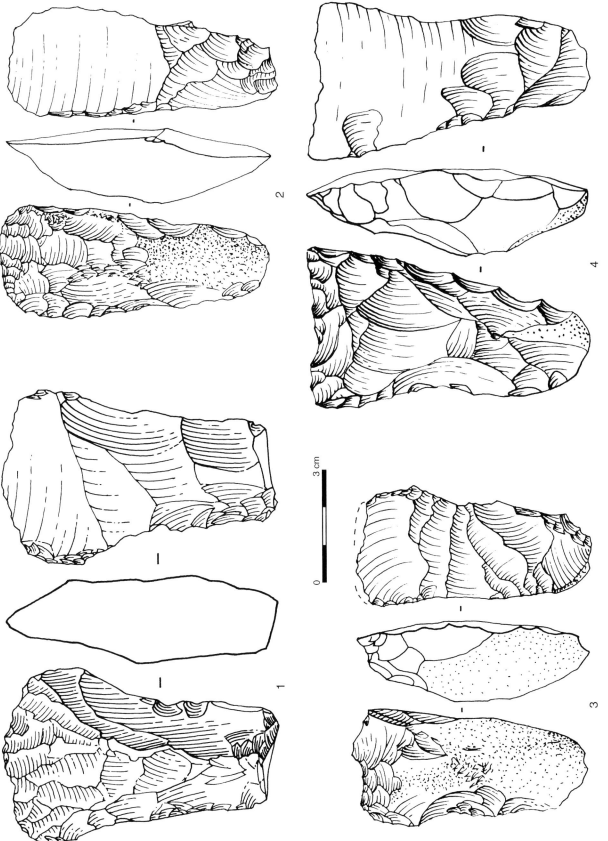

Fig. 1 - *Hasīyet ʿAbīd : haches/herminettes en silex.*

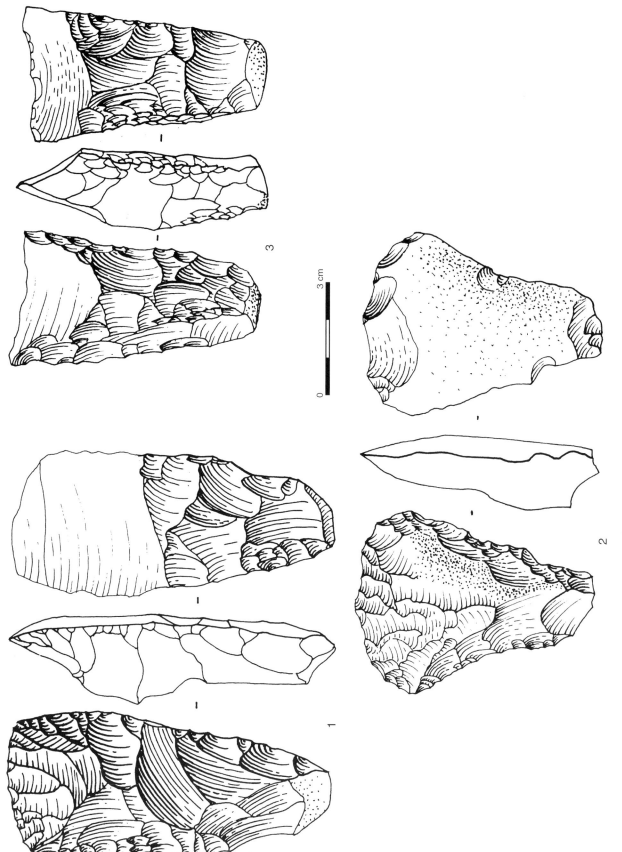

Fig. 2 - Hasīyet 'Abīd : haches/herminettes en silex.

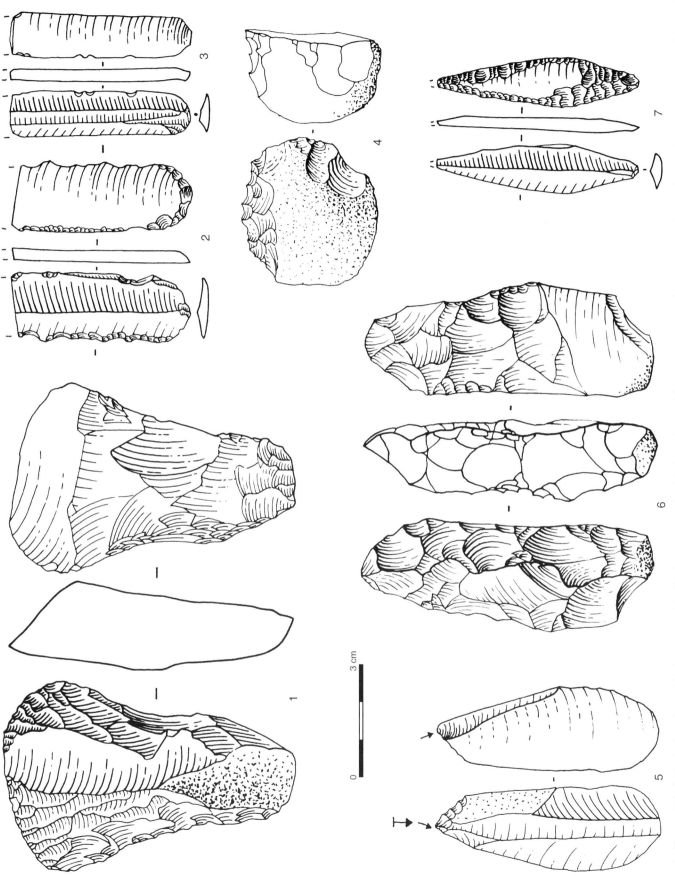

Fig. 3 - *Hasīyet 'Abīd : hache/herminette (1), lame retouchée (2), fragment proximal de lame étroite débitée par pression (3), grattoir surélevé (rabot, 4), burin sur troncature oblique (5), pic (6), flèche losangique (7).*

Fig. 4 - Haches/herminettes de Hasîyet 'Abîd.

Annexe 2. Le matériel archéologique

Jean-Yves Monchambert

LE MATÉRIEL CÉRAMIQUE

Remarques préliminaires

Le présent catalogue contient 1 757 numéros d'inventaire. Ce nombre est le résultat de deux contraintes, dues l'une aux conditions du ramassage, l'autre au matériel lui-même, mais aussi de choix de notre part.

Première contrainte : les conditions du ramassage

Les conditions dans lesquelles s'est effectuée la prospection n'ont pas permis de réaliser une collecte extensive ni « sélective »[1] du matériel, ni d'apprécier de façon systématique les densités en surface[2]. L'urgence provoquée par l'avancée rapide des travaux d'aménagement de la vallée jointe à la durée relativement courte des missions sur le terrain ne nous permettait pas de rester sur chaque site aussi longtemps ni d'y revenir aussi souvent qu'il aurait été nécessaire pour utiliser une méthode plus élaborée. Le ramassage des tessons a été effectué de façon aléatoire, en général à deux personnes.

De plus, certains sites sont partiellement, parfois même entièrement, réoccupés par des villages modernes. Le matériel peut y être rare, voire non visible, et le ramassage y être difficile.

L'échantillonnage est donc pour un grand nombre de sites quantitativement limité, ce qui n'est pas sans soulever un problème de représentativité.

Deuxième contrainte : l'absence relative de fabriques ou de formes vraiment significatives et datables

Cette lacune ne permettait pas d'utiliser le système retenu dans la Diyala et à Uruk par R. Mc Adams, et à Kish par McGuire Gibson[3]. Limiter le matériel publié à la seule sélection de quelques formes diagnostiques, prises comme indicateurs chronologiques de l'occupation des sites de la vallée, n'aurait pas donné de résultats probants.

Plusieurs explications à cette absence de matériel discriminant peuvent être avancées :

L'absence de contexte lié à du matériel de prospection

Ce type de matériel est, comme dans toute prospection, détaché de tout contexte ; le nombre de sites « mono-périodes » qui auraient permis, en l'absence de fouilles ou de sondages, de dégager des ensembles cohérents pouvant servir de référence est considérablement limité ; en effet, les possibilités d'implantation de l'habitat dans cette vallée, occupée de façon presque permanente depuis le Néolithique, étaient limitées par l'étroitesse de la vallée, les déplacements continuels du fleuve, la topographie, etc., de sorte que les sites les plus favorables ont été en général réoccupés. Ces sites « multi-périodes », relativement nombreux, sont aussi ceux où la détermination des différentes phases d'occupation est la plus difficile.

La nature du matériel

La céramique ramassée à la surface des sites est le plus souvent du matériel commun qui s'est altéré en raison des intempéries et du passage des troupeaux. Les fragments, piétinés par les moutons, soumis au vent et à la pluie, ont été brisés et sont souvent trop petits pour pouvoir être identifiés. Leur surface est souvent érodée, ne permettant plus de voir leur traitement ou leur éventuel décor.

La « qualité » des productions

À la petite taille des tessons retrouvés ou à leur mauvais état de conservation s'ajoute la « qualité » même des productions. Les sites retrouvés sont, pour la plupart, des installations rurales. La céramique de luxe ou importée, plus significative en elle-même et meilleur marqueur

---

1 - Nous appelons ici « extensive » une collecte qui consiste en un ramassage complet et systématique de tout le matériel de surface. La méthode qualifiée de « sélective » aurait, quant à elle, consisté à réaliser un premier échantillonnage, puis à procéder à un ou plusieurs ramassages ultérieurs « sélectifs » afin de compléter cette base.

2 - En procédant, par exemple, au ramassage selon un carroyage plus ou moins serré.

3 - Pour la Diyala, Adams 1965 ; pour Uruk, Adams et Nissen 1972 et pour Kish, Gibson 1972.

chronologique, y est donc rare. L'essentiel du matériel est constitué par de la céramique commune, plus difficilement identifiable, dont les formes, en général plus simples, évoluent peu et lentement. Certaines d'entre elles sont ainsi attestées sur de longues périodes ou à des périodes différentes ; en l'absence de caractéristiques particulières concernant la pâte, il n'est pas possible de les dater précisément. Dans ce cas, c'est par la combinaison de plusieurs formes, plus ou moins caractéristiques, que des assemblages à peu près cohérents peuvent être constitués et que, par suite, des datations peuvent être proposées.

L'absence de données comparatives de proximité vraiment fiables

Le matériel de cette région est assez mal connu, en dehors de quelques exceptions comme celui du Bronze ancien et du Bronze moyen avec le site de Tell Hariri/Mari (**1**). Plusieurs sites ont fait l'objet de fouilles ou de sondages, mais, en général, le matériel concernant les époques historiques n'a pas été publié — comme à Tell es Sinn (**29**), à Tell Abu Hasan (**9**), dont le sondage n'a donné lieu qu'à quelques lignes — ou de façon succincte (El 'Ashāra/Terqa [**54**]) ou parfois avec une documentation graphique peu exploitable (Qal'at es Sālihīye/Doura-Europos, **22**[4]). Il a fallu attendre ces dernières années pour voir paraître des études céramiques détaillées, sinon de grande proximité, du moins géographiquement voisines : ainsi, pour le Bronze moyen, à Haradum en Iraq, où la documentation vient utilement compléter le matériel connu à Mari, et surtout pour le Bronze récent avec l'étude de P. Pfälzner sur la céramique de deux sites de la vallée du Khābūr, Tall Šēḫ Ḥamad et Tell Bdēri[5].

Pour certaines époques, l'absence quasi complète de comparaisons proches a rendu nécessaire le recours à des comparaisons plus éloignées, et donc moins fiables.

Les choix

N'est publiée dans cette étude que la céramique pré-islamique. Le matériel de la période islamique est inclus dans la publication de S. Berthier[6], qui est exclusivement consacrée à la céramique de la vallée après l'avènement de l'islam. Dans quelques cas toutefois, il a été difficile de faire une distinction nette entre ce qui relevait de cette dernière et le matériel plus ancien, en particulier pour des sites occupés à l'époque romaine tardive et, semble-t-il, sans rupture d'occupation au VIIe s. La transition romain tardif/umayyade n'est, en effet, pas encore claire[7] et le matériel céramique, surtout lorsqu'il est retrouvé en petite quantité, ne peut pas toujours être classé. Aussi, il n'est pas impossible que

certains tessons présentés dans ce catalogue relèvent de la période islamique.

La difficulté d'identifier avec certitude et de dater une quantité relativement importante de fragments de céramiques et, en conséquence, le manque de fiabilité d'un certain nombre des datations proposées nous ont amené à privilégier la documentation graphique et à mettre à la disposition des lecteurs la plus grande quantité possible du matériel ramassé et conservé[8], même lorsque sa datation est incertaine. De plus, dans leur grande majorité, les sites repérés à l'occasion de cette prospection ne seront jamais revisités et ne feront plus l'objet d'une étude précise. Les travaux d'aménagement hydro-agricole entrepris dans la vallée qui ont entraîné l'extension de notre prospection prévoyaient la destruction d'un certain nombre d'entre eux, et pas seulement des plus petits. De nombreuses carrières, repérées sur les sites installés sur des lambeaux de terrasses anciennes riches en galets, ont déjà provoqué des dommages importants. Il s'agit donc de fournir pour ces sites, voués à disparaître — et quelques-uns ont déjà irrémédiablement disparu — la documentation la plus exhaustive possible.

Est donc publié le maximum de fragments « typiques ». Sont considérés comme tels des tessons qu'en raison d'une caractéristique particulière, il est possible d'identifier, et donc, dans une certaine mesure, de dater. Ces caractéristiques peuvent être la forme (profil complet, fragment de bord, de fond, anse), la présence, même sur un tesson « informe », d'un décor, la texture et/ou le traitement de la surface. Cependant, le nombre de fonds, ou fragments de fonds, est restreint, en raison de leur caractère généralement peu discriminant.

Enfin, dans le cas de formes répétitives ou très fortement apparentées, nous avons procédé à une sélection des profils les plus signifiants.

Les limites de l'interprétation chronologique

Deux écueils ont été précédemment mis en évidence : la fiabilité de l'échantillonnage en raison de son caractère quantitativement limité ; la fiabilité des datations proposées à cause des difficultés à les établir. Ils soulignent les limites de l'interprétation chronologique qui pourra être faite à partir de ce matériel, limites inhérentes en fait à toute prospection.

En effet, le risque de distorsion entre l'image de l'occupation d'un site telle que peut la révéler le ramassage de surface et la réalité de cette occupation dans le passé est important. De fait, des occupations ponctuelles ou de faible densité peuvent être entièrement occultées, ainsi que des phases pour lesquelles le matériel est difficile à identifier. La dynamique de l'occupation des sites ne pourra donc être appréciée à sa juste valeur, en raison des difficultés à cerner

---

4 - DYSON 1968.
5 - PFÄLZNER 1995.
6 - BERTHIER sous presse.

7 - Voir à ce sujet SODINI et VILLENEUVE 1992, ORSSAUD 1992.
8 - Nous avons choisi aussi de publier à nouveau le matériel qui a été présenté dans le rapport préliminaire (GEYER et MONCHAMBERT 1987 a et b).

dans leur totalité les phases d'expansion, de récession et d'abandon de chacun d'entre eux.

Par voie de conséquence, l'image de l'occupation de la vallée qui pourra être reconstituée à partir de l'étude du matériel de la prospection risque d'être légèrement déformée, sans être pour autant fausse. Il s'agira en fait d'une image partielle. Seuls des sondages ou des fouilles permettraient de s'en faire une vision plus proche de la réalité.

DONNÉES COMPARATIVES ET CRITÈRES DE DATATION PAR PÉRIODES

Malgré les difficultés à dater le matériel céramique qui viennent d'être évoquées, il est possible de s'appuyer sur des données comparatives relativement fiables, de déterminer un certain nombre de critères de datation et d'isoler quelques fabriques ou formes particulières comme indicateurs chronologiques.

Le matériel d'époque **chalcolithique** recèle plusieurs indicateurs fiables, que ce soit la céramique peinte caractéristique des périodes de Samarra, Halaf et Obeid, suffisamment significative pour être aisément identifiée, ou, pour la période d'Uruk, la fabrique tout à fait reconnaissable que constituent les écuelles grossières, dites *BRB* (*Bevelled-Rim Bowls*). Les comparaisons sont à rechercher notamment sur les sites éponymes [9], mais surtout à Brak [10], Gawra [11], Ḥabūba Kabira Sud [12], Karrana [13], ainsi que dans la zone du moyen Khābūr, pour laquelle les résultats de la campagne de sauvetage ne sont malheureusement encore que très partiellement publiés.

Des comparaisons d'ordre régional peuvent être effectuées pour le **Bronze ancien**. En effet, pour le troisième millénaire, le matériel peut essentiellement être mis en rapport avec celui trouvé à Mari et publié par M. Lebeau [14]. Les distinctions entre les différentes phases du Bronze ancien n'ont pu être étudiées de façon précise dans le cadre de la publication de cette prospection. Plusieurs types céramiques caractéristiques pourtant attestés à Mari [15] n'ont pas été retrouvés sur les autres sites de la vallée, ou de façon si fragmentaire et unique qu'ils ont pu échapper à notre sagacité ; ainsi, la céramique Ninivite 5, bon indicateur pour la transition Uruk/Bronze ancien, n'a été repérée qu'une seule fois (site n° **83**) ; la céramique « métallique » n'a été identifiée que deux fois (site n° **109**) ; aucun fragment de *Scarlet Ware* n'a été trouvé.

C'est encore Mari [16] qui est à la base des comparaisons pour le **Bronze moyen**, complété par la céramique de Haradum [17] (Khirbet ed-Diniye), site sur l'Euphrate à 90 km environ en aval de Mari, ou par celle de Terqa [18]. Plusieurs formes sont typiques de cette période, en particulier des bouteilles ovoïdes à col haut et à lèvre à double ressaut sur la face externe, caractéristiques du Bronze moyen II, ainsi que des cratères et jarres à lèvre à double ou triple ressaut sur la face externe.

Jusqu'aux publications récentes du matériel d'Imlihiye et de Zubeidi [19], et surtout de celui, géographiquement plus proche, du Khābūr en provenance de Bdēri pour l'époque mitannienne et de Tall Šēḫ Ḥamad pour la période médio-assyrienne [20], la céramique du **Bronze récent** restait quasi inconnue. Les récipients les mieux connus permettant le meilleur diagnostic pour cette période sont plutôt de tradition babylonienne, comme, d'une part, un vase gobelet, caractéristique par sa partie inférieure tronconique et sa base légèrement annulaire, fort bien attesté en Mésopotamie méridionale, et, d'autre part, un bol à paroi carénée [21].

La céramique d'époque **néo-assyrienne** n'est connue que par des sites géographiquement éloignés. Le site publié le plus proche est 'Āna [22], mais le matériel y est peu abondant et apparemment mélangé avec du matériel plus ancien [23]. En fait, les sites de référence sont ceux de l'Assyrie, Assur [24], Fort Shalmaneser [25], Nimrud [26] et surtout désormais les deux sites de Qasrij Cliff et de Khirbet Qasrij [27]. Certaines formes fournissent un bon diagnostic : ainsi, les bols carénés à lèvre épaissie légèrement étirée vers l'extérieur ou à lèvre épaissie et étirée vers l'intérieur ou encore les jarres à lèvre épaissie à bourrelet extérieur. La céramique très fine n'est pas représentée.

La céramique des époques **néobabylonienne**, puis **achéménide** est fort mal connue ; un certain nombre de formes assyriennes se prolongent, comme le laisse voir le matériel publié de Nippur [28]. Les dessins de la publication du matériel d'Ur [29] ne sont guère exploitables. La fabrique très fine connue sous le nom de *Eggshell Ware* est trop fragile pour être retrouvée dans une prospection, sauf cas extraordinaire. Nous n'avons pu isoler de céramique datable de ces époques.

Pour les époques « classiques » (**hellénistique**, **romaine** et **parthe**), la céramique retrouvée à Doura-Europos devrait permettre d'identifier le matériel contemporain. Malheureusement, en ce qui concerne la

9 - LLOYD 1948.
10 - OATES J. 1985.
11 - SPEISER 1935 ; TOBLER 1950.
12 - SÜRENHAGEN 1978.
13 - ROVA 1993.
14 - Notamment LEBEAU 1985 a et 1987 b.
15 - LEBEAU 1985 a, p. 94.
16 - LEBEAU 1983 a et 1987 a.
17 - KEPINSKI-LECOMTE 1992.
18 - KELLY-BUCCELLATI et SHELBY 1977 ; TASSIGNON 1997.
19 - BOEHMER et DÄMMER 1985.

20 - PFÄLZNER 1995.
21 - PONS et GASCHE 1996.
22 - KILLICK 1988.
23 - Observations de PONS et GASCHE 1996, p. 291-292.
24 - HALLER 1954.
25 - OATES J. 1959.
26 - LINES 1954.
27 - CURTIS 1989.
28 - McCOWN et HAINES 1967.
29 - WOOLLEY 1965.

première période, la publication de Dyson est extrêmement succincte [30] et les nouvelles recherches entreprises n'en sont encore qu'à leurs débuts [31]. Pour les premiers siècles de notre ère, les dessins publiés par S. L. Dyson [32], bien qu'utiles, ne sont dans leur ensemble pas très exploitables en raison des conventions graphiques adoptées ; les groupements morphologiques des figures 15 à 20, *a priori* plus explicites, sont à une échelle trop petite et les vases qu'ils présentent ne sont pas repris dans le catalogue. Des rapprochements intéressants sont possibles avec le matériel de Sabra [33], mais la publication ne distingue quasiment pas ce qui relève des époques séleucide d'une part, parthe de l'autre. D'autres sites comme Halaf [34] ou Nimrud [35] permettent quelques comparaisons. La céramique hellénistique vernissée, importée, fournit un bon diagnostic, mais les fragments retrouvés sont inexistants, en dehors d'une seule imitation de « plat à poisson ». Pour l'époque romaine, les fragments de sigillée n'ont été retrouvés qu'en quantité infime. Le meilleur indicateur s'avère être la céramique côtelée (*Brittle Ware*), pour laquelle la publication de Doura-Europos s'est encore révélée peu commode.

Toutefois, cette céramique, abondante à Doura-Europos au IIIe s. apr. J.-C., se prolonge pendant toute la période romaine tardive ou protobyzantine et même au-delà, jusqu'à l'époque abbasside. Compte tenu de l'état très fragmentaire des trouvailles, et même si l'on peut observer une certaine évolution des formes et de la facture, son utilisation diagnostique se doit d'être prudente. Il semble, d'après les observations faites sur plusieurs sites [36] et notamment à Resafa [37], que l'argile soit plus poreuse et la surface plus rugueuse à l'époque romaine qu'à l'époque islamique.

En revanche, son association avec deux types caractéristiques, la *Late Roman C Ware* et la « céramique peinte nord-syrienne », est un indicateur fiable pour l'époque romaine tardive. La sigillée tardive (*Late Roman C*), commune en Méditerranée orientale à partir du IVe s., devient prédominante dans la deuxième moitié du Ve et jusqu'au VIIe s. [38]. La seconde catégorie, déjà reconnue par F. Sarre [39], est parfois appelée *Scroll Painted Carinated Ware* [40] en raison de sa forme et de son décor spécifiques : il s'agit en effet d'amphores carénées dont l'épaule est décorée de motifs ornementaux, généralement des cercles ou des spirales, peints en brun-noir ou brun-rouge et dont la carène est soulignée par une bande peinte horizontale ; ces amphores ont un col à lèvre légèrement épaissie avec une rainure ou une gorge. Il s'agit d'une fabrique typique de la Syrie intérieure septentrionale aux Ve et VIe s. [41], d'où son appellation « céramique peinte nord-syrienne ». Aucune de ces deux fabriques ne semble perdurer à l'époque islamique.

BIBLIOGRAPHIE

ADAMS R. McC.
1965   *Land behind Baghdad. A History of Settlement on the Diyala Plains*, Chicago.
1981   *Heartland of Cities: Surveys of Ancient Settlements and Land Use on the Central Floodplain of the Euphrates*, Chicago.

ADAMS R. McC., NISSEN H. J.
1972   *The Uruk Countryside*, Chicago.

ALABE F.
1992   La céramique de Doura-Europos, *Syria* LXIX, p. 49-63.

ANDRAE W., LENZEN H. J.
1933   *Die Partherstadt Assur*, WVDOG 57.

BERNBECK R.
1993   *Steppe als Kulturlandschaft. Das 'Aǧīǧ-Gebiet Ostsyriens vom Neolithikum bis zur islamischen Zeit*, Dietrich Reimer Verlag, Berlin.

BERTHIER S.
sous pr.   *La céramique villageoise de la moyenne vallée de l'Euphrate à l'époque islamique (fin VIIe-XIVe s., Syrie). Index typologique*, 2 vol., IFEAD, Damas.

BOEHMER R. M., DÄMMER H.-W.
1985   *Tell Imlihiye, Tell Zubeidi, Tell Abbas*, Ph. von Zabern, Mainz.

CAMPBELL B.
1989   The Roman Pottery from Seh Qubba, North Iraq, in D. H. French, C. S. Lightfoot, *The Eastern Frontier of the Roman Empire*, Proceedings of a Colloquium held at Ankara in September 1988, BAR International Series 553, p. 53-65.

CAMPBELL THOMPSON R., MALLOWAN M. E. L.
1933   The British Museum Excavations at Nineveh, 1931-32, *Annals of Archaeology and Anthropology* 20, p. 71-186.

CANS R.
1938   Les fouilles de la mission archéologique de Mari (Syrie), *L'Architecture* 51, p. 353-360.

CINTI LUCIANI S.
1993   The Late Pottery from Tell Jikan and Tell Khirbet Salih, in G. Wilhelm, C. Zaccagnini, *Tell Karrana 3, Tell Jikan, Tell Khirbet Salih*, Baghdader Forschungen 15, Ph. von Zabern, Mainz am Rhein, p. 279-292.

CURTIS J.
1989   *Excavations at Qasrij Cliff and Khirbet Qasrij*, British Museum Publications, London.

DEBEVOISE N. C.
1934   *Parthian Pottery from Seleucia on the Tigris*, Ann Arbor.

---

30 - DYSON 1968.
31 - ALABE 1992.
32 - DYSON 1968.
33 - TUNCA 1987.
34 - HROUDA 1962.
35 - OATES D. 1968.
36 - Par exemple, Dibsi Faraj (HARPER 1980), 'Āna (NORTHEDGE 1988), Doura-Europos (DYSON 1968), Ain Sinu (OATES D. 1968).

37 - KONRAD 1992.
38 - HAYES 1972.
39 - SARRE 1920, p. 8.
40 - WILKINSON 1990.
41 - On en trouve de nombreuses attestations à Resafa et dans ses alentours (MACKENSEN 1984 et KONRAD 1992), mais aussi sur le moyen Euphrate à Dibsi Faraj (HARPER 1980) et dans le bassin du Karababa en Turquie (WILKINSON 1990).

DELOUGAZ P.
1952   *Pottery from the Diyala Region*, OIP 63, Chicago.

DUDA D.
1978   Die Keramik aus dem Gebiet des Gareus-Tempels, *UVB* 28, p. 46-56.

DU MESNIL DU BUISSON R.
1948   *Baghouz, l'ancienne Corsôté. Le tell archaïque et la nécropole de l'âge du Bronze*, Brill, Leiden.

DYSON S. T.
1968   *The Commonware Pottery. The Brittle Ware*, New Haven.

FRIIS JOHANSEN C.
1971   Les terres sigillées orientales, in A. Papanicolaou Christensen et C. Friis Johansen, *Hama, Fouilles et recherches 1931-1938, III 2. Les poteries hellénistiques et les terres sigillées orientales*, Copenhague, p. 55-204.

GASCHE H.
1971   Premières recherches archéologiques, in L. De Meyer, H. Gasche, R. Paepe, *Tell ed-Der I. Rapport préliminaire sur la première campagne (février 1970)*, Louvain, p. 29-51.

1978   Le sondage A : l'Ensemble I, in L. De Meyer (éd.), *Tell ed-Der II*, Louvain, p. 57-131.

GEYER B., MONCHAMBERT J.-Y.
1987 a   Une nécropole à es-Susa, basse vallée de l'Euphrate syrien, *MARI* 5, p. 275-291.

1987 b   Prospection de la moyenne vallée de l'Euphrate : rapport préliminaire : 1982-1985, *MARI* 5, p. 293-344.

GIBSON (McGuire)
1972   *The City and Area of Kish*, Miami.

GUT R. V.
1995   *Das Prähistorische Ninive. Zur relativen Chronologie der frühen Perioden Nordmesopotamiens*, Ph. von Zabern, Mainz.

HAERINCK E.
1980   Les tombes et les objets du sondage sur l'enceinte de Abu Habbah, in L. De Meyer (éd.), *Tell ed-Der III*, Louvain, p. 53-79.

HALLER A.
1954   *Die Gräber und Grüfte von Assur*, Verlag Gebr. Mann, Berlin.

HARPER R. P.
1980   Athis - Neocaesaria - Qasrin - Dibsi Faraj, in J.-Cl. Margueron (éd.), *Le moyen Euphrate. Zone de contacts et d'échanges*, actes du colloque de Strasbourg, 10-12 mars 1977, Brill, Leiden, p. 327-348.

HAYES J. W.
1972   *Late Roman Pottery*, Londres.

HENNESSY J. B.
1970   Excavations at Samaria-Sebaste, 1968, *Levant* 2, p. 1-21.

HIJJARA
1997   *The Halaf Pottery in Northern Mesopotamia*, Londres.

HOLE F., JOHNSON G. A.
1986-1987   Umm Qseir on the Khabur. Preliminary Report on the 1986 Excavation, *AAAS* 36-37, p. 172-220.

HOLLAND T. A.
1976   Preliminary Report on Excavations at Tell Sweyhat, Syria, 1973-4, *Levant* 8, p. 36-70.

1977   Preliminary Report on Excavations at Tell Sweyhat, Syria, 1975, *Levant* 9, p. 36-65.

1980   Incised Pottery from Tell Sweyhat, Syria and its Foreign Connections, in J.-Cl. Margueron (éd.), *Le Moyen-Euphrate. Zone de contacts et d'échanges*, actes du colloque de Strasbourg, 10-12 mars 1977, Brill, Leiden, p. 127-157.

HROUDA B.
1961   Tell Fechērīje. Die Keramik, *ZA*, Neue Folge, 20, p. 201-239.

1962   Tell Halaf IV. Die Kleinfunde aus historischen Zeit in M.F. von Oppenheim, *Der Tell Halaf*, Berlin.

KAMPSCHULTE I., ORTHMANN W.
1984   *Gräber des 3. Jahrtausends v. Chr. im syrischen Euphrattal. I. Ausgrabungen bei Tawi 1975 und 1978*, Saarbrücker Beiträge zur Altertumskunde, Bd 38, R. Habelt, Bonn.

KANTOR H. J.
1958   The Pottery, in C. W. McEwan *et al.*, *Soundings at Tell Fakhariyah*, OIP 79, Chicago, p. 21-41.

KELLY-BUCCELLATI M., SHELBY W. R.
1977   A Typology of Ceramics Vessels of the Third and Second Millenia from the First Two Seasons, *Terqa Preliminary Reports* 4, SMS 1/6, Malibu, p. 1-56.

KEPINSKI-LECOMTE C.
1992   *Haradum I. Une ville nouvelle sur le Moyen Euphrate (XVIIIᵉ-XVIIᵉ siècles av. J.-C.)*, ERC, Paris.

KILLICK R.
1988   Pottery from the Neo-assyrian to Early Sasanian Periods, in A. Northedge, A. Bamber, M. Roaf, *Excavations at 'Āna*, Aris & Phillips Ltd, Warminster, p. 54-75.

KONRAD M.
1992   Flavische und spätantike Bebauung unter der Basilika B von Resafa-Sergiupolis, *Damaszener Mitteilungen* 6, p. 313-402.

KÜHNE H.
1976   *Die Keramik vom Tell Chuēra und ihre Beziehungen zu Funden aus Syrien-Palästina, der Türkei und dem Iraq*, Berlin.

LAPP P. W.
1961   *Palestinian Ceramic Chronology 200 BC–AD 70*, New Haven.

LEBEAU M.
1983 a   Mari 1979. Rapport préliminaire sur la céramique du chantier A, *MARI* 2, p. 165-193.

1983 b   *La céramique de l'âge du Fer II-III à Tell Abou Danné et ses rapports avec la céramique contemporaine en Syrie*, ERC, Paris.

1984   La céramique du tombeau IXQ50-SE.T6 de Mari, *MARI* 3, p. 217-221.

1985 a   Rapport préliminaire sur la séquence céramique du chantier B de Mari (IIIᵉ millénaire), *MARI* 4, p. 93-126.

1985 b   Rapport préliminaire sur la céramique du Bronze Ancien IVa découverte au « Palais Présargonique 1 » de Mari, *MARI* 4, p. 127-136.

1987 a   Rapport préliminaire sur la céramique paléo-babylonienne du chantier E de Mari, *MARI* 5, p. 443-462.

1987 b   Rapport préliminaire sur la céramique des premiers niveaux de Mari (chantier B 1984), *MARI* 5, p. 415-442.

1990 a   La céramique du tombeau 300 de Mari (Temple d'Ishtar), *MARI* 6, p. 349-374.

Lebeau M.
1990 b   La céramique du tombeau IVR2-SE.T7 de Mari (Chantier A, Palais oriental), *MARI* 6, p. 375-384.

Le Mière M.
1983   Pottery and White Ware, in P.A. Akkermans *et al.*, *Bouqras Revisited: Preliminary Report on a Project in Eastern Syria*, *Proceedings of the Prehistoric Society* 49, p. 351-354.

Lines J.
1954   Late Assyrian Pottery from Nimrud, *Iraq* 16, p. 164-167.

Lloyd S.
1948   Uruk Pottery. A Comparative Study in Relation to Recent Finds at Eridu, *Sumer* 4, p. 39-51.

Lloyd S., Safar F.
1943   Tell Uqair, *JNES* 2, p. 132-158.
1945   Tell Hassuna. Excavations by the Iraq Government Directorate General of Antiquities in 1943 and 1944, *JNES* 4, p. 255-284.

Mackensen M.
1984   *Resafa I. Eine befestigte spätantike Anlage vor den Stadtmauern von Resafa*, Mainz.

Mallowan M. E. L.
1933   The Prehistoric Sondage of Nineveh, 1931-1932, *AJA* 23, p. 127-177.
1936   The Excavations at Tall Chagar Bazar, and an Archaeological Survey of the Habur Region, 1934-5, *Iraq* 3, p. 1-86.

Maréchal C.
1982   Vaisselles blanches du Proche-Orient : El Kowm (Syrie) et l'usage du plâtre au néolithique, *Cahiers de l'Euphrate* 3, p. 217-251.

McCown D. E., Haines R.
1967   *Nippur. I. Temple of Enlil, Scribal Quarter and Soundings*, OIP 78, Chicago.

Monchambert J.-Y.
1990   Un tesson inscrit à Es-Saiyal, *MARI* 6, p. 645-646.

Northedge A.
1988   Middle Sasanian to Islamic Pottery and Stone Vessels, in A. Northedge, A. Bamber, M. Roaf, *Excavations at 'Āna*, Aris & Phillips Ltd, Warminster, p. 76-114.

Oates D.
1968   *Studies in the Ancient History of Northern Iraq*, Oxford University Press, Londres.

Oates J.
1959   Late Assyrian Pottery from Fort Shalmaneser, *Iraq* 21, p. 130-146.
1982   Some Late Early Dynastic III Pottery from Tell Brak, *Iraq* 44, p. 205-219.
1985   Tell Brak: Uruk Pottery from the 1984 Season, *Iraq* 47, p. 175-186.

Orssaud D.
1980   La céramique, in J.-P. Sodini *et al.*, Déhès (Syrie du Nord), Campagnes I-III (1976-1978). Recherches sur l'habitat rural, *Syria* LVII, p. 234-266.
1991   Notice sur la céramique, in J. Lauffray (éd.), *Ḥalabiyya-Zenobia, Place forte du limes oriental et la Haute-Mésopotamie au vi*ᵉ *siècle. T. II, L'architecture publique, religieuse, privée et funéraire*, BAH CXXXVIII, Paris, p. 260-275.

1992   Le passage de la céramique byzantine à la céramique islamique : quelques hypothèses à partir du mobilier de Déhès, in P. Canivet et J.-P. Rey-Coquais (éd.), *La Syrie de Byzance à l'Islam, vii*ᵉ*-viii*ᵉ *siècles*, actes du colloque international, Lyon-Maison de l'Orient méditerranéen, Paris-Institut du monde arabe, 11-15 septembre 1990, Damas, p. 219-228.

Orthmann W.
1981   *Halawa 1977-1979*, Bonn.

Papanicolaou Christensen A.
1971   Les poteries hellénistiques, in A. Papanicolaou Christensen, C. Friis Johansen, *Hama, Fouilles et recherches 1931-1938, III 2. Les poteries hellénistiques et les terres sigillées orientales*, Copenhague, p. 1-54.
1986   Les lampes hellénistiques, romaines et byzantines, in A. Papanicolaou Christensen, R. Thomsen, G. Ploug, *Hama, Fouilles et recherches 1931-1938, III 3. The Graeco-Roman Objects of Clay, the Coins and the Necropolis*, Copenhague, p. 32-52.

Parrot A.
1938   Les fouilles de Mari : quatrième campagne (hiver 1936-1937), *Syria* XIX, p. 1-29.
1956   *Mission archéologique de Mari, I, Le Temple d'Ishtar*, BAH LXV, Paris.
1959   *Le Palais, Documents et monuments*, Mission archéologique de Mari, II, 3, BAH 70, Paris.

Pfälzner P.
1995   *Mittanische und mittelassyrische Keramik. Eine chronologische, funktionale und produktions-ökonomische Analyse*, Dietrich Reimer Verlag, Berlin.

Pons N., Gasche H.
1996   Du cassite à Mari, in H. Gasche et B. Hrouda, *Collectanea Orientalia. Histoire, arts de l'espace et industrie de la terre, Études offertes en hommage à Agnès Spycket*, CPOA 3, Neuchâtel, Paris, p. 287-298.

Ricciardi Venco R.
1982   La ceramica partica, in P.-E. Pecorella (éd.), *Tell Barri/Kahat*, p. 55-75.

Roaf M.
1983   A Report on the Work of the British Archaeological Expedition in the Eski Mosul Dam Salvage Project from November 1982 to June 1983, *Sumer* 39, p. 68-82.

Roodenberg
1979-1980   Sondage des niveaux néolithiques de Tell es-Sinn, *Anatolica* 7, p. 21-33.

Rova E.
1993   Pottery, in G. Wilhelm et C. Zaccagnini, *Tell Karrana 3, Tell Jikan, Tell Khirbet Salih*, Baghdader Forschungen 15, Ph. von Zabern, Mainz am Rhein, p. 37-136.

Sarre F.
1920   Die Keramik im Euphrat- und Tigris-Gebiet, in F. Sarre et E. Herzfeld, *Archäologische Reise im Euphrat- und Tigris-Gebiet, Bd IV*, Berlin.

Sarre F., Herzfeld E.
1911   *Archäologische Reise im Euphrat- und Tigris-Gebiet, Bd I*, Berlin.

Schmidt H.
1943   *Tell Halaf I. Die prähistorischen Funde*, De Gruyter, Berlin.

SIMPSON K.

1983   *Stability Patterns on the Margins of Mesopotamia: Stability and Change along the Middle Euphrates, Syria*, Dissertation for the PhD, University of Arizona .

SODINI J.-P., TATE G., BAVANT B. et S., BISCOP J.-L., ORSSAUD D.

1980   Déhès (Syrie du Nord), Campagnes I-III (1976-1978). Recherches sur l'habitat rural, *Syria* LVII, p. 1-304.

SODINI J.-P., VILLENEUVE E.

1992   Le passage de la céramique byzantine à la céramique omeyyade en Syrie du Nord, en Palestine et en Transjordanie, in P. Canivet et J.-P. Rey-Coquais (éd.), *La Syrie de Byzance à l'Islam, VIIᵉ-VIIIᵉ siècles*, actes du colloque international, Lyon-Maison de l'Orient méditerranéen, Paris-Institut du monde arabe, 11-15 septembre 1990, Damas, p. 195-218.

SPEISER E. A.

1935   *Excavations at Tepe Gawra. Vol. I. Levels I-VIII*, Philadelphia.

STROMMENGER E.

1967   *Gefässe aus Uruk von dem neubabylonischen Zeit bis zu den Sassaniden*, Berlin.

SÜRENHAGEN D.

1978   Keramikproduktion in Ḥabūba Kabira-Süd. Untersuchungen zur Keramikproduktion innerhalb der Spät-Urukzeitlichen Siedlung Ḥabūba Kabira-Süd in Nordsyrien, *Acta praehistorica et archaeologica* 5/6, Verlag Bruno Hessling, Berlin, p. 43-164.

TAHA A.

1991   Prospection du site romain tardif de Juwal (cuvette d'El Kown, Syrie), *Cahiers de l'Euphrate* 5-6, p. 61-66.

TASSIGNON I.

1997   Terqa : rapport préliminaire (1987-1989). La poterie des campagnes de 1988 et 1989, *MARI* 8, p. 125-140.

TEFNIN R.

1980   Deux campagnes de fouilles au Tell Abou Danné (1975-1976), in J.-Cl. Margueron (éd.), *Le Moyen Euphrate. Zone de contacts et d'échanges*, actes du colloque de Strasbourg, 10-12 mars 1977, Brill, Leiden, p. 179-199.

1983   Aperçu sur neuf campagnes de fouilles belges aux Tells Abou Danné et Oumm el-Marra (1975-1983), *AAAS* XXXIII-2, p. 141-152.

TOBLER A. J.

1950   *Excavations at Tepe Gawra. Vol. II. Levels IX-XX*, Philadelphia.

TOLL N. P.

1943   *The Excavations at Dura-Europos. Final Report IV, Part I, 1, The Green Glazed Pottery*, New Haven.

1946   *The Excavations at Dura-Europos. Preliminary Report of the Ninth Season of Work 1935-1936. Part II, The Necropolis*, New Haven.

TUNCA Ö.

1987   La poterie, in Ö. Tunca, *Tell Sabra*, Akkadica Supplementum 5, Peeters, Louvain, p. 55-90.

WILKINSON T. J.

1990   *Town and Country in Southeastern Anatolia, vol. I, Settlement and Land Use at Kurban Höyük and Other Sites in the Lower Karababa Basin*, OIP 109, Chicago.

WOOLLEY L.

1965   *The Kassite Period and the Period of the Assyrian Kings*, London.

PRÉSENTATION DU CATALOGUE

Le matériel céramique est présenté site par site, selon le numéro d'ordre qui leur a été attribué. Pour chacun d'entre eux, une petite notice introductive donne les principaux éléments concernant la céramique retrouvée et publiée ainsi que les datations proposées. Suit ensuite le catalogue lui-même, présenté de la façon suivante :

> **N° publication**   N° identification
> Catégorie ; dégraissant ; couleur de la pâte ; couleur et traitement de la surface ; décor éventuel.
> **Type de vase, type de fragment** ; observations éventuelles.
> Comparaisons (lieu, références, datation)

Abréviations

ligne 1 : n.i. = non illustré

dégraissant : dm = dégraissant minéral ; dv = dégraissant végétal (les dégraissants sont classés en cinq catégories en fonction de leur taille : 1 = très fin, quasi invisible ; 2 = fin ; 3 = assez fin ; 4 = moyen ; 5 = grosses inclusions, sous forme de petits cailloux supérieurs à 2 mm de diamètre ou de brins de paille de plus d'1 cm de longueur. Les indices de taille sont séparés par un « / ». Quand la quantité de dégraissant semble significative, elle est précisée par l'adjonction des signes « + » [abondant] et « ++ » [très abondant]).

Comparaisons : d'une façon générale, les indications sont données dans les termes mêmes (francisés) des publications dont elles sont tirées. Pour les datations, les principales abréviations sont les suivantes : ép. = époque ; mill. = millénaire ; BA = Bronze ancien ; BM = Bronze moyen ; BR = Bronze récent ; DA = Dynastique archaïque ; SE/PA = séleuco-parthe.

PLANCHES

Ce catalogue accompagne 121 planches, sur lesquelles figure la quasi-totalité de la céramique publiée. Seules les formes à profil « atypique » ne sont pas illustrées. D'une façon générale, la céramique est présentée par formes (ouvertes, puis fermées) sans prise en compte du critère chronologique, à quelques exceptions près dans le cas de lots bien identifiables. Tous les tessons n'étant pas datables, une présentation systématiquement chronologique n'était pas envisageable.

L'échelle de présentation est le 1/3. Les rares exceptions sont au 1/4 ; une échelle particulière se trouve alors dans la partie inférieure droite du vase ou à sa droite, à proximité du numéro.

CATALOGUE

Sites (pl. 1 à 118)

Site n° 1 - Tell Hariri.

Les phases d'occupation de ce site sont bien connues, depuis les fouilles d'A. Parrot et surtout celles de J.-Cl. Margueron. En l'absence d'une étude complète de la séquence céramique, il convient de se reporter aux publications de M. Lebeau (1983 a, 1984, 1985 a, 1985 b, 1987 a, 1987 b, 1990 a, 1990 b) et à celle de N. Pons et H. Gasche (1996). Nous ne publions aucune céramique ni aucun fragment dans le cadre de cette étude.

Site n° 2 - Tell Medkūk (pl. 1).

Neuf tessons ont été conservés sur la quinzaine qui a pu être retrouvée sur ce site, les autres étant des fragments informes de panses. Six d'entre eux sont des bords de grands vases fermés, qui ne sont pas sans rappeler les formes attestées à Mari et à Haradum aux XVIIIe-XVIIe s. Une datation au Bronze moyen, à une époque contemporaine de la Mari paléobabylonienne, est donc vraisemblable.

1   T2 C10
Céramique commune tournée ; dm 2 ; pâte rose ; surface beige, ravalée.
Vase ouvert, bord.

2   T2 C8
Céramique mi-fine tournée ; dm 1/2, dv 1/2 ; pâte verte ; surface verte, lissée.
Vase ouvert, bord.
Mari : LEBEAU 1983 a, fig. 1 : 2 ; 2 : 3 [XVIIIe-XVIIe s. av. J.-C.]

3   T2 C9
Céramique commune tournée ; dm 2/3 ; pâte rose ; surface beige, lissée.
Vase ouvert, bord.

4   T2 C3
Céramique commune tournée ; dm 2/3, dv 2/4+ ; pâte beige ; surface beige.
Vase fermé, bord.
Haradum : KEPINSKI-LECOMTE 1992, fig. 58 : 2 [XVIIIe-XVIIe s. av. J.-C.]

5   T2 C2
Céramique commune tournée ; dm 2/3++, dv 2/3 ; pâte verte ; surface verte, ravalée.
Vase fermé, bord.
Haradum : KEPINSKI-LECOMTE 1992, fig. 58 : 2 [XVIIIe-XVIIe s. av. J.-C.]

Mari : LEBEAU 1983 a, fig. 5 : 11 [XIXe s. av. J.-C.]
6   T2 C1
Céramique commune modelée ; dm 2/5, dv 2/4 ; pâte vert kaki à cœur noir ; surface vert kaki, vitrifiée.
Vase fermé, bord.
Haradum : KEPINSKI-LECOMTE 1992, fig. 73 : 2 [XVIIIe-XVIIe s. av. J.-C.]

7   T2 C4
Céramique commune tournée ; dm 2/3(5), dv 2/4 ; pâte brun-vert à cœur gris ; surface vert kaki, ravalée.
Vase fermé, bord.
Mari : LEBEAU 1983 a, fig. 3 : 7 [XVIIIe s. av. J.-C.]

8   T2 C5
Céramique commune tournée ; dm 2/3(5), dv 2/3+ ; pâte beige ; surface beige.
Vase fermé, bord.

9   T2 C7
Céramique commune tournée ; dm 2/3, dv 2/4 ; pâte verte ; surface verte, lissée.
Vase fermé, bord.
Haradum : KEPINSKI-LECOMTE 1992, fig. 75 : 8, 9 [XVIIIe-XVIIe s. av. J.-C.]
Mari : LEBEAU 1983 a, fig. 3 : 11 [XIXe s. av. J.-C.]
Mari : LEBEAU 1987 a, pl. III : 10 [paléobabylonien]

Site n° 3 - Tell Mankut (pl. 2).

Le bord de jarre **16** peut avoir des parallèles à Mari au Bronze ancien, en particulier au Dynastique archaïque. Les fragments **10** à **15**, bords de coupes tronconiques, ne sont pas datables en eux-mêmes, mais ces formes sont attestées à cette même période à Mari (LEBEAU 1985 a, pl. XII et XIV, *passim*).

10   T3 C6
Céramique commune tournée ; dm 1/2+ ; pâte rose ; surface beige, ravalée.
Vase ouvert, bord.

11   T3 C4
Céramique commune tournée ; dm 2/3+ ; pâte beige-vert ; surface verte, ravalée.
Vase ouvert, bord.
Mari : LEBEAU 1985 a, pl. XIV : 23-25 [DA 3]
Mari : LEBEAU 1985 a, pl. XVII : 5 [DA 2]

12   T3 C3
Céramique commune tournée ; dm 2/3++ ; pâte rose ; surface beige, ravalée.
Vase ouvert, bord.

13   T3 C7
Céramique commune tournée ; dm 2/3+ ; pâte beige-rose ; surface beige, ravalée.

Vase ouvert, bord.
Mari : LEBEAU 1985 a, pl. XXV : 21 [DA 1]
14   T3 C5
Céramique commune tournée ; dm 2/3++ ; pâte rose à rouge ; surface beige.
Vase ouvert, bord.

15   T3 C2
Céramique commune tournée ; dm 2/3+ ; pâte beige ; surface beige, ravalée.
Vase ouvert, bord.
Mari : LEBEAU 1985 a, pl. VII : 8 ; X : 2 [DA 3]

16   T3 C1
Céramique commune tournée ; dm 2/3, dv 1/2 ; pâte verte ; surface verte, ravalée.
Vase fermé, bord.
Mari : LEBEAU 1985 a, pl. XIII : 19 [DA 3]
Mari : LEBEAU 1985 a, pl. XXX : 11 [DA 1]

Site n° 4 - Er Ramādi (pl. 2 à 6).

La majeure partie de la céramique ramassée sur ce site est assez homogène et peut être datée de l'Uruk récent. Les formes publiées ici sont pour la plupart typiques de cette époque et ont des comparaisons avec le site du moyen Euphrate de Ḥabūba Kabira Sud ou avec Karrana sur le Tigre. Sont ainsi représentés le très caractéristique *Bevelled-Rim Bowl* avec une quinzaine de fragments retrouvés (2 publiés : **17** et **18**), des petits bols en céramique fine ou mi-fine à paroi plus ou moins verticale (**34, 35, 36**) ou à paroi carénée (**20** à **24**), des coupes à engobe rouge comme **25, 27** et **29** (10 autres exemplaires), ainsi que plusieurs fragments décorés (**57** : triangles hachurés incisés ; **47** : incisions en chevrons ; **56** : petites incisions en grains de riz ; **55** : incisions en demi-lune ; **49** : croix incisée).

Plusieurs tessons semblent attester une occupation à la fin du Bronze ancien et/ou au début du Bronze moyen, avec des parallèles à Mari ou à Halawa (**27, 28, 59-64**).

Deux bords de pots de *Brittle Ware* (**71** et **72**) et plusieurs bords de jarres sans col (**65, 67**) attestent une petite occupation beaucoup plus tardive, à l'époque romaine.

17   T4 C16
Céramique commune modelée ; dm 2, dv 2/4 ; pâte beige-vert ;
  surface beige-vert, ravalée.
Vase ouvert, profil, *Bevelled-Rim Bowl*.
Brak : Oates J. 1985, fig. 3 : 41, 42 [Uruk récent]
Ḥabūba Kabira-Süd : Sürenhagen 1978, Tab. 1 : 19 [Uruk récent]
Uruk : Lloyd 1948, fig. 3 : 40, 42, 44, 46 [Uruk récent]

18   T4 C17
Céramique commune modelée ; dm 2, dv 2/4 ; pâte beige-vert ;
  surface beige-vert, ravalée.
Vase ouvert, profil, *Bevelled-Rim Bowl*.
Brak : Oates J. 1985, fig. 3 : 41, 42 [Uruk récent]
Ḥabūba Kabira-Süd : Sürenhagen 1978, Tab. 1 : 19 [Uruk récent]
Uruk : Lloyd 1948, fig. 3 : 40, 42, 44, 46 [Uruk]

19   T4 C46
Céramique commune tournée ; dm 2/3, dv 2 ; pâte beige-vert ;
  surface beige-vert, ravalée.
Vase ouvert, bord.

20   T4 C24
Céramique mi-fine tournée ; dm 1/2 ; pâte rose ; surface rose, bien
  lissée.
Vase ouvert, bord.
Ḥabūba Kabira-Süd : Sürenhagen 1978, Tab. 20 : B15 [Uruk récent]

21   T4 C27
Céramique mi-fine tournée ; dm 1/2, dv 1/2 ; pâte rose ; surface
  beige-vert, lissée.
Vase ouvert, bord.
Ḥabūba Kabira-Süd : Sürenhagen 1978, Tab. 1 : 11 [Uruk récent]
Karrana : Rova 1993, pl. XXX : 286 [Uruk récent]

22   T4 C11
Céramique commune tournée ; dm 1/2, dv 2 ; pâte beige-rose ;
  surface beige-rose, lissée.
Vase ouvert, bord.
Brak : Oates J. 1985, fig. 2 : 31, 36 [Uruk récent]
Karrana : Rova 1993, pl. XXXII : 348 [Uruk récent]

23   T4 C8
Céramique commune tournée ; dm 2, dv 2 ; pâte beige ; surface
  beige, lissée.
Vase ouvert, profil.
Brak : Oates J. 1985, fig. 2 : 31, 36 [Uruk récent]
Karrana : Rova 1993, pl. XXXII : 348 [Uruk récent]
Ḥabūba Kabira-Süd : Sürenhagen 1978, Tab. 20 : B15 [Uruk récent]

24   T4 C25
Céramique mi-fine tournée ; dm 1 ; pâte beige ; surface beige, bien
  lissée.
Vase ouvert, bord.
Ḥabūba Kabira-Süd : Sürenhagen 1978, Tab. 20 : B15 [Uruk récent]

25   T4 C38
Céramique mi-fine tournée ; dm 1/2 ; pâte gris-beige ; surface beige,
  lissée, engobe rouge lustré à l'intérieur et à l'extérieur.

Vase ouvert, bord.
Ḥabūba Kabira-Süd : Sürenhagen 1978, Tab. 20 : B2 [Uruk récent]

26   T4 C41
Céramique commune tournée ; dm 2/3, dv 2/3+ ; pâte beige ; surface
  beige, ravalée.
Vase ouvert, bord.
Karrana : Rova 1993, pl. XXX : 365 [Uruk récent]

27   T4 C40
Céramique commune tournée ; dm 2/3, dv 2 ; pâte rose à cœur
  gris ; surface rose, lissée, engobe rouge à l'intérieur.
Vase ouvert, bord.
Haradum : Kepinski-Lecomte 1992, fig. 118 : 9 [XVIIIᵉ-XVIIᵉ s. av. J.-C.]

28   T4 C44
Céramique commune tournée ; dm 2/3, dv 2 ; pâte beige ; surface
  beige, ravalée.
Vase ouvert, bord.
Haradum : Kepinski-Lecomte 1992, fig. 118 : 9 [XVIIIᵉ-XVIIᵉ s.
  av. J.-C.]

29   T4 C15
Céramique commune modelée ; dm 2, dv 2/3 ; pâte rose à cœur
  noir ; surface beige-rose, lissée, engobe rouge à l'intérieur.
Vase ouvert, profil.
Ḥabūba Kabira-Süd : Sürenhagen 1978, Tab. 3 : 38, 43 [Uruk récent]

30   T4 C14
Céramique commune tournée ; dm 2, dv 2/3 ; pâte rose ; surface
  beige-rose à beige-vert, lissée.
Vase ouvert, bord.
Brak : Oates J. 1985, fig. 1 : 5 [Uruk récent]

31   T4 C35
Céramique commune tournée ; dm 2/3, dv 2/3 ; pâte rose ; surface
  rose, lissée.
Vase ouvert, bord.
Ḥabūba Kabira-Süd : Sürenhagen 1978, Tab. 21 : B57 [Uruk récent]

32   T4 C1
Céramique commune modelée ; dm 2, dv 2/4 ; pâte beige ; surface
  verte, lissée.
Vase ouvert, bord.

33   T4 C26
Céramique mi-fine tournée ; dm 1 ; pâte rose ; surface beige, bien
  lissée.
Vase ouvert, bord.
Ḥabūba Kabira-Süd : Sürenhagen 1978, Tab. 24 : D6 [Uruk récent]

34   T4 C7
Céramique commune modelée ; dm 1/2 ; pâte rose-orange ; surface
  rose, polie ; traces de bitume à l'extérieur.
Vase fermé, bord.
Brak : Oates J. 1985, fig. 2 : 32 [Uruk récent]
Uruk : Lloyd 1948, fig. 1 : 30 [Uruk]
Karrana : Rova 1993, pl. XXX, XXXI [Uruk récent]
Ḥabūba Kabira-Süd : Sürenhagen 1978, Tab. 24 : D6 [Uruk récent]

35   T4 C29
Céramique commune tournée ; dm 1/2, dv 1/2 ; pâte rose ; surface
    beige, bien lissée (traces plus sombres).
Vase fermé, bord.
Ḥabūba Kabira-Süd : SÜRENHAGEN 1978, Tab. 24 : D6 [Uruk récent]

36   T4 C28
Céramique commune tournée ; dm 1/2, dv 1/2 ; pâte beige-rose ;
    surface beige-vert, lissée.
Vase fermé, bord.
Ḥabūba Kabira-Süd : SÜRENHAGEN 1978, Tab. 24 : D6 [Uruk récent]

37   T4 C72
Céramique de cuisson modelée ; dm 2/3+ ; pâte brun-rose à cœur
    gris ; surface brun-noir, lustrée.
Vase fermé, bord.

38   T4 C20
Céramique commune tournée ; dm 2/3(4)+ ; pâte verte ; surface
    verte, ravalée.
Vase fermé, bord.
Brak : OATES J. 1985, fig. 2 : 29 [Uruk récent (Jemdet Nasr)]

39   T4 C64
Céramique commune tournée ; dm 2/3 ; pâte rose à cœur gris ;
    surface rose, lissée.
Vase fermé, bord.
Sabra : TUNCA 1987, pl. 79 : 7 [SE/PA]
Uruk : DUDA 1978, Taf. 31 : 118 [parthe]

40   T4 C59
Céramique commune tournée ; dm 2/3, dv 2 ; pâte verte ; surface
    verte, lissée.
Vase fermé, bord.
Ḥabūba Kabira-Süd : SÜRENHAGEN 1978, Tab. 27 : D94 [Uruk récent]

41   T4 C3
Céramique commune tournée ; dm 2/3+ ; pâte beige-vert ; surface
    verte, lissée.
Vase fermé, bord.
Gawra : SPEISER 1935, pl. LXIV : 48 [Uruk (stratum 8)]
Uruk : LLOYD 1948, fig. 2 : 14 [Uruk]

42   T4 C2
Céramique commune tournée ; dm 2, dv 2/3 ; pâte beige à cœur
    gris ; surface beige, lissée.
Vase fermé, bord.
Gawra : SPEISER 1935, pl. LXIV : 48 [Uruk (stratum 8)]
Uruk : LLOYD 1948, fig. 2 : 14 [Uruk]

43   T4 C4
Céramique commune tournée ; dm 2, dv 2/3+ ; pâte rose-beige ;
    surface beige-rose à beige-vert, lissée.
Vase fermé, bord.
Gawra : SPEISER 1935, pl. LXVI : 81 [Uruk (stratum 7)]

44   T4 C60
Céramique commune tournée ; dm 2/3/4, dv 2/3 ; pâte gris-vert ;
    surface vert kaki, rongée par le sel.
Vase fermé, bord.
Ḥabūba Kabira-Süd : SÜRENHAGEN 1978, Tab. 25 : D36 [Uruk récent]

45   T4 C58
Céramique commune tournée ; dm 2/3, dv 2/3 ; pâte rose ; surface
    beige, lissée ; bande de lignes incisées.
Vase fermé, bord.
Ḥabūba Kabira-Süd : SÜRENHAGEN 1978, Tab. 25 : D36 [Uruk récent]

46   T4 C67
Céramique commune tournée ; dm 2/3+ ; pâte rose ; surface beige,
    lissée.
Vase fermé, bord.
Ḥabūba Kabira-Süd : SÜRENHAGEN 1978, Tab. 26 : D81 [Uruk récent]

47   T4 C31
Céramique commune tournée ; dm 2, dv 2 ; pâte beige ; surface
    beige, lissée ; incisions (petits traits obliques disposés en
    chevrons) ; petit tenon vertical percé.

Vase fermé, bord.
Ḥabūba Kabira-Süd : SÜRENHAGEN 1978, Tab. 24 : D24 [Uruk récent]

48   T4 C57
Céramique commune tournée ; dm 2, dv 2 ; pâte grise ; surface
    grise, lissée.
Vase fermé, bord.
Ḥabūba Kabira-Süd : SÜRENHAGEN 1978, Tab. 25 : D41 [Uruk récent]

49   T4 C56
Céramique commune tournée ; dm 2/3, dv 2/3 ; pâte verte ; surface
    beige ; croix incisée.
Vase fermé, bord.
Ḥabūba Kabira-Süd : SÜRENHAGEN 1978, Tab. 24 : D19-21 [Uruk
    récent]

50   T4 C61
Céramique commune tournée ; dm 2, dv 2/3+ ; pâte beige ; surface
    beige, ravalée (érodée).
Vase fermé, bord.
Ḥabūba Kabira-Süd : SÜRENHAGEN 1978, Tab. 25 : D40 [Uruk récent]

51   T4 C5
Céramique commune tournée ; dm 2/3, dv 2/3/4 ; pâte rose à cœur
    gris ; surface beige, lissée.
Vase fermé, bord.
Brak : Oates J. 1985, fig. 3 : 46-48 [Uruk récent]
Ḥabūba Kabira-Süd : SÜRENHAGEN 1978, Tab. 30 : 27 [Uruk récent]

52   T4 C30
Céramique commune tournée ; dm 2 ; pâte verte ; surface vert kaki,
    lissée.
Vase fermé, bord.
Ḥabūba Kabira-Süd : SÜRENHAGEN 1978, Tab. 27 : D100 [Uruk
    récent]

53   T4 C66
Céramique commune tournée ; dm 2/3+ ; pâte verte ; surface verte,
    lissée.
Vase fermé, bord.
Ḥabūba Kabira-Süd : SÜRENHAGEN 1978, Tab. 25 : D61 [Uruk récent]

54   T4 C62
Céramique commune tournée ; dm 2/3+, dv 2 ; pâte rose ; surface
    verte, lissée.
Vase fermé, bord.
Ḥabūba Kabira-Süd : SÜRENHAGEN 1978, Tab. 29 : D-E17 [Uruk
    récent]

55   T4 C33
Céramique commune tournée ; dm 2 ; pâte vert-noir ; surface vert
    kaki, ravalée ; incisions en demi-lune.
Vase fermé, panse.
Ḥabūba Kabira-Süd : SÜRENHAGEN 1978, Tab. 39 : 73 [Uruk récent]

56   T4 C32
Céramique mi-fine tournée ; dm 1 ; pâte rose ; surface rose, lissée,
    engobe rouge lustré à l'extérieur ; petites incisions sur bourrelet ;
    petit tenon vertical percé horizontalement.
Vase fermé, panse.
Ḥabūba Kabira-Süd : SÜRENHAGEN 1978, Tab. 18 : 131 [Uruk récent]

57   T4 C18
Céramique commune modelée ; dm 2/3, dv 2 ; pâte beige à cœur gris ;
    surface beige-vert, lissée ; incisions (triangles hachurés).
Vase fermé, panse, « *large nose-lug jar* ».
Brak : OATES J. 1985, fig. 3 : 46-48 [Uruk récent (Jemdet Nasr)]
Ḥabūba Kabira-Süd : SÜRENHAGEN 1978, Tab. 37, 38 [Uruk récent]

58   T4 C48
Céramique commune tournée ; dm 2/3++ ; pâte beige ; surface
    beige, ravalée.
Vase fermé, bord.
Sabra : TUNCA 1987, pl. 81 : 17 [SE/PA]

59   T4 C50
Céramique commune tournée ; dm 2/3++(4) ; pâte beige ; surface
    beige-vert, lissée.

Vase fermé, bord.
Haradum : KEPINSKI-LECOMTE 1992, fig. 70 : 1 [XVIIIᵉ-XVIIᵉ s. av. J.-C.]

60   T4 C53
Céramique commune tournée ; dm 2/3, dv 2 ; pâte verte ; surface
  verte, lissée.
Vase fermé, bord.
Mari : LEBEAU 1983 a, fig. 3 : 6 [début XVIIIᵉ s. av. J.-C.]

61   T4 C6
Céramique commune tournée ; dm 2, dv 2/3 ; pâte gris-vert ; surface
  verte, ravalée.
Vase fermé (?), bord.
Mari : LEBEAU 1983 a, fig. 8 : 4 [BM]

62   T4 C49
Céramique commune tournée ; dm 2/3++, dv 2 ; pâte beige ; surface
  beige, lissée.
Vase fermé, bord.
Halawa : ORTHMANN 1981, Taf. 45 : 26 [début IIᵉ mill. av. J.-C.]

63   T4 C52
Céramique commune tournée ; dm 2/3+ ; pâte verte ; surface verte,
  lissée.
Vase fermé, bord.
Halawa : ORTHMANN 1981, Taf. 54 : 12 [fin BA]
Mari : LEBEAU 1983 a, fig. 5 : 9 [XIXᵉ s. av. J.-C.]

64   T4 C51
Céramique commune tournée ; dm 2/3(5) ; pâte verte ; surface vert
  kaki clair, lissée.
Vase fermé, bord.
Halawa : ORTHMANN 1981, Taf. 46 : 15 [début IIᵉ mill. av. J.-C.]

65   T4 C76
Céramique commune tournée ; dm 2/3+ ; pâte rose ; surface rose,
  ravalée.
Vase fermé, bord.
'Aǧīǧ-Gebiet : BERNBECK 1993, Abb. 140 : l [IIᵉ-IIIᵉ s. apr. J.-C.]

66   T4 C75
Céramique commune tournée ; dm 2/3+ ; pâte rose ; surface beige-
  vert, ravalée.

Vase fermé, bord.
Sabra : TUNCA 1987, pl. 81 : 12 [SE/PA]
'Aǧīǧ-Gebiet : BERNBECK 1993, Abb. 140 : k [IIᵉ-IIIᵉ s. apr. J.-C.]

67   T4 C70
Céramique commune tournée ; dm 2/3++ ; pâte verte ; surface verte,
  ravalée.
Vase fermé, bord.
'Āna : KILLICK 1988, fig. 34 : 82 [parthe]

68   T4 C21
Céramique commune tournée ; dm 2/3+ ; pâte beige-rose ; surface
  verte, ravalée ; anse verticale.
Vase fermé, bord.
Ḥabūba Kabira-Süd : SÜRENHAGEN 1978, Tab. 33 : F11 (?) [Uruk
  récent]

69   T4 C23
Céramique commune tournée ; dm 2/3 ; pâte rose ; surface
  rose, ravalée ; bitume à l'intérieur et petits traits verticaux sur le
  bord.
Vase fermé, bord.

70   T4 C69
Céramique commune tournée ; dm 2/3, dv 2/3 ; pâte verte ; surface
  verte, ravalée.
Vase fermé, bord.

71   T4 C74
Céramique de cuisson tournée ; dm 1/2 ; pâte rouge ; surface brun-
  rouge, lissée.
Vase fermé, bord, *Brittle Ware*.
Dibsi Faraj : HARPER 1980, fig. C : 54 [Iᵉʳ s. apr. J.-C.]
Ain Sinu : OATES D. 1968, fig. 23 : 81 [1ᵉʳ tiers du IIIᵉ s. apr. J.-C.]

72   T4 C22
Céramique de cuisson tournée ; dm 2/3 ; pâte brune à cœur gris ;
  surface noire.
Vase ouvert, bord, *Brittle Ware*.
Ain Sinu : OATES D. 1968, fig. 23 : 81 [1ᵉʳ tiers du IIIᵉ s. apr. J.-C.]
Doura : DYSON 1968, fig. 13 : 433 [milieu IIIᵉ s. apr. J.-C.]

Site n° 5 - Es Saiyāl 1 (pl. 6).

Le seul tesson typique est un fragment de bord, mais sa taille trop petite le rend difficilement identifiable ; il pourrait se rapprocher d'une forme attestée à la fin du Bronze ancien à Mari. Un autre fragment (panse avec départ d'anse) ne peut être daté.

73   T5 C1
Céramique commune tournée ; dm 2/3 ; pâte gris beige ; surface
  verdâtre, lissée.

Vase fermé, bord.
Mari : LEBEAU 1985 a, fig. 2 : 28 [BA IVa]
Tell ed-Dēr : GASCHE 1971, fig. 12 : 12 [BM I/II]

Site n° 6 - Es Saiyāl 3 (pl. 7).

Peu de tessons sont vraiment caractéristiques d'une époque particulière, notamment les formes ouvertes que l'on retrouve à plusieurs époques. Un fragment décoré d'une estampe (**92**) est comparable à de nombreux vases ou fragments trouvés à Doura-Europos et datés par S. T. Dyson (1968) de la dernière période d'occupation du site. Ces décors sont bien connus en Syrie et dans toute la Mésopotamie pendant les périodes séleucide (Sippar : HAERINCK 1980, pl. 17 : 3, 15 ; Nimrud : OATES D. 1968, fig. 16 : 42 ; 19, 110) et romano-parthe (Halaf : HROUDA 1962, Taf. 83 : 4 ; Uruk : STROMMENGER 1967, Taf. 30 : 12).

Deux fragments de *Brittle Ware* (**94** et **95**) datent de l'époque romano-parthe.

Pour la majeure partie des autres tessons, des comparaisons sont possibles avec le site de Sabra, où le matériel est daté de l'époque séleuco-parthe, sans différenciation précise.

Il semble que l'on puisse dater l'occupation de ce site de l'époque hellénistique, avec une permanence vraisemblable au début de l'époque romaine. Pour les époques plus anciennes, le Bronze moyen est possible, mais aucun fragment de céramique ne permet d'en avoir l'assurance.

74 T6 C9
Céramique commune tournée ; dm 2/3++ ; pâte gris-vert ; surface verte, ravalée.
Vase fermé, bord.
Sabra : Tunca 1987, pl. 82 : 26 [SE/PA]

75 T6 C7
Céramique commune tournée ; dm 2/3+ ; pâte rose ; surface verte, lissée.
Vase fermé, bord.
Sweyhat : Holland 1976, fig. 6 : 33 [hellénistique]
Sabra : Tunca 1987, pl. 82 : 22 [SE/PA]
'Aǧīǧ-Gebiet : Bernbeck 1993, Abb. 145 : d [IIIᵉ s. apr. J.-C. et post.]
'Āna : Killick 1988, fig. 36 : 106 [partho-sassanide]

76 T6 C8
Céramique commune tournée ; dm 2/3+ ; pâte rose ; surface rose, ravalée.
Vase fermé, bord.
Sabra : Tunca 1987, pl. 82 : 4 [SE/PA]

77 T6 C4
Céramique commune tournée ; dm 2/3+ ; pâte rose ; surface rose, lissée ; traces brunes (peinture ?) sur le bord intérieur.
Vase fermé, bord.

78 T6 C6
Céramique commune tournée ; dm 2/3+ ; pâte gris-beige ; surface beige, ravalée.
Vase fermé, bord.

79 T6 C12
Céramique commune tournée ; dm 2/3+ ; pâte beige-rose ; surface beige-vert, lissée.
Vase fermé, bord.

80 T6 C10
Céramique commune tournée ; dm 2/3++ ; pâte verte ; surface verte, lissée.
Vase fermé, bord.

81 T6 C11
Céramique commune tournée ; dm 2/3 ; pâte beige-vert ; surface verte, lissée.
Vase fermé, bord.

82 T6 C13
Céramique commune tournée ; dm 2/3 ; pâte beige-rose ; surface verte, lissée.
Vase fermé, bord.

83 T6 C3
Céramique commune tournée ; dm 2/3 ; pâte rose ; surface verte, lissée.
Vase fermé, bord.
Mari : Lebeau 1983 a, fig. 5 : 5 [XIXᵉ s. av. J.-C.]
Sabra : Tunca 1987, pl. 80 : 27 [SE/PA]

84 T6 C2
Céramique commune tournée ; dm 2+ ; pâte rose ; surface verte, ravalée.
Vase fermé, bord.

85 T6 C19
Céramique commune tournée ; dm 2/3 ; pâte rose ; surface beige-vert, lissée.
Vase ouvert, bord.

86 T6 C21
Céramique commune tournée ; dm 2/3 ; pâte orange ; surface orange à vert, ravalée.
Vase ouvert, bord.
Sabra : Tunca 1987, pl. 49 : 3 [SE/PA]
Nimrud : Oates D. 1968, fig. 15 : 36, 37 [hellénistique]

87 T6 C16
Céramique commune tournée ; dm 2/3 ; pâte verte ; surface verte, ravalée.
Vase ouvert, bord.

88 T6 C17
Céramique commune tournée ; dm 2/3++ ; pâte brun-rose ; surface beige-vert, ravalée.
Vase ouvert, bord.
Sabra : Tunca 1987, pl. 44 : 20 [SE/PA]
Sippar : Haerinck 1980, pl. 10 : 14 [achéménide]

89 T6 C14
Céramique commune tournée ; dm 2/3 ; pâte rose ; surface verte, ravalée.
Vase ouvert, bord.
Sabra : Tunca 1987, pl. 44 : 23 [SE/PA]

90 T6 C18
Céramique commune tournée ; dm 2/3 ; pâte rose ; surface verte, lissée.
Vase ouvert, bord.
Sabra : Tunca 1987, pl. 44 : 16 [SE/PA]

91 T6 C15
Céramique commune tournée ; dm 2/3 ; pâte rose ; surface verte, ravalée.
Vase ouvert, bord.
Sabra : Tunca 1987, pl. 44 : 19 [SE/PA]
Tell ed-Dēr : Gasche 1971, pl. 12 : 9 [BM]

92 T6 C1
Céramique commune tournée ; dm 2+ ; pâte rose ; surface verte, lissée ; décor estampé.
Vase fermé, panse.
Nimrud : Oates D. 1968, pl. XIV : 19 [hellénistique]
Doura : Dyson 1968, pl. VI : 358 [IIIᵉ s. apr. J.-C.(?)]
Sabra : Tunca 1987, pl. 87 [SE (PA?)]

93 T6 C23
Céramique commune tournée ; dm 2/3 ; pâte verte ; surface verte, ravalée ; anse verticale avec traces de bitume.
Vase fermé, panse ; anse aplatie.
Halaf : Hrouda 1962, Taf. 71 : 35 [hellénistique]

94 T6 C24
Céramique de cuisson tournée ; dm 1/2 ; pâte rouge ; surface brun-rouge, lissée, avec des traces de feu à l'intérieur.
Vase fermé, fond, *Brittle Ware.*

95 T6 C20   (n.i.)
Céramique de cuisson tournée ; dm 1/2 ; pâte brun-rouge ; surface brun-violet à l'intérieur, noire à l'extérieur, lissée.
Vase fermé, panse, *Brittle Ware.*

Site n° 7 - Ta'as el 'Ashāir (pl. 8 à 10).

L'ensemble de la céramique renvoie de manière assez homogène à la fin du Iᵉʳ millénaire avant J.-C. et aux premiers siècles de notre ère. Quelques fragments sont à dater de la période hellénistique, sans toutefois qu'aucune forme n'en soit absolument caractéristique. Un fragment de sigillée orientale A (**131**) peut être daté du Iᵉʳ s. avant ou après J.-C. On peut noter la présence d'un col de jarre *torpedo* (**122**), type de jarre que l'on trouve à Doura au IIIᵉ s. apr. J.-C. ainsi qu'à 'Āna aux époques parthe et sassanide, où elle se prolonge jusqu'au IXᵉ s. Un seul fragment de *Brittle Ware* a été trouvé (**132**).

96 T7 C24
Céramique mi-fine tournée ; dm 1/2 ; pâte rose ; surface rose, lissée.
Vase ouvert, bord.
'Āna : KILLICK 1988, fig. 36 : 107-109 [partho-sassanide]

97 T7 C26
Céramique commune tournée ; dm 2/3 ; pâte rose ; surface rose, ravalée.
Vase ouvert, bord.
Ain Sinu : OATES D. 1968, fig. 21 : 7 [parthe]
Palestine : LAPP 1961, p. 206, type 153 : J [(200)-150 BC]

98 T7 C10
Céramique commune tournée ; dm 2/3 ; pâte brune ; surface gris-vert, ravalée.
Vase ouvert, bord.
Barri : RICCIARDI VENCO 1982, n° 37 [parthe]

99 T7 C25
Céramique commune tournée ; dm 2/3(4) ; pâte rose ; surface rose, lissée.
Vase ouvert, bord.
Sabra : TUNCA 1987, pl. 100 : 5 [SE/PA]

100 T7 C14
Céramique commune tournée ; dm 2/3(4) ; pâte rose ; surface rose à l'intérieur, gris-vert à l'extérieur, ravalée.
Vase ouvert, bord.
Sabra : TUNCA 1987, pl. 44 : 22 [SE/PA]

101 T7 C23
Céramique commune tournée ; dm 2/3++ ; pâte rose ; surface verte, ravalée.
Vase ouvert, bord.
Sabra : TUNCA 1987, pl. 44 : 5 [SE/PA]

102 T7 C11
Céramique commune tournée ; dm 2/3 ; pâte brun-noir ; surface gris-beige, lissée.
Vase ouvert, bord.
Sabra : TUNCA 1987, 44 : 6 [SE/PA]

103 T7 C12
Céramique commune tournée ; dm 2/3(4) ; pâte rose ; surface rose, ravalée.
Vase ouvert, bord.
Barri : RICCIARDI VENCO 1982, n° 42 [parthe]
Sabra : TUNCA 1987, pl. 49 : 5 [SE/PA]

104 T7 C13
Céramique commune tournée ; dm 2/3++ ; pâte verte ; surface verte, ravalée.
Vase ouvert, bord.

105 T7 C28
Céramique commune tournée ; dm 2/3+ ; pâte rose ; surface verte, lissée.
Vase ouvert, bord.

106 T7 C22
Céramique commune tournée ; dm 2/3++ ; pâte rose ; surface verte, ravalée.
Vase ouvert, bord.

107 T7 C27
Céramique commune tournée ; dm 2/3+ ; pâte rose ; surface verte, ravalée.
Vase ouvert, bord.

108 T7 C21
Céramique commune tournée ; dm 2/3+ ; pâte rose ; surface verte, ravalée.
Vase ouvert, bord.
Sabra : TUNCA 1987, pl. 44 : 19 [SE/PA]

109 T7 C29
Céramique commune tournée ; dm 2/3/4, dv 2/4 ; pâte rose ; surface verte, ravalée.
Vase ouvert, bord.

110 T7 C5
Céramique commune tournée ; dm 2/3+, dv 2 ; pâte rose ; surface beige-rose, lissée.
Vase fermé, bord.

111 T7 C4
Céramique commune tournée ; dm 2/3+ ; pâte rose ; surface beige-vert, lissée ; bitume irrégulier sur le col.
Vase fermé, bord.
Sabra : TUNCA 1987, pl. 81 : 3, 4 [SE/PA]

112 T7 C2
Céramique commune tournée ; dm 2/3+ ; pâte rose ; surface verte, ravalée.
Vase fermé, bord.
Doura : DYSON 1968, fig. 16 : 6 [parthe]

113 T7 C3
Céramique commune tournée ; dm 2/3+ ; pâte brun-rose ; surface vert-gris, ravalée.
Vase fermé, bord.
Doura : DYSON 1968, fig. 16 : 6 [parthe]

114 T7 C1
Céramique commune tournée ; dm 2/3+ ; pâte verte ; surface verte, ravalée.
Vase fermé, bord.
Sabra : TUNCA 1987, pl. 76 : 18 ; 79 : 1 [SE/PA]
Doura : DYSON 1968, fig. 16 : 15 [IIIe s. apr. J.-C.]
'Āna : NORTHEDGE 1988, fig. 37 : 4 [sassanide moyen (IVe-Ve s. apr. J.-C.)]

115 T7 C33
Céramique commune tournée ; dm 2/3 ; pâte rose ; surface verte, ravalée ; bitume à l'intérieur.
Vase fermé, bord.

116 T7 C35
Céramique commune tournée ; dm 2/3 ; pâte rose ; surface verte, ravalée.
Vase fermé, bord.
Sabra : TUNCA 1987, pl. 84 : 11 [SE/PA]

117 T7 C36
Céramique commune tournée ; dm 2/3, dv 2/3 ; pâte verte ; surface verte, ravalée.
Vase fermé, bord.

118 T7 C31
Céramique commune tournée ; dm 2/3+ ; pâte verte ; surface vert grisâtre, ravalée ; anse verticale.
Vase fermé, bord.
Sippar : HAERINCK 1980, pl. 18 : 12 [0-150 apr. J.-C.]
Samaria : HENNESSY 1970, fig. 11 : 2 [hellénistique]
Hama : PAPANICOLAOU CHRISTENSEN 1971, fig. 21 : 177 [hellénistique]

119 T7 C32
Céramique commune tournée ; dm 2/3+ ; pâte verte ; surface verte, lissée ; départ d'anse verticale ; incisions horizontales, collerette sur la lèvre.
Vase fermé, bord.
Barri : RICCIARDI VENCO 1982, n° 2 [parthe]
'Āna : KILLICK 1988, fig. 33 : 74 [parthe]
Sabra : TUNCA 1987, pl. 77 : 12, 17

120 T7 C18
Céramique commune tournée ; dm 2/3+ ; pâte rose ; surface rose, ravalée.
Vase fermé, bord.
Samaria : HENNESSY 1970, fig. 11 : 1 [hellénistique]
'Āna : KILLICK 1988, fig. 34 : 83 [parthe]

121 T7 C6
Céramique commune tournée ; dm 2/3++ ; pâte rose ; surface verte, ravalée, anse verticale.

Vase fermé, bord.
Samaria : HENNESSY 1970, fig. 11 : 1 [hellénistique]
Hama : PAPANICOLAOU CHRISTENSEN 1971, fig. 21 : 178 [hellénistique]

122   T7 C19
Céramique commune tournée ; dm 2/3++ ; pâte rose ; surface rose,
    ravalée ; bitume à l'intérieur et coulures extérieures.
Vase fermé, bord, jarre *torpedo.*
'Āna : NORTHEDGE 1988, fig. 37 : 9, 10 ; 38 : 11, 12 [sassanide
    moyen/récent]

123   T7 C34
Céramique commune tournée ; dm 2/3, dv 2/3 ; pâte verte ; surface
    verte, ravalée.
Vase fermé, bord.
'Āna : KILLICK 1988, fig. 34 : 87 [parthe]

124   T7 C30
Céramique commune tournée ; dm 2/3 ; pâte rose ; surface verte,
    ravalée.
Vase ouvert, bord.

125   T7 C20
Céramique commune tournée ; dm 2/3, dv 2/3 ; pâte rose ; surface
    rose, ravalée ; incisions (ligne horizontale et ligne ondulée).
Vase fermé, bord.

126   T7 C9
Céramique commune tournée ; dm 2/3, dv 2 ; pâte beige-brun ;
    surface beige, ravalée.
Vase fermé, bord.
'Āna : NORTHEDGE 1988, fig. 37 : 3 [sassanide moyen (IVᵉ-Vᵉ s.
    apr. J.-C.)]

127   T7 C7
Céramique commune tournée ; dm 2/3 ; pâte rose ; surface beige,
    lissée.

Vase fermé, bord.
Sweyhat : HOLLAND 1976, fig. 6 : 33 [hellénistique]
Sabra : TUNCA 1987, pl. 62 : 22 [SE/PA]
'Aǧīǧ-Gebiet : BERNBECK 1993, Abb. 145 : d [IIIᵉ s. apr. J.-C. et
    post.]
'Āna : KILLICK 1988, fig. 36 : 106 [partho-sassanide]

128   T7 C37
Céramique commune tournée ; dm 2/3 ; pâte beige-vert ; surface
    beige clair, ravalée ; anse verticale.
Vase fermé, bord.
Ain Sinu : OATES D. 1968, fig. 24 : 1 [parthe]
Doura : DYSON 1968, fig. 18 : 14 [IIᵉ-IIIᵉ s. apr. J.-C.]

129   T7 C15
Céramique commune modelée ; dm 2 ; pâte rose ; surface rose,
    lissée.
Vase fermé, fond.
'Āna : KILLICK 1988, fig. 34 : 81 [parthe]

130   T7 C16
Céramique commune tournée ; dm 2, dv 2 ; pâte beige-jaune ;
    surface beige, lissée ; glaçure gris-vert à l'intérieur et l'extérieur.
Vase ouvert, fond.

131   T7 C38
Céramique fine tournée ; dm 1 ; pâte rose ; surface rose, engobe
    rouge foncé poli, zones brunes.
Vase fermé, fond, sigillée orientale A.
Hama : FRIIS JOHANSEN 1971, fig. 69 : 25-26.7a [Iᵉʳ s. av. J.-C./Iᵉʳ s.
    apr. J.-C.]

132   T7 C40   (n.i.)
Céramique de cuisson tournée ; dm 1/2 ; pâte rouge ; surface noire,
    lissée.
Vase fermé, panse, *Brittle Ware.*

Site n° 8 - Tell el Khinzīr (pl. 11).

La céramique ne permet pas de dater ce site. N'y ont été trouvés que des bords de vases ouverts (dont cinq sont publiés). Le bord **133** présente une carène vive assez prononcée et est constitué d'une pâte assez fine. Des comparaisons sont possibles avec des formes datées selon les sites depuis le Bronze moyen jusqu'à la fin du Iᵉʳ millénaire av. J.-C. Les autres fragments se présentent sous la forme d'un bord rentrant à lèvre arrondie, forme banale de la céramique, et non datable avec précision.

133   T8 C1
Céramique mi-fine tournée ; dm 1/2 ; pâte beige ; surface beige,
    lissée.
Vase ouvert, bord.
Mari : PARROT 1956, fig. 110 : 922, 929 [début IIᵉ millénaire]
Tell ed-Dēr : GASCHE 1971, pl. 12 : 7 [BM 1/2]
Halaf : HROUDA 1962, Taf. 61 : 170 [néo-assyrien]
Nippur : McCOWN et HAINES 1967, pl. 100 : 3 [néo-assyrien-
    néobabylonien]

134   T8 C2
Céramique commune tournée ; dm 2/3+ ; pâte beige verdâtre ;
    surface verte, ravalée.
Vase ouvert, bord.
Sabra : TUNCA 1987, pl. 40 : 4 [SE/PA]

135   T8 C5
Céramique commune tournée ; dm 2/3(5) ; pâte rose ; surface beige,
    ravalée.
Vase ouvert, bord.
Mari : LEBEAU 1990 b, pl. 1 : 3-6 [Ur III]
Uruk : STROMMENGER 1967, Taf. 1 : 2 [BM à ép. parthe]
Nippur : McCOWN et HAINES 1967, pl. 100 : 13 [néo-assyrien-
    néobabylonien]

Sabra : TUNCA 1987, pl. 40 : 1-12 [SE/PA]
Nimrud : OATES D. 1968, fig. 15 : 30 [hellénistique]

136   T8 C3
Céramique commune tournée ; dm 2/3(5) ; pâte rose ; surface beige,
    ravalée.
Vase ouvert, bord.
Mari : LEBEAU 1990 b, pl. 1 : 3-6 [Ur III]
Uruk : STROMMENGER 1967, Taf. 1 : 2 [BM à ép. parthe]
Nippur : McCOWN et HAINES 1967, pl. 100 : 13 [néo-assyrien-
    néobabylonien]
Sabra : TUNCA 1987, pl. 40 : 1-12 [SE/PA]
Nimrud : OATES D. 1968, fig. 15 : 30 [hellénistique]

137   T8 C6
Céramique commune tournée ; dm 2/3+ ; pâte rose ; surface beige-
    vert, ravalée.
Vase ouvert, bord.
Mari : LEBEAU 1990 b, pl. 1 : 3-6 [Ur III]
Uruk : STROMMENGER 1967, Taf. 1 : 2 [BM à ép. parthe]
Nippur : McCOWN et HAINES 1967, pl. 100 : 13 [néo-assyrien-
    néobabylonien]
Sabra : TUNCA 1987, pl. 40 : 1-12 [SE/PA]
Nimrud : OATES D. 1968, fig. 15 : 30 [hellénistique]

Site n° 9 - Tell Abu Hasan (pl. 11 à 15).

Une grande quantité de tessons a été ramassée sur ce site, dont plusieurs sont caractéristiques et viennent corroborer les indications succinctes du rapport d'A. Parrot (1938) sur le sondage effectué en 1937. R. Cans (1938) parle de « dix niveaux superposés correspondant à autant d'époques [...] sur 8 mètres de profondeur fouillée. Les premiers objets recueillis près de la surface étaient d'époque hellénistique, les derniers, trouvés en profondeur, dataient des premiers rois de Mari ».

Les époques les mieux représentées par le matériel ramassé lors de la prospection sont le Bronze moyen, la période hellénistique et l'époque romaine. Cette dernière époque est attestée par des fragments de jarres *torpedo* (**170** à **172**) ainsi que par de la *Brittle Ware* (**187** à **194**). Le fragment **201** est un morceau de sigillée. Il faut aussi noter la présence de deux fragments de panse d'amphores peintes nord-syriennes (**199** et **200**), qui laisseraient envisager une présence encore au vi^e s. apr. J.-C ; deux des fragments de *Brittle Ware* semblent aussi se rattacher à la période romaine tardive (**191** et **193**).

138   T9 C48
Céramique commune tournée ; dm 2/3, dv 2/3+ ; pâte beige-rose ; surface beige, lissée.
Vase ouvert, bord.
Mari : Lebeau 1985 b, p. 129 : 1, 2, 4 [BA IV]
Sabra : Tunca 1987, pl. 38 : 19, 22 [DA 3/Akkad]

139   T9 C47
Céramique commune tournée ; dm 2/3, dv 2/3+ ; pâte beige-vert ; surface verte, lissée.
Vase ouvert, bord.
Mari : Lebeau 1985 b, p. 129 : 1, 2, 4 [BA IV]
Sabra : Tunca 1987, pl. 38 : 19, 22 [DA 3/Akkad]

140   T9 C33
Céramique commune tournée ; dm 2/3, dv 2/3 ; pâte rose ; surface beige, ravalée.
Vase ouvert, profil.
Halawa : Orthmann 1981, Taf. 64 : 11 [fin BA]
Sabra : Tunca 1987, pl. 40 : 2 [SE/PA]
Uruk : Strommenger 1967, Taf. 1 : 7 [néobabylonien]

141   T9 C34
Céramique commune tournée ; dm 2/3, dv 2 ; pâte verte ; surface verte, lissée.
Vase ouvert, profil.

142   T9 C36
Céramique commune tournée ; dm 2/3, dv 2/3 ; pâte rose ; surface beige, lissée.
Vase ouvert, bord.
Nippur : McCown et Haines 1967, pl. 83 : 1 [Ur III]
Ur : Woolley 1965, pl. 38 : 14 [kassite]

143   T9 C35
Céramique commune tournée ; dm 2/3, dv 2/3 ; pâte rose ; surface beige, lissée.
Vase ouvert, bord.
Nippur : McCown et Haines 1967, pl. 83 : 1 [Ur III]
Ur : Woolley 1965, pl. 38 : 14 [kassite]

144   T9 C37
Céramique commune tournée ; dm 2/3, dv 2/3+ ; pâte rose ; surface beige-vert, lissée.
Vase ouvert, bord.
Fakhariyah : Kantor 1958, pl. 39 : 102 (forme) [âge du Fer]
Nimrud : Oates D. 1968, fig. 20 : 139 [hellénistique]

145   T9 C42
Céramique commune tournée ; dm 2/3 ; pâte rose ; surface rose à beige, lissée.
Vase ouvert, bord.
Haradum : Kepinski-Lecomte 1992, fig. 107 : 1 ; 109 : 3 [xviiie-xviie s. av. J.-C.]
Sippar : Haerinck 1980, pl. 10 : 3 [achéménide]
Sabra : Tunca 1987, pl. 40 : 11, 12 [SE/PA]
Uruk : Strommenger 1967, Taf. 1 : 11 [néobabylonien]

146   T9 C38
Céramique commune tournée ; dm 2/3 ; pâte rose ; surface beige-vert, lissée.
Vase ouvert, bord.
Haradum : Kepinski-Lecomte 1992, fig. 107 : 1 ; 109 : 3 [xviiie-xviie s. av. J.-C.]
Sippar : Haerinck 1980, pl. 10 : 3 [achéménide]
Sabra : Tunca 1987, pl. 40 : 11, 12 [SE/PA]
Uruk : Strommenger 1967, Taf. 1 : 11 [néobabylonien]

147   T9 C46
Céramique commune tournée ; dm 2/3++ ; pâte rose ; surface beige, ravalée.
Vase ouvert, bord.
Haradum : Kepinski-Lecomte 1992, fig. 108 : 10 [xviiie-xviie s. av. J.-C.]

148   T9 C50
Céramique commune tournée ; dm 2/3, dv 2/3 ; pâte rose ; surface beige-vert, lissée.
Vase ouvert, bord.
Haradum : Kepinski-Lecomte 1992, fig. 124 : 24 [xviiie-xviie s. av. J.-C.]
Fort Shalmaneser : Oates J. 1959, pl. 35 : 6 [néo-assyrien]

149   T9 C40
Céramique commune tournée ; dm 2/3(4b), dv 2/3 ; pâte beige-rose ; surface beige-vert, ravalée.
Vase ouvert, bord.
Haradum : Kepinski-Lecomte 1992, fig. 124 : 24 [xviiie-xviie s. av. J.-C.]
Fort Shalmaneser : Oates J. 1959, pl. 35 : 6 [néo-assyrien]

150   T9 C39
Céramique commune tournée ; dm 2/3, dv 2/3 ; pâte rose ; surface beige-vert, lissée.
Vase ouvert, bord.
Haradum : Kepinski-Lecomte 1992, fig. 107 : 1 ; 109 : 3 [xviiie-xviie s. av. J.-C.]
Sippar : Haerinck 1980, pl. 10 : 3 [achéménide]
Sabra : Tunca 1987, pl. 40 : 11, 12 [SE/PA]
Uruk : Strommenger 1967, Taf. 1 : 11 [néobabylonien]

151   T9 C41
Céramique commune tournée ; dm 2/3, dv 2/3 ; pâte beige ; surface beige-vert, lissée.
Vase ouvert, bord.
Haradum : Kepinski-Lecomte 1992, fig. 107 : 1 ; 109 : 3 [xviiie-xviie s. av. J.-C.]
Sippar : Haerinck 1980, pl. 10 : 3 [achéménide]
Sabra : Tunca 1987, pl. 40 : 11, 12 [SE/PA]
Uruk : Strommenger 1967, Taf. 1 : 11 [néobabylonien]

152   T9 C52
Céramique commune tournée ; dm 2/3 ; pâte verte ; surface brun-vert, ravalée.
Vase ouvert, bord.
'Āna : Northedge 1988, fig. 39 : 2 [Samarra]

153   T9 C43
Céramique commune tournée ; dm 2/3+ ; pâte rose ; surface beige-
   vert, ravalée.
Vase ouvert, bord.
Resafa : Konrad 1992, Abb. 19 : 2 [fin vᵉ-vɪᵉ s. apr. J.-C.]

154   T9 C53
Céramique commune tournée ; dm 2/3, dv 2/4+ ; pâte verte ; surface
   verte, ravalée.
Vase ouvert, bord.

155   T9 C54
Céramique commune tournée ; dm 2/3 ; pâte rose ; surface brun-
   rose, ravalée.
Vase ouvert, bord.

156   T9 C55
Céramique commune tournée ; dm 2/3 ; pâte rose ; surface brun-
   rose, ravalée.
Vase ouvert, bord.

157   T9 C49
Céramique commune tournée ; dm 2/3+ ; pâte rose ; surface beige
   à beige-vert, ravalée.
Vase ouvert, bord.

158   T9 C18
Céramique commune tournée ; dm 2/3, dv 2/3 ; pâte rose ; surface
   beige-vert, ravalée.
Vase fermé, bord.
Sabra : Tunca 1987, pl. 77 : 9 [SE/PA]

159   T9 C25
Céramique commune tournée ; dm 2/3, dv 2/4 ; pâte verte ; surface
   beige-vert, lissée.
Vase fermé, bord.
Mari : Lebeau 1983 a, fig. 3 : 8, 11 [BM II (1ʳᵉ moitié du xvɪɪɪᵉ s.)]

160   T9 C20
Céramique commune tournée ; dm 2/3, dv 2/3 ; pâte rose ; surface
   beige, ravalée.
Vase fermé, bord.
Mari : Lebeau 1983 a, fig. 3 : 8, 11 [BM II (1ʳᵉ moitié du xvɪɪɪᵉ s.)]

161   T9 C24
Céramique commune tournée ; dm 2/3, dv 2/3 ; pâte verte ; surface
   vert kaki, lissée.
Vase fermé, bord.
Mari : Lebeau 1983 a, fig. 3 : 8, 11 [BM II (1ʳᵉ moitié du xvɪɪɪᵉ s.)]

162   T9 C22
Céramique commune tournée (?) ; dm 2/3, dv 2/4+ ; pâte verte ;
   surface verte, lissée.
Vase fermé, bord.
Nimrud : Oates D. 1968, fig. 19 : 119 [hellénistique (275-175
   av. J.-C.)]

163   T9 C21
Céramique commune tournée ; dm 2/3, dv 2/4+ ; pâte verte ; surface
   verte ; fine couche de bitume à l'intérieur et à l'extérieur.
Vase fermé, bord.
Haradum : Kepinski-Lecomte 1992, fig. 58 : 2 [xvɪɪɪᵉ-xvɪɪᵉ s.
   av. J.-C.]

164   T9 C19
Céramique commune tournée ; dm 2, dv 2/3 ; pâte beige ; surface
   beige, lissée ; cannelures horizontales (4).
Vase fermé, bord.
Haradum : Kepinski-Lecomte 1992, fig. 66 : 6 [xvɪɪɪᵉ-xvɪɪᵉ s.
   av. J.-C.]

165   T9 C32
Céramique commune tournée ; dm 2/3 ; pâte rose ; surface beige-
   rose, lissée.
Vase fermé, bord.
'Āna : Killick 1988, fig. 35 : 93 [sassanide ancien (ɪɪɪᵉ s. apr. J.-C.)]

166   T9 C1
Céramique commune tournée ; dm 2/3 ; pâte rose ; surface rose,
   ravalée ; fine couche de bitume à l'intérieur ; coulures à
   l'extérieur.
Vase fermé, bord, jarre *torpedo*.
Sabra : Tunca 1987, pl. 77 : 12, 16 [SE/PA]

167   T9 C17
Céramique commune tournée ; dm 2/3 ; pâte brun-vert ; surface
   brun-vert, lissée ; anse verticale.
Vase fermé, bord.
Sabra : Tunca 1987, pl. 77 : 17 [SE/PA]
'Āna : Killick 1988, fig. 33 : 74 [parthe]

168   T9 C2
Céramique commune tournée ; dm 2/3+ ; pâte grise ; surface beige-
   gris, lissée.
Vase fermé, bord, jarre *torpedo*.
'Āna : Northedge 1988, fig. 37 : 8, 20 [sassanide moyen (ɪvᵉ-vᵉ s.
   apr. J.-C.)]

169   T9 C12
Céramique commune tournée ; dm 2/3, dv 2/3+ ; pâte verte ; surface
   beige-vert, lissée ; cannelures horizontales.
Vase fermé, bord.
Haradum : Kepinski-Lecomte 1992, fig. 100 : 6 [xvɪɪɪᵉ-xvɪɪᵉ s.
   av. J.-C.]

170   T9 C3
Céramique commune tournée ; dm 2/3 ; pâte beige ; surface beige-
   rose à beige-vert, lissée ; bitume à l'intérieur ; longues coulures
   à l'extérieur.
Vase fermé, bord, jarre *torpedo*.
Sabra : Tunca 1987, pl. 80 : 1 ; 81 : 10, 12 [SE/PA]
Sippar : Haerinck 1980, pl. 17 : 7 [ɪɪɪᵉ-ɪɪᵉ s. av. J.-C.]
Sippar : Haerinck 1980, pl. 18 : 14-16 [ɪᵉʳ-ɪɪᵉ s. apr. J.-C.]
Doura : Dyson 1968, fig. 4 : 67 ; 5 : 136 [milieu ɪɪɪᵉ s. apr. J.-C.]
'Āna : Northedge 1988, fig. 38 : 13 [sassanide moyen]

171   T9 C5
Céramique commune tournée ; dm 2/3++ ; pâte verte ; surface
   beige-vert, ravalée.
Vase fermé, bord, jarre *torpedo*.
Sabra : Tunca 1987, pl. 80 : 1 ; 81 : 10, 12 [SE/PA]
Sippar : Haerinck 1980, pl. 17 : 7 [ɪɪɪᵉ-ɪɪᵉ s. av. J.-C.]
Sippar : Haerinck 1980, pl. 18 : 14-16 [ɪᵉʳ-ɪɪᵉ s. apr. J.-C.]
Doura : Dyson 1968, fig. 4 : 67 ; 5 : 136 [milieu ɪɪɪᵉ s. apr. J.-C.]
'Āna : Northedge, fig. 18 : 13 [sassanide moyen]

172   T9 C4
Céramique commune tournée ; dm 2/3 ; pâte rose ; surface beige-
   rose, lissée ; bitume à l'intérieur ; coulures à l'extérieur.
Vase fermé, bord, jarre *torpedo*.
Sabra : Tunca 1987, pl. 80 : 1 ; 81 : 10, 12 [SE/PA]
Sippar : Haerinck 1980, pl. 17 : 7 [ɪɪɪᵉ-ɪɪᵉ s. av. J.-C.]
Sippar : Haerinck 1980, pl. 18 : 14-16 [ɪᵉʳ-ɪɪᵉ s. apr. J.-C.]
Doura : Dyson 1968, fig. 4 : 67 ; 5 : 136 [milieu ɪɪɪᵉ s. apr. J.-C.]
'Āna : Northedge 1988, fig. 18 : 13 [sassanide moyen]

173   T9 C11
Céramique commune tournée ; dm 2/3/4 ; pâte rose ; surface beige-
   vert, lissée ; bande de plusieurs fines incisions horizontales.
Vase fermé, bord.

174   T9 C7
Céramique commune tournée ; dm 2/3 ; pâte rose ; surface beige-
   vert, lissée.
Vase fermé, bord.
Sabra : Tunca 1987, pl. 77 : 12, 16 [SE/PA]

175   T9 C28
Céramique commune tournée ; dm 2/3(4) ; pâte verte ; surface verte,
   lissée.
Vase fermé, bord.

176   T9 C29
Céramique commune tournée ; dm 2/3+ ; pâte beige ; surface beige-vert, ravalée ; lignes incisées horizontales.
Vase fermé, bord.
Ain Sinu : Oates D. 1968, fig. 22 : 51, 59 [parthe]

177   T9 C30
Céramique commune tournée ; dm 2/3 ; pâte rose ; surface beige, lissée.
Vase fermé, bord.
Samaria : Hennessy 1970, fig. 11 : 20 [hellénistique]

178   T9 C9
Céramique commune tournée ; dm 2/3 ; pâte beige-rose ; surface beige, lissée.
Vase fermé, bord.
Sabra : Tunca 1987, pl. 83 : 14 [SE/PA]

179   T9 C8
Céramique commune tournée ; dm 2/3+ ; pâte verte ; surface verte, lissée.
Vase fermé, bord.
Sabra : Tunca 1987, pl. 83 : 14 [SE/PA]

180   T9 C10
Céramique commune tournée ; dm 2/3 ; pâte verte ; surface verte, lissée ; bord : collerette repoussée au doigt ; panse : bande de plusieurs fines incisions horizontales.
Vase fermé, bord.
Sabra : Tunca 1987, pl. 77 : 17 [SE/PA]
'Āna : Killick 1988, fig. 33 : 74 [parthe]

181   T9 C15
Céramique commune tournée ; dm 2/3 ; pâte beige-vert ; surface beige-vert, lissée ; anse verticale.
Vase fermé, bord.
Sippar : Haerinck 1980, pl. 17 : 8 [IIIᵉ-IIᵉ s. av. J.-C.]

182   T9 C16
Céramique commune tournée ; dm 2/3 ; pâte beige-rose ; surface verte, lissée ; ligne horizontale incisée ; anse verticale.
Vase fermé, bord.
Sabra : Tunca 1987, pl. 83 : 14 [SE/PA]

183   T9 C14
Céramique commune tournée ; dm 2/3 ; pâte rose ; surface verte, lissée ; lignes horizontales incisées ; anse verticale.
Vase fermé, bord.
Hama : Papanicolaou Christensen 1971, fig. 21 : 177 [hellénistique]
Barri : Ricciardi Venco 1982, n° 7 [parthe]

184   T9 C13
Céramique commune tournée ; dm 2/3+ ; pâte beige ; surface verte, lissée ; lignes horizontales incisées ; anse verticale.
Vase fermé, bord.
Barri : Ricciardi Venco 1982, n° 7 [parthe]

185   T9 C31
Céramique commune tournée ; dm 2/3 ; pâte beige ; surface beige-vert, ravalée.
Vase fermé, bord.
Sabra : Tunca 1987, pl. 76 : 18 [SE/PA]

186   T9 C23
Céramique commune tournée ; dm 2/3+, dv 2/3 ; pâte vert sombre ; surface verte, lissée.
Vase fermé, bord.
Haradum : Kepinski-Lecomte 1992, fig. 62 : 3 [XVIIIᵉ-XVIIᵉ s. av. J.-C.]

187   T9 C64
Céramique de cuisson tournée ; dm 1 ; pâte noire ; surface noire à l'intérieur et à l'extérieur, lissée.
Vase fermé, bord, *Brittle Ware.*
Sweyhat : Holland 1976, fig. 6 : 45 [romain]
Déhès : Sodini *et al.* 1980, p. 104 : nᵒˢ 2 ; 246 : type 3b [IVᵉ-VIᵉ s. apr. J.-C.]

Ain Sinu : Oates D. 1968, fig. 23 : 81 [parthe]
Doura : Dyson 1968, fig. 19 : IIID4 [IIIᵉ s. apr. J.-C.]
Barri : Ricciardi Venco 1982, n° 46 [parthe]

188   T9 C61
Céramique de cuisson tournée ; dm 1 ; pâte rouge ; surface rouge à l'intérieur, noire à l'extérieur, ravalée ; anse verticale.
Vase fermé, bord, *Brittle Ware.*
Sweyhat : Holland 1976, fig. 6 : 45 [romain]
Déhès : Sodini *et al.* 1980, p. 104 : nᵒˢ 2 ; 246 : type 3b [IVᵉ-VIᵉ s. apr. J.-C.]
Ain Sinu : Oates D. 1968, fig. 23 : 81 [parthe]
Doura : Dyson 1968, fig. 19 : IIID4 [IIIᵉ s. apr. J.-C.]
Barri : Ricciardi Venco 1982, n° 46 [parthe]

189   T9 C62
Céramique de cuisson tournée ; dm 1(2) ; pâte rouge ; surface rouge à l'intérieur, brun-noir à l'extérieur, ravalée.
Vase fermé, bord, *Brittle Ware.*
Sweyhat : Holland 1976, fig. 6 : 45 [romain]
Déhès : Sodini *et al.* 1980, p. 104 : nᵒˢ 2 ; 246 : type 3b [IVᵉ-VIᵉ s. apr. J.-C.]
Doura : Dyson 1968, fig. 19 : IIID4 [IIIᵉ s. apr. J.-C.]
Barri : Ricciardi Venco 1982, n° 46 [parthe]

190   T9 C65
Céramique de cuisson tournée ; dm 1/2 ; pâte rouge ; surface rouge à l'intérieur, noire à l'extérieur, ravalée.
Vase fermé, bord, *Brittle Ware.*
Sweyhat : Holland 1976, fig. 6 : 45 [romain]
Déhès : Sodini *et al.* 1980, p. 104 : nᵒˢ 2 ; 246 : type 3b [IVᵉ-VIᵉ s. apr. J.-C.]
Ain Sinu : Oates D. 1968, fig. 23 : 81 [parthe]
Doura : Dyson 1968, fig. 19 : IIID4 [IIIᵉ s. apr. J.-C.]
Barri : Ricciardi Venco 1982, n° 46 [parthe]

191   T9 C67
Céramique de cuisson tournée ; dm 1/2 ; pâte rouge ; surface rouge à l'intérieur, noire à l'extérieur, ravalée.
Vase fermé, bord, *Brittle Ware.*
Resafa (FP 127) : Mackensen 1984, Taf. 21 : 5 [VIᵉ s. apr. J.-C.]

192   T9 C63
Céramique de cuisson tournée ; dm 1 ; pâte brun-noir ; surface brune à l'intérieur, noire à l'extérieur, ravalée ; anse verticale.
Vase fermé, bord, *Brittle Ware.*
Doura : Dyson 1968, fig. 19 : IIID1 [IIIᵉ s. apr. J.-C.]
Barri : Ricciardi Venco 1982, n° 47 [parthe]

193   T9 C66
Céramique de cuisson tournée ; dm 1/2 ; pâte rouge ; surface rouge à l'intérieur, noire à l'extérieur, ravalée.
Vase fermé, bord, *Brittle Ware.*
Resafa : Konrad 1992, Abb. 8 : 13, 14 [Vᵉ s. apr. J.-C.]

194   T9 C68
Céramique de cuisson tournée ; dm 1 ; pâte gris-noir ; surface gris-noir, lissée ; anse verticale.
Vase fermé, bord, *Brittle Ware.*
Samaria : Hennessy 1970, fig. 8 : 5 [Iᵉʳ s. apr. J.-C.]

195   T9 C57
Céramique commune tournée ; dm 2 ; pâte rose ; surface rose, lissée.
Vase fermé, fond.

196   T9 C69
Céramique commune tournée ; dm 1/2 ; pâte beige clair ; surface beige ; glaçure bleu turquoise très clair à l'intérieur et à l'extérieur (vitrifiée) ; sous le fond, couche de glaçure très épaisse (5 mm).
Vase ouvert (?), fond.

197   T9 C58
Céramique commune tournée ; dm 2/3 ; pâte beige ; surface beige-vert, lissée.

Vase fermé, fond.
Uruk : Strommenger 1967, Taf. 24 : 1-4 ; 25 : 1 [parthe]
Seleucia : Debevoise 1934, p. 75 : 167 [parthe]

198 T9 C56
Céramique commune tournée ; dm 2/3+ ; pâte verte ; surface verte, ravalée.
Vase fermé, fond.
Uruk : Strommenger 1967, Taf. 24 : 1-4 ; 25 : 1 [parthe]
Seleucia : Debevoise 1934, p. 75 : 167 [parthe]

199 T9 C72 (n.i.)
Céramique commune tournée ; dm 2/3+ ; pâte beige ; surface beige, lissée ; peinture brun-rouge peu épaisse.
Vase fermé, **panse**, céramique peinte nord-syrienne.

200 T9 C73 (n.i.)
Céramique commune tournée ; dm 2/3+ ; pâte beige ; surface beige, lissée ; peinture brun-rouge peu épaisse.
Vase fermé, **panse**, céramique peinte nord-syrienne.

201 T9 C74 (n.i.)
Céramique fine tournée ; dm 1 ; pâte beige-orange ; surface beige, engobe rouge.
Vase fermé, **panse**, sigillée.

202 T9 C70 (n.i.)
Céramique commune tournée ; dm 2 ; pâte beige clair ; surface beige ; glaçure bleu turquoise.
Vase fermé, **panse**.

203 T9 C71 (n.i.)
Céramique commune tournée ; dm 2 ; pâte beige clair ; surface beige ; glaçure bleu turquoise.
Vase fermé, **panse**.

204 T9 C76 (n.i.)
Céramique commune tournée ; dm 2/3 ; pâte beige ; surface beige ; glaçure bleu turquoise pâle à vert.
Vase fermé, **panse**.

Site n° 10 - Tell Jubb el Bahra (pl. 16 et 17).

Presque tous les tessons ramassés sur ce site sont à dater, d'après les comparaisons possibles, du début du IIe millénaire av. J.-C.

205 T10 C11
Céramique commune tournée ; dm 2/3(5), dv 2/4 ; pâte verte ; surface verte, ravalée.
Vase ouvert, **bord**.
Mari : Lebeau 1987 a, pl. III : 6 [paléobabylonien]
Haradum : Kepinski-Lecomte 1992, fig. 120 : 9 [xviiie-xviie s. av. J.-C.]

206 T10 C17
Céramique commune tournée ; dm 2/3, dv 2/3 ; pâte verte ; surface verte, lissée.
Vase ouvert, **bord**.
Mari : Lebeau 1987 a, pl. III : 6 [BM]
Haradum : Kepinski-Lecomte 1992, fig. 120 : 9 [xviiie-xviie s. av. J.-C.]

207 T10 C3
Céramique commune tournée ; dm 2/3+ ; pâte beige ; surface beige, lissée.
Vase ouvert, **bord**.
Mari : Lebeau 1983 a, fig. 3 : 6 [BM II]
Haradum : Kepinski-Lecomte 1992, fig. 102 : 15 [xviiie-xviie s. av. J.-C.]

208 T10 C15
Céramique commune tournée ; dm 2/3/4, dv 2 ; pâte verte ; surface verte, lissée.
Vase ouvert, **bord**.
Haradum : Kepinski-Lecomte 1992, fig. 86 : 9 [xviiie-xviie s. av. J.-C.]
Mari : Lebeau 1987 a, pl. III : 9 [paléobabylonien]

209 T10 C20
Céramique commune tournée ; dm 2/3, dv 2 ; pâte rose ; surface vert clair, lissée.
Vase fermé, **bord**.
Mari : Lebeau 1987 a, fig. IV : 1-16 [paléobabylonien]
Haradum : Kepinski-Lecomte 1992, fig. 84 : 9 [xviiie-xviie s. av. J.-C.]
Baghouz : Du Mesnil du Buisson 1948, pl. LXX, LXXI

210 T10 C4
Céramique commune tournée ; dm 2/3, dv 2/3 ; pâte rose ; surface beige-vert, lissée.
Vase fermé, **bord**.

211 T10 C8
Céramique commune tournée ; dm 2, dv 2 ; pâte rose ; surface rose, lissée.
Vase fermé, **bord**.
Mari : Lebeau 1987 a, pl. V : 1 [paléobabylonien]

212 T10 C16
Céramique commune tournée ; dm 2/3, dv 2 ; pâte verte ; surface verte, lissée.
Vase fermé, **bord**.
Mari : Lebeau 1987 a, pl. V : 1 [paléobabylonien]

213 T10 C5
Céramique commune tournée ; dm 2/3, dv 2/3 ; pâte beige-vert ; surface verte, lissée.
Vase fermé, **bord**.

214 T10 C10
Céramique commune tournée ; dm 2/3, dv 2/4+ ; pâte beige-rose ; surface beige-vert, lissée.
Vase fermé, **bord**.
Nippur : McCown et Haines 1967, pl. 92 : 4 [Isin Larsa-paléobabylonien]

215 T10 C14
Céramique commune tournée ; dm 2/3(4), dv 2/3(4) ; pâte brun-rouge ; surface vert kaki à jaune, lissée.
Vase fermé, **bord**.
Nippur : McCown et Haines 1967, pl. 92 : 4 [Isin Larsa-paléobabylonien]

216 T10 C9
Céramique commune tournée ; dm 2/3, dv 2/4 ; pâte beige-vert à cœur noir ; surface verte, lissée.
Vase fermé, **bord**.
Haradum : Kepinski-Lecomte 1992, fig. 62 : 6 [xviiie-xviie s. av. J.-C.]

217 T10 C19
Céramique commune tournée ; dm 2/3, dv 2/3 ; pâte verte ; surface vert kaki, lissée.
Vase fermé, **bord**.
Halawa : Orthmann 1981, Taf. 46 : 15 [début IIe mill. av. J.-C.]
Haradum : Kepinski-Lecomte 1992, fig. 73 : 2 ; 78 : 2, 3 [xviiie-xviie s. av. J.-C.]

218 T10 C1
Céramique commune tournée ; dm 2/3, dv 2/3 ; pâte rose ; surface vert pâle, lissée ; bitume intérieur et extérieur.
Vase fermé, **bord**.
Haradum : Kepinski-Lecomte 1992, fig. 58 : 4 [xviiie-xviie s. av. J.-C.]
Halawa : Orthmann 1981, Taf. 46 : 15 [début IIe millénaire]

219 T10 C2
Céramique commune tournée ; dm 2/3+ ; pâte verte ; surface verte, ravalée.

Vase fermé, bord.
Haradum : Kepinski-Lecomte 1992, fig. 58 : 4 [xviiie-xviie s.
av. J.-C.]
Halawa : Orthmann 1981, Taf. 46 : 15 [début IIe millénaire]

220   T10 C18
Céramique commune tournée ; dm 2/3 ; dv 2/3 ; pâte verte ; surface
verte, ravalée.
Vase fermé, bord.
Halawa : Orthmann 1981, Taf. 48 : 11 [début IIe mill. av. J.-C.]

Site n° 11 - Tell Khaumat Hajīn (pl. 18 à 21).

La céramique, abondante sur ce site, témoigne principalement de deux époques, le Bronze moyen et l'époque néo-assyrienne. La première période est la mieux représentée, avec des formes fermées comparables à celles de Mari, notamment les lèvres à double ressaut vers l'extérieur de bouteilles ovoïdes (**236** à **241**), le col d'une grande bouteille à lèvre à bandeau externe (**243**) ou les lèvres à deux ou trois ressauts sur la face externe de cratères ou de grandes jarres fermées (**251** à **254**). Plusieurs fragments de coupes à bord rentré (**224** à **229**) sont caractéristiques de l'époque néo-assyrienne.

221   T11 C10
Céramique commune tournée ; dm 2/3(5) ; pâte brun-rose ; surface
beige, ravalée.
Vase ouvert, bord.

222   T11 C11
Céramique commune tournée ; dm 2/3, dv 2 ; pâte beige ; surface
beige, ravalée.
Vase ouvert, bord.
Sabra : Tunca 1987, pl. 38 : 6 [SE/PA]

223   T11 C18
Céramique commune tournée ; dm 2 ; pâte rose-orange ; surface
beige, engobe rouge lustré à l'intérieur et à l'extérieur.
Vase ouvert, bord.
Tell ed-Dēr : Haerinck 1980, pl. 22 : 3 [0-150 apr. J.-C.]
Nimrud : Oates D. 1968, fig. 16 : 61 [hellénistique]

224   T11 C16
Céramique commune tournée ; dm 2/3, dv 2/3 ; pâte beige-vert ;
surface beige-vert, ravalée.
Vase ouvert, bord.
Sabra : Tunca 1987, pl. 44 : 24 [SE/PA]
'Ağiğ-Gebiet : Bernbeck 1993, Abb. 97 : g [âge du Fer]

225   T11 C14
Céramique commune tournée ; dm 2/3, dv 2/3 ; pâte brun-rose ;
surface beige, lissée.
Vase ouvert, bord.
Abou Danné : Lebeau 1983 b, pl. XXI : 4 [Fer II-III]

226   T11 C13
Céramique commune tournée ; dm 2/3 ; pâte rose ; surface rose, lissée.
Vase ouvert, bord.
Tell ed-Dēr : Haerinck 1980, pl. 10 : 16 [vie-iiie s. av. J.-C.]
'Ağiğ-Gebiet : Bernbeck 1993, Abb. 98 : m ; 99 : r [âge du Fer]

227   T11 C12
Céramique commune tournée ; dm 2/3, dv 2/3 ; pâte rose ; surface
beige, lissée.
Vase ouvert, bord.
Tell ed-Dēr : Haerinck 1980, pl. 10 : 16 [vie-iiie s. av. J.-C.]
'Ağiğ-Gebiet : Bernbeck 1993, Abb. 98 : m ; 99 : r [âge du Fer]

228   T11 C15
Céramique commune tournée ; dm 2/3, dv 2/3+ ; pâte verte ; surface
verte, lissée.
Vase ouvert, bord.
'Ağiğ-Gebiet : Bernbeck 1993, Abb. 98 : 4 [âge du Fer]

229   T11 C17
Céramique commune tournée ; dm 2/3, dv 2/3 ; pâte rose ; surface
beige, lissée.
Vase ouvert, bord.
Mari : Lebeau 1987 a, pl. III : 5 [1re moitié du xviiie s. av. J.-C.]
Haradum : Kepinski-Lecomte 1992, fig. 119 : 1 [xviiie-xviie s.
av. J.-C.]

230   T11 C61
Céramique commune tournée ; dm 2/3, dv 2/3 ; pâte verte ; surface
verte, lissée.

Vase ouvert, bord.
Mari : Lebeau 1987 a, pl. III : 5 [1re moitié du xviiie s. av. J.-C.]
Haradum : Kepinski-Lecomte 1992, fig. 119 : 1 [xviiie-xviie s.
av. J.-C.]

231   T11 C56
Céramique commune tournée ; dm 2, dv 2 ; pâte verte ; surface
verte, lissée.
Vase ouvert, bord.
Haradum : Kepinski-Lecomte 1992, fig. 120 : 1 [xviiie-xviie s. av. J.-C.]

232   T11 C57
Céramique commune tournée ; dm 2/3, dv 2/3 ; pâte rose ; surface
beige-vert, ravalée.
Vase ouvert, bord.
Mari : Lebeau 1983 a, fig. 2 : 6 [BM II]

233   T11 C58
Céramique commune tournée ; dm 2/3, dv 2/4 ; pâte rose ; surface
beige à vert, ravalée.
Vase ouvert, bord.

234   T11 C48
Céramique commune tournée ; dm 2/3, dv 2/3 ; pâte rose ; surface
verte, lissée.
Vase ouvert, bord.
Haradum : Kepinski-Lecomte 1992, fig. 110 : 7 [xviiie-xviie s.
av. J.-C.]

235   T11 C47
Céramique commune tournée ; dm 2/3, dv 2/3 ; pâte verte ; surface
verte, lissée.
Vase ouvert, bord.

236   T11 C21
Céramique commune tournée ; dm 2/3++, dv 2/3 ; pâte beige ;
surface beige, ravalée.
Vase fermé, bord.
Mari : Lebeau 1983 a, fig. 1 : 9 ; 8 : 1 [xviie s. av. J.-C.]

237   T11 C20
Céramique commune tournée ; dm 2/3 ; pâte vert-noir ; surface
vert kaki, ravalée.
Vase fermé, bord.
Baghouz : Du Mesnil du Buisson 1948, pl. LXXI [xvie-xive s.
av. J.-C.]
Mari : Lebeau 1983 a, fig. 8 : 4 [BM]

238   T11 C31
Céramique commune tournée ; dm 2/3, dv 2 ; pâte rose ; surface
rose, lissée.
Vase fermé, bord.
Mari : Lebeau 1983 a, fig. 8 : 4 [BM]
Baghouz : Du Mesnil du Buisson 1948, pl. LXX [xvie-xive s.
av. J.-C.]

239   T11 C32
Céramique commune tournée ; dm 2/3, dv 2/3 ; pâte verte ; surface
verte, lissée.
Vase fermé, bord.
Mari : Lebeau 1987 a, pl. IV : 6 [paléobabylonien]

240   T11 C34
Céramique commune tournée ; dm 2/3, dv 2/3 ; pâte verte ; surface verte, lissée.
Vase fermé, bord.
Mari : LEBEAU 1987 a, pl. IV : 5 [paléobabylonien]

241   T11 C33
Céramique commune tournée ; dm 2/3, dv 2/3 ; pâte verte ; surface verte, lissée.
Vase fermé, bord.
Mari : LEBEAU 1987 a, pl. IV : 12 [paléobabylonien]

242   T11 C38
Céramique commune tournée ; dm 2/3+, dv 2/3 ; pâte rose ; surface beige-vert, lissée.
Vase fermé, bord.
Baghouz : DU MESNIL DU BUISSON 1948, pl. LXXII : Z145 [XVIᵉ-XIVᵉ s. av. J.-C.]

243   T11 C5
Céramique commune tournée ; dm 2/3, dv 2/3 ; pâte verte ; surface verte, lissée.
Vase fermé, bord.
Mari : LEBEAU 1987 a, pl. IV : 19 [paléobabylonien]
Nippur : McCOWN et HAINES 1967, pl. 95 : 9 [BM]

244   T11 C22
Céramique commune tournée ; dm 2/3, dv 2/4 ; pâte verte ; surface gris-vert, ravalée.
Vase fermé, bord.
Halawa : ORTHMANN 1981, Taf. 48 : 17, 23 [début IIᵉ mill.]

245   T11 C24
Céramique commune tournée ; dm 2/3, dv 2 ; pâte verte ; surface beige-vert, lissée.
Vase fermé, bord.
Haradum : KEPINSKI-LECOMTE 1992, fig. 82 : 8 [XVIIIᵉ-XVIIᵉ s. av. J.-C.]

246   T11 C25
Céramique commune tournée ; dm 2/3 ; pâte verte ; surface beige-vert, lissée.
Vase fermé, bord.

247   T11 C42
Céramique commune tournée ; dm 2/3, dv 2/3 ; pâte rose ; surface beige-vert, lissée.
Vase fermé, bord.
Khirbet Qasrij : CURTIS 1989, fig. 36 : 219 [1ʳᵉ moitié du VIᵉ s. av. J.-C.]

248   T11 C41
Céramique commune tournée ; dm 2/3, dv 2/3 ; pâte rose ; surface verte, lissée.
Vase fermé, bord.
Khirbet Qasrij : CURTIS 1989, fig. 35 : 209 [1ʳᵉ moitié du VIᵉ s. av. J.-C.]

249   T11 C52
Céramique commune tournée ; dm 2/3, dv 2/3 ; pâte rose ; surface verte, lissée.
Vase fermé, bord.
Haradum : KEPINSKI-LECOMTE 1992, fig. 78 : 8 [XVIIIᵉ-XVIIᵉ s. av. J.-C.]

250   T11 C51
Céramique commune tournée ; dm 2/3 ; pâte rose ; surface verte, lissée.
Vase fermé, bord.
Haradum : KEPINSKI-LECOMTE 1992, fig. 78 : 3 [XVIIIᵉ-XVIIᵉ s. av. J.-C.]

251   T11 C50
Céramique commune tournée ; dm 2/3(5), dv 2/3 ; pâte verte ; surface verte, lissée.
Vase ouvert, bord.
Mari : LEBEAU 1987 a, pl. III : 7 [paléobabylonien]

252   T11 C3
Céramique commune tournée ; dm 2/3+, dv 3 ; pâte gris-vert ; surface verte, ravalée.

Vase fermé, bord.
Tell ed-Dēr : GASCHE 1971, pl. 23 : 4 [BM]
Mari : LEBEAU 1983 a, fig. 3 : 6 [1ʳᵉ moitié du XVIIIᵉ s. av. J.-C.]

253   T11 C8
Céramique commune tournée ; dm 2/3 ; pâte gris-brun ; surface beige à beige-vert, lissée.
Vase fermé, bord.
Mari : LEBEAU 1987 a, fig. III : 7 [paléobabylonien]
Tell ed-Dēr : GASCHE 1971, pl. 25 : 9 [BM]

254   T11 C9
Céramique commune tournée ; dm 2/3, dv 2/3 ; pâte verte ; surface verte, lissée.
Vase fermé, bord.
Tell ed-Dēr : GASCHE 1971, pl. 25 : 1 [BM]

255   T11 C6
Céramique commune tournée ; dm 2/3(4), dv 2/3 ; pâte vert kaki ; surface vert kaki, ravalée.
Vase fermé, bord.
Mari : LEBEAU 1983 a, fig. 3 : 7 [BM II]

256   T11 C4
Céramique commune tournée ; dm 2/3, dv 2 ; pâte beige ; surface beige, ravalée.
Vase fermé, bord.

257   T11 C1
Céramique commune tournée ; dm 2/3(5), dv 2/3 ; pâte verte ; surface beige-vert, lissée ; cannelure en forme d'ondulation.
Vase ouvert, bord.
Halawa : ORTHMANN 1981, Taf. 44 : 5 [fin BM]

258   T11 C2
Céramique commune tournée ; dm 2/3++, dv 2/3 ; pâte vert-gris ; surface verte, ravalée.
Vase fermé, bord.
Tell ed-Dēr : GASCHE 1971, pl. 21 : 13 [BM]

259   T11 C19
Céramique commune tournée ; dm 2/3(4) ; pâte beige ; surface beige, lissée.
Vase fermé, bord.
Haradum : KEPINSKI-LECOMTE 1992, fig. 70 : 3, 6, 8 [XVIIIᵉ-XVIIᵉ s. av. J.-C.]

260   T11 C7
Céramique commune tournée ; dm 2/3(4), dv 3 ; pâte rose ; surface beige, lissée ; traces d'anse verticale.
Vase fermé, bord.
Halawa : ORTHMANN 1981, Taf. 45 : 26 [BM]

261   T11 C28
Céramique commune tournée ; dm 2/3, dv 2/3 ; pâte brun-rose à cœur noir ; surface beige, ravalée.
Vase fermé, bord.
Haradum : KEPINSKI-LECOMTE 1992, fig. 62 : 5 [XVIIIᵉ-XVIIᵉ s. av. J.-C.]
Halawa : ORTHMANN 1981, Taf. 46 : 18 [début IIᵉ mill.]

262   T11 C40
Céramique commune tournée ; dm 2/3, dv 2/3 ; pâte verte ; surface verte.
Vase fermé, bord.

263   T11 C29
Céramique commune tournée ; dm 2/3, dv 2/3 ; pâte beige à cœur rose ; surface beige, lissée.
Vase fermé, bord.
Halawa : ORTHMANN 1981, Taf. 49 : 2 [début IIᵉ mill.]

264   T11 C30
Céramique commune tournée ; dm 2/3, dv 2/4 ; pâte verte ; surface beige-vert, ravalée.
Vase fermé, bord.
Halawa : ORTHMANN 1981, Taf. 44 : 8 [fin BM]

Site n° 12 - Tell Halīm Asra Hajīn (pl. 21 à 25).

La grande majorité de la céramique atteste une occupation importante au début du Ier millénaire de notre ère, en particulier à l'époque romaine tardive : présence de céramique peinte nord-syrienne (**305** à **308**), de jarres *torpedo* (**282** à **285, 292**), de *Brittle Ware* (**309** à **315**). Plusieurs tessons semblent aussi pouvoir être datés de la période séleuco-parthe (**267, 275** à **280, 299**).

Une première occupation au Bronze moyen pourrait être attestée par les tessons **273** et **274**, mais leur identification est loin d'être assurée.

265 T12 C67
Céramique commune tournée ; dm 2/3+ ; pâte rose-rouge ; surface beige-rose à brun-vert, ravalée.
Vase ouvert, bord.
Barri : Ricciardi Venco 1982, n° 25 [parthe]
Resafa : Konrad 1992, Abb. 18 : 10 [v[e]-début vi[e] s. apr. J.-C.]
Resafa : Mackensen 1984, Taf. 30 : 2 [vi[e] s. apr. J.-C.]

266 T12 C69
Céramique commune tournée ; dm 2/3+ ; pâte beige-rose ; surface verte, lissée.
Vase ouvert, bord.
'Āna : Killick 1988, fig. 32 : 60 [parthe]

267 T12 C37
Céramique commune tournée ; dm 2/3 ; pâte brun-rouge ; surface rouge, engobe brun-rouge.
Vase ouvert, profil.
Nimrud : Oates D. 1968, fig. 15 : 14-15, 29-31 [hellénistique]
Halaf : Hrouda 1962, Taf. 72 : 68 [hellénistique]

268 T12 C70
Céramique commune tournée ; dm 2/3+ ; pâte beige-rose ; surface beige, lissée.
Vase ouvert, bord.

269 T12 C68
Céramique commune tournée ; dm 2/3++ ; pâte rose ; surface beige-vert, ravalée.
Vase ouvert, bord.

270 T12 C29
Céramique commune tournée ; dm 2/3 ; pâte rose ; surface beige, lissée ; lignes ondulées (4) sur le replat de la lèvre.
Vase ouvert, bord.
'Āna : Killick 1988, fig. 35 : 97 [sassanide ancien]
Resafa : Konrad 1992, Abb. 15 : 7 [vi[e] s. apr. J.-C.]

271 T12 C71
Céramique commune tournée ; dm 2/3(4) ; pâte rose ; surface beige, ravalée.
Vase ouvert, bord.
'Āna : Killick 1988, fig. 35 : 97 [sassanide ancien]

272 T12 C31
Céramique commune tournée ; dm 2/3 ; pâte rose ; surface beige, ravalée.
Vase ouvert, bord.

273 T12 C28
Céramique commune tournée ; dm 2/3+ ; pâte verte à cœur gris ; surface verte, lissée.
Vase fermé, bord.
Mari : Lebeau 1987 a, pl. III : 11 [paléobabylonien]

274 T12 C7
Céramique commune tournée ; dm 2/3 ; pâte verte ; surface beige, lissée.
Vase fermé, bord.
Haradum : Kepinski-Lecomte 1992, fig. 103 : 1 [xviiie-xviie s. av. J.-C.]

275 T12 C9
Céramique commune tournée ; dm 2/3 ; pâte verte ; surface verte, lissée.

Vase fermé, bord.
'Āna : Killick 1988, fig. 33 : 74 [parthe]

276 T12 C19
Céramique commune tournée ; dm 2(3) ; pâte verte ; surface verte, lissée ; collerette.
Vase fermé, bord.
'Āna : Killick 1988, fig. 33 : 75 [parthe]

277 T12 C8
Céramique commune tournée ; dm 2/3+ ; pâte rose ; surface rose, ravalée.
Vase fermé, bord.
Sabra : Tunca 1987, pl. 82 : 22 [SE/PA]

278 T12 C61
Céramique commune tournée ; dm 2/3++ ; pâte rose ; surface beige-vert, ravalée.
Vase fermé, bord.
Sabra : Tunca 1987, fig. 82 : 22 [SE/PA]

279 T12 C60
Céramique commune tournée ; dm 2/3++ ; pâte rose ; surface beige, ravalée.
Vase fermé, bord.
'Āna : Killick 1988, fig. 35 : 93 [sassanide ancien]
Sabra : Tunca 1987, fig. 77 : 13 [SE/PA]

280 T12 C6
Céramique commune tournée ; dm 2/3(4) ; pâte rose ; surface beige, lissée.
Vase fermé, bord.
'Āna : Killick 1988, fig. 35 : 93 [sassanide ancien (iiie s.)]

281 T12 C59
Céramique commune tournée ; dm 2/3, dv 2 ; pâte rose ; surface beige, lissée.
Vase fermé, bord.
'Aǧīǧ-Gebiet : Bernbeck 1993, Abb. 145 : m [romain tardif]

282 T12 C16
Céramique commune tournée ; dm 2/3 ; pâte rose ; surface beige-vert, ravalée ; bitume intérieur et coulures à l'extérieur.
Vase fermé, bord.
'Āna : Northedge 1988, fig. 37 : 7, 20 ; 38 : 13 [sassanide moyen-récent]

283 T12 C52   (n.i.)
Céramique commune tournée ; dm 2/3+ ; pâte rose ; surface rose, ravalée ; traces de bitume à l'intérieur et à l'extérieur.
Vase fermé, bord.
'Āna : Northedge 1988, fig. 37 : 7, 20 ; 38 : 13 [sassanide moyen-récent]

284 T12 C14
Céramique commune tournée ; dm 2/3++ ; pâte verte ; surface verte, ravalée.
Vase fermé, bord.
'Āna : Northedge 1988, fig. 37 : 7 [sassanide moyen-récent]

285 T12 C17
Céramique commune tournée ; dm 2/3 ; pâte verte ; surface beige-vert, lissée.
Vase fermé, bord.
'Āna : Northedge 1988, fig. 37 : 7, 20 ; 38 : 13 [sassanide moyen-récent]

286 T12 C15
Céramique commune tournée ; dm 2/3(4)+ ; pâte verte ; surface verte, ravalée.
Vase fermé, bord.

287 T12 C2
Céramique commune tournée ; dm 2/3 ; pâte rose ; surface verdâtre, lissée.
Vase fermé, bord.

288 T12 C3
Céramique commune tournée ; dm 2/3++ ; pâte beige ; surface beige-vert, ravalée, rugueuse.
Vase fermé, bord.

289 T12 C18
Céramique commune tournée ; dm 2/3+ ; pâte rose ; surface beige-vert, ravalée.
Vase fermé, bord.
'Āna : KILLICK 1988, fig. 36 : 110 [parthe/parthe ancien]

290 T12 C20
Céramique commune tournée ; dm 2/3(4)+ ; pâte rose ; surface verte, ravalée.
Vase fermé, bord.
'Āna : KILLICK 1988, fig. 35 : 91 [sassanide ancien]
Sabra : TUNCA 1987, pl. 77 : 13 [SE/PA]

291 T12 C53
Céramique commune tournée ; dm 2/3+ ; pâte rose-rouge ; surface verte, ravalée ; fines incisions horizontales.
Vase fermé, bord.

292 T12 C50
Céramique commune modelée ; dm 2/3+ ; pâte rose ; surface beige-rose, ravalée.
Vase fermé, fond.
Doura : DYSON 1968, fig. 4 : n° 67 [IIe s. apr. J.-C.]
'Āna : KILLICK 1988, fig. 34 : 80 [parthe]

293 T12 C1
Céramique commune tournée ; dm 2/3, dv 2/4 ; pâte rose ; surface verdâtre, lissée.
Vase fermé, bord.

294 T12 C12
Céramique commune tournée ; dm 2/3+ ; pâte verte ; surface verte, ravalée ; incisions horizontales (2) sur panse.
Vase fermé, bord.
'Ağiğ-Gebiet : BERNBECK 1993, Abb. 140 : r [romain tardif]

295 T12 C56
Céramique commune tournée ; dm 2/3+ ; pâte rose ; surface rose, ravalée.
Vase fermé, bord.
Sabra : TUNCA 1987, pl. 78 : 4 [SE/PA]

296 T12 C21
Céramique commune tournée ; dm 2/3 ; pâte rose ; surface beige-vert, lissée.
Vase fermé, bord.

297 T12 C57
Céramique commune tournée ; dm 2/3+ ; pâte rose ; surface beige-vert, ravalée ; fines incisions horizontales.
Vase fermé, bord.
'Ağiğ-Gebiet : BERNBECK 1993, Abb. 141 : k [romain tardif]

298 T12 C62
Céramique commune tournée ; dm 2/3 ; pâte beige-vert ; surface verte, lissée ; lignes incisées (2) ; anse verticale.
Vase fermé, bord.

299 T12 C13
Céramique commune tournée ; dm 2/3+ ; pâte verte ; surface verte, ravalée ; anse verticale.
Vase fermé, bord.
Sabra : TUNCA 1987, pl. 79 : 7 [SE/PA]

300 T12 C63
Céramique commune tournée ; dm 2/3+, dv 2/3 ; pâte brun-vert ; surface brun-vert, ravalée ; anse verticale.
Vase fermé, bord.

301 T12 C55
Céramique commune tournée ; dm 2/3+ ; pâte beige-vert ; surface verte, lissée.
Vase fermé, bord.
'Āna : NORTHEDGE 1988, fig. 37 : 4 [sassanide moyen]
Sabra : TUNCA 1987, pl. 76 : 18 [SE/PA]

302 T12 C66
Céramique commune tournée ; dm 2/3+ ; pâte rose ; surface beige, lissée ; lignes horizontales incisées ; cannelure en forme d'ondulation.
Vase fermé, bord.

303 T12 C10
Céramique commune tournée ; dm 2/3, dv 2 ; pâte verte ; surface beige-vert, lissée.
Vase fermé, bord.

304 T12 C11
Céramique commune tournée ; dm 2 ; pâte beige-vert ; surface beige-vert, lissée.
Vase fermé, bord.
Déhès : ORSSAUD 1980, fig. 304 : type 4a [byzantin (VIIe s.)]

305 T12 C4
Céramique commune tournée ; dm 2/3+ ; pâte beige-vert ; surface beige-vert, ravalée.
Vase fermé, bord.
Karababa Basin, site 12 : WILKINSON 1990, fig. B.15 : 2 [romain tardif-byzantin ancien]
Dibsi Faraj : HARPER 1980, fig. E : 69 [byzantin ancien]
'Ağiğ-Gebiet : BERNBECK 1993, Abb. 147 : f [romain tardif]

306 T12 C5
Céramique commune tournée ; dm 2/3 ; pâte rose ; surface beige, lissée ; anse verticale.
Vase fermé, bord.
Karababa Basin, site 12 : WILKINSON 1990, fig. B.15 : 2 [romain tardif-byzantin ancien]
Dibsi Faraj : HARPER 1980, fig. E : 69 [byzantin ancien]

307 T12 C44
Céramique commune tournée ; dm 2/3++ ; pâte beige-rose ; surface beige, lissée ; peinture brune (spirale sur l'épaule).
Vase fermé, panse, céramique peinte nord-syrienne.
Dibsi Faraj : HARPER 1980, fig. E : 70, 71 [byzantin ancien]

308 T12 C43
Céramique commune tournée ; dm 2/3(4) ; pâte beige-rose ; surface beige, lissée ; peinture brune (bande horizontale sur le col ; spirale sur l'épaule).
Vase fermé, panse, céramique peinte nord-syrienne.
Dibsi Faraj : HARPER 1980, fig. E : 70, 71 [byzantin ancien]

309 T12 C40
Céramique de cuisson tournée ; dm 1/2 ; pâte noire ; surface noire, lissée.
Vase fermé, bord, *Brittle Ware.*

310 T12 C39
Céramique de cuisson tournée ; dm 2 ; pâte brun-rouge ; surface brun-rouge, lissée.
Vase fermé, bord, *Brittle Ware.*

311 T12 C41
Céramique de cuisson tournée ; dm 1/2 ; pâte brun-rouge ; surface brun-noir, lissée.
Vase fermé, bord, *Brittle Ware.*

312 T12 C72
Céramique de cuisson tournée ; dm 1/2 ; pâte brun-rose ; surface rouge à l'intérieur, brune à l'extérieur, lissée.
Vase fermé, bord, *Brittle Ware.*

313 T12 C47
Céramique de cuisson tournée ; dm 1/2 ; pâte brun-rouge ; surface noire, lissée.
Vase fermé, panse, *Brittle Ware*.

314 T12 C46   (n.i.)
Céramique de cuisson modelée ; dm 1/2 ; pâte brun-rouge ; surface brun-rouge, lissée.
Vase fermé, anse, *Brittle Ware*.

315 T12 C48   (n.i.)
Céramique de cuisson tournée ; dm 1/2 ; pâte brun-rouge ; surface brun-rouge.
Vase fermé, panse, *Brittle Ware*.

316 T12 C38   (n.i.)
Céramique mi-fine tournée ; dm 1/2 ; pâte rose ; surface beige-rose, lissée, engobe rouge à l'intérieur ; bande verticale peinte à l'extérieur (?). **Vase ouvert, panse**.

Site n° 13 - Es Saiyāl 6.

Site sans céramique visible.

Site n° 14 - Es Saiyāl 5 (pl. 25 à 28).

Le fragment **335** n'a aucun parallèle exact ; il devrait néanmoins pouvoir être daté de l'époque de Halaf : d'une part, une forme équivalente est attestée à Halaf (SCHMIDT 1943, Taf. X, 28) ; d'autre part, il est décoré d'un motif peint en brun-rouge/brun-noir, qui semble être d'inspiration Halaf. Peut-être peut-on y voir une schématisation plus poussée, en forme de « guirlande », du motif retrouvé à Bāqhūz (DU MESNIL DU BUISSON 1948, pl. XXXI : 8-12) et notamment de sa déformation, illustrée pl. XXXI : 15.

Plusieurs bords de coupes ont des parallèles possibles au Bronze ancien et au Bronze moyen, mais ces mêmes bords peuvent aussi être comparés à des formes beaucoup plus tardives, notamment séleuco-parthes. Un bord de vase fermé avec cannelure sur la lèvre (**342**) renvoie nettement aux vases retrouvés à Bāqhūz, à Haradum et à Mari et est à dater du Bronze moyen. Plusieurs autres fragments (**317, 332, 338, 355, 356** et **363**) ont aussi des comparaisons avec des formes paléobabyloniennes.

La majorité des tessons est à dater de l'époque hellénistique, avec notamment une imitation (**333**), en céramique commune locale et sans engobe, de plat à poisson caractéristique de cette époque.

Une occupation du site au début de notre ère semble attestée par plusieurs tessons, dont le **360** qui peut être comparé à des fragments décorés retrouvés à Doura-Europos. Ce rapprochement semble meilleur que celui que l'on pourrait faire avec des fragments décorés de bourrelets incisés, mais sans estampille, provenant de Tell Sabra et datés du début du Bronze ancien.

Le fragment **337** est un fond de vase ouvert qui présente sur la face interne 16 signes plus ou moins triangulaires, incisés dans la pâte avant cuisson, et qui ressemblent à des éléments de signes cunéiformes inscrits au calame. Faut-il y voir un fragment d'inscription, comme l'avait suggéré J.-M. Durand ? Si ce dernier nous en a effectivement proposé une lecture (MONCHAMBERT 1990), il s'avère que la copie qui aurait dû l'accompagner n'a pas été fournie, en sorte que cette identification nous semble douteuse. Il s'agit sans doute plus simplement d'un décor grossier effectué à l'aide d'un calame, non datable en soi. Un éventuel rapprochement avec un vase du type des « *husking tray* » de Hassuna (LLOYD et SAFAR 1945, fig. 3 : 9) que pourraient suggérer les marques poinçonnées nous semble aussi à écarter : notre fragment est de dimensions plus modestes, vraisemblablement tourné et les incisions ne semblent pas recouvrir l'ensemble de la surface.

317 T14 C40
Céramique commune tournée ; dm 2/3 ; pâte rose ; surface beige-rose, lissée.
Vase ouvert, bord.
Mari : LEBEAU 1983 a, fig. 4 : 5 [XIXᵉ s. av. J.-C.]

318 T14 C10
Céramique commune tournée ; dm 2/3 ; pâte rose ; surface beige-vert, ravalée.
Vase ouvert, bord.
Nimrud : OATES D. 1968, fig. 15 : 30 [hellénistique]
Karababa Basin : WILKINSON 1990, fig. B.14 : 2 [séleucide-hellénistique]

319 T14 C61
Céramique commune tournée ; dm 2/3 ; pâte rose ; surface rose, ravalée.
Vase ouvert, bord.

320 T14 C6
Céramique commune tournée ; dm 2/3+ ; pâte rose ; surface verte, ravalée.
Vase ouvert, bord.
Sippar : HAERINCK 1980, pl. 10 : 9 [achéménide]

321 T14 C11
Céramique commune tournée ; dm 2/3 ; pâte beige-vert ; surface beige-vert, lissée.
Vase ouvert, bord.
Sabra : TUNCA 1987, pl. 44 : 1 [SE/PA]

322 T14 C8
Céramique commune tournée ; dm 2+ ; pâte rose ; surface beige-vert, ravalée.
Vase ouvert, bord.
Sippar : HAERINCK 1980, pl. 10 : 9 [achéménide]
Tawi : KAMPSCHULTE et ORTHMANN 1984, Taf. 19 : 34 [IIIᵉ millénaire]
Haradum : KEPINSKI-LECOMTE 1992, fig. 110 : 3 [XVIIIᵉ-XVIIᵉ s. av. J.-C.]

323 T14 C9
Céramique commune tournée ; dm 2/3+ ; pâte rose-rouge ; surface beige-rose à beige-orange, lissée.
Vase ouvert, bord.
Sabra : TUNCA 1987, pl. 44 : 23 [SE/PA]

324 T14 C57
Céramique commune tournée ; dm 2/3+ ; pâte brun-rose ; surface rose, ravalée.
Vase ouvert, bord.

325   T14 C39
Céramique commune tournée ; dm 2/3, dv 2/3 ; pâte rose ; surface
   verte, lissée.
Vase ouvert, bord.

326   T14 C42
Céramique commune tournée ; dm 2/3 ; pâte rose ; surface beige-
   vert, ravalée.
Vase ouvert, bord.
Sabra : Tunca 1987, pl. 48 : 4 [SE/PA]

327   T14 C7
Céramique commune tournée ; dm 2/3+ ; pâte rose ; surface beige-
   vert, ravalée.
Vase ouvert, bord.
Sabra : Tunca 1987, pl. 44 : 23 [SE/PA]
Haradum : Kepinski-Lecomte 1992, fig. 111 : 7 [XVIIIᵉ-XVIIᵉ s.
   av. J.-C.]

328   T14 C5
Céramique commune tournée ; dm 2/3 ; pâte beige ; surface verte,
   ravalée.
Vase ouvert, bord.
Nippur : McCown et Haines 1967, pl. 103 : 1 [néobabylonien/
   achéménide]
Sabra : Tunca 1987, pl. 45 : 14 [SE/PA]

329   T14 C56
Céramique commune tournée ; dm 2/3 ; pâte beige ; surface beige-
   vert, lissée ; glaçure bleu-vert très clair.
Vase ouvert, bord.
Nimrud : Lines 1954, pl. XXXVII : 5 [néo-assyrien]
Sabra : Tunca 1987, pl. 45 : 15 ; 49 : 2 [SE/PA]

330   T14 C41
Céramique commune tournée ; dm 2/3 ; pâte beige-vert ; surface
   beige-vert, lissée.
Vase ouvert, bord.
Nimrud : Lines 1954, pl. XXXVII : 5 [néo-assyrien]
Sabra : Tunca 1987, pl. 49 : 2 [SE/PA]

331   T14 C59
Céramique commune tournée ; dm 2/3+ ; pâte beige ; surface beige-
   vert, lissée.
Vase ouvert, bord.
Nimrud : Lines 1954, pl. XXXVII : 5 [néo-assyrien]
Sabra : Tunca 1987, pl. 49 : 2 [SE/PA]

332   T14 C38
Céramique commune tournée ; dm 2/3(4) ; pâte verte ; surface verte,
   lissée.
Vase ouvert, bord.
Nippur : McCown et Haines 1967, pl. 93 : 11 [paléobabylonien]

333   T14 C58
Céramique commune tournée ; dm 2/3+ ; pâte beige-jaune ; surface
   beige, lissée ; glaçure bleu-vert très clair.
Vase ouvert, bord.
Nimrud : Oates D. 1968, fig. 16 : 68 [hellénistique]

334   T14 C62
Céramique commune tournée ; dm 2/3 ; pâte verte ; surface verte,
   lissée.
Vase ouvert, bord.
Terqa : Kelly-Buccellati et Shelby 1977, fig. 23 : TPR 4 56
   [milieu IIIᵉ millénaire]

335   T14 C51
Céramique mi-fine modelée ; dm 1/2 ; pâte rose ; surface rose,
   engobe beige lissé ; peinture brun-rouge à brun-noir.
Vase ouvert, bord.

336   T14 C28
Céramique commune tournée ; dm 2/3+ ; pâte rose ; surface verte,
   lissée ; incisions concentriques.
Vase ouvert, fond, imitation de plat à poisson.

Hama : Papanicolaou Christensen 1971, fig. 19 : 175
   [hellénistique]
Nimrud : Oates D. 1968, fig. 16 : 67 [hellénistique]

337   T14 C46
Céramique commune tournée (?) ; dm 2/3++, dv 3 ; pâte brun-
   rouge ; surface vert kaki, ravalée ; signes au calame à l'intérieur.
Vase ouvert, fond.

338   T14 C37
Céramique commune tournée ; dm 2/3 ; pâte verte ; surface verte,
   lissée.
Vase ouvert, bord.
Nippur : McCown et Haines 1967, pl. 93 : 11 [paléobabylonien]

339   T14 C36
Céramique commune tournée ; dm 2/3, dv 2/3 ; pâte verte ; surface
   verte, lissée.
Vase ouvert, profil presque complet.

340   T14 C35
Céramique commune tournée ; dm 2/3++ ; pâte verte ; surface verte.
Vase fermé, bord.
Ur : Woolley 1965, pl. 45 : 76 [kassite, néobabylonien, perse]

341   T14 C50
Céramique commune modelée ; dm2/3 ; pâte beige-jaune ; surface
   beige crème, lissée ; glaçure bleu-vert.
Vase fermé, bord.
Ain Sinu : Oates 1968, fig. 21 : 6 [parthe]

342   T14 C14
Céramique commune tournée ; dm 2/3, dv 2/3 ; pâte beige ; surface
   verte, lissée.
Vase fermé, bord.
Mari : Lebeau 1983 a, fig. 1 : 9 [BM II]

343   T14 C13
Céramique commune tournée ; dm 2/3+ ; pâte verte ; surface verte,
   ravalée.
Vase fermé, bord.

344   T14 C26
Céramique commune tournée ; dm 2/3++ ; pâte verte ; surface verte,
   ravalée.
Vase fermé, bord.
Oumm el-Marra : Tefnin 1983, fig. 4 : 2 [BR]
Mari : Lebeau 1990 b, pl. III : 18 [Akkad]

345   T14 C34
Céramique commune tournée ; dm 1/2 ; pâte rose ; surface verte,
   lissée.
Vase fermé, bord.
Doura : Alabe 1992, fig. 19 [hellénistique]

346   T14 C19
Céramique commune tournée ; dm 2/3+ ; pâte rose ; surface verte,
   lissée.
Vase fermé, bord.
Doura : Alabe 1992, fig. 19 [hellénistique]

347   T14 C21
Céramique commune tournée ; dm 2/3+ ; pâte vert-gris ; surface
   verte, ravalée.
Vase fermé, bord.

348   T14 C18
Céramique commune tournée ; dm 2/3(5) ; pâte rose ; surface verte,
   ravalée.
Vase fermé, bord.
Mari : Lebeau 1984, n° 7 [2050-2000 av. J.-C.]

349   T14 C3
Céramique commune tournée ; dm 2/3 ; pâte rose ; surface verte,
   lissée.
Vase fermé, bord.
Mari : Lebeau 1985 a, fig. 14 : 9 [DA 3]

350 T14 C17
Céramique mi-fine tournée ; dm 2/3 ; pâte rose-rouge à cœur gris ; surface rose, lissée ; anses verticales.
Vase fermé, bord.

351 T14 C27
Céramique commune tournée ; dm 2/3(5) ; pâte rose-rouge ; surface rose-rouge, ravalée ; bitume à l'intérieur.
Vase fermé, bord.
Sabra : Tunca 1987, 81 : 24 [SE/PA]

352 T14 C4
Céramique commune tournée ; dm 2/3+ ; pâte rose-rouge ; surface rose-rouge, ravalée ; bitume à l'intérieur.
Vase fermé, bord.
'Ağīğ-Gebiet : Bernbeck 1993, Abb. 144 : e [romain tardif/ islamique ancien]
Sabra : Tunca 1987, pl. 82 : 22 [SE/PA]

353 T14 C30
Céramique commune tournée ; dm 2/3+ ; pâte rose ; surface rose, lissée ; bitume intérieur ; coulures à l'extérieur.
Vase fermé, bord.
'Ağīğ-Gebiet : Bernbeck 1993, Abb. 144 : e [romain tardif/ islamique ancien]
Sabra : Tunca 1987, pl. 82 : 22 [SE/PA]

354 T14 C29
Céramique commune tournée ; dm 2/3+ ; pâte rose ; surface verte, lissée.
Vase fermé, bord.
'Ağīğ-Gebiet : Bernbeck 1993, Abb. 144 : e [romain tardif/ islamique ancien]
Sabra : Tunca 1987, pl. 81 : 17 ; 82 : 22 [SE/PA]

355 T14 C32
Céramique commune tournée ; dm 2/3 ; pâte rose ; surface verte, lissée ; incision horizontale.
Vase fermé, bord.
Mari : Lebeau 1987 a, pl. IV : 11 [paléobabylonien]
Haradum : Kepinski-Lecomte 1992, fig. 75 : 9 [XVIIIᵉ-XVIIᵉ s. av. J.-C.]

356 T14 C33
Céramique commune tournée ; dm 2/3(4) ; pâte rose ; surface rose, engobe rose lissé.
Vase fermé, bord.
Mari : Parrot 1959, fig. 86 : 948 [paléobabylonien]

357 T14 C54
Céramique commune modelée (?) ; dm 2/3, dv 2/4 ; pâte beige ; surface beige à beige-vert, lissée ; incisions variées.
Vase fermé, panse.
Sabra : Tunca 1987, pl. 88 : 8 [SE/PA]
Haradum : Kepinski-Lecomte 1992, fig. 142 : 3 [XVIIIᵉ-XVIIᵉ s. av. J.-C.]

358 T14 C31
Céramique commune tournée ; dm 2/3, dv 2/3 ; pâte verte ; surface verte, ravalée.
Vase fermé, bord.

Jikan : Cinti Luciani 1993, pl. LXXVII : 113 [sassanide récent/ islamique ancien]
Doura : Dyson 1968, pl. VI : 374 [romain]

359 T14 C1
Céramique commune tournée ; dm 2, dv 2 ; pâte rose-rouge ; surface rose-rouge, lissée ; cannelures horizontales et petits croissants incisés.
Vase fermé, bord.
Jikan : Cinti Luciani 1993, pl. LXXVII : 113 (décor) [sassanide récent/islamique ancien]
Doura : Dyson 1968, pl. VI : 374 (décor) [romain]

360 T14 C53
Céramique commune tournée ; dm 2/3(4), dv 2/4 ; pâte beige-vert à cœur rouge ; surface beige-vert, lissée ; bourrelet incisé ; estampille.
Vase fermé, bord.
Sabra : Tunca 1987, pl. 96 : 4 [DA 1]
Doura : Dyson 1968, pl. V et VI [1ʳᵉ moitié du IIIᵉ s. apr. J.-C.]

361 T14 C2
Céramique commune tournée ; dm 2/3 ; pâte rose-rouge ; surface beige-vert, lissée ; cannelure (bande ondulée) ; bitume à l'intérieur.
Vase ouvert (?), bord.

362 T14 C44
Céramique commune tournée ; dm 2/3 ; pâte vert kaki ; surface vert kaki, ravalée.
Vase ouvert, bord.

363 T14 C52
Céramique commune modelée ; dm 2/3(5), dv 2/3 ; pâte vert kaki ; surface vert kaki, lissée.
Vase fermé, bord.
Haradum : Kepinski-Lecomte 1992, fig. 73 : 2 [XVIIIᵉ-XVIIᵉ s. av. J.-C.]

364 T14 C48
Céramique commune tournée ; dm 2/3+ ; pâte vert sombre ; surface verte, ravalée.
Vase fermé, fond.
Sabra : Tunca 1987, pl. 90 : 17 [SE/PA?]

365 T14 C47
Céramique commune tournée ; dm 2/3, dv 2/3 ; pâte verte ; surface verte, lissée.
Vase fermé, fond.

366 T14 C49
Céramique commune tournée ; dm 2/3+ ; pâte rose ; surface rose, lissée.
Vase fermé, fond.

367 T14 C55
Céramique commune modelée ; dm 2/3+ ; pâte rose ; surface beige-rose, lissée.
Vase fermé, fond.
'Āna : Killick 1988, fig. 34 : 81 [parthe]

Site n° 15 - Es Saiyāl 2 (pl. 29).

Trois fragments de grandes jarres à bord vertical, lèvre épaissie et bourrelet horizontal sur la partie supérieure de la panse (**374** à **376**) ont des parallèles au Bronze moyen à Mari.

Le fragment **370** est, quant à lui, datable du début de notre ère.

Les autres tessons ne sont pas suffisamment caractéristiques, en raison de leur petite taille.

368 T15 C5
Céramique commune tournée ; dm 2/3 ; pâte rose-orange ; surface rose, engobe beige.
Vase ouvert, bord.

369 T15 C4
Céramique commune tournée ; dm 2/3 ; pâte rose ; surface rose, engobe beige-vert.
Vase ouvert, bord.

370   T15 C10
Céramique commune tournée ; dm 2/3+ ; pâte beige-vert ; surface
  verte, lissée ; stries (zigzag et lignes verticales).
Vase fermé, panse.
Uruk : Strommenger 1967, Taf. 19 : 4 [parthe]
Doura : Dyson 1968, pl. IV, 328 [début IIIᵉ s. apr. J.-C.]

371   T15 C8
Céramique commune tournée ; dm 2, dv 2 ; pâte beige-vert ; surface
  beige-vert, ravalée.
Vase fermé, bord.

372   T15 C6
Céramique commune tournée ; dm 2/3 ; pâte vert-noir ; surface
  vert sombre, ravalée.
Vase fermé, bord.

373   T15 C7
Céramique commune tournée ; dm 2/3 ; pâte rose ; surface beige,
  ravalée.
Vase fermé, bord.

374   T15 C2
Céramique commune tournée ; dm 2 ; pâte vert-noir ; surface vert
  sombre, ravalée.
Vase ouvert, bord.
Mari : Lebeau 1983 a, fig. 3 : 7 [BM II]

375   T15 C3
Céramique commune tournée ; dm 2/3, dv 2 ; pâte verte ; surface
  verte, lissée.
Vase ouvert, bord.
Mari : Lebeau 1987 a, pl. III : 10 [paléobabylonien]

376   T15 C1
Céramique commune modelée ; dm 2, dv 2/3 ; pâte verte ; surface
  verte, lissée.
Vase ouvert, bord.
Mari : Lebeau 1983 a, fig. 3 : 11 [BM II]
Nippur : McCown et Haines 1967, pl. 89 : 9 [BM]

Site nº 16 - Jebel Masāikh (pl. 30 à 34).

Plusieurs époques sont attestées de façon sûre : quelques tessons remontent au Bronze moyen comme **386, 399, 428** à **431** qui ont des parallèles possibles à cette époque à Mari et à Haradum.

C'est l'époque néo-assyrienne qui est la mieux représentée, sur l'ensemble du site, *a priori* les VIIᵉ et VIᵉ s. avant J.-C. De nombreux tessons datent de cette période ; une coupe en bordure d'une grande fosse effectuée par des bulldozers dans toute la partie centrale du site a permis de prélever du matériel en place, daté de cette époque, jusque dans des couches relativement profondes.

L'époque classique est aussi attestée, avec notamment un vase miniature (**400**) recouvert d'une glaçure bleu-vert pâle d'époque parthe, tandis qu'un fragment de col de jarre ressemblant aux jarres *torpedo* (**415**) est datable de l'époque parthe jusqu'à l'époque islamique. Toutefois, l'absence complète de *Brittle Ware* et de céramique peinte nord-syrienne ne va pas dans le sens d'une occupation à l'époque romaine tardive.

Une occupation à l'époque islamique est aussi attestée dans le secteur du cimetière moderne exclusivement (cf. Berthier sous presse).

377   T16 C41
Céramique commune tournée ; dm 2 ; pâte beige-vert ; surface
  beige-vert, ravalée.
Vase ouvert, profil.
Khirbet Qasrij : Curtis 1989, fig. 24 : 20 [néo-assyrien]

378   T16 C25
Céramique commune tournée ; dm 2, dv 2/3 ; pâte rose-orange ;
  surface verdâtre, ravalée.
Vase ouvert, bord.
Halaf : Hrouda 1962, Taf. 61 : 147 [néo-assyrien]
Sippar : Haerinck 1980, pl. 11 : 5 [achéménide (apr. 550 av. J.-C.)]

379   T16 C39
Céramique commune tournée ; dm 2/3, dv 2/3 ; pâte rose ; surface
  beige-vert, lissée.
Vase ouvert, bord.
Qasrij Cliff : Curtis 1989, fig. 8 : 12 [néo-assyrien]

380   T16 C20
Céramique commune tournée ; dm 2, dv 2/3 ; pâte grise ; surface
  grise, lissée à lustrée.
Vase ouvert, bord.
Khirbet Qasrij : Curtis 1989, fig. 30 : 112, 113, 115 [néo-assyrien]
Fort Shalmaneser : Oates J. 1959, pl. XXXV : 16 [néo-assyrien]

381   T16 C9
Céramique commune tournée ; dm 2(3) ; pâte rose ; surface beige,
  lissée.
Vase ouvert, bord.
Fort Shalmaneser : Oates J. 1959, pl. XXXV : 16 [néo-assyrien]

382   T16 C23
Céramique commune tournée ; dm 2/3, dv 2/4 ; pâte beige à cœur
  rouge ; surface beige-vert, lissée.
Vase ouvert, bord.

Khirbet Qasrij : Curtis 1989, fig. 26 : 63 [néo-assyrien]

383   T16 C8
Céramique commune tournée ; dm 2/3 ; pâte rose à rouge à cœur
  brun ; surface beige à beige-vert, lissée.
Vase ouvert, bord.

384   T16 C42
Céramique commune tournée ; dm 2/3, dv 2/4 ; pâte rose à cœur
  gris ; surface beige-vert, lissée.
Vase ouvert, bord.

385   T16 C17
Céramique commune tournée ; dm 2(4) ; pâte rose ; surface beige,
  lissée ; incisions (2) horizontales.
Vase ouvert, bord.
Khirbet Qasrij : Curtis 1989, fig. 32 : 160 [néo-assyrien]
Uruk : Strommenger 1967, Taf. 15 : 14 [néobabylonien]

386   T16 C69
Céramique commune tournée ; dm 2/3 ; pâte rose ; surface beige-
  rose, ravalée.
Vase ouvert, bord.
Haradum : Kepinski-Lecomte 1992, fig. 108 : 2, 8, 11 [XVIIIᵉ-XVIIᵉ s.
  av. J.-C.]

387   T16 C18
Céramique commune tournée ; dm 2/3, dv 2/3 ; pâte beige ; surface
  beige, lissée ; incision horizontale.
Vase ouvert, bord.

388   T16 C7
Céramique commune tournée ; dm 2 ; pâte rose ; surface beige,
  lissée.
Vase ouvert, bord.
Khirbet Qasrij : Curtis 1989, fig. 30 : 108-111 [néo-assyrien]

389 T16 C6
Céramique mi-fine tournée ; dm 2 ; pâte rose ; surface gris-vert, lissée.
Vase ouvert, bord.

390 T16 C38
Céramique mi-fine tournée ; dm 1/2 ; pâte rose-rouge ; surface rose, engobe rouge à l'extérieur.
Vase ouvert, bord.
Halaf : HROUDA 1962, Taf. 58 : 71 [araméen]

391 T16 C36
Céramique mi-fine tournée ; dm 1/2 ; pâte rose-rouge ; surface brun-noir à l'intérieur, rose-rouge à l'extérieur, engobe rouge (?).
Vase ouvert, profil.
Qasrij Cliff : CURTIS 1989, fig. 7 : 6 [néo-assyrien]

392 T16 C24
Céramique commune tournée ; dm 2 ; pâte rose-orange ; surface beige-vert, lissée.
Vase ouvert, bord.
Fort Shalmaneser : OATES J. 1959, pl. XXXV : 4 [néo-assyrien]
Sippar : HAERINCK 1980, pl. 10 : 7 [achéménide]

393 T16 C21
Céramique commune tournée ; dm 2/3, dv 2/4 ; pâte verte à cœur rose ; surface verte, ravalée.
Vase ouvert, bord.
Halaf : HROUDA 1962, Taf. 61 : 157 [néo-assyrien]

394 T16 C70
Céramique commune tournée ; dm 2/3(4), dv 2/3 ; pâte verte ; surface verte, ravalée.
Vase ouvert, bord.
Khirbet Qasrij : CURTIS 1989, fig. 24 : 30 [1re moitié du VIe s. av. J.-C.]

395 T16 C22
Céramique commune tournée ; dm 2, dv 2/4 ; pâte verte ; surface verte, lissée.
Vase ouvert, bord.
Khirbet Qasrij : CURTIS 1989, fig. 26 : 63 [néo-assyrien]
Uruk : STROMMENGER 1967, Taf. 5 : 5, 6 [néobabylonien]

396 T16 C43
Céramique commune tournée ; dm 2/3, dv 2/3 ; pâte rose à cœur gris ; surface rose à l'intérieur, verte à l'extérieur, lissée.
Vase ouvert, bord.

397 T16 C1
Céramique commune tournée ; dm 2/3, dv 2/3/4 ; pâte rose ; surface verte, lissée.
Vase ouvert, bord.
Khirbet Qasrij : CURTIS 1989, fig. 38 : 243 [néo-assyrien]
Halaf : HROUDA 1962, Taf. 60, 126 (sans décor) [néo-assyrien]

398 T16 C32
Céramique commune tournée ; dm 2/3, dv 2/4 ; pâte rose ; surface verte, lissée.
Vase fermé, bord.
Halaf : HROUDA 1962, Taf. 60 : 126 [néo-assyrien]

399 T16 C67
Céramique commune tournée ; dm 2/3, dv 2 ; pâte rose ; surface beige-vert, lissée.
Vase ouvert, bord.
Mari : LEBEAU 1983 a, fig. 3 : 5, 6 [BM II]
Mari : LEBEAU 1987 a, pl. III : 9 [paléobabylonien]
Khirbet Qasrij : CURTIS 1989, fig. 38 : 243 [1re moitié du VIe s. av. J.-C.]

400 T16 C58
Céramique commune tournée ; dm 2 ; pâte beige-jaune ; surface beige-jaune, glaçure bleu-vert très pâle à l'intérieur et à l'extérieur ; deux anses verticales.
Vase fermé, profil.
Uruk : STROMMENGER 1967, Taf. 27 [parthe]

401 T16 C19
Céramique mi-fine tournée ; dm 1/2 ; pâte beige ; surface brune, lissée, engobe (?) ; céramique sonore.
Vase fermé, bord.
Halaf : HROUDA 1962, Taf. 60 : 130 [néo-assyrien]

402 T16 C3
Céramique commune tournée ; dm 2/3, dv 2 ; pâte rose ; surface beige, lissée.
Vase fermé, bord.

403 T16 C16
Céramique commune tournée ; dm 2 ; pâte rose ; surface verte, lissée.
Vase fermé, bord.

404 T16 C4
Céramique commune tournée ; dm 2/3/4++ ; pâte rose-orange ; surface rose-orange, lissée.
Vase fermé, bord.

405 T16 C14
Céramique commune tournée ; dm 2/3, dv 3 ; pâte rose-orange ; surface beige-vert, lissée.
Vase fermé, bord.
Khirbet Qasrij : CURTIS 1989, fig. 34 : 193 [néo-assyrien]

406 T16 C12
Céramique commune tournée ; dm 2/3 ; pâte brun-rose ; surface rose-orange, lissée.
Vase fermé, bord.
Khirbet Qasrij : CURTIS 1989, fig. 34 : 193 [néo-assyrien]

407 T16 C15
Céramique commune tournée ; dm 2, dv 2/3+ ; pâte brune ; surface verte, lissée.
Vase fermé, bord.
Khirbet Qasrij : CURTIS 1989, fig. 32 : 163 [néo-assyrien]

408 T16 C26
Céramique commune tournée ; dm 2/3, dv 2/3 ; pâte rose-orange ; surface rose-orange, ravalée.
Vase fermé, bord.

409 T16 C13
Céramique commune tournée ; dm 2/3 ; pâte beige-vert ; surface verte, lissée.
Vase fermé, bord.
Khirbet Qasrij : CURTIS 1989, fig. 33 : 172 [néo-assyrien]

410 T16 C27
Céramique commune tournée ; dm 2/3(5), dv 2/3 ; pâte rose ; surface beige-rose, ravalée.
Vase fermé, bord.
Khirbet Qasrij : CURTIS 1989, fig. 39 : 255 [néo-assyrien]

411 T16 C68
Céramique commune tournée ; dm 2/3, dv 2 ; pâte beige-vert à cœur rose ; surface beige-vert, lissée.
Vase fermé, bord.

412 T16 C73
Céramique commune tournée ; dm 2/3 ; pâte rose ; surface beige à rose, ravalée.
Vase fermé, bord.
'Aǧīǧ-Gebiet : BERNBECK 1993, Abb. 127 : b [âge du Fer (IXe s. av. J.-C.)]
'Aǧīǧ-Gebiet : BERNBECK 1993, Abb. 142 : a [IIIe s. apr. J.-C.]
'Āna : KILLICK 1988, fig. 34 : 88 [parthe récent (0-225)]

413 T16 C49
Céramique commune tournée ; dm 2/3++ ; pâte rose ; surface rose, ravalée ; bitume (traces) sur la lèvre.
Vase fermé, bord.

414 T16 C71
Céramique commune tournée ; dm 2/3(5) ; pâte rose ; surface rose, ravalée.
Vase fermé, bord.

415   T16 C72
Céramique commune tournée ; dm 2/3(5) ; pâte rose ; surface beige-
vert, ravalée.
Vase fermé, bord.
'Āna : Northedge 1988, fig. 37 : 20 [sassanide moyen (IVe-Ve s.)]
Dēr : Haerinck 1980, pl. 18 : 15 [0-150 apr. J.-C.]

416   T16 C28
Céramique commune tournée ; dm 2-5, dv 2/3 ; pâte beige-rose à
brun ; surface beige-rose à vert, ravalée ; anse verticale.
Vase fermé, bord.
Khirbet Qasrij : Curtis 1989, fig. 41 : 278 [néo-assyrien]

417   T16 C35
Céramique commune tournée ; dm 2/5, dv 2/3 ; pâte rose ; surface
rose, ravalée ; anse verticale.
Vase fermé, bord.
Dēr : Haerinck 1980, pl. 18 : 12 [0-150 apr. J.-C.]
Nippur : McCown et Haines 1967, pl. 104 : 5 [néobabylonien,
achéménide et post.]

418   T16 C37
Céramique commune tournée ; dm 2/3(5), dv 2/3 ; pâte verte ;
surface verte, ravalée ; anse verticale.
Vase fermé, bord.

419   T16 C2
Céramique commune tournée ; dm 2/3 ; pâte rose ; surface verte,
lissée ; cannelures et incisions (peu profondes).
Vase fermé, bord.
Ain Sinu : Oates 1968, fig. 23 : 63 [parthe]

420   T16 C33
Céramique commune tournée ; dm 2(4), dv 2/3 ; pâte beige à cœur
gris ; surface beige à brun, ravalée.
Vase fermé, bord.
Khirbet Qasrij : Curtis 1989, fig. 38 : 246 [néo-assyrien]

421   T16 C5
Céramique commune tournée ; dm 2/3, dv 2/3 ; pâte verte ; surface
verte, lissée.
Vase fermé, bord.
Halaf : Hrouda 1962, Taf. 60 : 121, 122 (sans décor) [néo-assyrien]
Qasrij Cliff : Curtis 1989, fig. 12 : 74 [néo-assyrien]

422   T16 C34
Céramique commune tournée ; dm 2/3 ; pâte rose-rouge à cœur
gris ; surface rose-rouge, ravalée.
Vase fermé, fond.

Fort Shalmaneser : Oates J. 1959, pl. XXXVI : 37 [néo-assyrien]
'Āna : Killick 1988, fig. 30 : 42 [néo-assyrien]

423   T16 C47
Céramique mi-fine tournée ; dm 1(5) ; pâte rose-orange ; surface
rose-orange, engobe rouge lustré à l'intérieur et à l'extérieur.
Vase ouvert, fond.

424   T16 C29
Céramique commune tournée ; dm 2+ ; pâte beige-rose ; surface
beige-vert, lissée.
Vase fermé, fond.

425   T16 C31
Céramique commune tournée ; dm 2/3, dv 2/3 ; pâte rose-rouge ;
surface rouge (engobe rouge intérieur et extérieur), lissée.
Vase ouvert, fond.

426   T16 C40
Céramique commune tournée ; dm 1/2 ; pâte beige-vert ; surface
beige-vert, lissée.
Vase fermé, fond.
Qasrij Cliff : Curtis 1989, fig. 14 : 99 [néo-assyrien]

427   T16 C48
Céramique commune modelée ; dm 2, dv 2/3 ; pâte brun-rouge ;
surface brun-rouge.
?, tenon.

428   T16 C64
Céramique commune tournée ; dm 2/3, dv 2 ; pâte rose à cœur
verdâtre ; surface verte, lissée.
Vase fermé, bord.
Mari : Lebeau 1983 a, fig. 3 : 7 [BM II (1re moitié du XVIIIe s.)]

429   T16 C11
Céramique commune modelée ; dm 2/4, dv 2/4++ ; pâte verte ;
surface verte ; traces de brûlé à l'intérieur.
Vase fermé (?), bord.

430   T16 C65
Céramique commune tournée ; dm 2/3 ; pâte verte à cœur rose ;
surface verte, lissée.
Vase fermé, bord.
Mari : Lebeau 1983 a, fig. 3 : 7 [BM II (1re moitié du XVIIIe s.)]

431   T16 C66
Céramique commune tournée ; dm 2/3, dv 2/3 ; pâte verte ; surface
beige-vert, lissée.
Vase fermé, bord.
Haradum : Kepinski-Lecomte 1992, fig. 62 : 2 [XVIIIe-XVIIe s. av. J.-C.]

Site n° 17 - Sālihīye 1.

Aucun tesson n'a été retrouvé dans ce champ de petits tumulus situé près de Doura-Europos ; les tombes pillées sont vraisemblablement à mettre en relation avec ce site.

Site n° 18 - Es Sūsa 1 (pl. 34 et 35) [voir aussi site n° 56].

Ce site se recoupe avec le site n° 56. La céramique en a déjà été publiée dans un article paru dans *MARI* 5 (Geyer et Monchambert 1987 a, p. 290-291), mais en raison d'une erreur de mise en page, les numéros n'apparaissent pas sur les planches. Elle est donc republiée ici dans son intégralité.

Deux périodes d'utilisation de cette nécropole avaient alors été proposées : l'âge du Bronze, notamment le Bronze ancien (**433, 434**), et l'époque romano-parthe représentée par un bord de grande coupe (**432**) et plusieurs bords (**436** à **440**) de jarres *torpedo* aux parois intérieures bitumées qui ont des comparaisons à Doura-Europos (Ier au IIIe s.) et à 'Āna (« *middle Sasanian* » : IVe-Ve s.). En fait, cette dernière phase s'est prolongée jusqu'à l'époque byzantine, vers la fin du Ve s.et au VIe s., comme l'attestent trois fragments (**443** à **445**) d'amphores peintes nord-syriennes avec des motifs en spirale ainsi qu'un fragment de col d'amphore non peint (**442**), appartenant toutefois au même type de vase, ou encore le col de cruche **441** et quelques fragments de *Brittle Ware* (**446** à **449**).

432   T18 C8
Céramique commune tournée ; dm 2/3 ; pâte beige verdâtre ; surface
verdâtre, ravalée.

Vase ouvert, bord.
'Āna : Killick 1988, fig. 32 : 60 [parthe]

433   T18 C7
Céramique commune tournée ; dm 2/3, dv 2/3 ; pâte beige ; surface verdâtre, lissée.
Vase fermé, bord.
Mari : LEBEAU 1985 a, fig. 15 : 9 [DA 3]
Mari : LEBEAU 1985 a, fig. 24 : 2, 9 ; 26 : 1-3 [DA 1]
Tawi : KAMPSCHULTE et ORTHMANN 1984, Taf. 14 : 21 ; 21 : 98-103 [2800-2000 av. J.-C.]
Chagar Bazar : MALLOWAN 1936, fig. 11 : 9 [DA]
Brak : OATES J. 1982, n°s 85-88 [DA 3]

434   T18 C6
Céramique commune tournée ; dm 2/3 ; pâte beige ; surface beige verdâtre, ravalée.
Vase fermé, bord.
Mari : LEBEAU 1985 a, fig. 15 : 9 [DA 3]
Mari : LEBEAU 1985 a, fig. 24 : 2, 9 ; 26 : 1-3 [DA 1]
Tawi : KAMPSCHULTE et ORTHMANN 1984, Taf. 14 : 21 ; 21 : 98-103 [2800-2000 av. J.-C.]
Chagar Bazar : MALLOWAN 1936, fig. 11 : 9 [DA]
Brak : OATES J. 1982, n°s 85-88 [DA 3]

435   T18 C17
Céramique commune tournée ; dm 2/3 ; pâte beige verdâtre ; surface beige verdâtre, lissée ; petites stries horizontales et ondulation.
Vase fermé, panse.
Qṣeir es-Seile : MACKENSEN 1984, Taf. 30 : 13, 14 [VIe-début VIIe s. apr. J.-C.]
Resafa : KONRAD 1992, Abb. 13 : 1 [fin V^e-début VIe s. apr. J.-C.]

436   T18 C2
Céramique commune tournée ; dm 2/3+ ; pâte rose ; surface rose, ravalée ; bitume à l'intérieur et à l'extérieur.
Vase fermé, bord.
Tell ed-Dēr : HAERINCK 1980, pl. 18 : 14, 16 [0-150 apr. J.-C.]
Doura : CUMONT 1926, pl. CXXIII : 5 [romain]
'Āna : NORTHEDGE 1988, fig. 37 : 7-10, 20 [sassanide moyen]

437   T18 C3
Céramique commune tournée ; dm 2/3/4+ ; pâte beige-rose ; surface beige-rose, ravalée ; bitume à l'intérieur et sur la lèvre extérieure.
Vase fermé, bord.
Tell ed-Dēr : HAERINCK 1980, pl. 18 : 14, 16 [0-150 apr. J.-C.]
Doura : CUMONT 1926, pl. CXXIII : 5 [romain]
'Āna : NORTHEDGE 1988, fig. 37 : 7-10, 20 [sassanide moyen]

438   T18 C1
Céramique commune tournée ; dm 2/3++ ; pâte rose ; surface rose, ravalée ; bitume à l'intérieur et coulures à l'extérieur.
Vase fermé, bord.
Tell ed-Dēr : HAERINCK 1980, pl. 18 : 14, 16 [0-150 apr. J.-C.]
Doura : CUMONT 1926, pl. CXXIII : 5 [romain]
'Āna : NORTHEDGE 1988, fig. 37 : 7-10, 20 [sassanide moyen]

439   T18 C4   (n.i.)
Céramique commune tournée ; dm 3/4+ ; pâte beige-rose ; surface beige à beige-vert, ravalée ; bitume à l'intérieur et coulures à l'extérieur.
Vase fermé, bord.
Tell ed-Dēr : HAERINCK 1980, pl. 18 : 14, 16 [0-150 apr. J.-C.]
Doura : CUMONT 1926, pl. CXXIII : 5 [romain]
'Āna : NORTHEDGE 1988, fig. 37 : 7-10, 20 [sassanide moyen]

440   T18 C5 (n.i.)
Céramique commune tournée ; dm 2/3+ ; pâte rose ; surface rose, ravalée ; bitume à l'intérieur et à l'extérieur.

Tell ed-Dēr : HAERINCK 1980, pl. 18 : 14, 16 [0-150 apr. J.-C.]
Doura : CUMONT 1926, pl. CXXIII : 5 [romain]
'Āna : NORTHEDGE 1988, fig. 37 : 7-10, 20 [sassanide moyen]

441   T18 C10
Céramique commune tournée ; dm 1/2/3 ; pâte rose ; surface beige, ravalée ; anse verticale.
Vase fermé, bord.
Karababa Basin, site 37 : WILKINSON 1990, fig. B.16 : 36 [romain tardif-byzantin ancien]

442   T18 C9
Céramique commune tournée ; dm 2 ; pâte beige verdâtre ; surface verdâtre, ravalée.
Vase fermé, bord.
Karababa Basin, site 12 : WILKINSON 1990, fig. B.15 : 1, 8 [romain tardif-byzantin ancien]
Dibsi Faraj : HARPER 1980, fig. E : 69 [byzantin ancien]
Resafa : KONRAD 1992, Abb. 10 : 11 ; 11 : 5 [V^e-début VIe s. apr. J.-C.]

443   T18 C15
Céramique commune tournée ; dm 2/3/4 ; pâte rose ; surface beige, lissée ; peinture brun-rouge à brun-noir (bandes horizontales sous l'épaule, spirales sur l'épaule).
Vase fermé, panse, céramique peinte nord-syrienne.
Karababa Basin, site 12 : WILKINSON 1990, fig. B.15 : 4 [romain tardif-byzantin ancien]
Dibsi Faraj : HARPER 1980, fig. E : 70, 71 [byzantin ancien]
Qṣeir es-Seile : MACKENSEN 1984, Taf. 28 : 1 [VIe-début VIIe s. apr. J.-C.]

444   T18 C16   (n.i.)
Céramique commune tournée ; dm 2/3/4 ; pâte rose ; surface beige-rose, lissée ; peinture brun-rouge à brun-noir (bandes horizontales sous l'épaule, spirales sur l'épaule).
Vase fermé, panse, céramique peinte nord-syrienne.

445   T18 C19   (n.i.)
Céramique commune tournée ; dm 2/3 ; pâte rose ; surface beige, lissée ; peinture brun-rouge à brun-noir (spirales sur l'épaule).
Vase fermé, panse, céramique peinte nord-syrienne.

446   T18 C11   (n.i.)
Céramique de cuisson tournée ; dm 1/2++ ; pâte rouge ; surface rouge à noir, ravalée.
Vase fermé, panse, *Brittle Ware.*

447   T18 C12   (n.i.)
Céramique de cuisson tournée ; dm 1/2 ; pâte rouge ; surface rouge, ravalée.
Vase fermé, panse, *Brittle Ware.*

448   T18 C13   (n.i.)
Céramique de cuisson tournée ; dm 1/2 ; pâte rouge ; surface rouge brique avec traces de feu, ravalée.
Vase fermé, panse, *Brittle Ware.*

449   T18 C14   (n.i.)
Céramique de cuisson tournée ; dm 1/2 ; pâte rouge ; surface brun-rouge à noir, ravalée.
Vase fermé, panse, *Brittle Ware.*

450   T18 C18   (n.i.)
Céramique commune modelée ; dm 2/3/4, dv 3/4/5 ; pâte rose à cœur gris ; surface rose à rouge, lissée, très irrégulière.
Fragment de sarcophage, bord.

Site n° 19 - Tell Bani (pl. 35).

Aucun des deux tessons retrouvés n'est datable avec certitude.

451   T19 C1
Céramique commune tournée ; dm 2+ ; pâte chamois rose ; surface beige, ravalée.
Vase ouvert, bord.

452   T19 C2
Céramique commune tournée ; dm 2/4, dv 2 ; pâte beige ; surface beige-vert, ravalée.
Vase fermé, bord.

Site n° 20 - El Kita'a 1.

La totalité de la céramique est d'époque islamique (cf. Berthier sous presse).

Site n° 21 - Ghabra (pl. 35 et 36).

Une dizaine de tessons typiques a été retrouvée et conservée. Les comparaisons avec la céramique connue sur les sites de Mari, Haradum ou Halawa indiquent une occupation du site sur la fin du Bronze ancien et le début du Bronze moyen. À noter la présence d'un fragment de céramique grise (463), à pâte tendre, dont la surface est couverte de petits trous (pour des incrustations ?).

453   T21 C3
Céramique commune tournée ; dm 2/3, dv 2 ; pâte verdâtre ; surface verdâtre, ravalée.
Vase ouvert, bord.
Haradum : Kepinski-Lecomte 1992, fig. 112 : 1-2 [xviiie-xviie s. av. J.-C.]
Sweyhat : Holland 1977, fig. 2 : 11 [dernier quart du IIIe millénaire]

454   T21 C4
Céramique commune tournée ; dm 2/3, dv 2 ; pâte grise ; surface verte, lissée.
Vase ouvert, bord.
Mari : Lebeau 1985 a, fig. 1 : 4 [Ur III]
Mari : Lebeau 1983 a, fig. 4 : 1 [xixe s. av. J.-C.]

455   T21 C10
Céramique commune tournée ; dm 2/3 ; pâte verte ; surface verte, lissée.
Vase fermé, bord.
Mari : Lebeau 1985 a, pl. XIII : 18 [DA 3]

456   T21 C9
Céramique commune tournée ; dm 2/3, dv 2 ; pâte rose ; surface verte, ravalée.
Vase fermé, bord.
Mari : Lebeau 1987 a, pl. V : 10 [paléobabylonien]

457   T21 C11
Céramique commune tournée ; dm 2/3, dv 2 ; pâte verte ; surface verte, lissée.
Vase fermé, bord.

458   T21 C12
Céramique commune tournée ; dm 2/3/4 ; pâte grise ; surface verte, lissée.

Vase fermé, bord.
Mari : Lebeau 1987 a, pl. V : 10 [paléobabylonien]

459   T21 C8
Céramique commune tournée ; dm 2/3/4 ; pâte rose ; surface verte, lissée ; traces de bitume (?).
Vase fermé, bord.
Mari : Lebeau 1983 a, fig. 5 : 9 [xixe s. av. J.-C.]

460   T21 C1
Céramique commune tournée ; dm 2/3, dv 2 ; pâte beige verdâtre ; surface beige.
Vase fermé, bord.
Mari : Lebeau 1983 a, fig. 5 : 9 [xixe s. av. J.-C.]

461   T21 C13
Céramique commune tournée ; dm 2/3, dv 2/3 ; pâte gris-rose ; surface grise ; bitume sur la lèvre.
Vase fermé, bord.
Mari : Lebeau 1983 a, fig. 3 : 5 [BM II]

462   T21 C2
Céramique commune tournée ; dm 2/3 ; pâte gris-noir ; surface grise, ravalée.
Vase fermé, bord.
Chuera : Kühne 1976, Abb. 248 [DA 3]
Şaşkan Büyüktepe : Wilkinson 1990, fig. B.23 : 21 ; B.27 : 16-21 [BA moyen-récent]

463   T21 C15
Céramique commune tournée (?) ; dm 2 ; pâte grise ; surface grise ; petites cavités sur la surface (pour incrustations ?).
Vase ouvert (?), panse.

Site n° 22 - Qal'at es Sālihīye.

La céramique de ce site n'est pas présentée ici. Il convient de se reporter aux publications des fouilleurs de Doura-Europos, en particulier pour la céramique commune d'époque romaine ainsi que pour la *Brittle Ware* à l'étude de S. T. Dyson (1968) et pour l'époque hellénistique à l'article récent de F. Alabe (1992).

Site n° 23 - Tell Guftān.

La totalité de la céramique est d'époque islamique (cf. Berthier sous presse).

Site n° 24 - Mōhasan 2.

La totalité de la céramique est d'époque islamique (cf. Berthier sous presse).

Site n° 25 - Mōhasan 1 (pl. 36 à 39).

En dehors de quelques tessons islamiques (en particulier ayyoubides) provenant presque exclusivement de la butte nord-ouest, la céramique retrouvée en abondance sur l'ensemble du site est très homogène ; de nombreuses comparaisons sont possibles avec la céramique du Bronze moyen de Mari et de Haradum. De nombreux fragments proviennent de vases ovoïdes de taille moyenne sans col ou de vases ovoïdes plus petits à col. Les bols et assiettes à lèvre épaissie et aplatie, ou étirée, sont présents en grand nombre.

Quelques fragments pourraient être datés de l'époque néo-assyrienne (478 à 480, 484, 504 et 505), mais des formes approchantes sont attestées pour certains d'entre eux au Bronze moyen, notamment à Haradum.

464   T25 C8

Céramique commune tournée ; dm 2 ; pâte rose-orange ; surface rose-orange, lissée.

Vase ouvert, bord.

Haradum : Kepinski-Lecomte 1992, fig. 115 : 12 [xviiie-xviie s. av. J.-C.]

Khirbet Qasrij : Curtis 1989, fig. 23 : 11 [vie s. av. J.-C.]

465   T25 C30

Céramique commune tournée ; dm 2/3, dv 2/3 ; pâte verdâtre ; surface verte, lissée.

Vase ouvert, bord.

Haradum : Kepinski-Lecomte 1992, fig. 116 : 4, 5 ; 122 : 3 [xviiie-xviie s. av. J.-C.]

466   T25 C6

Céramique commune tournée ; dm 2/3, dv 2/3 ; pâte beige à cœur gris ; surface beige clair, lissée.

Vase ouvert, bord.

Tell ed-Dēr : Gasche 1971, pl. 12 : 3 [xviiie-xviie s.]

Nippur : McCown et Haines 1967, pl. 82 : 19, 20 [Ur III-BM]

467   T25 C5

Céramique commune tournée ; dm 2/3, dv 2/3 ; pâte rose ; surface beige, lissée.

Vase ouvert, bord.

Tell ed-Dēr : Gasche 1971, pl. 12 : 3 [xviiie-xviie s.]

Nippur : McCown et Haines 1967, pl. 82 : 19, 20 [Ur III-BM]

468   T25 C7

Céramique commune tournée ; dm 2/3, dv 2/3 ; pâte beige ; surface beige clair, ravalée.

Vase ouvert, bord.

Tell ed-Dēr : Gasche 1971, pl. 12 : 3 [xviiie-xviie s.]

Nippur : McCown et Haines 1967, pl. 82 : 19, 20 [Ur III-BM]

469   T25 C25

Céramique commune tournée ; dm 2/3, dv 2 ; pâte verte ; surface gris-vert, lissée.

Vase ouvert, bord.

Haradum : Kepinski-Lecomte 1992, fig. 120 : 9 [xviiie-xviie s. av. J.-C.]

470   T25 C24

Céramique commune tournée ; dm 2/3, dv 2 ; pâte rose ; surface verdâtre à rose, lissée.

Vase ouvert, bord.

Haradum : Kepinski-Lecomte 1992, fig. 110 : 3 ; 116 : 10, 11 [xviiie-xviie s. av. J.-C.]

471   T25 C26

Céramique commune tournée ; dm 2/3 ; pâte rose-orange ; surface beige, lissée.

Vase ouvert, bord.

Haradum : Kepinski-Lecomte 1992, fig. 111 : 3, 4 ; 116 : 10, 11 [xviiie-xviie s. av. J.-C.]

472   T25 C29

Céramique commune tournée ; dm 2/3, dv 2/3 ; pâte orange à cœur gris ; surface beige verdâtre à beige-rose, lissée.

Vase ouvert, bord.

Haradum : Kepinski-Lecomte 1992, fig. 122 : 5 [xviiie-xviie s. av. J.-C.]

473   T25 C33

Céramique commune tournée ; dm 2/3, dv 2 ; pâte rose ; surface beige verdâtre, délitée.

Vase ouvert, bord.

Haradum : Kepinski-Lecomte 1992, fig. 118 : 9 [xviiie-xviie s. av. J.-C.]

474   T25 C1

Céramique commune tournée ; dm 2/3, dv 2/3 ; pâte rose ; surface beige clair, ravalée.

Vase ouvert, bord.

Mari : Lebeau 1987 a, pl. II : 6 [paléobabylonien]

475   T25 C21

Céramique commune tournée ; dm 2/3, dv 2 ; pâte gris-vert ; surface gris-vert, lissée.

Vase ouvert, bord.

Mari : Lebeau 1987 a, pl. II : 6 [paléobabylonien]

476   T25 C22

Céramique commune tournée ; dm 2/3, dv 2 ; pâte gris-beige ; surface beige, lissée.

Vase ouvert, bord.

Mari : Lebeau 1987 a, pl. II : 8 [paléobabylonien]

477   T25 C23

Céramique commune tournée ; dm 2/3, dv 2 ; pâte gris-beige ; surface beige-rose, ravalée.

Vase ouvert, bord.

Mari : Lebeau 1987 a, pl. II : 3 [paléobabylonien]

478   T25 C3

Céramique commune tournée ; dm 2/3, dv 2/3++ ; pâte rose ; surface beige, lissée.

Vase ouvert, bord.

Khirbet Qasrij : Curtis 1989, fig. 24 : 20 [vie s. av. J.-C.]

Haradum : Kepinski-Lecomte 1992, fig. 117 : 1 [xviiie-xviie s. av. J.-C.]

479   T25 C27

Céramique commune tournée ; dm 2/3, dv 2/3/4+ ; pâte orange ; surface beige, lissée.

Vase ouvert, bord.

Khirbet Qasrij : Curtis 1989, fig. 24 : 29 [vie s. av. J.-C.]

Fort Shalmaneser : Oates J. 1959, pl. XXXV : 21 [néo-assyrien (vie s. av. J.-C.)]

Haradum : Kepinski-Lecomte 1992, fig. 120 : 2 [xviiie-xviie s. av. J.-C.]

480   T25 C28

Céramique commune tournée ; dm 2/3, dv 2/3/4+ ; pâte orange ; surface beige, lissée.

Vase ouvert, bord.

Khirbet Qasrij : Curtis 1989, fig. 24 : 40 [vie s. av. J.-C.]

481   T25 C42

Céramique commune tournée ; dm 2/3, dv 2 ; pâte verte ; surface gris-vert, lissée.

Vase ouvert, bord.

Haradum : Kepinski-Lecomte 1992, fig. 103 : 1 [xviiie-xviie s. av. J.-C.]

Tell ed-Dēr : Gasche 1971, pl. 25 : 2 [BM I/II]

482   T25 C35

Céramique commune tournée ; dm 2/3 ; pâte rose ; surface beige, lissée.

Vase ouvert, bord.

483   T25 C36

Céramique commune tournée ; dm 2, dv 2/3 ; pâte verte ; surface verte, lissée.

Vase ouvert, bord.

Haradum : Kepinski-Lecomte 1992, fig. 75 : 2, 3 [xviiie-xviie s. av. J.-C.]

Mari : Lebeau 1987 a, pl. III : 8, 9 [paléobabylonien]

484   T25 C11

Céramique commune tournée ; dm 2/3, dv 2/3 ; pâte rose ; surface beige-rose, lissée.

Vase ouvert, bord.

Qasrij Cliff : Curtis 1989, fig. 11 : 51 [viiie s. av. J.-C.]

485   T25 C41

Céramique commune tournée ; dm 2, dv3 ; pâte verte ; surface verdâtre, lissée.

Vase ouvert, bord.

Haradum : Kepinski-Lecomte 1992, fig. 86 : 9 [xviiie-xviie s. av. J.-C.]

486   T25 C37
Céramique commune tournée ; dm 2, dv 2/3/4 ; pâte rose à cœur
   gris ; surface beige, lissée.
Vase ouvert, bord.
Haradum : Kepinski-Lecomte 1992, fig. 75 : 1 [xviiie-xviie s.
   av. J.-C.]
Mari : Lebeau 1987 a, pl. III : 8, 9 [paléobabylonien]

487   T25 C39
Céramique commune tournée ; dm 2/3, dv 2 ; pâte beige verdâtre ;
   surface beige verdâtre, lissée.
Vase fermé, bord.
Haradum : Kepinski-Lecomte 1992, fig. 78 : 2, 3 [xviiie-xviie s.
   av. J.-C.]

488   T25 C40
Céramique commune tournée ; dm 2/3 ; pâte rose ; surface beige,
   lissée.
Vase fermé, bord.
Mari : Lebeau 1983 a, fig. 3 : 7 [BM II]
Tell ed-Dēr : Gasche 1971, pl. 21 : 13 [BM I/II]

489   T25 C9
Céramique commune tournée ; dm 2/3+, dv 2/3/4+ ; pâte gris-vert ;
   surface verdâtre, lissée.
Vase fermé, bord.
Halawa : Orthmann 1981, Taf. 46 : 9, 12, 18 [début IIe mill.
   av. J.-C.]

490   T25 C46
Céramique commune tournée ; dm 2, dv 2/3 ; pâte verte ; surface
   verte, ravalée.
Vase fermé, bord.
Mari : Lebeau 1987 a, pl. V : 6 [paléobabylonien]
Tell ed-Dēr : Gasche 1971, pl. 21 : 11 [BM I/II]

491   T25 C48
Céramique commune tournée ; dm 2/3 ; pâte vert sombre ; surface
   verte, lissée.
Vase fermé, bord.
Haradum : Kepinski-Lecomte 1992, fig. 69 : 7 [xviiie-xviie s.
   av. J.-C.]

492   T25 C44
Céramique commune tournée ; dm 2/3 ; pâte rose ; surface beige,
   lissée.
Vase fermé, bord.
Mari : Lebeau 1987 a, pl. V : 6 [paléobabylonien]
Tell ed-Dēr : Gasche 1971, pl. 21 : 11 [BM I/II]

493   T25 C66
Céramique commune tournée ; dm 2/3, dv 2/4 ; pâte rose ; surface
   beige-vert, lissée.
Vase fermé, bord.

494   T25 C47
Céramique commune tournée ; dm 2, dv2/3 ; pâte rose à cœur gris ;
   surface rose, lissée.
Vase fermé, bord.

495   T25 C2
Céramique commune tournée ; dm 1/2, dv 2/3 ; pâte beige verdâtre ;
   surface beige verdâtre, lissée.
Vase fermé, bord.
Baghouz : Du Mesnil du Buisson 1948, *passim* [xvie-xive s.
   av. J.-C.]
Mari : Lebeau 1987 a, pl. IV : 13 [paléobabylonien]
Haradum : Kepinski-Lecomte 1992, fig. 65 : 7 [xviiie-xviie s.
   av. J.-C.]

496   T25 C15
Céramique commune tournée ; dm 1/2, dv 2/3 ; pâte rose-rouge ;
   surface beige, lissée.
Vase fermé, bord.
Baghouz : Du Mesnil du Buisson 1948, *passim* [xvie-xive s.
   av. J.-C.]

Mari : Lebeau 1987 a, pl. IV : 14 [paléobabylonien]
Haradum : Kepinski-Lecomte 1992, fig. 64 : 5 [xviiie-xviie s.
   av. J.-C.]

497   T25 C17
Céramique commune tournée ; dm 1/2, dv 2/3 ; pâte beige-rose ;
   surface beige clair, engobe beige.
Vase fermé, bord.
Baghouz : Du Mesnil du Buisson 1948, *passim* [xvie-xive s.
   av. J.-C.]
Mari : Lebeau 1983 a, fig. 8 : 4 [paléobabylonien]
Haradum : Kepinski-Lecomte 1992, fig. 64 : 5 [xviiie-xviie s.
   av. J.-C.]

498   T25 C16
Céramique commune tournée ; dm 1/2, dv 2/3 ; pâte rose ; surface
   beige, lissée.
Vase fermé, bord.
Baghouz : Du Mesnil du Buisson 1948, *passim* [xvie-xive s.
   av. J.-C.]
Mari : Lebeau 1983 a, fig. 8 : 4 [paléobabylonien]
Haradum : Kepinski-Lecomte 1992, fig. 64 : 5 [xviiie-xviie s.
   av. J.-C.]

499   T25 C14
Céramique mi-fine tournée ; dm 1/2 ; pâte rose ; surface beige,
   engobe beige.
Vase fermé, bord.
Mari : Lebeau 1983 a, fig. 8 : 3 [BM]

500   T25 C20
Céramique commune tournée ; dm 2/3+, dv 2/3 ; pâte gris-vert ;
   surface gris-vert, ravalée.
Vase fermé, bord.
Mari : Lebeau 1987 a, pl. IV : 19 [paléobabylonien]

501   T25 C4
Céramique commune tournée ; dm 2/3, dv 2/3 ; pâte verdâtre ;
   surface verdâtre.
Vase fermé, bord.

502   T25 C18
Céramique commune tournée ; dm 2/3, dv 2 ; pâte beige-vert ;
   surface beige-vert, lissée.
Vase fermé, bord.
Mari : Lebeau 1983 a, fig. 8 : 1 [BM]
Mari : Lebeau 1987 a, pl. IV : 7 [paléobabylonien]

503   T25 C19
Céramique commune tournée ; dm 2/3, dv 2 ; pâte verte ; surface
   verte, ravalée.
Vase fermé, bord.
Mari : Lebeau 1983 a, fig. 8 : 1 [BM]
Mari : Lebeau 1987 a, pl. IV : 7 [paléobabylonien]

504   T25 C13
Céramique commune tournée ; dm 2/3+, dv 2/3 ; pâte vert foncé ;
   surface verte, engobe beige.
Vase ouvert, bord.
Qasrij Cliff : Curtis 1989, fig. 12 : 66 [viiie s. av. J.-C.]

505   T25 C12
Céramique commune tournée ; dm 2/3+, dv 2/3 ; pâte verte ; surface
   vert foncé, lissée.
Vase ouvert, bord.
Qasrij Cliff : Curtis 1989, fig. 8 : 12 [viiie s. av. J.-C.]

506   T25 C45
Céramique commune tournée ; dm 2, dv 2/3+ ; pâte verte ; surface
   verte, lissée.
Vase fermé, bord.

507   T25 C65
Céramique commune tournée ; dm 2/3, dv 2/4 ; pâte verte ; surface
   verte, lissée.
Vase fermé, profil.

508 T25 C52
Céramique commune tournée ; dm 1/2, dv 2 ; pâte beige ; surface beige, lissée.
Vase fermé, fond.
Haradum : KEPINSKI-LECOMTE 1992, fig. 92 : 5 [XVIIIᵉ-XVIIᵉ s. av. J.-C.]
Mari : LEBEAU 1987 a, pl. VI : 16 [paléobabylonien]
509 T25 C50
Céramique commune tournée ; dm 1/2 ; pâte verte ; surface verte, lissée.

Vase fermé, fond.
Haradum : KEPINSKI-LECOMTE 1992, fig. 92 : 4 [XVIIIᵉ-XVIIᵉ s. av. J.-C.]
510 T25 C51
Céramique commune tournée ; dm 2/3, dv 2/3+ ; pâte beige ; surface beige, lissée.
Vase fermé, fond.
Haradum : KEPINSKI-LECOMTE 1992, fig. 92 : 5 ; 94 : 1 [XVIIIᵉ-XVIIᵉ s. av. J.-C.]
Mari : LEBEAU 1987 a, pl. VI : 16 [paléobabylonien]

Site n° 26 - Mōhasan 3.

La totalité de la céramique est d'époque islamique (cf. BERTHIER sous presse).

Site n° 27 - El Hirāmi 1.

La totalité de la céramique est d'époque islamique (cf. BERTHIER sous presse).

Site n° 28 - Mōhasan 4.

La totalité de la céramique est d'époque islamique (cf. BERTHIER sous presse).

Site n° 29 - Tell es Sinn (pl. 40 à 42).

Un sondage réalisé par une mission néerlandaise et publié par J. J. Roodenberg (1979-1980) a permis de repérer treize couches superposées, où les fouilleurs ont pu distinguer sept niveaux datant du VIIᵉ millénaire, la couche supérieure attestant, quant à elle, une occupation byzantine, déjà évoquée par F. Sarre et E. Herzfeld (1911, p. 172).

L'époque byzantine est effectivement bien attestée par la céramique : une dizaine de fragments de céramique peinte nord-syrienne ont été ramassés (quatre sont publiés : **545**, **546** et **548**, le **547** étant sans doute de la même fabrique), ainsi que plusieurs fragments de *Brittle Ware* (dont trois ont été gardés : **550** à **552**) et un bord de coupe de *Late Roman C* (**549**). Plusieurs bords de couvercles (**521** ?, **522**, **523**) et de grandes jattes (**524**, **525**) sont très vraisemblablement à rattacher à cette époque.

Il semble toutefois que l'époque hellénistique soit aussi représentée ; une dizaine de fragments de bords de vases, surtout fermés, ont des parallèles possibles à Nimrud, à Sabra ou à Samaria ; mais certains d'entre eux ont aussi des comparaisons à l'époque byzantine ; en tout état de cause, le caractère trop « commun » de ces formes et l'absence de formes véritablement caractéristiques (sauf peut-être **511**) ne nous permettent pas d'affirmer avec certitude la réalité d'une occupation à cette époque.

Un fragment (**529**) pourrait être daté de l'époque d'Uruk avec des comparaisons possibles à Karrana, un autre (**541**) est moins sûr malgré un éventuel parallèle avec Ḥabūba Kabira Sud. Mais, outre que cette forme peut avoir des parallèles à des époques postérieures, sa texture (absence de dégraissant végétal) nous incite à la prudence sur sa datation.

511 T29 C1
Céramique commune tournée ; dm 2/3 ; pâte rose ; surface beige-rose à vert, lissée ; peinture brun-rouge à l'intérieur et à l'extérieur.
Vase ouvert, profil.
Nimrud : OATES D. 1968, fig. 20 : 133 [hellénistique]
512 T29 C12
Céramique commune tournée ; dm 2/3+ ; pâte rose ; surface verte, lissée.
Vase ouvert, bord.
Nimrud : OATES D. 1968, fig. 20 : 132 [hellénistique]
Sabra : TUNCA 1987, pl. 40 : 12 [SE/PA]
Halaf : HROUDA 1962, Taf. 72 : 65 [hellénistique]
Palestine : LAPP 1961, p. 167, type 51, 1 [200 av. J.-C.-68 apr. J.-C.]
513 T29 C9
Céramique commune tournée ; dm 2/3+ ; pâte rose ; surface beige-rose à l'intérieur, beige-vert à l'extérieur, lissée.
Vase ouvert, bord.
Sweyhat : HOLLAND 1976, fig. 6 : 23 [hellénistique]
514 T29 C10
Céramique commune tournée ; dm 2/3+ ; pâte rose ; surface verte, lissée.
Vase ouvert, bord.

515 T29 C4
Céramique commune tournée ; dm 2 ; pâte rouge-orange ; surface rose à rouge, lissée.
Vase ouvert, bord.
Sabra : TUNCA 1987, pl. 45 : 14 [SE/PA]
Sippar : HAERINCK 1980, pl. 10 : 7 [milieu VIᵉ-milieu IIIᵉ s.]
516 T29 C13
Céramique commune tournée ; dm 2/3(4) ; pâte grise ; surface gris-noir, lissée.
Vase ouvert, bord.
517 T29 C8
Céramique commune tournée ; dm 2/3 ; pâte rose ; surface beige-rose, lissée.
Vase ouvert, bord.
Resafa : KONRAD 1992, Abb. 15 : 9 [Vᵉ-VIᵉ s. apr. J.-C.]
518 T29 C3
Céramique commune tournée ; dm 2/3 ; pâte brun-rouge ; surface beige-vert, lissée.
Vase ouvert, bord.
Resafa : KONRAD 1992, Abb. 15 : 9 [Vᵉ-VIᵉ s. apr. J.-C.]
519 T29 C37
Céramique commune tournée ; dm 1 ; pâte orange ; surface orange, polie à l'intérieur et à l'extérieur.
Vase ouvert, bord.

520   T29 C44
Céramique commune tournée ; dm 2/3(4)+ ; pâte beige à cœur gris ;
   surface beige, ravalée.
Vase ouvert, bord.
Resafa : Konrad 1992, Abb. 19 : 16 [vᵉ-début vɪᵉ]
Resafa : Mackensen 1984, Taf. 28 : 4 [vɪᵉ s. apr. J.-C.]

521   T29 C2
Céramique commune tournée ; dm 2/3(4) ; pâte beige ; surface
   beige-vert, lissée.
Vase ouvert, bord.
Resafa : Konrad 1992, Abb. 19 : 16 [fin vᵉ-vɪᵉ s.]

522   T29 C40
Céramique commune tournée ; dm 2/3+ ; pâte beige-rose ; surface
   beige, ravalée ; petites incisions sur le bord.
Vase ouvert (couvercle), bord.
Resafa : Konrad 1992, Abb. 19 : 10 [fin vᵉ s. apr. J.-C.]

523   T29 C5
Céramique commune tournée ; dm 2/3 ; pâte rose ; surface beige,
   lissée ; incisions au doigt sur le rebord.
Vase ouvert (couvercle), bord.
Resafa : Konrad 1992, Abb. 19 : 10 [fin vᵉ s. apr. J.-C.]

524   T29 C41
Céramique commune tournée ; dm 2/3 ; pâte beige-rose ; surface
   beige-jaune, lissée.
Vase ouvert, bord.
Resafa : Konrad 1992, Abb. 19 : 11 [vɪᵉ s. apr. J.-C.]

525   T29 C34
Céramique commune tournée ; dm 2/3+ ; pâte verte ; surface verte,
   lissée.
Vase ouvert, bord.
Resafa : Konrad 1992, Abb. 19 : 15 [fin vᵉ- s. apr. J.-C.]
Al-Quṣair : Mackensen 1984 , Taf. 26 : 6 [vɪᵉ s. apr. J.-C.]

526   T29 C6
Céramique commune tournée ; dm 2/3/4+ ; pâte verte ; surface
   verte, lissée.
Vase ouvert, bord.
Resafa : Konrad 1992, Abb. 18 : 10 [vᵉ-vɪᵉ s. apr. J.-C.]
Resafa : Mackensen 1984, Taf. 30 : 2 [vɪᵉ s. apr. J.-C.]

527   T29 C47
Céramique commune tournée ; dm 2 ; pâte beige ; surface beige,
   lissée ; glaçure bleu turquoise clair à l'extérieur.
Vase fermé, bord.

528   T29 C20
Céramique commune tournée ; dm 2/3++ ; pâte beige ; surface
   beige, lissée ; petites cannelures horizontales.
Vase fermé, bord.

529   T29 C15
Céramique commune tournée ; dm 1, dv 1/2+ ; pâte rose-orange ;
   surface rose, engobe rouge épais à l'extérieur et, sur la partie
   supérieure, à l'intérieur.
Vase fermé, bord.
Karrana : Rova 1993, pl. XXX : 303 [Uruk récent]

530   T29 C30
Céramique commune tournée ; dm 2/3 ; pâte rose ; surface beige,
   lissée.
Vase fermé, bord.

531   T29 C28
Céramique commune tournée ; dm 2/3, dv 2/3 ; pâte beige-vert à
   rose ; surface beige-vert, lissée.
Vase fermé, bord.

532   T29 C19
Céramique commune tournée ; dm 2/3 ; pâte verte ; surface verte,
   lissée.
Vase fermé, bord.
Sippar : Haerinck 1980, pl. 19 : 7 [0-150 apr. J.-C.]

Resafa : Konrad 1992, Abb. 19 : 20 [fin vᵉ s. apr. J.-C.]
Resafa : Mackensen 1984, Taf. 20 : 9 [vɪᵉ s. apr. J.-C.]

533   T29 C16
Céramique commune tournée ; dm 2/3 ; pâte rose à cœur beige ;
   surface beige, lissée.
Vase fermé, bord.
Sippar : Haerinck 1980, pl. 19 : 7 [0-150 apr. J.-C.]
Resafa : Konrad 1992, Abb. 19 : 20 [fin vᵉ s. apr. J.-C.]

534   T29 C22
Céramique commune tournée ; dm 2/3 ; pâte beige-rose ; surface
   verte, lissée.
Vase fermé, bord.

535   T29 C24
Céramique commune tournée ; dm 2/3+ ; pâte verte ; surface verte,
   lissée.
Vase fermé, bord.
Sabra : Tunca 1987, pl. 81 : 18 [SE/PA]
Palestine : Lapp 1961, p. 157, type 21.1.C [ɪɪᵉ s. av. J.-C.]

536   T29 C27
Céramique commune tournée ; dm 2/3+ ; pâte rose ; surface rose,
   lissée.
Vase fermé, bord.
Samaria : Hennessy 1970, fig. 10 : 11 [hellénistique]
Sippar : Haerinck 1980, pl. 13 : 8 [milieu vɪᵉ-milieu ɪɪɪᵉ s. av. J.-C.]

537   T29 C32
Céramique commune tournée ; dm 2/3 ; pâte beige ; surface beige,
   lissée.
Vase fermé, bord.
Sabra : Tunca 1987, 77 : 3 [SE/PA]

538   T29 C26
Céramique commune tournée ; dm 2/3+ ; pâte beige-vert à rose ;
   surface verte, ravalée.
Vase fermé, bord.

539   T29 C33
Céramique commune tournée ; dm 2/3(5) ; pâte rose ; surface rose
   à vert, lissée.
Vase fermé, bord.
Sabra : Tunca 1987, pl. 81 : 19 [SE/PA]
Barri : Ricciardi Venco 1982, n° 6 [parthe]
Palestine : Lapp 1961, p. 148, type 11.3.D [ɪɪᵉ s. av. J.-C.]

540   T29 C25
Céramique commune tournée ; dm 2/3 ; pâte rose ; surface verte,
   lissée.
Vase fermé, bord.
Samaria : Hennessy 1970, fig. 10 : 10 [hellénistique]

541   T29 C23
Céramique commune tournée ; dm 2/3+ ; pâte rose ; surface beige-
   rose, engobe rouge extérieur.
Vase fermé, bord.
Ḥabūba Kabira-Süd : Sürenhagen 1978, Tab. 25 : 42 [Uruk récent]
Sabra : Tunca 1987, pl. 76 : 18 [SE/PA]

542   T29 C17
Céramique commune tournée ; dm 2/3 ; pâte verte ; surface verte,
   lissée.
Vase fermé, bord.

543   T29 C21
Céramique commune tournée ; dm 2/3 ; pâte rose ; surface verte, lissée.
Vase fermé, bord.
'Aǧīǧ-Gebiet : Bernbeck 1993, Abb. 147 : f [romain tardif-
   islamique ancien]

544   T29 C43
Céramique commune tournée ; dm 2/3 ; pâte rose ; surface rose,
   ravalée.
Vase fermé, bord.
'Aǧīǧ-Gebiet : Bernbeck 1993, Abb. 145 : a-n [ɪɪɪᵉ-ɪxᵉ s.]

545 T29 C42
Céramique commune tournée ; dm 2/3 ; pâte rose ; surface beige, lissée ; peinture brune (spirale).
Vase fermé, panse, céramique peinte nord-syrienne.
Qṣeir es-Seile : MACKENSEN 1984 , Taf. 28 : 1 [vᵉ-début vıᵉ s. apr. J.-C.].

546 T29 C35
Céramique commune tournée ; dm 2/3 ; pâte beige-vert ; surface beige, lissée ; peinture brun-noir (cercles en spirales).
Vase fermé, panse, céramique peinte nord-syrienne.
Karababa Basin, site 14 : WILKINSON 1990, fig. B.15 : 4 [romain tardif-byzantin ancien]

547 T29 C18
Céramique commune tournée ; dm 2/3+ ; pâte beige ; surface beige, lissée.
Vase fermé, bord.
Şaşkan Büyüktepe : WILKINSON 1990, fig. B.25 : 26 [romain tardif-byzantin ancien]

548 T29 C36
Céramique commune tournée ; dm 2/3 ; pâte rose ; surface beige, lissée ; peinture brun-rouge (bande horizontale).
Vase fermé, panse, céramique peinte nord-syrienne.

549 T29 C45
Céramique fine tournée ; dm 1 ; pâte rouge ; surface rouge-orange, lustrée.
Vase ouvert, bord, *Late Roman C.*
Resafa : KONRAD 1992, Abb. 7 : 1 [1ʳᵉ moitié du vıᵉ s. apr. J.-C.]
Resafa : MACKENSEN 1984 , Taf. 16 : 29 ; 17 : 17 [vıᵉ s. apr. J.-C.]

550 T29 C29
Céramique de cuisson tournée ; dm 1 ; pâte rouge ; surface brun-rouge, lissée.
Vase fermé, bord, *Brittle Ware.*
Sweyhat : HOLLAND 1976, fig. 6 : 42 [romain]
Resafa : KONRAD 1992, Abb. 8 : 11, 12 [fin vᵉ s.]

551 T29 C46
Céramique de cuisson tournée ; dm 1 ; pâte rouge ; surface rouge à l'intérieur, brun-rouge à l'extérieur, lissée.
Vase ouvert, bord, *Brittle Ware.*
Resafa : KONRAD 1992, Abb. 8 : 6 [2ᵉ moitié du vᵉ s. apr. J.-C.]

552 T29 C38   (n.i.)
Céramique de cuisson tournée ; dm (1)2 ; pâte brune ; surface brun-noir.
Vase fermé, panse, *Brittle Ware.*

Site n° 30 - Tell Hrīm.

La totalité de la céramique est d'époque islamique (cf. BERTHIER sous presse).

Site n° 31 - Safāt ez Zerr 1 (pl. 42).

La majeure partie de la céramique est d'époque islamique (cf. BERTHIER sous presse). Quelques tessons indiquent toutefois une occupation antérieure, vraisemblablement à l'époque romaine tardive (vᵉ/vıᵉ s.), les deux fragments les plus typiques étant un bord de petite coupe à ressaut (**553**) et un bord de jarre *torpedo* (**554**).

553 T31 C1
Céramique commune tournée ; dm 2+ ; pâte grise ; surface grise, érodée.
Vase ouvert, bord.
Resafa : KONRAD 1992, Abb. 19 : 2 [vᵉ-début vıᵉ s. apr. J.-C.]

554 T31 C13
Céramique commune tournée ; dm 2/3++ ; pâte rose ; surface rose, ravalée.
Vase fermé, bord, jarre *torpedo.*
'Āna : NORTHEDGE 1988, fig. 37 : 7 [sassanide moyen (ıvᵉ-vᵉ s.)]

555 T31 C4
Céramique commune tournée ; dm 2/3, dv ? ; pâte beige ; surface beige, lissée.
Vase fermé, bord.

556 T31 C5
Céramique commune tournée ; dm 2/3 ; pâte rose ; surface beige, lissée.
Vase fermé, bord.
'Ağīğ-Gebiet : BERNBECK 1993, Abb. 148 : e [ıııᵉ-ıxᵉ s. apr. J.-C.]

557 T31 C12
Céramique commune tournée ; dm 2/3 ; pâte rose ; surface beige-vert, lissée, traces d'engobe (?) rouge.
Vase fermé, bord.
'Ağīğ-Gebiet : BERNBECK 1993, Abb. 148 : e [ıııᵉ-ıxᵉ s. apr. J.-C.]

Site n° 32 - Safāt ez Zerr 2 (pl. 42 et 43).

La vingtaine de tessons ramassés sur ce site ne nous fournit pas d'indications indubitables sur les périodes d'occupation antérieures à l'époque islamique ; en l'absence de matériel particulièrement typique, les comparaisons, relativement peu nombreuses, renvoient à des époques différentes. Une occupation au Bronze moyen ainsi qu'au Iᵉʳ millénaire avant J.-C. est vraisemblable, plusieurs comparaisons renvoyant à ces deux périodes (**560, 572** à **574** pour la première, **561, 564, 567** à **569, 571** pour l'époque néo-assyrienne) ; mais aucun fragment de bord de coupe bien caractéristique de cette période n'est cependant à signaler ni, pour le Bronze moyen, de col de bouteille à lèvre à double ressaut extérieur.

D'autre part, un bord de jarre *torpedo* (**565**) et plusieurs fragments comme **559, 560** ou **563** iraient dans le sens d'une occupation à la période séleuco-parthe, voire à l'époque romaine tardive, malgré l'absence de *Brittle Ware* et de céramique peinte nord-syrienne.

Pour la céramique islamique, voir BERTHIER sous presse.

558 T32 C23
Céramique commune tournée ; dm 2/3(4) ; pâte rose ; surface beige-rose à l'intérieur ; beige à l'extérieur, lissée.
Vase ouvert, bord.

559 T32 C21
Céramique mi-fine tournée ; dm 2 ; pâte brune ; surface brun-rose, lissée.
Vase ouvert, bord.

'Ağiğ-Gebiet : BERNBECK 1993, Abb. 139 : n [IIIᵉ s. apr. J.-C.]
Sabra : TUNCA 1987, pl. 40 : 12 [SE/PA]

560   T32 C22
Céramique commune tournée ; dm 2/3+ ; pâte verte ; surface verte, lissée.
Vase ouvert, bord.
Mari : LEBEAU 1983 a, fig. 4 : 2 [XIXᵉ s. av. J.-C.]
Haradum : KEPINSKI-LECOMTE 1992, fig. 108 : 3, 7 [XVIIIᵉ-XVIIᵉ s. av. J.-C.]
Sabra : TUNCA 1987, pl. 40 : 2 [SE/PA]
Resafa : KONRAD 1992, Abb. 17 : 6 [vᵉ-vIᵉ s. apr. J.-C.]

561   T32 C11
Céramique mi-fine tournée ; dm 2 ; pâte beige-rose ; surface beige, lissée.
Vase ouvert, bord.
Uruk : STROMMENGER 1967, Taf. 4 : 5-11 [néobabylonien]
Khirbet Qasrij : CURTIS 1989, fig. 31 : 131 [1ʳᵉ moitié du vIᵉ s. av. J.-C.]

562   T32 C13
Céramique commune tournée ; dm 2/3 ; pâte rose ; surface verte, lissée.
Vase fermé, bord.
Ur : WOOLLEY 1965, n° 61, 62 [kassite à perse]

563   T32 C16
Céramique commune tournée ; dm 2/3 ; pâte verte ; surface verte, ravalée.
Vase fermé, bord.
Sabra : TUNCA 1987, pl. 81 : 17 [SE/PA]

564   T32 C17
Céramique commune tournée ; dm 2/3+ ; pâte vert kaki ; surface vert kaki, lissée.
Vase fermé, bord.
'Ağiğ-Gebiet : BERNBECK 1993, Abb. 122 : b [vIIᵉ s. av. J.-C.]

565   T32 C15
Céramique commune tournée ; dm 2/3 ; pâte rose ; surface rose, ravalée ; bitume à l'intérieur et coulures sur le bord à l'extérieur.
Vase fermé, bord, jarre *torpedo*.
'Ağiğ-Gebiet : BERNBECK 1993, Abb. 142 : a [IIIᵉ s. apr. J.-C.]
Sabra : TUNCA 1987, pl. 77 : 16, 17 ; 82 : 22 [SE/PA]

566   T32 C18
Céramique commune tournée ; dm 2/3(4) ; pâte rose ; surface beige-rose, lissée ; bitume à l'intérieur.
Vase fermé, bord.
Haradum : KEPINSKI-LECOMTE 1992, fig. 101 : 8, 9 [XVIIIᵉ-XVIIᵉ s. av. J.-C.]
Sabra : TUNCA 1987, pl. 83 : 9 [SE/PA]

567   T32 C7
Céramique commune tournée ; dm 2/3, dv 2 ; pâte rose ; surface verte, lissée ; anse verticale.

Vase fermé, bord.
Khirbet Qasrij : CURTIS 1989, fig. 36 : 215 [vIᵉ s. av. J.-C.]

568   T32 C6
Céramique commune tournée ; dm 2/3+ ; pâte beige-rose ; surface beige, ravalée ; bitume sur la lèvre et à l'intérieur.
Vase fermé, bord.
Qasrij Cliff : CURTIS 1989, fig. 13 : 77 [vIIIᵉ s. av. J.-C.]
Sabra : TUNCA 1987, pl. 83 : 12 [SE/PA]
Jikan : CINTI LUCIANI 1993, pl. LXXIV : 44 [sassanide récent/islamique ancien]

569   T32 C3
Céramique commune tournée ; dm 2/3+ ; pâte rose ; surface beige-vert, lissée.
Vase fermé, bord.
Khirbet Qasrij : CURTIS 1989, fig. 34 : 189 [1ʳᵉ moitié du vIᵉ s. av. J.-C.]

570   T32 C24
Céramique commune tournée ; dm 2/3+ ; pâte rose ; surface beige-vert, lissée.
Vase fermé, bord.

571   T32 C5
Céramique commune tournée ; dm 2/3+ ; pâte rose ; surface beige, lissée.
Vase fermé, bord.
'Ağiğ-Gebiet : BERNBECK 1993, Abb. 111 : h [âge du Fer]
Khirbet Qasrij : CURTIS 1989, fig. 36 : 216 [1ʳᵉ moitié du vIᵉ s. av. J.-C.]

572   T32 C20
Céramique commune tournée ; dm 2/3, dv 2 ; pâte verte ; surface verte, lissée ; bitume sur le replat supérieur de la lèvre ; bande horizontale sous la lèvre.
Vase fermé, bord.
Mari : LEBEAU 1987 a, pl. V : 6 [paléobabylonien]
Sabra : TUNCA 1987, pl. 83 : 8 [SE/PA]

573   T32 C4
Céramique commune tournée ; dm 2/3, dv 2/3 ; pâte beige-rose ; surface beige, ravalée ; bitume à l'extérieur.
Vase fermé, bord.
Mari : LEBEAU 1983 a, fig. 3 : 10 [XVIIIᵉ s. av. J.-C.]

574   T32 C19
Céramique commune tournée ; dm 2/3, dv 2/3 ; pâte verte ; surface verte, lissée ; bitume à l'intérieur.
Vase fermé, bord.
Haradum : KEPINSKI-LECOMTE 1992, fig. 78 : 2, 3 [XVIIIᵉ-XVIIᵉ s. av. J.-C.]
Qṣeir es-Seile : MACKENSEN 1984, Taf. 27 : 14 [vIᵉ s. apr. J.-C.]

575   T32 C25   (n.i.)
Céramique commune tournée ; dm 2/3(4) ; pâte rose ; surface orange à l'intérieur, engobe brun lustré à l'extérieur.
Vase fermé, panse.

Site n° 33 - Hatla 1 (pl. 43 et 44).

Un fragment de céramique *Late Roman C* (**590**), deux fragments de céramique peinte nord-syrienne (**584**, **585** et peut-être **586**) et un fragment de *Brittle Ware* (**591**) permettent de dater ce site de l'époque romaine tardive. La plupart des autres fragments ont des parallèles pour la même époque et il en va vraisemblablement de même pour les autres tessons. À noter deux fragments de céramique décorée de fines incisions au peigne : **587** avec des lignes horizontales et de petites stries sans doute réalisées à la roulette, **588** avec une ondulation.

576   T33 C19
Céramique commune tournée ; dm 2/3 ; pâte rose ; surface beige, lissée.
Vase ouvert, bord.
Resafa : KONRAD 1992, Abb. 19 : 15 [fin vᵉ s. apr. J.-C.]

577   T33 C10
Céramique commune tournée ; dm 2/3+ ; pâte beige ; surface beige-vert, ravalée.
Vase ouvert, bord.
Resafa : KONRAD 1992, Abb. 17 : 4 [vᵉ-vIᵉ s. apr. J.-C.]

578 T33 C6
Céramique commune tournée ; dm 2/4+ ; pâte beige ; surface beige-vert, ravalée.
Vase ouvert, bord.
Karababa Basin, site 3 : Wilkinson 1990, fig. B.16 : 3 [romain tardif-byzantin ancien]
Resafa : Konrad 1992, Abb. 14 : 5 [v^e-vi^e s. apr. J.-C.]

579 T33 C7
Céramique commune tournée ; dm 2/3 ; pâte beige à cœur rose ; surface beige-vert, lissée.
Vase ouvert, bord.
Resafa : Konrad 1992, Abb. 18 : 10 [v^e-vi^e s. apr. J.-C.]
Resafa : Mackensen 1984, Taf. 30 : 2 [vi^e s. apr. J.-C.]

580 T33 C8
Céramique commune tournée ; dm 2/4 ; pâte rose ; surface beige-rose, ravalée.
Vase ouvert, bord.

581 T33 C12
Céramique commune tournée ; dm 2/3+ ; pâte rose ; surface verte, ravalée ; traces d'arrachage d'anse.
Vase ouvert, bord.

582 T33 C1
Céramique commune tournée ; dm 2/4++ ; pâte rose ; surface beige-rose.
Vase fermé, bord.
Höyük Mevkii : Wilkinson 1990, fig. B.19 : 5 [romain tardif-byzantin ancien]
Şaşkan Büyüktepe : Wilkinson 1990, fig. B.25 : 27 [romain tardif-byzantin ancien]
Resafa : Konrad 1992, Abb. 10 : 2 [v^e-vi^e s. apr. J.-C.]

583 T33 C2
Céramique commune tournée ; dm 2/3+ ; pâte verte ; surface verte, ravalée.
Vase fermé, bord.
Höyük Mevkii : Wilkinson 1990, fig. B.19 : 5 [romain tardif-byzantin ancien]
Şaşkan Büyüktepe : Wilkinson 1990, fig. B.25 : 27 [romain tardif-byzantin ancien]
Resafa : Konrad 1992, Abb. 10 : 2 [v^e-vi^e s. apr. J.-C.]

584 T33 C15
Céramique commune tournée ; dm 2/3, dv 2 ; pâte rose ; surface beige-rose, lissée ; peinture brun-rouge (spirales) sur l'épaule.
Vase fermé, panse, céramique peinte nord-syrienne.
Karababa Basin, site 2 : Wilkinson 1990, fig. B.19 : 21 [romain tardif-byzantin ancien]

585 T33 C14   (n.i.)
Céramique commune tournée ; dm 2/3, dv 2 ; pâte beige à cœur rose ; surface beige, lissée ; peinture brun à brun-noir (bandes horizontales) sur l'épaule.
Vase fermé, panse, céramique peinte nord-syrienne.
Qşeir es-Seile : Mackensen 1984, Taf. 27 : 23, 24 [v^e-vi^e s. apr. J.-C.]

586 T33 C16
Céramique commune tournée ; dm 2/3, dv 2 ; pâte beige ; surface beige, lissée ; peinture brun à brun-noir sur l'épaule.
Vase fermé, panse, céramique peinte nord-syrienne (?).

587 T33 C13
Céramique commune tournée ; dm 2/3+ ; pâte beige-gris ; surface verte, lissée ; incisions.
Vase fermé, panse.

588 T33 C11
Céramique commune tournée ; dm 2/3, dv 2 ; pâte verte ; surface verte, lissée ; incisions au peigne.
Vase fermé, bord.
Jikan : Cinti Luciani 1993, pl. LXXIV : 55 [sassanide récent/islamique ancien]

589 T33 C18
Céramique commune tournée ; dm 2/3 ; pâte brune ; surface beigeasse, ravalée.
Vase fermé, bord.

590 T33 C20
Céramique fine tournée ; dm 1 ; pâte rouge ; surface rouge, lustrée.
Vase ouvert, bord, *Late Roman C.*
Resafa (FP 1) : Mackensen 1984, Taf. 11 : 19 [vi^e s. apr. J.-C.]

591 T33 C17
Céramique de cuisson tournée ; dm 1/2 ; pâte brun-rouge ; surface brun-noir, polie.
Vase fermé, bord, *Brittle Ware.*
Resafa : Konrad 1992, Abb. 9 : 2 [v^e-vi^e s. apr. J.-C.]
Karababa Basin, site 6 : Wilkinson 1990, fig. B.17 : 33 [romain tardif-byzantin ancien]

Site n° 34 - Et Tābīye 1 (pl. 45).

L'ensemble du matériel est homogène et appartient à l'époque romaine tardive : plusieurs bords (**597** à **599**) proviennent de cols d'amphores caractéristiques de cette époque, pour lesquels des comparaisons sont possibles avec Resafa ; un fragment d'épaule d'amphore peinte nord-syrienne avec des spirales (**600**) et des fragments de *Brittle Ware* (**602, 603**, et trois non gardés) sont fort bien attestés à Resafa pour cette époque.

592 T34 C10
Céramique commune tournée ; dm 2/3 ; pâte rose ; surface beige-vert, lissée.
Vase ouvert, bord.

593 T34 C9
Céramique mi-fine tournée ; dm 1/2 ; pâte beige-rose ; surface beige-vert, lissée.
Vase ouvert, bord.

594 T34 C3
Céramique commune tournée ; dm 2/3 ; pâte rose ; surface beige, lissée.
Vase fermé, bord.
Karababa Basin, site 14 : Wilkinson 1990, fig. B.15 : 16 [romain tardif-byzantin ancien]

595 T34 C7
Céramique commune tournée ; dm 2/3 ; pâte vert foncé ; surface vert kaki, lissée.

Vase fermé, bord.
Karababa Basin, site 6 : Wilkinson 1990, fig. B.17 : 17 [romain tardif-byzantin ancien]

596 T34 C8
Céramique commune tournée ; dm 2/3 ; pâte vert-noir ; surface vert kaki, ravalée.
Vase fermé, bord.
Karababa Basin, site 6 : Wilkinson 1990, fig. B.17 : 30 [romain tardif-byzantin ancien]

597 T34 C12
Céramique commune tournée ; dm 2/3(4)+ ; pâte verte ; surface verte, lissée ; anse verticale.
Vase fermé, bord.
Resafa : Konrad 1992, Abb. 10 : 9 [v^e-vi^e s. apr. J.-C.]
Karababa Basin, site 12 : Wilkinson 1990, fig. B.15 : 2 [romain tardif-byzantin ancien]

598   T34 C5
Céramique commune tournée ; dm 2/3+ ; pâte beige-vert ; surface verte, lissée.
Vase fermé, bord.
Resafa : Konrad 1992, Abb. 10 : 8 [vᵉ-vɪᵉ s. apr. J.-C.]

599   T34 C4
Céramique commune tournée ; dm 2/3(4) ; pâte grise ; surface gris-vert, lissée.
Vase fermé, bord.
Resafa : Konrad 1992, Abb. 10 : 9 [vᵉ-vɪᵉ s. apr. J.-C.]

600   T34 C14
Céramique commune tournée ; dm 2/3+ ; pâte beige ; surface beige, lissée ; peinture brun-rouge (spirales).
Vase fermé, panse, céramique peinte nord-syrienne.

Karababa Basin, site 6 : Wilkinson 1990, fig. B.17 : 42 [romain tardif-byzantin ancien]

601   T34 C1
Céramique commune tournée ; dm 2/3+ ; pâte rose ; surface rose, ravalée.
Vase fermé, bord.

602   T34 C15   (n.i.)
Céramique de cuisson tournée ; dm 1/2 ; pâte rouge ; surface brun-rouge, lissée.
Vase fermé, panse, *Brittle Ware*.

603   T34 C16   (n.i.)
Céramique de cuisson tournée ; dm 1/2 ; pâte brun-rouge ; surface noire, lissée.
Vase fermé, panse, *Brittle Ware*.

Site nº 35 - Jafra.

La totalité de la céramique est d'époque islamique (cf. Berthier sous presse).

Site nº 36 - Tell Qaryat Medād.

La totalité de la céramique est d'époque islamique (cf. Berthier sous presse).

Site nº 37 - Es Salu 1.

La totalité de la céramique est d'époque islamique (cf. Berthier sous presse).

Site nº 38 - Es Salu 2.

La totalité de la céramique est d'époque islamique (cf. Berthier sous presse).

Site nº 39 - Es Salu 3.

La totalité de la céramique est d'époque islamique (cf. Berthier sous presse).

Site nº 40 - Abu Leil 1.

La totalité de la céramique est d'époque islamique (cf. Berthier sous presse).

Site nº 41 - Tell ed Dāūdīye.

La totalité de la céramique est d'époque islamique (cf. Berthier sous presse).

Site nº 42 - Tell ez Zabāri.

La totalité de la céramique est d'époque islamique (cf. Berthier sous presse).

Site nº 43 - El Hirāmi 2.

La totalité de la céramique est d'époque islamique (cf. Berthier sous presse).

Site nº 44 - El Graiye 1.

La totalité de la céramique est d'époque islamique (cf. Berthier sous presse).

Site nº 45 - El Graiye 2.

Nous n'avons inventorié aucun fragment de céramique de ce site fouillé par une équipe américaine, bien que rien n'en ait encore été publié, à l'exception de quelques tessons (Simpson 1983, p. 455 *sq.* : les figures 80 à 87 présentent de la céramique des périodes Obeid, Uruk récent et Bronze moyen [époque paléobabylonienne]).

Site nº 46 - Abu Leil 2.

La totalité de la céramique est d'époque islamique (cf. Berthier sous presse).

Site nº 47 - Sreij 1.

La totalité de la céramique est d'époque islamique (cf. Berthier sous presse).

Site nº 48 - Maqbarat el 'Owuja.

La totalité de la céramique est d'époque islamique (cf. Berthier sous presse).

Site n° 49 - El Graiye 3 (pl. 45 et 46).

Les comparaisons renvoient essentiellement à deux périodes, le Bronze moyen (**606**, **608**, **617**) et surtout l'époque néo-assyrienne. Toutefois, aucun des fragments retrouvés ne présente d'engobe rouge caractéristique de cette époque. Certaines des formes retrouvées pourraient avoir des parallèles à des époques plus récentes. D'ailleurs, trois tessons (**611**, **613**, **619**) semblent n'avoir de correspondants qu'à l'époque perse ou même après, aux périodes hellénistique et parthe. Toutefois, l'absence de *Brittle Ware* et de jarre peinte nord-syrienne ne permet pas d'envisager une occupation très tardive, en tout cas non postérieure au IVᵉ s. de notre ère.

604 T49 C11
Céramique commune tournée ; dm 2/3+ ; pâte rose ; surface beige, ravalée.
Vase ouvert, bord.

605 T49 C15
Céramique mi-fine tournée ; dm 1/2 ; pâte grise ; surface grise, lustrée.
Vase ouvert, bord.
'Aǧīǧ-Gebiet : Bernbeck 1993, Abb. 100 : m [âge du Fer]

606 T49 C12
Céramique commune tournée ; dm 2/3+ ; pâte rose ; surface beige, ravalée.
Vase ouvert, bord.
Haradum : Kepinski-Lecomte 1992, fig. 119 : 6 [XVIIIᵉ-XVIIᵉ s. av. J.-C.]

607 T49 C13
Céramique commune tournée ; dm 2/3/4 ; pâte beige-vert ; surface verte, lissée.
Vase ouvert, bord.
'Aǧīǧ-Gebiet : Bernbeck 1993, Abb. 98 : b [âge du Fer]

608 T49 C14
Céramique commune tournée ; dm 2/3+ ; pâte beige ; surface beige, ravalée.
Vase fermé, bord.
Terqa : Kelly-Buccellati et Shelby 1977, fig. 10 : 14, 14a [1750-1500 av. J.-C.]
Haradum : Kepinski-Lecomte 1992, fig. 74 : 8 [XVIIIᵉ-XVIIᵉ s. av. J.-C.]

609 T49 C17
Céramique commune tournée ; dm 2/3++ ; pâte verte à cœur gris ; surface verte, ravalée.
Vase ouvert, bord.
Khirbet Qasrij : Curtis 1989, fig. 27 : 68 [VIᵉ s. av. J.-C.]

610 T49 C16
Céramique commune tournée ; dm 1/2 ; pâte rose ; surface beige-rose, lissée.
Vase fermé, bord.

611 T49 C5
Céramique commune tournée ; dm 2/3+ ; pâte verte ; surface verte, ravalée.
Vase fermé, bord.
Samaria : Hennessy 1970, fig. 13 : 2 [perse (Vᵉ-IVᵉ s. av. J.-C.)]

612 T49 C10
Céramique commune tournée ; dm 2/3 ; pâte beige ; surface beige à vert kaki, ravalée.
Vase fermé, bord.

613 T49 C7
Céramique commune tournée ; dm 2/3+ ; pâte verte ; surface verte, ravalée.
Vase fermé, bord.
Samaria : Hennessy 1970, fig. 13 : 16 [perse (Vᵉ-IVᵉ s. av. J.-C.)]
Nimrud : Oates D. 1968, fig. 17 : 83 [hellénistique]

614 T49 C6
Céramique commune tournée ; dm 2/3+ ; pâte rose à cœur gris ; surface verte, ravalée.
Vase fermé, bord.
'Aǧīǧ-Gebiet : Bernbeck 1993, Abb. 104 : p [âge du Fer]

615 T49 C4
Céramique commune tournée ; dm 2/3+ ; pâte rose ; surface beige-rose, ravalée.
Vase fermé, bord.

616 T49 C3
Céramique commune tournée ; dm 2/3+ ; pâte rose ; surface beige-vert, lissée.
Vase fermé, bord.

617 T49 C2
Céramique commune tournée ; dm 2/3+ ; pâte beige-vert ; surface verte, ravalée.
Vase fermé, bord.
Mari : Lebeau 1987 a, pl. V : 5 [paléobabylonien]

618 T49 C8
Céramique commune tournée ; dm 2/3(4) ; pâte rose ; surface verdâtre, ravalée ; anse verticale.
Vase fermé, bord.
'Āna : Killick 1988, fig. 29 : 21 [néo-assyrien]

619 T49 C9
Céramique commune tournée ; dm 2/3 ; pâte rose ; surface beige-vert, lissée.
Vase fermé, bord.
Ain Sinu : Oates D. 1968, fig. 23 : 66 [parthe]
Sabra : Tunca 1987, pl. 75 : 5 [SE/PA]

620 T49 C1
Céramique commune tournée ; dm 1/2(3) ; pâte rose ; surface beige-vert, ravalée.
Vase fermé, bord.
Khirbet Qasrij : Curtis 1989, fig. 33 : 182, 183 [néo-assyrien (VIᵉ s. av. J.-C.)]
'Aǧīǧ-Gebiet : Bernbeck 1993, Abb. 111 : h [âge du Fer]

Site n° 50 - Buqras 1.

Ce site, daté du Néolithique, a été fouillé par une équipe hollandaise et a fait l'objet de publications. Nous n'en présentons aucun matériel.

Site n° 51 - Meyādīn.

La totalité de la céramique est d'époque islamique (cf. Berthier sous presse) ; il s'agit de l'ancienne ville de Raḥba.

Site n° 52 - Er Rheiba.

Ce site a été fouillé par une équipe française et a fait l'objet de publications. Nous n'en présentons aucun matériel. La totalité de la céramique est d'époque islamique (cf. Berthier sous presse).

Site n° 53 - Mazār 'Ain 'Ali.

La totalité de la céramique est d'époque islamique (cf. BERTHIER sous presse).

Site n° 54 - El 'Ashāra.

Aucun fragment de céramique n'est présenté ici en provenance de ce site fouillé par une équipe d'abord américaine, et désormais française. Ce site correspond à l'ancienne Terqa et a fait l'objet d'un certain nombre de publications. La céramique atteste une occupation du site au Bronze ancien, au Bronze moyen, au Bronze récent et à l'époque islamique, ainsi que, semble-t-il, à l'époque hellénistique (TASSIGNON 1997).

Site n° 55 - Es Saiyāl 4 (pl. 46).

Sur les huit tessons conservés, aucun ne permet une identification précise. Deux d'entre eux (623, 628) pourraient être datés de l'époque néo-assyrienne.

621   T55 C3
Céramique commune tournée ; dm 2/3+ ; pâte rose ; surface rose, ravalée.
Vase ouvert, bord.

622   T55 C5
Céramique commune tournée ; dm 2/3 ; pâte beige-gris ; surface beige-gris, ravalée.
Vase fermé, bord.
'Ağiğ-Gebiet : BERNBECK 1993, Abb. 146 : a, c [romain tardif]

623   T55 C4
Céramique commune tournée ; dm 2/3, dv 2 ; pâte beige ; surface beige, lissée.
Vase ouvert, bord.
Khirbet Qasrij : CURTIS 1989, fig. 30 : 107 [vɪᵉ s. av. J.-C.]
Assur : HALLER 1954, Taf. 6 : t [néo-assyrien]

624   T55 C2
Céramique commune tournée ; dm 2/3 ; pâte rose ; surface rose, engobe beige.
Vase fermé, bord.

625   T55 C1
Céramique commune tournée ; dm 2/3 ; pâte rose ; surface rose, engobe beige.
Vase fermé, bord.

626   T55 C6
Céramique commune tournée ; dm 2/3, dv 2 ; pâte rose ; surface beige, lissée ; bourrelets (2) avec petites encoches.
Vase fermé, panse.

627   T55 C7
Céramique commune tournée ; dm 2/3 ; pâte rose ; surface rose, ravalée.
Vase fermé (?), fond.

628   T55 C8
Céramique commune tournée ; dm 2/3 ; pâte beige ; surface beige, lissée.
Vase fermé, fond.
Khirbet Qasrij : CURTIS 1989, fig. 14 : 85 [vɪɪɪᵉ s. av. J.-C.]
'Ağiğ-Gebiet : BERNBECK 1993, Abb. 128 : s [âge du Fer]

Site n° 56 - Es Sūsa 2 (pl. 47 et 48) [voir aussi site n° 18].

Ce site est à jumeler avec le site n° 18, auquel il convient de se reporter.

Des trois périodes attestées par la céramique, le Bronze ancien est la mieux représentée (629 à 637, 639 à 641). Trois fragments proviennent de formes du Bronze moyen, en particulier un bord de bouteille ovoïde avec une lèvre à double ressaut sur la face externe (643).

Quatre exemplaires confirment l'utilisation de la nécropole à l'époque romaine, dont une jarre *torpedo* retrouvée intacte (647), une cruche parthe recouverte d'une glaçure bleue décolorée à l'intérieur et à l'extérieur, et tirant sur le vert sur le col (646), ainsi qu'un fond (645) et un col (644) de deux petits vases à glaçure bleue.

629   T56 C2
Céramique commune tournée ; dm 2/3, dv 2 ; pâte beige ; surface beige, lissée.
Vase ouvert (coupe), profil (vase complet).
Mari : LEBEAU 1985 a, pl. XI : 2 [DA 3]
Brak : OATES J. 1982, fig. 6 : 95, 96 [DA 3]
Khafadje : DELOUGAZ 1952, pl. 146 : B.003.700 [DA 2/3]

630   T56 C3
Céramique commune tournée ; dm 2/3, dv 2 ; pâte rose ; surface beige, lissée.
Vase ouvert (coupe), profil (vase complet).
Mari : LEBEAU 1985 a, pl. III : 1 [DA 3]
Brak : OATES J. 1982, fig. 6 : 93 [DA 3]
Diyala : DELOUGAZ 1952, pl. 146 : B.032.200a [DA 3/Akkad]

631   T56 C13
Céramique commune tournée ; dm 2/3+ ; pâte beige verdâtre à cœur gris ; surface beige verdâtre, lissée.
Vase ouvert, bord.
Tawi : KAMPSCHULTE et ORTHMANN 1984, Taf. 20 : 64 [2800-2000 av. J.-C.]

632   T56 C16
Céramique commune tournée ; dm 2/3 ; pâte rose ; surface beige, lissée.
Vase ouvert, fond.
Diyala : DELOUGAZ 1952, pl. 174 : C.363.810a [DA 3]

633   T56 C7
Céramique commune tournée ; dm 2/3, dv 2/3 ; pâte rose ; surface beige-rose, lissée ; perforations, bourrelets incisés, incisions (lignes obliques).
Vase ouvert (compotier), pied.
Diyala : DELOUGAZ 1952, pl. 173 : C.3--.063 et C.3--.0-- [DA 1]
Mari : PARROT 1956, fig. 105 [IIIᵉ mill. av. J.-C.]

634   T56 C6
Céramique commune tournée ; dm 2/3/5, dv 2/3 ; pâte rose ; surface beige jaune, lissée.
Vase fermé (pot), profil (vase complet).
Diyala : DELOUGAZ 1952, pl. 183 : C.545.520 [DA 3]

635   T56 C12
Céramique commune tournée ; dm 2/3 ; pâte brun-orange à cœur gris ; surface orange, lissée.

Vase fermé, bord.
Mari : LEBEAU 1985 a, fig. 15 : 9 [DA 3]
Mari : LEBEAU 1985 a, fig. 24 : 2, 9 ; 26 : 1-3 [DA 1]
Tawi : KAMPSCHULTE et ORTHMANN 1984, Taf. 14 : 21 ; 21 : 98-103 [2800-2000 av. J.-C.]
Chagar Bazar : MALLOWAN 1936, fig. 11 : 9 [DA]
Brak : OATES J. 1982, nᵒˢ 85-88 [DA 3]

636 T56 C11
Céramique commune modelée ; dm 2/3 ; pâte rose-orange ; surface beige, lissée.
Vase fermé, bord.
Mari : LEBEAU 1985 a, fig. 15 : 9 [DA 3]
Mari : LEBEAU 1985 a, fig. 24 : 2, 9 ; 26 : 1-3 [DA 1]
Tawi : KAMPSCHULTE et ORTHMANN 1984, Taf. 14 : 21 ; 21 : 98-103 [2800-2000 av. J.-C.]
Chagar Bazar : MALLOWAN 1936, fig. 11 : 9 [DA]
Brak : OATES J. 1982, nᵒˢ 85-88 [DA 3]

637 T56 C1
Céramique commune tournée ; dm 2/3/4, dv 2 ; pâte beige ; surface beige à beige-vert, lissée ; profil irrégulier ; parois déformées.
Vase fermé (pot), profil (vase complet).
Mari : LEBEAU 1985 a, fig. 15 : 9 [DA 3]
Mari : LEBEAU 1985 a, fig. 24 : 2, 9 ; 26 : 1-3 [DA 1]
Tawi : KAMPSCHULTE et ORTHMANN 1984, Taf. 14 : 21 ; 21 : 98-103 [2800-2000 av. J.-C.]
Chagar Bazar : MALLOWAN 1936, fig. 11 : 9 [DA]
Brak : OATES J. 1982, nᵒˢ 85-88 [DA 3]

638 T56 C8
Céramique commune tournée ; dm 2/3, dv 2/3 ; pâte rose-orange ; surface rose, lissée.
Vase fermé (jarre), profil (vase complet).
Baghouz : DU MESNIL DU BUISSON 1948, pl. LXXV : Z.154 [XVIᵉ-XIVᵉ s. av. J.-C.]

639 T56 C10
Céramique commune tournée ; dm 2/3, dv 2/3++ ; pâte rose-orange ; surface verdâtre, lissée.
Vase fermé (jarre), profil (vase complet).
Mari : PARROT 1956, fig. 107 : 1491 [IIIᵉ mill. av. J.-C.]

640 T56 C4
Céramique commune tournée ; dm 2/3/4, dv 2/3 ; pâte beige ; surface beige à beige-vert, lissée ; gargoulette.
Vase fermé (gargoulette), profil (vase complet).
Mari : PARROT 1956, fig. 102 : 696-698 [présargonique]
Mari : LEBEAU 1985 a, fig. 23 : 30-32 [DA 1]

641 T56 C5
Céramique commune tournée ; dm 2/3/4, dv 2/3 ; pâte rose ; surface beige, lissée ; gargoulette.

Vase fermé (gargoulette), profil (vase complet).
Mari : PARROT 1956, fig. 102 : 696-698 [présargonique]
Mari : LEBEAU 1985 a, fig. 23 : 30-32 [DA 1]

642 T56 C9
Céramique commune modelée ; dm 2/3, dv 2/3+ ; pâte verdâtre ; surface verdâtre, lissée.
Vase fermé (pot miniature), profil (vase complet).
Baghouz : DU MESNIL DU BUISSON 1948, pl. LXXV : Z.154 [XVIᵉ-XIVᵉ s. av. J.-C.]
Tawi : KAMPSCHULTE et ORTHMANN 1984, Taf. 16 et 17 [2800-2000 av. J.-C.]

643 T56 C14
Céramique commune tournée ; dm 2/3+, dv 2/3 ; pâte beige verdâtre ; surface beige verdâtre, lissée.
Vase fermé, bord.
Baghouz : DU MESNIL DU BUISSON 1948, pl. LVIII : forme A1-Z.219 [XVIᵉ-XIVᵉ s. av. J.-C.]
Mari : PARROT 1956, fig. 108 [début IIᵉ mill. av. J.-C.]
Mari : LEBEAU 1983 a, fig. 1 : 9 ; 8 : 1 [XVIIIᵉ-XVIIᵉ s. av. J.-C.]

644 T56 C15
Céramique commune tournée ; dm 2/3++ ; pâte beige-jaune ; surface beige-jaune, glaçure vert-bleu brillante à l'intérieur, plus foncée à l'extérieur.
Vase fermé, profil.
Doura : TOLL 1943, fig. 26 : 1ʳᵉ rangée 1935-545 ; 3ᵉ rangée : K 401 [Iᵉʳ s. apr. J.-C.]

645 T56 C19
Céramique commune tournée ; dm 2/3+ ; pâte beige ; surface beige, glaçure extérieure bleue brillante, épaisse, avec coulures.
Vase fermé, fond.
Séleucie : DEBEVOISE 1934, fig. 329 [43-116 apr. J.-C.]
Assur : ANDRAE et LENZEN 1933, pl. 49 [parthe]

646 T56 C18
Céramique commune tournée ; dm 2/3++ ; pâte beige ; surface beige, glaçure bleue décolorée à l'intérieur et à l'extérieur, glaçure bleu-vert brillante irrégulière sur le col ; anse verticale.
Vase fermé, profil.
Doura : TOLL 1943, p. 14, type IB2 [– 50 à + 100]
Baghouz : TOLL 1943, fig. 7, nᵒ z.535 (type IB2) [– 50 à + 100]

647 T56 C17
Céramique commune tournée ; dm 2/3 ; pâte rose ; surface rose à beige (partie inférieure), lissée ; bitume à l'intérieur et sur la lèvre extérieure.
Vase fermé (jarre *torpedo*), profil (vase complet).
Doura-Europos : CUMONT 1926, pl. CXXIII : 5 (nᵒ 21) [romain]
Doura-Europos : TOLL 1946, p. 103 [Iᵉʳ-IIᵉ s. apr. J.-C.]
'Āna : KILLICK 1988, fig. 38 : 7-10, 20 [sassanide moyen (IVᵉ-Vᵉ s.)]

Site nᵒ 57 - Es Sūsa (pl. 49 et 50).

La céramique de ce site est homogène ; la plupart des fragments retrouvés sont peints en noir ou en brun-noir avec des motifs de lignes et de bandes ondulées, typiques de l'époque d'Obeid 3/4, comme l'attestent les comparaisons avec la céramique trouvée à Gawra (TOBLER 1950).

648 T57 C7
Céramique commune modelée ; dm 2 ; pâte beige ; surface beige-vert, lissée ; peinture brun-noir.
Vase ouvert, bord.
Gawra : TOBLER 1950, pl. CXXIV : 130 [str. XVI/XV (Obeid)]

649 T57 C18
Céramique commune modelée ; dm 2, dv 2/3 ; pâte beige ; surface beige-vert, lissée ; peinture noire.
Vase ouvert, bord.
Gawra : TOBLER 1950, pl. CXXVII : 175 [str. XIII (Obeid)]

650 T57 C3
Céramique commune modelée ; dm 2/3, dv 2 ; pâte beige ; surface beige-vert, lissée ; peinture noire.
Vase ouvert, bord.

651 T57 C15
Céramique commune modelée ; dm 2, dv 2 ; pâte gris-noir ; surface beige, lissée.
Vase ouvert, bord.

652 T57 C14
Céramique commune modelée ; dm 2, dv 2/3 ; pâte gris-vert ; surface vert sombre, ravalée ; peinture noire.
Vase ouvert, bord.

653   T57 C8
Céramique commune modelée ; dm 2/3, dv 2 ; pâte gris-noir ;
surface vert sombre, lissée ; peinture brun-noir.
Vase ouvert, bord.
Gawra : Tobler 1950, pl. CXXIV : 128 [str. XVI/XV (Obeid)]

654   T57 C10
Céramique commune modelée ; dm 2, dv 2 ; pâte rose à rouge ;
surface beige, engobe beige-rose lissé ; peinture brune.
Vase ouvert, bord.

655   T57 C5
Céramique commune modelée ; dm 2/3, dv 2 ; pâte beige ; surface
beige-vert, lissée ; peinture noire.
Vase ouvert, bord.

656   T57 C26
Céramique commune modelée ; dm 2, dv 2/3 ; pâte beige ; surface
beige-vert, lissée ; peinture brun-noir.
Vase ouvert, bord.

657   T57 C9
Céramique commune modelée ; dm 2/3, dv 2/3 ; pâte beige ; surface
beige-vert, lissée ; peinture brun-noir.
Vase ouvert, bord.

658   T57 C13
Céramique commune modelée ; dm 2, dv 2/3+ ; pâte beige ; surface
beige, lissée ; peinture brune.
Vase ouvert, bord.

659   T57 C1
Céramique commune modelée ; dm 2, dv 2/3 ; pâte beige-rose ;
surface beige-vert, lissée ; peinture noire.
Vase ouvert, bord.

660   T57 C4
Céramique commune modelée ; dm 2/3, dv 2 ; pâte beige ; surface
beige-vert, lissée ; peinture noire.
Vase fermé, bord.
Uqair : Lloyd et Safar 1943, pl. XXa : 6 [Obeid]

661   T57 C21
Céramique commune modelée ; dm 2, dv 2/3/4 ; pâte beige à cœur
gris-noir ; surface beige, lissée.
Vase fermé, bord.

662   T57 C16
Céramique commune modelée ; dm 2, dv 2/3/4 ; pâte rose ; surface
beige, ravalée ; peinture rouge.
Vase fermé, bord.
Gawra : Tobler 1950, pl. LXXIb : 17 ; LXXVIa : 4 [levels XVIII/
XVI (Obeid)]

663   T57 C28
Céramique commune modelée ; dm 1/2, dv 2/3/4 ; pâte beige-rose ;
surface beige-vert, lissée.
Vase fermé, bord.

664   T57 C23
Céramique commune modelée ; dm 2, dv 2/3 ; pâte gris-vert ;
surface vert sombre, lissée ; peinture noire.
Vase fermé, bord.

665   T57 C22
Céramique commune modelée ; dm 2, dv 2/3 ; pâte beige-rose ;
surface beige, ravalée.
Vase fermé, bord.

666   T57 C20
Céramique commune modelée ; dm 2/3, dv 2/3/4 ; pâte beige ;
surface beige verdâtre, ravalée.
Vase fermé, bord.

667   T57 C2
Céramique commune modelée ; dm 2/3, dv 2/3 ; pâte gris-brun ;
surface vert sombre, lissée ; peinture noire.
Vase fermé, panse.
Gawra : Tobler 1950, pl. CXXII : 106, 109 [str. XX/XVII (Obeid)]

668   T57 C25
Céramique commune modelée ; dm 2/3, dv 2/3 ; pâte rose ; surface
beige-rose, lissée ; peinture brun-rouge.
Vase fermé, panse.

669   T57 C27
Céramique commune modelée ; dm 1, dv 2 ; pâte grise ; surface
beige-gris à beige-vert, lissée ; peinture brun-noir.
Vase fermé, panse.

670   T57 C17
Céramique commune modelée ; dm 2, dv 2/3 ; pâte brun-rose ;
surface verte, lissée ; peinture noire.
Vase fermé, panse.
Gawra : Tobler 1950, pl. LXXVIa : 1 [str. XVI (Obeid)]

671   T57 C19
Céramique commune modelée ; dm 2, dv 2/3/4 ; pâte rose-rouge ;
surface beige-rose, lissée ; peinture noire.
Vase fermé, panse.
Gawra : Tobler 1950, pl. CXXV : 147 [str. XVI/XV (Obeid)]

672   T57 C24
Céramique commune modelée ; dm 2, dv 2/3 ; pâte beige ; surface
beige, lissée ; peinture noire.
Vase fermé, panse.

673   T57 C6
Céramique commune modelée ; dm 2 ; pâte beige-rose ; surface
verte, lissée ; peinture brune.
Vase fermé, panse.

Site n° 58 - Bāqhūz 1.

Ce site, fouillé par le comte R. Du Mesnil du Buisson, a donné lieu à une publication (1948). Son occupation remonte
à l'époque de Samarra. Nous n'en présentons aucun matériel.

Site n° 59 - Abu Hasan 2 (pl. 51).

Deux périodes d'occupation semblent être attestées par la céramique retrouvée sur ce site : l'époque néo-assyrienne est
représentée par deux fragments de grandes jarres à paroi supérieure relativement verticale (**683, 684**) et un bord de jarre
avec un petit ressaut à la base du col (**678**), mais aucun fragment de bol ou coupe caractéristique de cette période n'est
présent ; l'époque romano-parthe est représentée par deux bords de jarres sans col (**676, 677**), forme qui existe tout au long
de la période romaine ; toutefois, plusieurs fragments (**676, 679, 681, 682**) pourraient dater de l'époque romaine tardive.
Aucun fragment de céramique peinte nord-syrienne n'a été répertorié, non plus que de *Brittle Ware*.

674 T59 C4
Céramique commune tournée ; dm 2/3, dv 2/3/4 ; pâte rose ; surface rose, ravalée.
Vase ouvert, profil.
Uruk : Strommenger 1967, Taf. 1 : 9 [néobabylonien et postérieur]
Doura : Dyson 1968, fig. 15 : 7 [romain]
Sabra : Tunca 1987, pl. 40 : 5 [SE/PA]

675 T59 C5
Céramique commune tournée ; dm 2/3+ ; pâte rose ; surface beige-rose, ravalée.
Vase ouvert, bord.

676 T59 C9
Céramique commune tournée ; dm 2/3 ; pâte rose ; surface beige, lissée.
Vase fermé, bord, jarre *torpedo*.
Doura : Dyson 1968, fig. 7 : 123 [milieu IIIe s. apr. J.-C.]
'Āna : Northegde 1988, fig. 37 : 7-10 ; 38 : 13 [sassanide moyen/ récent (IVe-VIe s.)]

677 T59 C11
Céramique commune tournée ; dm 2/3 ; pâte rose ; surface beige à rose, lissée ; bitume à l'intérieur ; traces à l'extérieur.
Vase fermé, bord, jarre *torpedo*.
'Āna : Northedge 1988, fig. 37 : 20 ; 38 : 13 [sassanide moyen/ récent (IVe-VIe s.)]

678 T59 C3
Céramique commune tournée ; dm 2/3 ; pâte verte ; surface verte, lissée.
Vase fermé, bord.
Kirbet Qasrij : Curtis 1989, fig. 39 : 253 [1re moitié du VIe s. av. J.-C.]

679 T59 C8
Céramique commune tournée ; dm 2/3 ; pâte rose ; surface beige, lissée.

Vase fermé, bord.
Sabra : Tunca 1987, pl. 78 : 4 [SE/PA]
Barri : Ricciardi Venco 1982, n° 7 [parthe]
Al-Quṣair : Mackensen 1984, Taf. 25 : 22 [VIe s. apr. J.-C.]

680 T59 C7
Céramique commune tournée ; dm 2/3+ ; pâte beige-rose ; surface verte, lissée.
Vase fermé, bord, jarre *torpedo* (?).
'Aǧīǧ-Gebiet : Bernbeck 1993, Abb. 141 : k, l [IIIe s. apr. J.-C.]

681 T59 C13
Céramique commune tournée ; dm 2/3+ ; pâte rose ; surface beige-vert, lissée ; anse verticale.
Vase fermé, bord.
Resafa : Konrad 1992, Abb. 12 : 11 [V[e]-VIe s. apr. J.-C.]

682 T59 C10
Céramique commune tournée ; dm 2/3, dv 2/4 ; pâte beige à cœur rose ; surface verte, lissée.
Vase fermé, bord.
'Āna : Northegde 1988, fig. 37 : 4 [sassanide moyen (IVe-Ve s.)]
Sabra : Tunca 1987, pl. 76 : 17 [SE/PA]

683 T59 C2
Céramique commune tournée ; dm 2/3, dv 2/4 ; pâte verte ; surface verte, ravalée ; traces de bitume à l'extérieur.
Vase fermé, bord.
Khirbet Qasrij : Curtis 1989, fig. 38 : 248 [1re moitié du VIe s. av. J.-C.]

684 T59 C1
Céramique commune tournée ; dm 2/3, dv 2/3 ; pâte rose ; surface beige, lissée.
Vase ouvert, bord.
Khirbet Qasrij : Curtis 1989, fig. 38 : 241 [1re moitié du VIe s. av. J.-C.]

Site n° 60 - Bāqhūz 2.

Ce site, qui correspond à la nécropole de Bāqhūz, est connu depuis fort longtemps : le comte R. Du Mesnil du Buisson a fouillé et publié un certain nombre de tombes du Bronze moyen (1948). L'inventaire des tombes en mentionne un certain nombre datant de l'époque parthe (IIe s. av. J.-C.-IIe s. apr. J.-C.), mais aucune céramique de cette époque n'est publiée.

Site n° 61 - Maqbarat et Tāme.

La totalité de la céramique est d'époque islamique (cf. Berthier sous presse).

Site n° 62 - Maqbarat Shheil.

La totalité de la céramique est d'époque islamique (cf. Berthier sous presse).

Site n° 63 - Maqbarat Graiyet 'Abādish (pl. 52).

Les rares tessons retrouvés sur ce site semblent indiquer une occupation à l'époque hellénistique ou romaine. Un fragment de tombe en baignoire pourrait confirmer cette datation.

685 T63 C4
Céramique commune tournée ; dm 2/3 ; pâte grise ; surface grise, ravalée.
Vase ouvert, bord.
'Āna : Killick 1988, fig. 32 : 59 [parthe]

686 T63 C5
Céramique commune tournée ; dm 2/3 ; pâte rose ; surface rose, lissée.
Vase ouvert, bord.

687 T63 C1
Céramique commune tournée ; dm 2/3 ; pâte rose ; surface beige, lissée.

Vase fermé, bord.
Sabra : Tunca 1987, pl. 81 : 19 [SE/PA]

688 T63 C3
Céramique commune tournée ; dm 2/3 ; pâte beige-rose ; surface beige, lissée.
Vase fermé, bord.
Sabra : Tunca 1987, pl. 81 : 20 ; 82 : 6 [SE/PA]

689 T63 C2
Céramique commune tournée ; dm 2/3 ; pâte rose-rouge ; surface rose, lissée ; anse verticale.
Vase fermé, bord.
Doura : Dyson 1968, fig. 11 : 290 [IIIe s. apr. J.-C.]

Site n° 64 - Dībān 1 (pl. 52 à 56).

Plusieurs phases d'occupation sont attestées par la céramique retrouvée en grande quantité.

L'occupation la plus ancienne remonte vraisemblablement à l'époque d'Uruk. En témoignent un bord de *Bevelled-Rim Bowl* (**690**), malheureusement unique, mais dont l'aspect caractéristique ne peut permettre le doute, et un bord de pot (**691**), sans parallèle exact, mais à la forme proche de certains pots retrouvés à Karrana.

La majeure partie de la céramique ramassée sur ce site est à dater du Bronze moyen. De nombreux tessons retrouvés dans des coupes de fosses effectuées par des bulldozers témoignent de cette occupation du début du IIe millénaire. Le fragment **697**, prélevé à la base de l'une de ces coupes, parmi les plus profondes, a des parallèles à Haradum au Bronze moyen. De nombreuses formes sont comparables aux trouvailles de Mari et de Haradum.

Quelques tessons (**702**, **704**, **717**, **732**) indiqueraient une occupation à l'âge du Fer, mais aucune des formes les plus caractéristiques de cette période n'est représentée, à l'exception des deux bords de coupes **702** et **704**, mais dont des formes voisines existent aussi au Bronze moyen, notamment à Haradum.

Une partie de la céramique est d'époque islamique (cf. Berthier sous presse).

690　T64 C31
Céramique commune modelée ; dm 2/4 ; pâte rose ; surface verte, lissée.
Vase ouvert, bord, *Bevelled-Rim Bowl.*
Ḥabūba Kabira-Süd : Sürenhagen 1978, Tab. 1 : 19 [Uruk récent]

691　T64 C15
Céramique commune modelée ; dm 3/5 ; pâte rose ; surface rose, lissée.
Vase ouvert, bord.
Ḥabūba Kabira-Süd : Sürenhagen 1978, Tab. 24 : D8 (forme) ; 22 : C4 (décor) [Uruk récent]
Karrana : Rova 1993, pl. XXXVI : 413, 414 [Uruk récent]
Karababa Basin, site 15 : Wilkinson 1990, fig. B.6 : 2 [Chalcolithique récent A (Uruk)]

692　T64 C48
Céramique commune tournée ; dm 2/3, dv 2/3 ; pâte rose à cœur gris ; surface rose à vert, lissée, engobe (?).
Vase ouvert, bord.
Mari : Lebeau 1987 a, pl. IV : 3 [paléobabylonien]

693　T64 C70
Céramique commune tournée ; dm 2/3 ; pâte rose ; surface beige, ravalée.
Vase ouvert, bord.
Haradum : Kepinski-Lecomte 1992, fig. 108 : 6-8 [XVIIIe-XVIIe s. av. J.-C.]

694　T64 C69
Céramique commune tournée ; dm 2/3 ; pâte beige ; surface beige-vert, lissée.
Vase ouvert, bord.
Haradum : Kepinski-Lecomte 1992, fig. 108 : 1, 2 [XVIIIe-XVIIe s. av. J.-C.]

695　T64 C13
Céramique commune tournée ; dm 2/3, dv 2/3 ; pâte rose ; surface rose, lissée.
Vase ouvert, bord.

696　T64 C14
Céramique commune tournée ; dm 2/3, dv 2 ; pâte rose ; surface beige, lissée.
Vase ouvert, bord.

697　T64 C56
Céramique commune tournée ; dm 2/3, dv 2/3 ; pâte beige ; surface beige, lissée.
Vase ouvert, bord.
Haradum : Kepinski-Lecomte 1992, fig. 116 : 8, 9 [XVIIIe-XVIIe s. av. J.-C.]

698　T64 C68
Céramique commune tournée ; dm 2/3 ; pâte rose ; surface verte, lissée.
Vase ouvert, bord.

Haradum : Kepinski-Lecomte 1992, fig. 111 : 8 [XVIIIe-XVIIe s. av. J.-C.]
Mari : Lebeau 1983 a, fig. 2 : 6 [1re moitié du XVIIIe s. av. J.-C.]

699　T64 C67
Céramique commune tournée ; dm 2/3, dv 2/3 ; pâte verte ; surface verte, lissée.
Vase ouvert, bord.
Haradum : Kepinski-Lecomte 1992, fig. 111 : 8 [XVIIIe-XVIIe s. av. J.-C.]
Mari : Lebeau 1983 a, fig. 2 : 6 [1re moitié du XVIIIe s. av. J.-C.]

700　T64 C72
Céramique commune tournée ; dm 2/3, dv 2/4 ; pâte rose ; surface beige-vert, lissée.
Vase ouvert, bord.
Haradum : Kepinski-Lecomte 1992, fig. 109 : 3 [XVIIIe-XVIIe s. av. J.-C.]
Mari : Lebeau 1983 a, fig. 2 : 3 [1re moitié du XVIIIe s. av. J.-C.]

701　T64 C73
Céramique commune tournée ; dm 2/3(4) ; pâte verte ; surface beige-vert, lissée.
Vase ouvert, bord.
Haradum : Kepinski-Lecomte 1992, fig. 107 : 1 [XVIIIe-XVIIe s. av. J.-C.]

702　T64 C49
Céramique commune tournée ; dm 2/3, dv 2/3 ; pâte beige-vert ; surface verte, lissée.
Vase ouvert, bord.
Khirbet Qasrij : Curtis 1989, fig. 25 : 53 [VIe s. av. J.-C.]
Haradum : Kepinski-Lecomte 1992, fig. 111 : 7 ; 116 : 10, 11 ; 122 : 11 [XVIIIe-XVIIe s. av. J.-C.]

703　T64 C74
Céramique commune tournée ; dm 2/3, dv 2 ; pâte beige-rose ; surface beige-vert, lissée.
Vase ouvert, bord.
Haradum : Kepinski-Lecomte 1992, 118 : 7 [XVIIIe-XVIIe s. av. J.-C.]

704　T64 C71
Céramique commune tournée ; dm 2/3, dv 2/3 ; pâte rose ; surface rose, lissée.
Vase ouvert, bord.
Khirbet Qasrij : Curtis 1989, fig. 29 : 99 [VIe s. av. J.-C.]
Haradum : Kepinski-Lecomte 1992, fig. 111 : 7 ; 116 : 10, 11 ; 122 : 11 [XVIIIe-XVIIe s. av. J.-C.]

705　T64 C20
Céramique commune tournée ; dm 2/3, dv 2/3 ; pâte verte ; surface verte, lissée.
Vase fermé, bord.
Haradum : Kepinski-Lecomte 1992, fig. 101 : 10 [XVIIIe-XVIIe s. av. J.-C.]

706 T64 C40
Céramique commune tournée ; dm 2/3, dv 2 ; pâte rose ; surface beige, lissée ; bitume sur la partie supérieure à l'intérieur et à l'extérieur.
Vase fermé, bord.
'Aǧīǧ-Gebiet : BERNBECK 1993, Abb. 105 : r [âge du Fer]

707 T64 C37
Céramique commune tournée ; dm 2/3, dv 2 ; pâte beige ; surface beige, lissée ; traces de bitume à l'extérieur.
Vase fermé, bord.
Mari : LEBEAU 1983 a, fig. 3 : 3 [BM II (début XVIIIᵉ s.)]
Haradum : KEPINSKI-LECOMTE 1992, fig. 84 [XVIIIᵉ-XVIIᵉ s. av. J.-C.]

708 T64 C62
Céramique commune tournée ; dm 2/3, dv 2/4 ; pâte verte ; surface verte, lissée.
Vase fermé, bord.
Mari : LEBEAU 1983 a, fig. 7 : 4 [BM]

709 T64 C60
Céramique commune tournée ; dm 2/3, dv 2/3 ; pâte beige ; surface verte, lissée.
Vase fermé, bord.
Mari : LEBEAU 1987 a, pl. IV : 19 [paléobabylonien]

710 T64 C61
Céramique commune tournée ; dm 2/3 ; pâte rose ; surface verte, lissée.
Vase fermé, bord.
Mari : LEBEAU 1987 a, pl. IV : 19 [paléobabylonien]

711 T64 C16
Céramique commune tournée ; dm 2/3++ ; pâte rose ; surface verte, ravalée.
Vase ouvert, bord.

712 T64 C26
Céramique commune tournée ; dm 2/3, dv 2/3 ; pâte verte ; surface verte, ravalée.
Vase fermé, bord.

713 T64 C23
Céramique commune tournée ; dm 2/3, dv 2 ; pâte verte ; surface verte, ravalée.
Vase fermé, bord.

714 T64 C25
Céramique commune tournée ; dm 2/3, dv 2/3 ; pâte verte ; surface verte, lissée.
Vase fermé, bord.

715 T64 C47
Céramique commune tournée ; dm 2/3/4, dv 2/3/4 ; pâte rose ; surface verte, lissée ; bitume à l'extérieur sur la partie supérieure.
Vase fermé, bord.
Halawa : ORTHMANN 1981, Taf. 46 : 1 [début IIᵉ millénaire]

716 T64 C38
Céramique commune tournée ; dm 2/3 ; pâte beige-rose ; surface beige-vert, lissée ; traces de bitume à l'extérieur.
Vase fermé, bord.
Mari : LEBEAU 1987 a, pl. V : 10 [paléobabylonien]

717 T64 C21
Céramique commune tournée ; dm 2/3++ ; pâte rose ; surface beige-vert, ravalée.
Vase fermé, bord.
'Aǧīǧ-Gebiet : BERNBECK 1993, Abb. 105 : n [âge du Fer]

718 T64 C63
Céramique commune tournée ; dm 2/3, dv 2/3 ; pâte verte ; surface verte, lissée.
Vase fermé, bord.
Haradum : KEPINSKI-LECOMTE 1992, fig. 84 : 5 [XVIIIᵉ-XVIIᵉ s. av. J.-C.]

719 T64 C64
Céramique commune tournée ; dm 2/3, dv 2/3 ; pâte verte ; surface verte, lissée.
Vase fermé, bord.
Mari : LEBEAU 1987 a, pl. V : 5-8 [paléobabylonien]

720 T64 C44
Céramique commune tournée ; dm 2/3/4, dv 2/3 ; pâte beige-vert ; surface verte, lissée.
Vase fermé, bord.
Halawa : ORTHMANN 1981, Taf. 46 : 1 [début IIᵉ millénaire]

721 T64 C76
Céramique commune tournée ; dm 2/3(4), dv 2/3 ; pâte verdâtre ; surface verte, ravalée.
Vase fermé, bord.
Mari : LEBEAU 1987 a, pl. V : 5 [paléobabylonien]

722 T64 C59
Céramique commune tournée ; dm 2/3, dv 2 ; pâte verte ; surface verte, lissée ; traces de bitume sur le dessus de la lèvre.
Vase fermé, bord.
Haradum : KEPINSKI-LECOMTE 1992, fig. 86 : 9 [XVIIIᵉ-XVIIᵉ s. av. J.-C.]

723 T64 C66
Céramique commune tournée ; dm 2/3(4) ; pâte beige ; surface beige, lissée.
Vase fermé, bord.
Haradum : KEPINSKI-LECOMTE 1992, fig. 90 : 3 [XVIIIᵉ-XVIIᵉ s. av. J.-C.]

724 T64 C33
Céramique commune tournée ; dm 2/3 ; pâte verte ; surface verte, lissée.
Vase fermé, bord.
Halawa : ORTHMANN 1981, Taf. 49 : 9 [début IIᵉ millénaire av.J.-C.]
Haradum : KEPINSKI-LECOMTE 1992, fig. 100 : 10 [XVIIIᵉ-XVIIᵉ s. av. J.-C.]

725 T64 C19
Céramique commune tournée ; dm 2+ ; pâte rose ; surface verte, ravalée ; badigeon noir à l'intérieur et sur le bord extérieur.
Vase fermé, bord.
Terqa : KELLY-BUCCELLATI et SHELBY 1977, fig. 11, n° TPR 4 17 [1750-1700 av. J.-C.]

726 T64 C39
Céramique commune tournée ; dm 2/3 ; pâte rose ; surface beige-vert, lissée ; bitume à l'extérieur sur la lèvre et sur la partie supérieure et à l'intérieur.
Vase fermé, bord.
Terqa : KELLY-BUCCELLATI et SHELBY 1977, fig. 11, n° TPR 4 17 [1750-1700 av. J.-C.]

727 T64 C29
Céramique commune tournée ; dm 2/3 ; pâte verte ; surface verte, lissée ; badigeon noir sur la lèvre ; signes sur la panse.
Vase fermé, bord.
Mari : LEBEAU 1983 a, fig. 3 : 5 [BM II]
Haradum : KEPINSKI-LECOMTE 1992, fig. 74 : 5 [XVIIIᵉ-XVIIᵉ s. av. J.-C.]

728 T64 C57
Céramique commune tournée ; dm 2/3, dv 2/3 ; pâte verte ; surface verte, lissée.
Vase fermé, bord.
Haradum : KEPINSKI-LECOMTE 1992, fig. 74 : 8 [XVIIIᵉ-XVIIᵉ s. av. J.-C.]

729 T64 C17
Céramique commune tournée ; dm 2/3, dv 2/3 ; pâte verte ; surface verte, lissée.
Vase fermé, bord.
Haradum : KEPINSKI-LECOMTE 1992, fig. 74 : 4 [XVIIIᵉ-XVIIᵉ s. av. J.-C.]
Mari : LEBEAU 1987 a, pl. III : 9 [paléobabylonien]

730   T64 C58
Céramique commune tournée ; dm 2/3, dv 2/3 ; pâte verte ; surface verte, ravalée ; bitume à l'intérieur et sur le dessus de la lèvre.
Vase fermé, bord.
Mari : Lebeau 1983 a, fig. 3 : 9 [1re moitié du xviiie s. av. J.-C.]

731   T64 C35
Céramique commune tournée ; dm 2/3 ; pâte verte ; surface verte, ravalée.
Vase fermé, bord.
Haradum : Kepinski-Lecomte 1992, fig. 62 : 2 [xviiie-xviie s. av. J.-C.]
Nippur : McCown et Haines 1967, pl. 89 : 11 [paléobabylonien]

732   T64 C46
Céramique commune tournée ; dm 2/3, dv 2/3 ; pâte brun-rose ; surface verte, lissée.
Vase fermé, bord.
Khirbet Qasrij : Curtis 1989, fig. 32 : 165 ; 38 : 246 [vi^e s. av. J.-C.]

733   T64 C45
Céramique commune tournée ; dm 2/3 ; pâte beige ; surface verte, lissée.

Vase fermé, bord.
Haradum : Kepinski-Lecomte 1992, fig. 62 : 2 [xviiie-xviie s. av. J.-C.]
Nippur : McCown et Haines 1967, pl. 89 : 9 [paléobabylonien]

734   T64 C75
Céramique commune tournée ; dm 2/3+ ; pâte beige-rose ; surface beige-vert, ravalée ; bourrelet incisé.
Vase ouvert (?), fond.
Haradum : Kepinski-Lecomte 1992, fig. 128 : 4, 5 [xviiie-xviie s. av. J.-C.]

735   T64 C30
Céramique commune tournée ; dm 2/3, dv 2/3 ; pâte rose ; surface verte, lissée.
Vase ouvert (?), fond.

736   T64 C77
Céramique commune tournée ; dm 2/3, dv 2/3 ; pâte rose ; surface beige-vert, lissée.
Vase fermé, fond.

Site n° 65 - Dībān 2.

La totalité de la céramique est d'époque islamique (cf. Berthier sous presse).

Site n° 66 - Dībān 3 (pl. 57 à 59).

La céramique provient principalement de deux périodes : la mieux représentée est l'époque néo-assyrienne, plutôt les viie et surtout vi^e s., si l'on en juge par les comparaisons qu'il est possible de faire avec le matériel publié par J. Curtis à Khirbet Qasrij, avec plusieurs bords de coupes à la lèvre caractéristique (**740** à **744**) et des bords de jarres sans col (**748** à **752**, **756**, **757**). En revanche, le matériel n'offre quasiment pas de comparaisons avec le site de Qasrij Cliff, daté par J. Curtis du viiie s. av. J.-C.

Quelques tessons ont des correspondants à l'époque d'Ur III (**753** et **754**) ou à l'époque kassite (**746** et **747**), mais ils sont en trop petit nombre pour en conclure une occupation à ces deux époques, d'autant que les formes les plus caractéristiques de ces périodes ne sont pas attestées. De plus, les deux bords **753** et **754** peuvent être des variantes à col plus redressé vers l'extérieur des cols de jarres représentés par les bords **748** à **752** de l'époque néo-assyrienne.

Une partie de la céramique est d'époque islamique (cf. Berthier sous presse).

737   T66 C13
Céramique commune tournée ; dm 2/3 ; pâte beige ; surface beige, lissée.
Vase ouvert, bord.
Khirbet Qasrij : Curtis 1989, fig. 23 : 15 [vi^e s. av. J.-C.]

738   T66 C43
Céramique commune tournée ; dm 2 ; pâte beige ; surface beige, lissée.
Vase ouvert, bord.
Fort Shalmaneser : Oates J. 1959, pl. XXXV : 8 [néo-assyrien]

739   T66 C39
Céramique commune tournée ; dm 2/3+ ; pâte verte à cœur noir ; surface gris-vert, lissée.
Vase ouvert, bord.

740   T66 C12
Céramique commune tournée ; dm 2/4, dv 2/3 ; pâte verte ; surface verte, ravalée.
Vase ouvert, bord.
Khirbet Qasrij : Curtis 1989, fig. 29 : 101-104 [vi^e s. av. J.-C.]

741   T66 C25
Céramique commune tournée ; dm 2/3(4), dv 2/3 ; pâte verte ; surface verte, engobe rouge à l'extérieur (traces).
Vase ouvert, bord.
Khirbet Qasrij : Curtis 1989, fig. 28 : 90 [vi^e s. av. J.-C.]

742   T66 C15
Céramique commune tournée ; dm 2/3++, dv 2/3 ; pâte beige ; surface beige, ravalée.

Vase ouvert, bord.
Khirbet Qasrij : Curtis 1989, fig. 26 : 62 [vi^e s. av. J.-C.]

743   T66 C41
Céramique commune tournée ; dm 2/3(4) ; pâte beige ; surface beige-vert, ravalée.
Vase ouvert, bord.
Khirbet Qasrij : Curtis 1989, fig. 26 : 57 [vi^e s. av. J.-C.]

744   T66 C5
Céramique commune tournée ; dm 2/3(4) ; pâte rose ; surface verte, lissée ; bourrelet incisé.
Vase ouvert, bord.
'Ağīğ-Gebiet : Bernbeck 1993, Abb. 108 : f [âge du Fer]
Khirbet Qasrij : Curtis 1989, fig. 27 : 77 [vi^e s. av. J.-C.]

745   T66 C29
Céramique commune tournée ; dm 2/3(5) ; pâte beige-rose ; surface gris-vert, ravalée.
Vase fermé, bord.

746   T66 C40
Céramique commune tournée ; dm 2/3+ ; pâte beige ; surface beige, ravalée.
Vase fermé, bord.
Zubeidi : Boehmer et Dämmer 1985, Taf. 126 : 298 [xiiie-xiie s. av. J.-C.]

747   T66 C8
Céramique commune tournée ; dm 2/3, dv 2/3 ; pâte beige ; surface verte, lissée.

Vase fermé, bord.
Imlihiye : BOEHMER et DÄMMER 1985, Taf. 42 : 158 ; 44 : 182-187 [XIIIᵉ-XIIᵉ s. av. J.-C.]

748   T66 C35
Céramique commune tournée ; dm 2/3++ ; pâte rose ; surface beige-vert, ravalée.
Vase fermé, bord.
'Ağīğ-Gebiet : BERNBECK 1993, Abb. 123 : 1 [âge du Fer]
Qasrij Cliff : CURTIS 1989, fig. 12 : 66 [VIIIᵉ s. av. J.-C.]
Khirbet Qasrij : CURTIS 1989, fig. 36 : 216 [VIᵉ s. av. J.-C.]

749   T66 C45
Céramique commune tournée ; dm 2/3+ ; pâte rose ; surface verte, ravalée.
Vase fermé, bord.
'Ağīğ-Gebiet : BERNBECK 1993, Abb. 123 : 1 [âge du Fer]
Qasrij Cliff : CURTIS 1989, fig. 12 : 66 [VIIIᵉ s. av. J.-C.]
Khirbet Qasrij : CURTIS 1989, fig. 36 : 216 [VIᵉ s. av. J.-C.]

750   T66 C44
Céramique commune tournée ; dm 2/3++ ; pâte gris-vert ; surface gris-vert, ravalée.
Vase fermé, bord.
'Ağīğ-Gebiet : BERNBECK 1993, Abb. 123 : 1 [âge du Fer]
Qasrij Cliff : CURTIS 1989, fig. 12 : 66 [VIIIᵉ s. av. J.-C.]
Khirbet Qasrij : CURTIS 1989, fig. 36 : 216 [VIᵉ s. av. J.-C.]

751   T66 C36
Céramique commune tournée ; dm 2/3++ ; pâte rose ; surface verte, ravalée ; anse verticale.
Vase fermé, bord.
'Ağīğ-Gebiet : BERNBECK 1993, Abb. 123 : 1 [âge du Fer]

752   T66 C47
Céramique commune tournée ; dm 2/3+, dv 2/3 ; pâte rose ; surface verte, ravalée.
Vase fermé, bord.

753   T66 C30
Céramique commune tournée ; dm 2/3+ ; pâte verte ; surface gris-vert, ravalée.
Vase fermé, bord.
Mari : LEBEAU 1985 a, pl. I : 16 [Ur III]
Qasrij Cliff : CURTIS 1989, fig. 12 : 61 [VIIIᵉ s. av. J.-C.]

754   T66 C46
Céramique commune tournée ; dm 2/3++ ; pâte brun-rose ; surface rose, ravalée.
Vase fermé, bord.
Mari : LEBEAU 1985 a, pl. I : 16 [Ur III]
Qasrij Cliff : CURTIS 1989, fig. 12 : 61 [VIIIᵉ s. av. J.-C.]

755   T66 C16
Céramique commune tournée ; dm 2/3(4), dv 2 ; pâte beige ; surface verte, lissée ; anse verticale.
Vase fermé, bord.

756   T66 C1
Céramique commune tournée ; dm 2/3(4) ; pâte gris-beige ; surface verte, lissée ; bourrelet avec incisions obliques.
Vase fermé, bord.
Khirbet Qasrij : CURTIS 1989, fig. 35 : 209 [VIᵉ s. av. J.-C.]

757   T66 C3
Céramique commune tournée ; dm 2/3(4), dv 2/4+ ; pâte verte ; surface verte, lissée.
Vase fermé, bord.
Khirbet Qasrij : CURTIS 1989, fig. 39 : 253 [VIᵉ s. av. J.-C.]

758   T66 C7
Céramique commune tournée ; dm 2/3, dv 2/4+ ; pâte verte ; surface verte, lissée ; petits cercles incisés.
Vase fermé (?), bord.
Khirbet Qasrij : CURTIS 1989, fig. 39 : 257 [VIᵉ s. av. J.-C.]

759   T66 C6
Céramique commune tournée ; dm 2/3 ; pâte beige ; surface verte, lissée ; bourrelet incisé et petits cercles incisés.
Vase fermé, bord.
Khirbet Qasrij : CURTIS 1989, fig. 38 : 242 [VIᵉ s. av. J.-C.]

760   T66 C2
Céramique commune tournée ; dm 2/4 ; pâte gris-vert ; surface vert kaki, ravalée ; cannelures, bourrelet incisé, petites incisions sur la lèvre, petites cupules sur le dessus de la lèvre.
Vase fermé, bord.
'Ağīğ-Gebiet : BERNBECK 1993, Abb. 114 : e [âge du Fer]

761   T66 C38
Céramique commune modelée ; dm 2/3, dv 2/3 ; pâte rose à cœur gris ; surface rose, ravalée ; une face avec de nombreux petits trous.
Vase ouvert (?), panse.

Site nᵒ 67 - Taiyāni 1 (pl. 59).

Antérieurement à une forte implantation islamique, ce site aurait connu une occupation beaucoup plus ancienne, au IVᵉ millénaire, comme sembleraient l'indiquer quatre tessons : un bord de coupe (**762**) à décor peint pourrait être comparé à un fragment de Ninivite 2 trouvé à Ninive ou à un fragment provenant de Zubeidi datant de l'Obeid ; toutefois, la texture (absence de dégraissant végétal) et le mode de fabrication (vraisemblablement tourné) nous incitent à la prudence : il pourrait aussi s'agir d'un fragment de vase islamique peint et glaçuré, mais dont la glaçure aurait disparu. La même remarque vaut pour le fragment **763**, pour lequel un parallèle est possible avec un tesson trouvé dans le bassin du Karababa (site 11) daté du « *mid-chalcolithic* » (Obeid). Deux tessons sont probablement à dater de la fin du IVᵉ millénaire : un fragment de vase (**764**) à tenon horizontal (la trace en est nettement visible), vraisemblablement modelé, de pâte grise, à surface grise lustrée et décoré de petite lignes obliques excisées ; il trouve un parallèle à Ninive (Ninivite 4) ; un fragment de bol (**765**) à bord légèrement rentrant et à lèvre amincie, pour lequel une comparaison est possible avec Karrana (transition Uruk récent/Ninivite 5).

La présence de nombreux fragments de *Brittle Ware* (une vingtaine a été retrouvée, dont deux bords **768** et **769**) semblerait indiquer une occupation dans les premiers siècles de notre ère. En l'absence de céramique peinte nord-syrienne, ces tessons sont plutôt à dater de l'époque romano-parthe.

Une autre phase d'occupation est bien attestée à l'époque islamique (cf. BERTHIER sous presse).

762   T67 C18
Céramique commune tournée (?) ; dm 2/3 ; pâte beige ; surface beige, lissée ; peinture noire (traits verticaux, ondulation et lignes horizontales).

Vase ouvert, bord.
Ninive : MALLOWAN 1933, pl. XLIV [Ninivite 2]
Zubeidi : BOEHMER et DÄMMER 1985, Taf. 134 : 518 [Obeid]

763   T67 C32
Céramique mi-fine tournée (?) ; dm 1/2 ; pâte rose ; surface beige, lissée ; peinture brun à brun-noir (bande horizontale et sommets de triangles).
Vase ouvert, panse.
Karababa Basin, site 11 : Wilkinson 1990, fig. B.4 : 1 [Chalcolithique moyen (Obeid)]

764   T67 C2
Céramique commune modelée (?) ; dm 2/4 ; pâte grise ; surface gris-noir, lissée ; décor excisé (petits traits verticaux) ; tenon horizontal.
Vase ouvert (?), panse.
Ninive : Mallowan 1933, pl. L : 13 [Ninivite 4]

765   T67 C1
Céramique commune tournée ; dm 1/2 ; pâte rose ; surface beige, lissée.
Vase ouvert, bord.
Karrana : Rova 1993, pl. XXXII : 348 [transition Uruk récent/Ninivite 5]

766   T67 C26
Céramique commune tournée ; dm 2/3 ; pâte rose ; surface verte, lissée.
Vase fermé, bord.
'Ağīğ-Gebiet : Bernbeck 1993, Abb. 146 : k [IIIe-IXe s. apr. J.-C.]

767   T67 C25
Céramique commune tournée ; dm 2/3+ ; pâte rose ; surface beige-vert, lissée.
Vase fermé, bord.
'Ağīğ-Gebiet : Bernbeck 1993, Abb. 146 : k [IIIe-IXe s. apr. J.-C.]

768   T67 C34
Céramique de cuisson tournée ; dm 1 ; pâte rouge ; surface brun-rouge à l'extérieur, lissée.
Vase fermé, bord, *Brittle Ware.*
Ain Sinu : Oates D. 1968, fig. 23 : 84 [parthe (IIIe s.)]
Resafa : Konrad 1992, Abb. 8 : 11-13 [3e quart du Ve s. apr. J.-C.]

769   T67 C36
Céramique de cuisson tournée ; dm 1 ; pâte rouge ; surface rouge à l'intérieur, noire à l'extérieur, lissée.
Vase fermé, bord, *Brittle Ware.*
Ain Sinu : Oates D. 1968, fig. 23 : 77-79 [parthe (IIIe s.)]

Site n° 68 - Jebel Mashtala (pl. 60 à 63).

La céramique, abondante sur ce site, atteste une très importante occupation aux XIIIe et XIIe s. av. J.-C. Parmi le matériel le plus typique, il faut noter les pieds à petite base annulaire de vases-gobelets médio-assyriens (comme **798**, **799** et **800**), qui jonchaient le sol en très grande quantité, ainsi que le petit fond **792**. De même, le bord **779**, qui a des correspondants à Zubeidi ou sur le Khābūr aux XIIIe-XIIe s., présente un décor caractéristique fait avec des incisions en forme de croissant de lune sur bourrelet, décor qui se retrouve dans deux autres exemplaires aux formes différentes (**780** et **781**). Deux fonds à petit bouton sont attestés à l'époque kassite, mais sont aussi caractéristiques de l'époque néo-assyrienne ; ils permettent d'envisager une occupation assez tardive après le XIIe s.

Une occupation plus ancienne est possible en raison de l'importance de ce site ; quelques fragments inciteraient à le penser, mais aucun d'entre eux ne renvoie indubitablement aux formes caractéristiques du Bronze ancien ou moyen.

Une réoccupation limitée à l'époque romaine est attestée par deux tessons, dont un fragment de *Brittle Ware* (**787**).

770   T68 C18
Céramique commune tournée ; dm 2/3, dv 2/3+ ; pâte verte ; surface beige-vert à beige-rose, ravalée.
Vase ouvert, bord.
Imlihiye : Boehmer et Dämmer 1985, Taf. 32 : 89 [XIIIe-XIIe s. av. J.-C.]

771   T68 C20
Céramique commune tournée ; dm 2/3, dv 2/3 ; pâte verte ; surface verte, lissée.
Vase ouvert, bord.

772   T68 C17
Céramique commune tournée ; dm 2/3, dv 2/3 ; pâte verte ; surface beige-vert, lissée.
Vase ouvert, bord.
Diyala : Delougaz 1952, pl. 146 : B.002.200 ; B.003.200 [DA 1 à DA 3]
Imlihiye : Boehmer et Dämmer 1985, Taf. 28 : 22, 24, 26-28 [XIIIe-XIIe s. av. J.-C.]

773   T68 C19
Céramique commune tournée ; dm 2/3(5), dv 2/3 ; pâte verte ; surface verte, lissée.
Vase ouvert, bord.

774   T68 C21
Céramique commune tournée ; dm 2/3+, dv 2/3 ; pâte verte ; surface verte, ravalée.
Vase ouvert (?), bord.
Zubeidi : Boehmer et Dämmer 1985, Taf. 115 : 186 [XIIIe-XIIe s. av. J.-C.]

775   T68 C6
Céramique commune tournée ; dm 2/3, dv 2/3 ; pâte brun-rouge ; surface brune, engobe (?) rouge à l'extérieur.
Vase ouvert, bord.
Imlihiye : Boehmer et Dämmer 1985, Taf. 34 : 106 [XIIIe-XIIe s. av. J.-C.]

776   T68 C1
Céramique commune tournée ; dm 2/3 ; pâte beige-vert ; surface vert pâle, ravalée.
Vase ouvert, bord.

777   T68 C4
Céramique commune tournée ; dm 2/3, dv 2/4 ; pâte rose ; surface beige, ravalée.
Vase ouvert, bord.
Nippur : McCown et Haines 1967, pl. 93 : 6 [paléobabylonien]

778   T68 C7
Céramique commune tournée ; dm 2/3, dv 2/3 ; pâte verte à cœur rose ; surface verte, lissée.
Vase ouvert, bord.
Zubeidi : Boehmer et Dämmer 1985, Taf. 119 : 240 [XIIIe-XIIe s. av. J.-C.]

779   T68 C3
Céramique commune tournée ; dm 2/3, dv 2/3 ; pâte beige à cœur rose ; surface beige verdâtre, ravalée ; incisions en croissant de lune sur deux bourrelets.
Vase fermé, bord.
Zubeidi : Boehmer et Dämmer 1985, Taf. 121 : 254 [XIIIe-XIIe s. av. J.-C.]
Tall Šēḫ Ḥamad : Pfälzner 1995, Taf. 118 : b [médio-assyrien]

780   T68 C2
Céramique commune tournée ; dm 2/3+, dv 2/3 ; pâte verte ; surface verte, ravalée ; incisions en croissant de lune sur un bourrelet.
Vase fermé, bord.
Zubeidi : BOEHMER et DÄMMER 1985, Taf. 118 : 239 [XIIIᵉ-XIIᵉ s. av. J.-C.]
Bdēri : PFÄLZNER 1995, Taf. 144 : b [médio-assyrien]

781   T68 C5
Céramique commune tournée ; dm 2/3, dv 2/3 ; pâte verte ; surface beige-vert à beige-rose, ravalée ; incisions en croissant de lune sur un bourrelet.
Vase fermé, bord.

782   T68 C14
Céramique commune tournée ; dm 2/3, dv 2/3 ; pâte beige ; surface beige-vert, lissée.
Vase fermé, bord.
Zubeidi : BOEHMER et DÄMMER 1985, Taf. 126 : 291 [XIIIᵉ-XIIᵉ s. av. J.-C.]

783   T68 C12
Céramique commune tournée ; dm 2/3(4), dv 2/4++ ; pâte verte ; surface verte, lissée.
Vase fermé, bord.

784   T68 C10
Céramique commune tournée ; dm 2/3(4), dv 2/4+ ; pâte verte ; surface verte, ravalée.
Vase fermé, bord.
Imlihiye : BOEHMER et DÄMMER 1985, Taf. 42 : 158, 164 [XIIIᵉ-XIIᵉ s. av. J.-C.]

785   T68 C8
Céramique commune tournée ; dm 2/3(5), dv 2/4 ; pâte verte à rose ; surface beige-vert, ravalée.
Vase fermé, bord.
Haradum : KEPINSKI-LECOMTE 1992, fig. 78 : 3, 9 [XVIIIᵉ-XVIIᵉ s. av. J.-C.]

786   T68 C32
Céramique commune tournée ; dm 2/3+ ; pâte rose ; surface beige à beige-vert, lissée.
Vase fermé, bord.
'Āna : KILLICK 1988, fig. 33 : 74, 75 [parthe]

787   T68 C33
Céramique de cuisson tournée ; dm 2 ; pâte brune ; surface brun-rouge, lissée.
Vase ouvert (?), bord, *Brittle Ware.*

788   T68 C13
Céramique commune tournée ; dm 2/3, dv 2/4+ ; pâte verte ; surface verte, ravalée.
Vase fermé, bord.

789   T68 C15
Céramique commune tournée ; dm 2/3, dv 3 ; pâte verte ; surface beige-vert, lissée.
Vase fermé, bord.
Haradum : KEPINSKI-LECOMTE 1992, fig. 66 : 6 [XVIIIᵉ-XVIIᵉ s. av. J.-C.]
Tall Šēḫ Ḥamad : PFÄLZNER 1995, Taf. 83 : b [médio-assyrien]

790   T68 C16
Céramique commune tournée ; dm 2/3, dv 2/3 ; pâte verte ; surface verte, lissée.
Vase fermé, bord.
Haradum : KEPINSKI-LECOMTE 1992, fig. 66 : 6 [XVIIIᵉ-XVIIᵉ s. av. J.-C.]

791   T68 C28
Céramique commune tournée ; dm 2, dv 2/3 ; pâte rose-orange ; surface verte, ravalée.
Vase fermé, fond.

792   T68 C25
Céramique commune tournée ; dm 2/3, dv 2/3 ; pâte rose à l'intérieur, verte à l'extérieur ; surface verte, ravalée.
Vase fermé, fond.
Nippur : McCOWN et HAINES 1967, pl. 98 : 4 [kassite]
Zubeidi : BOEHMER et DÄMMER 1985, Taf. 131 : 422 [XIIIᵉ-XIIᵉ s. av. J.-C.]

793   T68 C27
Céramique commune tournée ; dm 2/3+, dv 2/3 ; pâte rose ; surface verte, ravalée.
Vase fermé, fond.
Assur : HALLER 1954, Taf. 3 : t ; 5 : d, m [néo-assyrien]
Zubeidi : BOEHMER et DÄMMER 1985, Taf. 132 : 433 [XIIIᵉ-XIIᵉ s. av. J.-C.]

794   T68 C26
Céramique commune tournée ; dm 2/4 ; pâte beige-rose ; surface verte, lissée.
Vase fermé, fond.
Nippur : McCOWN et HAINES 1967, pl. 96 : 8 [paléobabylonien]
Assur : HALLER 1954, Taf. 2 : aq ; 3 : n, ap ; 5 : y, z [médio-assyrien ; néo-assyrien]
Imlihiye : BOEHMER et DÄMMER 1985, Taf. 51 : 249 [XIIIᵉ-XIIᵉ s. av. J.-C.]

795   T68 C22
Céramique commune tournée ; dm 2/3, dv 2/3 ; pâte rose à cœur gris ; surface rose, lissée.
Support, profil.

796   T68 C23
Céramique commune tournée ; dm 2/3(4), dv 2/4 ; pâte verte ; surface verte, ravalée.
Support, profil.
Zubeidi : BOEHMER et DÄMMER 1985, Taf. 133 : 470 [XIIIᵉ-XIIᵉ s. av. J.-C.]

797   T68 C24
Céramique commune tournée ; dm 2/3, dv 2/4 ; pâte verte ; surface verte, lissée.
Support, profil.
Zubeidi : BOEHMER et DÄMMER 1985, Taf. 133 : 470 [XIIIᵉ-XIIᵉ s. av. J.-C.]

798   T68 C30
Céramique commune tournée et modelée ; dm 2/3, dv 2/3 ; pâte beige-vert à vert ; surface verte, ravalée.
Vase fermé, fond.
Zubeidi : BOEHMER et DÄMMER 1985, Taf. 128 et 129 : 340-356 [XIIIᵉ-XIIᵉ s. av. J.-C.]
Nippur : McCOWN et HAINES 1967, pl. 98 : 15 [kassite]

799   T68 C29
Céramique commune tournée et modelée ; dm 2/3, dv 2/3 ; pâte verte ; surface verte, ravalée.
Vase fermé, fond.
Zubeidi : BOEHMER et DÄMMER 1985, Taf. 128 et 129 : 340-356 [XIIIᵉ-XIIᵉ s. av. J.-C.]
Nippur : McCOWN et HAINES 1967, pl. 98 : 15 [kassite]

800   T68 C31
Céramique commune tournée et modelée ; dm 2/3, dv 2/3 ; pâte verte ; surface verte, ravalée.
Vase fermé, fond.
Zubeidi : BOEHMER et DÄMMER 1985, Taf. 128 et 129 : 340-356 [XIIIᵉ-XIIᵉ s. av. J.-C.]
Nippur : McCOWN et HAINES 1967, pl. 98 : 15 [kassite]

Site n° 69 - El Jurdi Sharqi 1 (pl. 63 à 65).

La céramique est à dater dans sa majorité de l'époque néo-assyrienne. Les comparaisons avec le matériel retrouvé à Khirbet Qasrij sont nombreuses. Le bord de grande jatte **807** n'a pas de parallèle exact, mais s'inspire des bords de bols néo-assyriens avec leur lèvre épaissie et étirée. Un bord (**801**) à lèvre recourbée vers l'extérieur, recouvert d'un engobe rouge à rouge-noir lissé, s'inspire des plats à poisson de l'époque hellénistique.

801 T69 C3
Céramique commune tournée ; dm 2(3) ; pâte rose ; surface beige, engobe rouge à rouge-noir lissé.
Vase ouvert, bord.
Nimrud : Oates D. 1968, 15 : 2 [hellénistique]
Hama : Papanicolaou Christensen 1971, fig. 1 : 5-20 ; 4 : 34-35 [hellénistique]

802 T69 C1
Céramique commune tournée ; dm 2/3, dv 2/3 ; pâte brun-rose à cœur gris ; surface beige verdâtre, lissée.
Vase ouvert, bord.
Khirbet Qasrij : Curtis 1989, fig. 28 : 86 [vɪᵉ s. av. J.-C.]
Sippar : Haerinck 1980, pl. 10 : 16 [achéménide]

803 T69 C4
Céramique commune tournée ; dm 2/3+ ; pâte rose ; surface beige-rose, ravalée.
Vase ouvert, bord.

804 T69 C20
Céramique commune modelée ; dm 2/3, dv 2/4+ ; pâte beige-brun ; surface beige-brun, ravalée.
Vase fermé, bord.

805 T69 C5
Céramique commune tournée ; dm 2/3, dv 2/3+ ; pâte brun-rouge ; surface vert kaki, lissée.
Vase ouvert, bord.
Khirbet Qasrij : Curtis 1989, fig. 38 : 246 [vɪᵉ s ; av. J.-C.]

806 T69 C7
Céramique commune tournée ; dm 2/3 ; pâte beige verdâtre ; surface beige verdâtre, lissée.
Vase ouvert, bord.
Khirbet Qasrij : Curtis 1989, fig. 38 : 246 [vɪᵉ s. av. J.-C.]

807 T69 C9
Céramique commune tournée ; dm 2/3, dv 2/3 ; pâte rose ; surface beige, ravalée.
Vase fermé, bord.

808 T69 C24
Céramique commune tournée ; dm 2/3+ ; pâte brun-rouge ; surface verte, lissée ; incisions.
Vase ouvert, bord.
Assur : Haller 1954, Taf. 2 : bb (forme) ; 3 : ax (décor) [neuassyrisch]
Halaf : Hrouda 1962, Taf. 60 : 126, 127 [néo-assyrien]
Jikan : Cinti Luciani 1993, pl. LXXI : 11 (forme) [sassanide récent/ islamique ancien]

809 T69 C12
Céramique commune tournée ; dm 2/3(4), dv 2/4 ; pâte vert kaki ; surface vert kaki, lissée.
Vase fermé, bord.

810 T69 C26
Céramique commune modelée ; dm 2/4, dv 2/5 ; pâte rouge à cœur noir ; surface verte, ravalée.
Vase ouvert (?), bord.
Khirbet Qasrij : Curtis 1989, fig. 42 : 290, 299, 300 [vɪᵉ s. av. J.-C.]
Nimrud : Oates D. 1968, fig. 19 : 119, 120 [hellénistique]

811 T69 C14
Céramique commune tournée ; dm 2/3, dv 2/3 ; pâte rose ; surface beige à beige-vert.
Vase fermé, bord.
Khirbet Qasrij : Curtis 1989, fig. 36 : 213 [vɪᵉ s. av. J.-C.]

812 T69 C15
Céramique commune tournée ; dm 2/3(4), dv 2/3 ; pâte verte ; surface verte, ravalée.
Vase fermé, bord.
Khirbet Qasrij : Curtis 1989, fig. 34 : 190 191 [vɪᵉ s. av. J.-C.]

813 T69 C22
Céramique commune tournée ; dm 2/3 ; pâte brun-rose ; surface verte, lissée.
Vase fermé, bord.
Khirbet Qasrij : Curtis 1989, fig. 34 : 193 [vɪᵉ s. av. J.-C.]

814 T69 C17
Céramique commune tournée ; dm 2/3, dv 2/3 ; pâte brun-rose ; surface brune, lissée.
Vase fermé, bord.
Khirbet Qasrij : Curtis 1989, fig. 34 : 193 [vɪᵉ s. av. J.-C.]

815 T69 C23
Céramique commune tournée ; dm 2/3(4 blanc) ; pâte rouge ; surface brun-rouge à vert, lissée.
Vase fermé, bord.

816 T69 C19
Céramique commune tournée ; dm 2/3, dv 2/3+(4) ; pâte verte ; surface verte, ravalée.
Vase fermé, bord.
Assur : Haller 1954, Taf. 3 : a [néo-assyrien]
Khirbet Qasrij : Curtis 1989, fig. 33 : 181 [vɪᵉ s. av. J.-C.]

817 T69 C11
Céramique commune tournée ; dm 2/3(5), dv 2/4+ ; pâte verte ; surface vert kaki, ravalée.
Vase fermé, bord.
Assur : Haller 1954, Taf. 3 : a [néo-assyrien]
Khirbet Qasrij : Curtis 1989, fig. 39 : 255 [vɪᵉ s. av. J.-C.]

Site n° 70 - Maqbarat el Ma'ādi (pl. 65 et 66).

La rareté des tessons typiques ne nous permet pas de dater avec certitude l'occupation de ce site. Cependant, la plupart des comparaisons possibles renvoient à la fin du Iᵉʳ millénaire av. J.-C., très vraisemblablement à l'époque hellénistique, comme semble le prouver le fragment **824**, qui appartient à une coupe à bord éversé à engobe noir mat, fabrique caractéristique de cette époque.

Un tesson, informe, de *Brittle Ware* (**830**) indique une occupation plus tardive, à l'époque romaine ou romaine tardive.

818 T70 C12
Céramique commune tournée ; dm 2/3+ ; pâte rose ; surface beige-rose, ravalée.
Vase ouvert, bord.

Nippur : McCown et Haines 1967, pl. 103 : 10 [néobabylonien, achéménide]
'Āna : Killick 1988, fig. 28 : 1 [néo-assyrien]

819 T70 C11
Céramique commune tournée ; dm 2/3+ ; pâte beige-rose ; surface beige-rose, lissée.
Vase ouvert, bord.

820 T70 C15
Céramique commune tournée ; dm 2/3(5)+ ; pâte beige ; surface beige-vert, lissée.
Vase ouvert, bord.
Uruk : STROMMENGER 1967, Taf. 2 : 13-15 [séleucide-parthe ancien]

821 T70 C9
Céramique commune tournée ; dm 2/3+ ; pâte beige-rose ; surface beige-rose, ravalée.
Vase ouvert, bord.

822 T70 C14
Céramique commune tournée ; dm 2/3+ ; pâte rose ; surface beige-rose, ravalée.
Vase ouvert, bord.

823 T70 C13
Céramique commune tournée ; dm 2/3 ; pâte rose ; surface beige-rose, lissée.
Vase ouvert, bord.
Nimrud : OATES D. 1968, fig. 16 : 68 [hellénistique]

824 T70 C17
Céramique fine tournée ; dm 1 ; pâte rose-orange ; surface rose, engobe noir mat intérieur et extérieur.
Vase ouvert, bord.
Hama : PAPANICOLAOU CHRISTENSEN 1971, fig. 4 : 40-43 [hellénistique]
Samaria : HENNESSY 1970, fig. 9 : 22 [hellénistique récent]

825 T70 C2
Céramique commune tournée ; dm 2/3+ ; pâte verte ; surface verte, ravalée.
Vase fermé, bord.
Samaria : HENNESSY 1970, fig. 11 : 1 [hellénistique]

826 T70 C1
Céramique commune tournée ; dm 2/3 ; pâte rose ; surface rose, lissée.
Vase fermé, bord.
Barri : RICCIARDI VENCO 1982, n° 2 [parthe]

827 T70 C3
Céramique commune tournée ; dm 2/3 ; pâte rose ; surface beige-vert, lissée.
Vase fermé, bord.
Nippur : McCOWN et HAINES 1967, pl. 102 : 8 [assyrien, néobabylonien, achéménide...]
Nimrud : OATES D. 1968, fig. 17 : 83 [hellénistique]

828 T70 C4
Céramique commune tournée ; dm 2/3+ ; pâte rose ; surface rose, ravalée.
Vase fermé, bord.

829 T70 C8
Céramique commune tournée ; dm 2/3, dv 2 ; pâte rose ; surface beige, ravalée.
Vase fermé, bord.
Samaria : HENNESSY 1970, fig. 13 : 9 [perse]

830 T70 C16   (n.i.)
Céramique de cuisson tournée ; dm 1/2 ; pâte brun-rouge ; surface brune, lissée.
Vase fermé, panse, *Brittle Ware.*

Site n° 71 - Hasīyet el Blāli (pl. 66 et 67).

Malgré le nombre relativement important de tessons retrouvés sur ce site, les comparaisons possibles ne sont pas très nombreuses. Dans leur majorité, les vases ouverts ne sont pas vraiment caractéristiques ; trois d'entre eux toutefois, à petite dépression interne dans la partie supérieure de la lèvre, sont à dater de l'époque hellénistique (**834** à **836**). Plusieurs vases fermés sont aussi de cette période ainsi que de l'époque romano-parthe ; le matériel de cette dernière période n'est cependant pas très abondant, avec, notamment, la présence de seulement deux fragments, informes, de *Brittle Ware* (**869** et **870**). L'essentiel du matériel est vraisemblablement hellénistique.

831 T71 C4
Céramique commune tournée ; dm 2/3+ ; pâte beige ; surface beige, ravalée.
Vase ouvert, bord.
Doura : DYSON 1968, fig. 1 : 8 [hellénistique]

832 T71 C1
Céramique commune tournée ; dm 2/3++ ; pâte beige ; surface beige, ravalée.
Vase ouvert, bord.

833 T71 C17
Céramique commune tournée ; dm 2/3+ ; pâte verte ; surface verte, ravalée.
Vase ouvert, bord.

834 T71 C14
Céramique commune tournée ; dm 2/3+ ; pâte verte ; surface verte, ravalée.
Vase ouvert, bord.

835 T71 C10
Céramique commune tournée ; dm 2/3+ ; pâte verte ; surface beige-vert, ravalée.
Vase ouvert, bord.
Uruk : STROMMENGER 1967, Taf. 2 : 12, 13 [séleucide-parthe ancien]
Palestine : LAPP 1961, p. 177, type 53, F [hellénistique (140-100 av. J.-C.)]

836 T71 C11
Céramique commune tournée ; dm 2/3 ; pâte verte ; surface beige-vert, lissée.
Vase ouvert, bord.
Uruk : STROMMENGER 1967, Taf. 2 : 12, 13 [séleucide-parthe ancien]

837 T71 C5
Céramique commune tournée ; dm 2/3+ ; pâte beige-jaune ; surface beige, ravalée.
Vase ouvert, bord.

838 T71 C6
Céramique commune tournée ; dm 2/3+ ; pâte verte ; surface beige-vert, ravalée.
Vase ouvert, bord.

839 T71 C8
Céramique commune tournée ; dm 2/3 ; pâte beige à cœur gris ; surface verte, ravalée.
Vase ouvert, bord.

840 T71 C15
Céramique commune tournée ; dm 2/3, dv 2/3 ; pâte vert kaki ; surface vert kaki, lissée.
Vase ouvert, bord.

841 T71 C12
Céramique commune tournée ; dm 2/3++ ; pâte rose-rouge ; surface rose-rouge, ravalée.
Vase ouvert, bord.

842   T71 C7
Céramique commune tournée ; dm 2/3 ; pâte rose ; surface verte,
    ravalée.
Vase ouvert, bord.

843   T71 C2
Céramique commune tournée ; dm 2/3+, dv 2 ; pâte verte ; surface
    beige verdâtre, lissée.
Vase ouvert, bord.

844   T71 C18
Céramique commune tournée ; dm 2/3+ ; pâte brun-rouge ; surface
    brun-vert, ravalée.
Vase ouvert, bord.

845   T71 C19
Céramique commune tournée ; dm 2/3, dv 2 ; pâte beige ; surface
    beige, ravalée.
Vase ouvert, bord.

846   T71 C22
Céramique commune tournée ; dm 2/3+ ; pâte verte ; surface beige-
    vert, ravalée.
Vase fermé, bord.

847   T71 C21
Céramique commune tournée ; dm 2/3++ ; pâte beige-rose ; surface
    beige-vert, ravalée.
Vase fermé, bord.

848   T71 C26
Céramique commune tournée ; dm 2/3 ; pâte grise ; surface grise,
    ravalée.
Vase fermé, bord.
Sweyhat : HOLLAND 1976, fig. 6 : 30 [hellénistique]

849   T71 C24
Céramique commune tournée ; dm 2/3, dv 2 ; pâte beige ; surface
    beige-vert, ravalée.
Vase fermé, bord.

850   T71 C50
Céramique commune tournée ; dm 2/3+ ; pâte verte ; surface beige-
    vert, lissée.
Vase fermé, bord.

851   T71 C40
Céramique commune tournée ; dm 2/3 ; pâte verte ; surface verte,
    lissée.
Vase fermé, bord.

852   T71 C43
Céramique commune tournée ; dm 2/3+, dv 2 ; pâte beige-vert ;
    surface beige-vert, ravalée.
Vase fermé, bord.

853   T71 C41
Céramique commune tournée ; dm 2/3+ ; pâte beige-vert ; surface
    beige-vert, ravalée.
Vase fermé, bord.

854   T71 C44
Céramique commune tournée ; dm 2/3, dv 2 ; pâte verte ; surface
    verte, ravalée ; départ d'anse verticale.
Vase fermé, bord.

855   T71 C42
Céramique commune tournée ; dm 2/3 ; pâte beige-vert ; surface
    verte, ravalée.
Vase fermé, bord.
Samaria : HENNESSY 1970, fig. 11 : 1 [hellénistique]

856   T71 C31
Céramique commune tournée ; dm 2/3+ ; pâte verte ; surface beige-
    vert, ravalée.
Vase fermé, bord.
Doura : ALABE 1992, fig. 18 [hellénistique]

857   T71 C30
Céramique commune tournée ; dm 2/3+ ; pâte beige-rose ; surface
    verte, ravalée.
Vase fermé, bord.

858   T71 C29
Céramique commune tournée ; dm 2/3++ ; pâte verte ; surface verte,
    ravalée.
Vase fermé, bord.
Doura : ALABE 1992, fig. 18 [hellénistique]
Hama : PAPANICOLAOU CHRISTENSEN 1971, fig. 21 : 177 [hellénistique]

859   T71 C46
Céramique commune tournée ; dm 2/3++, dv 2/3 ; pâte rose ;
    surface rose, ravalée.
Vase fermé, bord.
Samaria : HENNESSY 1970, fig. 11 : 14, 15 [hellénistique]

860   T71 C25
Céramique commune tournée ; dm 2/3, dv 2 ; pâte beige-rose ;
    surface beige-vert, lissée.
Vase fermé, bord.
Sweyhat : HOLLAND 1976, fig. 6 : 27 [hellénistique]

861   T71 C28
Céramique commune tournée ; dm 2/3, dv 2 ; pâte verte ; surface
    verte, ravalée.
Vase fermé, bord.
Palestine : LAPP 1961, p. 15, type 14.1 : B, C [romain ancien
    (50-68 apr. J.-C.)]

862   T71 C45
Céramique commune tournée ; dm 2/3+ ; pâte rose ; surface beige,
    ravalée ; deux anses verticales.
Vase fermé, bord.
Samaria : HENNESSY 1970, fig. 9 : 13 [hellénistique]

863   T71 C38
Céramique commune tournée ; dm 2/3+ ; pâte beige ; surface beige,
    ravalée.
Vase fermé, bord.
'Āna : KILLICK 1988, fig. 34 : 83 [parthe]

864   T71 C48
Céramique commune tournée ; dm 2/3+ ; pâte beige-brun ; surface
    beige-brun, ravalée.
Vase fermé, bord.

865   T71 C49
Céramique commune tournée ; dm 2/3, dv 2/3 ; pâte beige-brun ;
    surface beige-brun.
Vase fermé, bord.
Halawa : ORTHMANN 1981, Taf. 54 : 14 ; 55 : 12-15 [fin BA]

866   T71 C23
Céramique commune tournée ; dm 2/3 ; pâte beige-vert ; surface
    beige-vert, ravalée.
Vase fermé, bord.
Sabra : TUNCA 1987, pl. 84 : 11 [SE/PA]

867   T71 C33
Céramique commune tournée ; dm 2/3 ; pâte rose ; surface beige-
    rose, ravalée.
Vase fermé, bord.
Uruk : DUDA 1978, Taf. 31 : 108 [parthe récent]

868   T71 C35
Céramique commune tournée ; dm 2/3+ ; pâte brune ; surface beige-
    vert, lissée.
Vase fermé, bord.
Samaria : HENNESSY 1970, fig. 11 : 17, 22 [hellénistique]

869   T71 C55   (n.i.)
Céramique de cuisson tournée ; dm 1/2 ; pâte brun-rouge ; surface
    noire, ravalée.
Vase fermé, panse, *Brittle Ware.*

870 T71 C56 (n.i.)
Céramique de cuisson modelée ; dm 2/3 ; pâte gris-noir ; surface gris-noir, ravalée.

Vase fermé, anse, *Brittle Ware*.

Site n° 72 - El Jurdi Sharqi 2 (pl. 68).

Deux coupes (**873** et **874**) à parois incurvées vers l'intérieur, à lèvre épaissie et à bourrelet vers l'extérieur, ont de nombreux correspondants à l'époque néo-assyrienne ; le bord de petit bol **871** a un parallèle à Uruk, daté de la période néobabylonienne, mais une forme similaire a été trouvée à Khirbet Qasrij pour le début du VIᵉ s. av. J.-C.

871 T72 C4
Céramique commune tournée ; dm 1/2+ ; pâte vert kaki ; surface beige-vert, lissée.
Vase ouvert, bord.
Uruk : STROMMENGER 1967, Taf. 4 : 8 [néobabylonien]
Khirbet Qasrij : CURTIS 1989, fig. 23 : 6 [néo-assyrien (1ʳᵉ moitié du VIᵉ s.)]
872 T72 C3
Céramique commune tournée ; dm 2/3, dv 2/3 ; pâte rose ; surface brun-rose, lissée.
Vase ouvert, bord.
Nippur : McCOWN et HAINES 1967, pl. 100 : 16 [assyrien, néobabylonien]
Khirbet Qasrij : CURTIS 1989, fig. 23 : 6 [néo-assyrien (1ʳᵉ moitié du VIᵉ s.)]
873 T72 C2
Céramique commune tournée ; dm 2/3, dv 2/3 ; pâte verte ; surface verte.
Vase ouvert, bord.
Nippur : McCOWN et HAINES 1967, pl. 97 : 13, 16 [kassite, assyrien, néobabylonien/achéménide]
Uruk : STROMMENGER 1967, Taf. 5 : 5 [néobabylonien]
874 T72 C1
Céramique commune tournée ; dm 2/3, dv 2/3 ; pâte gris-vert ; surface gris-vert, lissée.
Vase ouvert, bord.
'Āna : KILLICK 1988, fig. 28 : 13 [néo-assyrien]

Khirbet Qasrij : CURTIS 1989, fig. 28 : 79-84 [néo-assyrien (1ʳᵉ moitié du VIᵉ s.)]
Uruk : STROMMENGER 1967, Taf. 6 : 2 [néobabylonien]
Nippur : McCOWN et HAINES 1967, pl. 100 : 17 [néo-assyrien]
Nimrud : OATES D. 1968, fig. 16 : 50 [hellénistique]
875 T72 C5
Céramique mi-fine tournée ; dm 1/2 ; pâte vert-gris ; surface vert kaki à vert-noir, lissée.
Vase ouvert (?), bord.
876 T72 C9
Céramique commune tournée ; dm 2/3(4) ; pâte beige ; surface beige, ravalée.
Vase fermé, bord.
877 T72 C8
Céramique commune tournée ; dm 2/3+ ; pâte rose ; surface beige, ravalée.
Vase fermé, bord.
878 T72 C7
Céramique commune tournée ; dm 2/3, (dv 2) ; pâte brune ; surface brune.
Vase fermé, bord.
879 T72 C6
Céramique commune tournée ; dm 2(3), dv 2/3 ; pâte beige ; surface beige, lissée.
Vase ouvert (?), bord.
Nippur : McCOWN et HAINES 1967, pl. 100 : 20, 21 [kassite, assyrien, néobabylonien]

Site n° 73 - Tell Marwāniye (pl. 68 et 69).

Plusieurs phases d'occupation peuvent être déterminées d'après la céramique de ce site.

La période kassite semble être la période la plus ancienne qui soit attestée, par les pieds de vases-gobelets de tradition mésobabylonienne (**890** et deux exemplaires identiques) ainsi que par le bord **892**. Les bords de bols ou de coupes **881**, **882** et **885** peuvent aussi dater de cette époque, mais les profils ne sont pas suffisamment caractéristiques et durent sur de longues périodes.

Plusieurs tessons (**880**, **884**, **887**, **888**, **891**, **893**) ont des correspondances à l'époque néo-assyrienne, notamment aux VIIᵉ et VIᵉ s. Toutefois, aucun fragment de coupe à bord rentrant et lèvre épaissie n'a été retrouvé.

Pour les époques plus tardives, il ne semble pas que le site ait été occupé à l'époque romaine tardive : aucun fragment de céramique peinte nord-syrienne n'a été trouvé ; quant aux quelques fragments de jattes à lèvre infléchie et de *Brittle Ware*, ils semblent renvoyer plutôt à la période umayyade.

Une autre phase d'occupation est bien attestée à l'époque islamique (cf. BERTHIER sous presse).

880 T73 C12
Céramique commune tournée ; dm 2/3++ ; pâte verte ; surface verte, ravalée.
Vase ouvert, bord.
Qasrij Cliff : CURTIS 1989, fig. 9 : 18 [VIIIᵉ s. av. J.-C.]
881 T73 C35
Céramique commune tournée ; dm 2 ; pâte brune ; surface gris-vert, lissée.
Vase ouvert, bord.
Zubeidi : BOEHMER et DÄMMER 1985, Taf. 114 : 151 [fin XIIIᵉ-début XIIᵉ s. av. J.-C.]

882 T73 C34
Céramique commune tournée ; dm 2/3, dv 2 ; pâte verte ; surface verte, lissée.
Vase ouvert, bord.
Imlihiye : BOEHMER et DÄMMER 1985, Taf. 28 : 23 [fin XIIIᵉ-début XIIᵉ s. av. J.-C.]
883 T73 C19
Céramique commune tournée ; dm 2/3++ ; pâte verte ; surface gris-vert, ravalée.
Vase ouvert, bord.

884 T73 C2
Céramique commune tournée ; dm 2, dv 1 ; pâte beige-vert ; surface beige-vert, lissée.
Vase ouvert, bord.
Fort Shalmaneser : OATES J. 1959, pl. XXXV : 19 [néo-assyrien (fin VIIᵉ s.)]
Khirbet Qasrij : CURTIS 1989, fig. 24 : 40 [néo-assyrien (1ʳᵉ moitié du VIᵉ s.)]
Uruk : STROMMENGER 1967, Taf. 5 : 5 [néobabylonien]

885 T73 C31
Céramique commune tournée ; dm 2/3(4) ; pâte brune ; surface brune, ravalée.
Vase ouvert, bord.
Zubeidi : BOEHMER et DÄMMER 1985, Taf. 116 : 213 [fin XIIIᵉ-début XIIᵉ s. av. J.-C.]

886 T73 C9
Céramique commune tournée ; dm 2+, dv 2/3 ; pâte beige à cœur rose ; surface verte, lissée.
Vase fermé, bord.
Ain Sinu : OATES D. 1968, fig. 23 : 66 [parthe]
Uruk : STROMMENGER 1967, Taf. 14 : 1, 3 [néobabylonien]
Jikan : CINTI LUCIANI 1993, pl. LXXI : 6 [sassanide/abbasside]

887 T73 C32
Céramique commune tournée ; dm 2/3, dv 2 ; pâte verte ; surface vert kaki, lissée.
Vase fermé, bord.
Qasrij Cliff : CURTIS 1989, fig. 12 : 69 [néo-assyrien (VIIIᵉ s. av. J.-C.)]

888 T73 C3
Céramique commune tournée ; dm 2, dv 2/3 ; pâte verte à cœur rose ; surface verte, lissée.
Vase fermé, bord.
Khirbet Qasrij : CURTIS 1989, fig. 38 : 243 [néo-assyrien (1ʳᵉ moitié du VIᵉ s.)]

889 T73 C30
Céramique commune tournée ; dm 2/3+ ; pâte verte ; surface verte, lissée ; anse verticale.
Vase ouvert, bord.

890 T73 C7
Céramique commune modelée ; dm 1/2 ; pâte verte ; surface verte, ravalée.
Vase fermé, fond.

Zubeidi : BOEHMER et DÄMMER 1985, Taf. 129 : 351 [fin XIIIᵉ-début XIIᵉ s. av. J.-C.]
Nippur : MCCOWN et HAINES 1967, pl. 98 : 15 [kassite]

891 T73 C14
Céramique commune tournée ; dm 2/3++, dv 2 ; pâte vert kaki ; surface vert kaki, lissée.
Vase fermé, bord.
Qasrij Cliff : CURTIS 1989, fig. 11 : 52 [VIIIᵉ s. av. J.-C.]
Khirbet Qasrij : CURTIS 1989, fig. 33 : 175 [VIᵉ s. av. J.-C.]

892 T73 C6
Céramique commune tournée ; dm 2/3, dv 2/3 ; pâte beige à l'intérieur, verte à l'extérieur ; surface verte, lissée.
Vase fermé, bord.
Zubeidi : BOEHMER et DÄMMER 1985, Taf. 126 : 292 [fin XIIIᵉ-début XIIᵉ s. av. J.-C.]

893 T73 C8
Céramique commune tournée ; dm 2/3+, dv 2/4+ ; pâte brun-vert à cœur rose ; surface verte, ravalée.
Vase fermé, bord.
Khirbet Qasrij : CURTIS 1989, fig. 34 : 192 [néo-assyrien (1ʳᵉ moitié du VIᵉ s.)]

894 T73 C15
Céramique commune tournée ; dm 2, dv 2 ; pâte rose ; surface beige clair, lissée.
Vase fermé, bord.

895 T73 C36
Céramique commune tournée ; dm 2/3(4) ; pâte beige à cœur noir ; surface beige, lissée.
Vase fermé, bord.

896 T73 C4
Céramique mi-fine tournée ; dm 1/2 ; pâte beige ; surface beige, lissée.
Vase fermé, bord.

897 T73 C13
Céramique commune tournée ; dm 2/3+ ; pâte beige ; surface gris-vert, lissée.
Vase ouvert, bord.
Sippar : HAERINCK 1980, pl. 19 : 7 [0-150 apr. J.-C.]
Uruk : STROMMENGER 1967, Taf. 25 : 9 [parthe]

Site n° 74 - El Jurdi Sharqi 3 (pl. 70).

Quelques tessons sont peut-être à dater de l'époque kassite. Le fragment **912** ressemble singulièrement aux bases de vases-gobelets de tradition mésobabylonienne, mais notre exemplaire, unique, est de dimensions plus imposantes : 10 cm dans sa partie centrale pour seulement 6 à 7 cm en moyenne habituellement. Le bord **911** présente de nombreux parallèles à Imlihiye et Zubeidi pour cette même période, ainsi aussi qu'à 'Āna pour l'époque néo-assyrienne.

Il semble possible de dater la majeure partie du matériel céramique de la période néo-assyrienne, voire du début de la période achéménide. Les comparaisons les plus nombreuses se font avec des sites néo-assyriens, comme Fort Shalmaneser ou Khirbet Qasrij. On peut noter la présence d'un fragment (**905**) de céramique très fine, fréquente à l'époque néo-assyrienne (cf. OATES J. 1959, pl. XXXVV : 60-67), mais qui se prolonge à l'époque achéménide sous l'appellation *Eggshell Ware*. Les bols à paroi convexe et lèvre épaissie sont communs en Mésopotamie depuis l'époque néo-assyrienne jusqu'à l'époque hellénistique.

898 T74 C11
Céramique commune tournée ; dm 1/2 ; pâte brun-rose ; surface brune, lissée.
Vase ouvert, bord.
Karababa Basin, site 7 : WILKINSON 1990, fig. B.20 : 4, 5 [fin IIᵉ-début Iᵉʳ millénaire]

899 T74 C12
Céramique commune tournée ; dm 1/2 ; pâte brune ; surface verdâtre, lissée.

Vase ouvert, bord.
Khirbet Qasrij : CURTIS 1989, fig. 23 : 6, 8 [VIᵉ s. av. J.-C.]
Sippar : HAERINCK 1980, pl. 10 : 10 [achéménide]

900 T74 C16
Céramique commune tournée ; dm 2/3+, dv 2 ; pâte brun-rouge à cœur brun-noir ; surface brune, lissée.
Vase ouvert, bord.
'Āna : KILLICK 1988, fig. 28 : 15 [IXᵉ-début VIIIᵉ s. av. J.-C.]
Nimrud : OATES D. 1968, fig. 15 : 36 [hellénistique]

901 T74 C13
Céramique commune tournée ; dm 2/3+ ; pâte rose ; surface verte, lissée.
Vase ouvert, bord.
Khirbet Qasrij : Curtis 1989, fig. 23 : 10 [vıᵉ s. av. J.-C.]
Sippar : Haerinck 1980, pl. 10 : 6 [achéménide]

902 T74 C14
Céramique commune tournée ; dm 2/3+ ; pâte rose ; surface rose, ravalée.
Vase ouvert, bord.
Fort Shalmaneser : Oates J. 1959, pl. XXXV : 22 [néo-assyrien (fin vıɪᵉ-début vıᵉ)]
Khirbet Qasrij : Curtis 1989, fig. 28 : 87 [vıᵉ s. av. J.-C.]

903 T74 C15
Céramique commune tournée ; dm 2/3+(5) ; pâte beige ; surface beige clair, lissée.
Vase ouvert, bord.
Khirbet Qasrij : Curtis 1989, fig. 29 : 99, 102 [vıᵉ s. av. J.-C.]

904 T74 C1
Céramique commune tournée ; dm 2/3+ ; pâte chamois rose ; surface chamois rose, ravalée.
Vase ouvert, profil.
Ur : Woolley 1965, n° 30 [kassite/néobabylonien]
Fort Shalmaneser : Oates J. 1959, pl. XXXVI : 39 [néo-assyrien (fin vıɪᵉ-début vıᵉ)]
Uruk : Strommenger 1967, Taf. 13 : 8 [néobabylonien]
Halaf : Hrouda 1962, Taf. 60 : 141 [néo-assyrien]
Nippur : McCown et Haines 1967, pl. 103 : 24 [néobabylonien/achéménide]

905 T74 C17
Céramique fine tournée ; dm 1 ; pâte beige ; surface beige clair, lissée.
Vase ouvert, bord.
Khirbet Qasrij : Curtis 1989, fig. 31 : 123, 124 [vıᵉ s. av. J.-C.]
Assur : Haller 1954, Taf. 5 : j [néo-assyrien]
Fort Shalmaneser : Oates J. 1959, pl. XXXVII : 60-67 [néo-assyrien]
Uruk : Strommenger 1967, Taf. 16 : 13 [néobabylonien]

906 T74 C4
Céramique commune tournée ; dm 2/3, (dv 2/3) ; pâte brun-rose ; surface verte, lissée.

Vase fermé, bord.
Khirbet Qasrij : Curtis 1989, fig. 35 : 210 [néo-assyrien (1ʳᵉ moitié du vıᵉ s.)]
Sippar : Haerinck 1980, pl. 15 : 2 [achéménide]

907 T74 C3
Céramique commune tournée ; dm 2/3, (dv 2/3) ; pâte rose ; surface verte, lissée.
Vase fermé, bord.
Khirbet Qasrij : Curtis 1989, fig. 34 : 188 [début vıᵉ s. av. J.-C.]
Sippar : Haerinck 1980, pl. 15 : 6 [achéménide]

908 T74 C2
Céramique commune tournée ; dm 2/3, dv 2 ; pâte verte ; surface verte, lissée.
Vase fermé, bord.
Khirbet Qasrij : Curtis 1989, fig. 34 : 194 [début vıᵉ s. av. J.-C.]
Sippar : Haerinck 1980, pl. 15 : 7 [achéménide (milieu vıᵉ-milieu ıııᵉ s.)]

909 T74 C7
Céramique commune tournée ; dm 2/3+(4) ; pâte rose ; surface brun-beige, lissée ; anses verticales.
Vase fermé, bord.

910 T74 C8
Céramique de cuisson tournée ; dm 2/3, dv 2/3 ; pâte rose à cœur noir ; surface brun-rose, lissée ; anses verticales.
Vase fermé, bord.
Khirbet Qasrij : Curtis 1989, fig. 41 : 285 [début vıᵉ s. av. J.-C.]

911 T74 C5
Céramique commune tournée ; dm 2/3(4), dv 2 ; pâte beige ; surface verte, ravalée.
Vase fermé, bord.
Imlihiye : Boehmer et Dämmer 1985, Taf. 42 : 158, 163 [fin xıııᵉ-début xııᵉ s. av. J.-C.]
Zubeidi : Boehmer et Dämmer 1985, Taf. 126 : 288 [fin xıııᵉ-début xııᵉ s. av. J.-C.]
'Āna : Killick 1988, fig. 29 : 20, 23 [ıxᵉ-début vıııᵉ s. av. J.-C.]

912 T74 C18
Céramique commune modelée ; dm 2/3(4), dv 2/3 ; pâte rose à cœur noir ; surface rose, ravalée.
Vase fermé (?), fond.

Site n° 75 - Buseire 1 (pl. 71 à 75).

Une grande quantité de céramique a été ramassée sur ce site, identifié comme l'ancienne Circesium de l'époque byzantine. Toutefois, les comparaisons ne sont possibles que pour un nombre restreint de tessons. Nous avons néanmoins choisi d'en publier un nombre relativement important, la plupart d'entre eux devant remonter à l'époque romaine tardive, quelques-uns à l'époque romano-parthe. Il est vraisemblable que plusieurs des tessons publiés sont à dater de l'époque islamique, notamment umayyade.

Un fragment de sigillée africaine (**914**), plusieurs de *Late Roman C* (**913**, **915**, **917**) dont une imitation de sigillée orientale (**916**) et une dizaine de morceaux d'amphores nord-syriennes, dont plusieurs sont décorés de motifs en spirales peints en brun-rouge (**947**, **949** à **955**), sont les meilleurs indicateurs d'une occupation à l'époque romaine tardive.

De même, cinq fragments (**918** à **922**), conservés parmi des dizaines, proviennent de récipients de *Brittle Ware*. Les formes conservées ont des parallèles aux vᵉ et vıᵉ s., notamment à Resafa, mais certaines d'entre elles peuvent aussi être umayyades ; c'est le cas en particulier du bord **922**, pour lequel aucun parallèle n'a été trouvé pour l'époque byzantine.

Les formes de céramique commune : couvercles (**923** à **927**), jattes, jarres ont des correspondances à Resafa. Trois fonds de godets de norias (**972** à **974**) peuvent être de l'époque romaine tardive comme de l'époque islamique.

Pour les époques antérieures, un seul tesson (**928**) pourrait être daté de l'époque séleucide.

913 T75 C88
Céramique mi-fine tournée ; dm 1/2 ; pâte rouge ; surface rouge, lustrée.
Vase ouvert, bord, *Late Roman C* (Hayes 104b).
Halabiyya : Orssaud 1991, fig. 124 : 68-70 [vıᵉ s.]
Dibsi Faraj : Harper 1980, fig. B : 19 [vᵉ-vıᵉ s.]

914 T75 C1
Céramique commune tournée ; dm 2/3 ; pâte brun-rose ; surface brune, engobe brun-rouge épais, à l'intérieur et à l'extérieur, lustré.
Vase ouvert, bord, *Late Roman Fine Ware (African Red Slip).*
Resafa : Mackensen 1984, Taf. 22 : 1 [vıᵉ s. apr. J.-C.]

915   T75 C84   (n.i.)
Céramique fine tournée ; dm 1 ; pâte rouge-orange ; surface rouge-
    orange, lustrée.
Vase ouvert, panse, *Late Roman C.*

916   T75 C76
Céramique mi-fine tournée ; dm 1/2, dv 1/2 ; pâte beige ; surface
    verte, lissée ; rosace incisée sous le fond.
Vase fermé (?), fond, imitation de sigillée orientale (?), *Late
    Roman.*

917   T75 C16
Céramique fine tournée ; dm 1 ; pâte orange ; surface orange,
    lustrée.
Vase ouvert, bord, *Late Roman C.*

918   T75 C37
Céramique de cuisson tournée ; dm 1 ; pâte rouge ; surface rouge
    avec de larges parties noires, lissée ; anse verticale.
Vase fermé, bord, *Brittle Ware.*
Dibsi Faraj : HARPER 1980, fig. C : 59

919   T75 C81
Céramique de cuisson tournée ; dm 1 ; pâte rouge ; surface rouge à
    brun-rouge, lissée.
Vase fermé, bord, *Brittle Ware.*
Juwal : TAHA 1991, pl. II : 13 [vᵉ-viᵉ s. apr. J.-C.]
Resafa : KONRAD 1992, Abb. 8 : 6 [fin vᵉ s. apr. J.-C.]
Resafa (FP 1) : MACKENSEN 1984, Taf. 14 : 18 [viᵉ s. apr. J.-C.]

920   T75 C80
Céramique de cuisson tournée ; dm 1(2) ; pâte rouge ; surface rouge
    à l'intérieur, noire à l'extérieur, lissée ; trace d'anse verticale.
Vase fermé, bord, *Brittle Ware.*
Resafa (FP 1) : MACKENSEN 1984, Taf. 11 : 22 [viᵉ s. apr. J.-C.]

921   T75 C79
Céramique de cuisson tournée ; dm 1/2 ; pâte rouge ; surface rouge
    à l'intérieur, noire à l'extérieur, lissée.
Vase fermé, bord, *Brittle Ware.*
Karababa Basin, site 14 : WILKINSON 1990, fig. B.15 : 30 [romain
    tardif-byzantin ancien]
Resafa : KONRAD 1992, Abb. 8 : 4 [IIᵉ moitié du vᵉ s. apr. J.-C.]
Resafa (FP 127) : MACKENSEN 1984, Taf. 21 : 5 [viᵉ-viiᵉ s. apr. J.-C.]

922   T75 C78
Céramique de cuisson tournée ; dm 1 ; pâte rouge ; surface rouge,
    lissée.
Vase fermé, bord, *Brittle Ware.*

923   T75 C61
Céramique commune tournée ; dm 2/3 ; pâte rose ; surface verte,
    ravalée.
Vase ouvert (couvercle), bord.

924   T75 C59
Céramique commune tournée ; dm 2/3+ ; pâte rose ; surface beige
    clair à l'intérieur, beige-vert à l'extérieur, lissée à l'intérieur et
    ravalée à l'extérieur.
Vase ouvert (couvercle), bord.
Karababa Basin, site 8 : WILKINSON 1990, fig. B.25 : 29 [romain
    tardif-byzantin ancien]
Resafa : KONRAD 1992, Abb. 19 : 9, 11 [fin vᵉ-viᵉ s. apr. J.-C.]
Barri : RICCIARDI VENCO 1982, n° 27 [parthe (1ʳᵉ moitié du iiiᵉ s.)]
Ain Sinu : OATES D. 1968, fig. 21 : 10-13 [parthe (1ᵉʳ tiers du iiiᵉ s.)]

925   T75 C60
Céramique commune tournée ; dm 2/3+ ; pâte rose ; surface rose à
    beige-rose, ravalée.
Vase ouvert (couvercle), bord.
Karababa Basin, site 8 : WILKINSON 1990, fig. B.25 : 29 [romain
    tardif-byzantin ancien]
Resafa : KONRAD 1992, Abb. 19 : 16 [viᵉ-début viiᵉ s. apr. J.-C.]
Barri : RICCIARDI VENCO 1982, n° 27 [parthe (1ʳᵉ moitié du iiiᵉ s.)]
Ain Sinu : OATES D. 1968, fig. 21 : 10-13 [parthe (1ᵉʳ tiers du iiiᵉ s.)]

926   T75 C86
Céramique commune tournée ; dm 2/3 ; pâte rose ; surface beige à
    beige-vert, lissée.
Vase ouvert (couvercle), bord.
Resafa : KONRAD 1992, Abb. 19 : 7 [vᵉ-début viᵉ s.]

927   T75 C73
Céramique commune tournée ; dm 2/3(5), dv 2 ; pâte beige-rose ;
    surface verte, lissée à l'intérieur, ravalée à l'extérieur.
Vase ouvert (couvercle), profil.
Doura : DYSON 1968, fig. 10 : 264, 266-268 [milieu iiiᵉ apr. J.-C.]
Palestine : LAPP 1961, p. 182, type 63 [50-31 av. J.-C.]

928   T75 C74
Céramique commune tournée ; dm 2/3, dv 2 ; pâte rose-orange ;
    surface beige, lissée ; tenon vertical.
Vase ouvert, bord.
Hama : PAPANICOLAOU CHRISTENSEN 1971, fig. 19 : 183 [hellénistique]

929   T75 C2
Céramique commune tournée ; dm 2/3+ ; pâte rose ; surface rose à
    brun-rose, lissée.
Vase ouvert, bord.
Barri : RICCIARDI VENCO 1982, n° 24 [parthe (1ʳᵉ moitié du iiiᵉ s.)]
Resafa : KONRAD 1992, Abb. 17 : 7 [vᵉ-début viᵉ s. apr. J.-C.]

930   T75 C65
Céramique commune tournée ; dm 2/3+ ; pâte beige ; surface verte,
    ravalée.
Vase ouvert, bord.
Juwal : TAHA 1991, pl. I : 6 [romain tardif (ivᵉ s.)]
Resafa : MACKENSEN 1984, Taf. 30 : 11 [viᵉ s. apr. J.-C.]

931   T75 C66
Céramique commune tournée ; dm 2/3 ; pâte beige-vert ; surface
    beige-vert, lissée.
Vase ouvert, bord.

932   T75 C14
Céramique commune tournée ; dm 2/3 ; pâte rose ; surface beige,
    lissée.
Vase ouvert, bord.
Resafa : KONRAD 1992, Abb. 15 : 9, 10 [vᵉ-viᵉ s. apr. J.-C.]

933   T75 C20
Céramique commune tournée ; dm 2/3+ ; pâte rose ; surface verte,
    ravalée.
Vase ouvert, bord.
Halabiyya : ORSSAUD 1991, fig. 121 : 10 [viᵉ s. apr. J.-C.]

934   T75 C15
Céramique commune tournée ; dm 2/3+ ; pâte rose ; surface beige,
    ravalée.
Vase ouvert, bord.
Karababa Basin, site 12 : WILKINSON 1990, fig. B.15 : 14 [romain
    tardif-byzantin ancien]

935   T75 C7
Céramique commune tournée ; dm 2/3(4) ; pâte verte ; surface verte,
    lissée ; pressions du doigt sur bourrelet intérieur de la lèvre.
Vase ouvert, bord.
Resafa : KONRAD 1992, Abb. 14 : 1 [vᵉ-viᵉ s. apr. J.-C.]

936   T75 C26
Céramique commune tournée ; dm 2/3 ; pâte rose ; surface beige à
    beige-vert, lissée.
Vase fermé, bord.

937   T75 C72
Céramique commune tournée ; dm 2/3 ; pâte beige ; surface beige,
    lissée.
Vase fermé, bord.

938   T75 C21
Céramique commune tournée ; dm 2/3, dv 2 ; pâte beige ; surface
    beige-vert, engobe beige-vert très clair lissé.
Vase ouvert, bord.

939   T75 C85
Céramique commune tournée ; dm 2/3 ; pâte beige-vert ; surface verte, lissée.
Vase fermé, bord.

940   T75 C54
Céramique commune tournée ; dm 2/3+ ; pâte beige-rose ; surface beige à beige-vert, ravalée.
Vase fermé, bord.

941   T75 C53
Céramique commune tournée ; dm 2/3 ; pâte beige-vert ; surface beige-vert, ravalée.
Vase fermé, bord.
Resafa : KONRAD 1992, Abb. 12 : 11 [fin Vᵉ-début VIᵉ s. apr. J.-C.]

942   T75 C4
Céramique commune tournée ; dm 2/3 ; pâte beige ; surface beige, lissée.
Vase fermé, bord.
Ain Sinu : OATES D. 1968, fig. 21 : 44 [parthe (1ᵉʳ tiers du IIIᵉ s.)]

943   T75 C3
Céramique commune tournée ; dm 2/3 ; pâte beige-rose ; surface verte, ravalée ; petites incisions circulaires sur la lèvre.
Vase fermé, bord.
Ain Sinu : OATES D. 1968, fig. 21 : 44 [parthe (1ᵉʳ tiers du IIIᵉ s.)]

944   T75 C57
Céramique commune tournée ; dm 2/3+ ; pâte beige-vert ; surface beige clair, lissée.
Vase fermé, bord, céramique peinte nord-syrienne.
Karababa Basin, site 8 : WILKINSON 1990, fig. B.25 : 27 [romain tardif-byzantin ancien]
Resafa : KONRAD 1992, Abb. 10 : 7 [Vᵉ-VIᵉ s. apr. J.-C.]

945   T75 C10
Céramique commune tournée ; dm 2/3+ ; pâte rose ; surface rose, lissée.
Vase fermé, bord.
Karababa Basin, site 14 : WILKINSON 1990, fig. B.15 : 19 [romain tardif-byzantin ancien]

946   T75 C56
Céramique commune tournée ; dm 2/3+ ; pâte beige ; surface beige, ravalée ; anse verticale.
Vase fermé, bord.
Karababa Basin, site 12 : WILKINSON 1990, fig. B.15 : 2 [romain tardif-byzantin ancien]

947   T75 C48
Céramique commune tournée ; dm 2/3 ; pâte verte ; surface beige, lissée ; traces de peinture brun-rouge ; anse verticale.
Vase fermé, bord, céramique peinte nord-syrienne.
Resafa : KONRAD 1992, Abb. 10 : 9 [Vᵉ-VIᵉ s. apr. J.-C.]

948   T75 C9
Céramique commune tournée ; dm 2/3 ; pâte beige-rose ; surface beige, lissée ; anse verticale.
Vase fermé, bord.
Karababa Basin, site 12 : WILKINSON 1990, fig. B.15 : 2 [romain tardif-byzantin ancien]
Dibsi Faraj : HARPER 1980, fig. E : 69 [IVᵉ-VIᵉ s. apr. J.-C.]
Resafa : KONRAD 1992, Abb. 10 : 9 [Vᵉ-VIᵉ s. apr. J.-C.]

949   T75 C50
Céramique commune tournée ; dm 2/3, dv 2 ; pâte beige-rose ; surface beige, lissée ; peinture brun-rouge plus ou moins délayée.
Vase fermé, panse, céramique peinte nord-syrienne.
Fechērije : HROUDA 1961, Abb. 5 : c [IVᵉ-VIᵉ s.]

950   T75 C90
Céramique commune tournée ; dm 2/3+ ; pâte rose ; surface rose à l'intérieur, beige à l'extérieur, lissée ; peinture brun-rouge.
Vase fermé, panse, céramique peinte nord-syrienne.

951   T75 C13
Céramique commune tournée ; dm 2/3 ; pâte rose ; surface beige-rose, lissée ; peinture brun-rouge (spirale).
Vase fermé, panse, céramique peinte nord-syrienne.
Karababa Basin, site 12 : WILKINSON 1990, fig. B.15 : 4 [romain tardif-byzantin ancien]

952   T75 C51
Céramique commune tournée ; dm 2/3+ ; pâte rose ; surface beige, lissée ; peinture brune plus ou moins délayée.
Vase fermé, panse, céramique peinte nord-syrienne.
Karababa Basin, site 12 : WILKINSON 1990, fig. B.15 : 4 [romain tardif-byzantin ancien]

953   T75 C52
Céramique commune tournée ; dm 2/3(4)+ ; pâte beige-vert ; surface beige-vert, lissée ; peinture brune plus ou moins délayée.
Vase fermé, panse, céramique peinte nord-syrienne.
Karababa Basin, site 12 : WILKINSON 1990, fig. B.15 : 4 [romain tardif-byzantin ancien]

954   T75 C49
Céramique commune tournée ; dm 2/3+ ; pâte beige-rose ; surface beige, lissée ; peinture brun-rouge plus ou moins délayée.
Vase fermé, panse, céramique peinte nord-syrienne.
Karababa Basin, site 12 : WILKINSON 1990, fig. B.15 : 4 [romain tardif-byzantin ancien]

955   T75 C41   (n.i.)
Céramique commune tournée ; dm 2/3 ; pâte beige ; surface beige, lissée ; peinture brun-rouge, assez délayée.
Vase fermé, panse, céramique peinte nord-syrienne.

956   T75 C31
Céramique commune tournée ; dm 2/3, dv 2 ; pâte beige-vert ; surface verte, lissée.
Vase fermé, bord.
Barri : RICCIARDI VENCO 1982, n° 2 [parthe (1ʳᵉ moitié du IIIᵉ s.)]

957   T75 C34
Céramique commune tournée ; dm 2/3 ; pâte rose ; surface rose foncé, lissée.
Vase fermé, bord.

958   T75 C33
Céramique commune tournée ; dm 2/3 ; pâte beige-vert ; surface verte, ravalée.
Vase fermé, bord.

959   T75 C27
Céramique commune tournée ; dm 2/3+ ; pâte rose ; surface beige, lissée.
Vase fermé, bord.

960   T75 C30
Céramique commune tournée ; dm 2/3 ; pâte rose ; surface beige, lissée.
Vase fermé, bord.

961   T75 C40
Céramique commune tournée ; dm 2/3 ; pâte beige-vert ; surface beige-vert, lissée.
Vase fermé, bord.
Ain Sinu : OATES D. 1968, fig. 23 : 66, 67 [parthe (1ᵉʳ tiers du IIIᵉ s.)]

962   T75 C32
Céramique commune tournée ; dm 2/3+ ; pâte rose ; surface beige-vert, lissée.
Vase fermé, bord.
Resafa (FP 1) : MACKENSEN 1984, Taf. 15 : 12 [VIᵉ s. apr. J.-C.]

963   T75 C87
Céramique mi-fine tournée ; dm 2 ; pâte beige ; surface verte, lissée.
Vase fermé, bord.

964 T75 C64

Céramique commune tournée ; dm 2/3 ; pâte rose ; surface beige-
vert, ravalée ; bitume intérieur.

Vase fermé, bord.

Ain Sinu : OATES D. 1968, fig. 23 : 67 [parthe]

965 T75 C17

Céramique commune tournée ; dm 2/3(4) ; pâte rose ; surface beige
à brun, lissée.

Vase fermé, bord.

966 T75 C18

Céramique commune tournée ; dm 2/3(4) ; pâte rose ; surface rose,
lissée ; bourrelet avec petites incisions ; anses verticales.

Vase fermé, bord.

967 T75 C75

Céramique commune tournée ; dm 2/3+ ; pâte rose ; surface rose,
ravalée ; bitume à l'intérieur et sur la lèvre à l'extérieur.

Vase fermé, bord.

968 T75 C19

Céramique commune tournée ; dm 2/3 ; pâte rose ; surface beige-
vert à l'intérieur, vert à rose, lissée.

Vase fermé, bord.

969 T75 C8

Céramique commune tournée ; dm 2/3+ ; pâte rose ; surface verte,
lissée ; décor modelé et appliqué sur la paroi.

Vase fermé, panse.

Doura : DYSON 1968, pl. IV : 317 [début IIIᵉ s. apr. J.-C.]

970 T75 C89

Céramique commune modelée ; dm 1/2 ; pâte verte ; surface verte,
lissée ; points et ligne courbe à la barbotine.

Vase ouvert, bord.

Doura : DYSON 1968, pl. IV : 317, 318 [milieu IIIᵉ s. apr. J.-C.]

971 T75 C22

Céramique commune tournée ; dm 2/3 ; pâte beige-vert ; surface
beige-vert, lissée ; décor excisé (petits cercles).

Vase ouvert, fond.

972 T75 C36

Céramique commune tournée ; dm 2/3 ; pâte brun-rose ; surface
brun-rose, ravalée.

Vase fermé (godet de noria), fond.

Dibsi Faraj : HARPER 1980, fig. E : 76 [byzantin ancien]

973 T75 C35

Céramique commune tournée ; dm 2/3+ ; pâte beige-gris ; surface
verte, ravalée.

Vase fermé (godet de noria), fond.

Dibsi Faraj : HARPER 1980, fig. E : 75 [byzantin ancien]

974 T75 C42

Céramique commune tournée ; dm 2/3 ; pâte beige-rose ; surface
vert kaki, ravalée.

Vase fermé (godet de noria), fond.

Dibsi Faraj : HARPER 1980, fig. E : 75 [byzantin ancien]

Site n° 76 - Sālihīye 2.

Site sans céramique visible.

Site n° 77 - Dheina 7 (pl. 119).

Les deux tessons inventoriés (**975** et **976**), sur les trois retrouvés près de ce barrage, sont présentés à la fin du catalogue,
dans la section concernant les canaux et barrages, sous le n° **11/1985/B** (**1730** [= **976**] et **1731** [= **975**]).

Site n° 78 - El Kitaʿa 2 (pl. 75).

Un seul tesson a été retrouvé, qui pourrait être daté de la fin du Bronze ancien ou du début du Bronze moyen d'après
des comparaisons avec Halawa et Mari.

977 T78 C1

Céramique commune tournée ; dm 2/3+ ; pâte beige ; surface verte,
lissée.

Vase fermé, bord.

Halawa : ORTHMANN 1981, Taf. 54 : 12 [fin BA]
Mari : LEBEAU 1983 a, fig. 5 : 9, 10 [XIXᵉ s. av. J.-C.]

Site n° 79 - El Kitaʿa 3 (pl. 75 et 76).

L'occupation de ce site peut être datée du début du IIᵉ millénaire : la plupart des fragments peuvent avoir des comparaisons
pour le Bronze moyen, notamment avec le matériel de Mari. À noter l'abondance de bases annulaires : quinze environ ont
été retrouvées, dont cinq sont publiées (**989** à **993**).

978 T79 C9

Céramique commune tournée ; dm 2/3, dv 2 ; pâte gris-vert ; surface
verte, lissée.

Vase ouvert, bord.

Mari : LEBEAU 1987 a, pl. IV : 3 [paléobabylonien]
Haradum : KEPINSKI-LECOMTE 1992, fig. 111 : 3, 4, 7 [XVIIIᵉ-XVIIᵉ s.
av. J.-C.]
Halawa : ORTHMANN 1981, Taf. 45 : 13 [début IIᵉ millénaire]

979 T79 C15

Céramique commune tournée ; dm 2/3, dv 2(3) ; pâte vert kaki ;
surface vert kaki, lissée.

Vase ouvert, bord.

Mari : LEBEAU 1987 a, pl. IV : 3 [paléobabylonien]
Haradum : KEPINSKI-LECOMTE 1992, fig. 111 : 3, 4, 7 [XVIIIᵉ-XVIIᵉ s.
av. J.-C.]
Halawa : ORTHMANN 1981, Taf. 45 : 13 [début IIᵉ millénaire]

980 T79 C14

Céramique commune tournée ; dm 2/3 ; pâte rose ; surface beige,
lissée.

Vase ouvert, bord.

Mari : LEBEAU 1987 a, pl. IV : 3 [paléobabylonien]
Haradum : KEPINSKI-LECOMTE 1992, fig. 111 : 3, 4, 7 [XVIIIᵉ-XVIIᵉ s.
av. J.-C.]
Halawa : ORTHMANN 1981, Taf. 45 : 13 [début IIᵉ millénaire]

981 T79 C12

Céramique commune tournée ; dm 2/3, dv 2/3 ; pâte rose ; surface
beige, ravalée.

Vase ouvert, bord.

Halawa : ORTHMANN 1981, Taf. 54 : 5 [fin BA]

982 T79 C10

Céramique commune tournée ; dm 2/3 ; pâte rose ; surface beige-
rose, ravalée.

Vase fermé, bord.
Halawa : Orthmann 1981, Taf. 46 : 6 [début IIᵉ millénaire]
Halawa : Orthmann 1981, Taf. 54 : 5 [fin BA]

983 T79 C16
Céramique commune tournée ; dm 2/3, dv 2/3 ; pâte verte ; surface beige-vert.
Vase fermé, bord.
Halawa : Orthmann 1981, Taf. 46 : 6 [début IIᵉ millénaire]
Halawa : Orthmann 1981, Taf. 54 : 5 [fin BA]

984 T79 C1
Céramique commune tournée ; dm 2/3/4++ ; pâte rose ; surface rose.
Vase fermé, bord.
Mari : Lebeau 1983 a, fig. 1 : 9 [BM II]
Mari : Lebeau 1987 a, pl. III [paléobabylonien]

985 T79 C4
Céramique commune tournée ; dm 2/3 ; pâte rose ; surface beige, ravalée.
Vase ouvert, bord.
Halawa : Orthmann 1981, Taf. 54 : 5 [fin BA]

986 T79 C3
Céramique commune tournée ; dm 2 ; pâte rose ; surface rose, ravalée.
Vase ouvert, bord.
Haradum : Kepinski-Lecomte 1992, fig. 109 : 3, 4 [XVIIIᵉ-XVIIᵉ s. av. J.-C.]

987 T79 C2
Céramique commune tournée ; dm 2/3++ ; pâte beige ; surface beige, ravalée.

Vase fermé, bord.
Tell ed-Dēr : Gasche 1971, pl. 23 : 4 [BM I/II]

988 T79 C8
Céramique commune tournée ; dm 2/3++ ; pâte rose ; surface beige verdâtre, ravalée.
Vase fermé, bord.
Tell ed-Dēr : Gasche 1971, pl. 23 : 4 [BM I/II]

989 T79 C17
Céramique mi-fine tournée ; dm 1/2 ; pâte grise ; surface grise, lissée.
Vase fermé (?), fond.

990 T79 C18
Céramique commune tournée ; dm 2/3(4) ; pâte beige ; surface beige-vert, lissée.
Vase fermé (?), fond.

991 T79 C20
Céramique commune tournée ; dm 2/3 ; pâte brune ; surface brun-rose.
Vase fermé (?), fond.

992 T79 C19
Céramique commune tournée ; dm 2/3, dv 2/3 ; pâte brune à cœur gris ; surface beige, lissée.
Vase fermé (?), fond.

993 T79 C21
Céramique commune tournée ; dm 2/3, dv 2/3 ; pâte beige-vert ; surface beige, lissée.
Vase fermé (?), fond.

Site n° 80 - Dheina 1 (pl. 76).

Un seul tesson, fragment de bord de coupe, au diamètre non assuré, a été trouvé. Il n'est pas datable à lui seul et ne permet pas d'affirmer la réalité d'une véritable occupation.

994 T80 C1
Céramique commune tournée ; dm 2/3 ; pâte beige-rose ; surface beige-rose, ravalée.

Vase ouvert, bord.

Site n° 81 - Dheina 2.

La totalité de la céramique est d'époque islamique (cf. Berthier sous presse).

Site n° 82 - Dheina 3 (pl. 76 et 77).

Deux fragments de vaisselle en plâtre (**1792**, **1793**) sont tout à fait comparables aux trouvailles de Buqras (Le Mière 1983, fig. 9 : 17) ou d'El Kowm 2 (Maréchal 1982, fig. 7 : 3 ; 8 : 5) ; trouvés dans une coupe juste au-dessus d'un sol de plâtre en association avec des vases en pierre (**1786** à **1791**, **pl. 123**), de l'obsidienne et des outils de basalte, ils témoignent d'une installation remontant au PPNB (VIIᵉ-VIᵉ millénaires).

La plupart des tessons de céramique attestent une occupation au début du IIIᵉ millénaire ; les comparaisons sont possibles avec la céramique retrouvée dans les niveaux anciens du chantier B du site de Mari (**996**, **998** à **1009**).

Une occupation à l'époque romaine tardive pourrait être envisagée, d'après la présence d'un fragment — malheureusement unique (**994**) — de *Brittle Ware*, mais une datation à l'époque islamique de ce fragment est plus vraisemblable, compte tenu de l'existence d'un fragment de faïence recouverte de glaçure bleu turquoise qui renvoie à cette dernière époque.

995 T82 C20
Céramique commune tournée ; dm 2/3/4++ ; pâte beige ; surface beige.
Vase ouvert, bord.

996 T82 C7
Céramique commune tournée ; dm 2/3 ; pâte rose ; surface verte, ravalée.
Vase ouvert, bord.
Mari : Lebeau 1985 a, pl. XXIII : 1 à 12 [DA 1]

997 T82 C16
Céramique de cuisson tournée ; dm 2 ; pâte rouge ; surface noire, lissée.
Vase fermé, bord, *Brittle Ware*.
Karababa Basin, site 6 : Wilkinson 1990, fig. B.17 : 33-35 [romain tardif-byzantin ancien]
Dibsi Faraj : Harper 1980, fig. D : 66 [abbasside]
Resafa : Konrad 1992, Abb. 9 : 4 [umayyade]

998 T82 C3
Céramique commune tournée ; dm 2/3+ ; pâte rose ; surface verte, lissée.
Vase fermé, bord.
Mari : LEBEAU 1985 a, pl. XXIV : 13 à 15 [DA 1]

999 T82 C9
Céramique commune tournée ; dm 2/3+ ; pâte rose-brun ; surface rose, ravalée.
Vase fermé, bord.
Mari : LEBEAU 1985 a, pl. XXI : 7 [DA 2/1]

1000 T82 C18
Céramique commune tournée ; dm 2/3 ; pâte rose ; surface rose, lissée.
Vase fermé, bord.
Mari : LEBEAU 1985 a, pl. XXI : 7 [DA 2/1]

1001 T82 C4
Céramique commune tournée ; dm 2/3 ; pâte brun-rose ; surface beige-rose, lissée.
Vase fermé, bord.
Mari : LEBEAU 1985 a, pl. XXIV : 8 à 12 [DA 1]

1002 T82 C10
Céramique commune tournée ; dm 2/3+ ; pâte rose-brun ; surface rose, ravalée.
Vase fermé, bord.

1003 T82 C1
Céramique commune tournée ; dm 2/3(4) ; pâte beige-rose ; surface beige-rose, ravalée.
Vase fermé, bord.
Mari : LEBEAU 1985 a, pl. XXIV : 8 à 12 [DA 1]

1004 T82 C5
Céramique commune tournée ; dm 2/3 ; pâte rose ; surface beige verdâtre, lissée.
Vase fermé, bord.
Mari : LEBEAU 1985 a, pl. XXIV : 8 à 12 [DA 1]

1005 T82 C6
Céramique commune tournée ; dm 2/3+ ; pâte rose ; surface verte, ravalée.
Vase fermé, bord.
Mari : LEBEAU 1985 a, pl. XXIV : 8 à 12 [DA 1]

1006 T82 C19
Céramique commune tournée ; dm 2/3++ ; pâte beige-vert ; surface beige-vert, ravalée.
Vase fermé, bord.
Mari : LEBEAU 1985 a, pl. XXI : 10 ; XXVII : 28 [DA 2/1 ; DA 1]

1007 T82 C14
Céramique commune tournée ; dm 2/3+, dv 2 ; pâte beige ; surface beige verdâtre, lissée.
Vase fermé, bord.
Mari : LEBEAU 1985 a, pl. XXI : 10 ; XXVII : 28 [DA 2/1 ; DA 1]

1008 T82 C8
Céramique commune tournée ; dm 2/3+ ; pâte rose ; surface rose.
Vase fermé, bord.
Mari : LEBEAU 1985 a, pl. XXI : 10 ; XXVII : 28 [DA 2/1 ; DA 1]

1009 T82 C15
Céramique commune tournée ; dm 2/3++ ; pâte beige-rose ; surface beige, lissée.
Vase fermé, bord.
Mari : LEBEAU 1985 a, pl. XXI : 10 [DA 2/1]

Site n° 83 - Dheina 4 (pl. 77 et 78).

Ce site a été occupé dans la première moitié du IIIe millénaire, comme en témoigne la quasi-totalité des tessons. Le fragment **1014** est sans doute un peu plus ancien et témoignerait d'une occupation à l'époque d'Uruk.

1010 T83 C17
Céramique commune tournée ; dm 2 ; pâte beige-brun ; surface beige, lissée.
Vase ouvert, bord.
Halawa : ORTHMANN 1981, Taf. 60 : 3 [milieu BA]

1011 T83 C12
Céramique commune tournée ; dm 2/3 ; pâte beige à cœur gris ; surface beige, lissée.
Vase ouvert, bord.
Halawa : ORTHMANN 1981, Taf. 60 : 3 [milieu BA]

1012 T83 C16
Céramique commune tournée ; dm 2/3++ ; pâte verte ; surface verte, ravalée ; engobe (ou peinture ?) brun, râclé avec des traînées orange.
Vase ouvert, bord.

1013 T83 C11
Céramique commune tournée ; dm 2 ; pâte beige-rose ; surface beige-vert, lissée.
Vase ouvert, bord.
Mari : LEBEAU 1987 b, pl. II : 22 [DA 1]

1014 T83 C13
Céramique commune modelée ; dm 2, dv 2/4+ ; pâte beige ; surface beige-vert, lissée.
Vase fermé, bord.
Ḥabūba Kabira-Süd : SÜRENHAGEN 1978, Tab. 24 : 18 [Uruk]

1015 T83 C14   (n.i.)
Céramique mi-fine tournée ; dm 1(2) ; pâte grise ; surface grise, lissée.
Vase ouvert, fond arrondi, Ninivite 5.
Mari : LEBEAU 1987 b, pl. IV : 16 [DA 1]

1016 T83 C10
Céramique commune tournée ; dm 2/3+ ; pâte beige-rose ; surface verte, lissée.

Vase fermé, bord.
Mari : LEBEAU 1985 a, pl. XXX : 4 [DA 1]

1017 T83 C7
Céramique commune tournée ; dm 2 ; pâte vert kaki ; surface vert kaki, lissée.
Vase fermé, bord.
Mari : LEBEAU 1985 a, pl. XXI : 7 [DA 2/1]

1018 T83 C1
Céramique commune tournée ; dm 2/3++ ; pâte beige-rose ; surface beige, ravalée.
Vase fermé, bord.
Mari : LEBEAU 1985 a, pl. XXVI : 6 [DA 1]

1019 T83 C3
Céramique commune tournée ; dm 2/3+ ; pâte verte ; surface beige-vert, ravalée.
Vase fermé, bord.

1020 T83 C9
Céramique commune tournée ; dm 2/3+ ; pâte brune ; surface beige, ravalée.
Vase fermé, bord.
Mari : LEBEAU 1985 a, pl. XXI : 10, 11 [DA 2/1]

1021 T83 C4
Céramique commune tournée ; dm 2/3++ ; pâte beige ; surface verte, lissée.
Vase fermé, bord.

1022 T83 C8
Céramique commune tournée ; dm 2/3 ; pâte beige-rose à beige-vert ; surface verte, ravalée.
Vase fermé, bord.

1023 T83 C6
Céramique commune tournée ; dm 2/3++ ; pâte verte ; surface verte.
Vase fermé, bord.
Mari : LEBEAU 1985 a, pl. XXIV : 6 [DA 1]

1024 T83 C2
Céramique commune tournée ; dm 2/3 ; pâte gris-vert ; surface beige, lissée.
Vase fermé, bord.
Mari : LEBEAU 1987 b, pl. XI : 7 [DA 1]

1025 T83 C5
Céramique commune tournée ; dm 2/3++, dv 2 ; pâte brun-gris ; surface verte.
Vase fermé, bord.
Mari : LEBEAU 1985 a, pl. XXI : 10, 11 [DA 2/1]

1026 T83 C18
Céramique commune tournée ; dm 1/3 ; pâte beige-rose ; surface beige, ravalée.
Vase fermé, bord.
Mari : LEBEAU 1985 a, pl. XIX : 9 [DA 2]

Site n° 84 - Dībān 4 (pl. 78 et 79).

Les rares tessons (sept) trouvés sur ce site semblent pouvoir renvoyer à trois périodes d'occupation : le Bronze ancien (**1030** et **1031**), le début du Bronze moyen (**1029**). La troisième est à situer à l'époque romaine ou byzantine, voire à l'époque islamique, d'après un fragment, informe, de *Brittle Ware* (**1033**).

1027 T84 C2
Céramique commune modelée ; dm 2/5, dv 2/3 ; pâte vert kaki foncé ; surface vert kaki, lissée ; départ d'anse.
Vase ouvert (?), bord.

1028 T84 C3
Céramique commune tournée ; dm 2/3, dv 2 ; pâte beige ; surface beige, ravalée.
Vase fermé, bord.

1029 T84 C1
Céramique commune tournée ; dm 2/3+, dv 2/4 ; pâte beige ; surface verte, ravalée.
Vase fermé, bord.
Halawa : ORTHMANN 1981, Taf. 46 : 18 ; 48 : 20 [début IIᵉ millénaire]

1030 T84 C4
Céramique commune tournée ; dm 2/4 ; pâte rose ; surface beige, lissée.

Vase fermé, bord.
Mari : LEBEAU 1985 a, pl. IX : 7 [DA 3]

1031 T84 C5
Céramique commune tournée ; dm 2/4 ; pâte brune à cœur noir ; surface brun-rose à beige, lissée ; petit tenon conique.
Vase fermé, bord.
Mari : LEBEAU 1985 a, pl. XXII : 23 [DA 2/1]

1032 T84 C6
Céramique fine tournée ; dm 1/2 ; pâte rose ; surface beige, lissée.
Vase fermé, fond.

1033 T84 C7 (n.i.)
Céramique de cuisson tournée ; dm 2/3 ; pâte brun-rouge ; surface brun-rouge, lissée.
Vase fermé, panse, *Brittle Ware.*

Site n° 85 - Dībān 5.

La totalité de la céramique est d'époque islamique (cf. BERTHIER sous presse).

Site n° 86 - Darnaj (pl. 79 et 80).

La plupart des tessons semblent pouvoir être datés des périodes hellénistique et romaine ; les parallèles les plus nombreux se font avec les formes trouvées à Sabra ou à Sippar, datées pour ces dernières du début de notre ère.

1034 T86 C5
Céramique commune tournée ; dm 2/3 ; pâte grise ; surface grise, lustrée.
Vase ouvert, bord.

1035 T86 C20
Céramique commune tournée ; dm 2/3, dv 2 ; pâte verte ; surface verte, ravalée.
Vase ouvert, bord.

1036 T86 C19
Céramique commune tournée ; dm 2/3 ; pâte rose ; surface beige à l'intérieur, rose à l'extérieur, lissée.
Vase ouvert, bord.

1037 T86 C18
Céramique commune tournée ; dm 2/3++ ; pâte rose ; surface beige-vert, ravalée.
Vase ouvert, bord.
Sabra : TUNCA 1987, pl. 44 : 8 [SE/PA]

1038 T86 C17
Céramique commune tournée ; dm 2/3+ ; pâte verte ; surface beige-vert, ravalée.
Vase ouvert, bord.

1039 T86 C22
Céramique commune tournée ; dm 2/3, dv 2 ; pâte beige-vert ; surface beige-vert, lissée ; cannelures horizontales.
Vase ouvert, bord.

1040 T86 C4
Céramique commune tournée ; dm 2/3, dv 2 ; pâte beige-rose ; surface beige, lissée.
Vase fermé, bord.

1041 T86 C2
Céramique commune tournée ; dm 2/3+ ; pâte beige-vert ; surface verte, lissée.
Vase fermé, bord.

1042 T86 C3
Céramique commune tournée ; dm 2/3+ ; pâte rose ; surface beige, lissée.
Vase fermé, bord.
Sabra : TUNCA 1987, pl. 79 : 3 [SE/PA]

1043 T86 C8
Céramique commune tournée ; dm 2/3+ ; pâte rose ; surface rose, lissée ; bitume à l'intérieur, coulures sur la lèvre.
Vase fermé, bord.
Sabra : TUNCA 1987, pl. 80 : 13 [SE/PA]
Sippar : HAERINCK 1980, pl. 18 : 15, 16 [0-150 apr. J.-C.]

1044 T86 C7
Céramique commune tournée ; dm 2/3+ ; pâte rose ; surface rose, lissée ; bitume sur la lèvre.
Vase fermé, bord.
Sabra : TUNCA 1987, pl. 80 : 13 [SE/PA]
Sippar : HAERINCK 1980, pl. 18 : 15, 16 [0-150 apr. J.-C.]

1045 T86 C9
Céramique commune tournée ; dm 2/3++ ; pâte rose ; surface rose,
ravalée.
Vase fermé, bord.
Sabra : Tunca 1987, pl. 80 : 13 [SE/PA]
Sippar : Haerinck 1980, pl. 18 : 15, 16 [0-150 apr. J.-C.]

1046 T86 C6
Céramique commune tournée ; dm 2/3 ; pâte brun-rouge ; surface
brune, ravalée.
Vase fermé, bord.
Sabra : Tunca 1987, pl. 80 : 13 [SE/PA]
Sippar : Haerinck 1980, pl. 18 : 15, 16 [0-150 apr. J.-C.]

1047 T86 C11
Céramique commune tournée ; dm 2/3 ; pâte rose ; surface beige,
lissée.
Vase fermé, bord.
Sabra : Tunca 1987, pl. 77 : 12 [SE/PA]

1048 T86 C10
Céramique commune tournée ; dm 2/3 ; pâte brun-rose ; surface
verte, lissée.
Vase fermé, bord.
Sabra : Tunca 1987, pl. 77 : 12 [SE/PA]

1049 T86 C15
Céramique commune tournée ; dm 2/3, dv 2/3+ ; pâte rose ; surface
beige-vert, lissée.
Vase fermé, bord.
Sabra : Tunca 1987, pl. 75 : 14 [SE/PA]

1050 T86 C14
Céramique commune tournée ; dm 2/3 ; pâte rose ; surface beige-
rose, ravalée.
Vase fermé, bord.
Sabra : Tunca 1987, pl. 77 : 15 [SE/PA]
Sweyhat : Holland 1976, fig. 6 : 32 [hellénistique]

1051 T86 C21
Céramique commune tournée ; dm 2/3, dv 2/3 ; pâte beige-vert ;
surface verte, lissée.
Vase fermé, bord.
Tell Mohammad 'Arab : Roaf 1983, fig. 6 : 33 [hellénistique (IIIe-
IIe s. av. J.-C.)]

1052 T86 C1
Céramique commune tournée ; dm 2/3+ ; pâte rose ; surface rose,
ravalée ; 2 anses verticales.
Vase fermé, bord.
Samaria : Hennessy 1970, fig. 11 : 2 [hellénistique]

1053 T86 C13
Céramique commune tournée ; dm 2/3+ ; pâte rose ; surface verte,
lissée.
Vase fermé, bord.
Sabra : Tunca 1987, pl. 77 : 15 [SE/PA]

1054 T86 C12
Céramique commune tournée ; dm 2/3 ; pâte verte ; surface verte,
lissée.
Vase fermé, bord.
Tell Mohammad 'Arab : Roaf 1983, fig. 6 : 33 [hellénistique (IIIe-
IIe s. av. J.-C.)]

Site n° 87 - Mazār esh Shebli.

La totalité de la céramique est d'époque islamique (cf. Berthier sous presse).

Site n° 88 - Mazār Sheikh Anīs.

La totalité de la céramique est d'époque islamique (cf. Berthier sous presse).

Site n° 89 - Deir ez Zōr 1.

Aucune céramique n'a été ramassée sur ce site déjà disparu lors de notre prospection.

Site n° 90 - El Jurdi Sharqi 4 (pl. 80 et 81).

Une forme est probablement de l'époque néo-assyrienne (**1067**), deux autres le sont de façon plus douteuse encore
(**1057** et **1069**) ; la plupart des autres tessons semblent pouvoir être datés de la période séleuco-parthe, les comparaisons les
plus nombreuses se faisant pour la période hellénistique. Aucun fragment de *Brittle Ware* n'a été trouvé.

1055 T90 C16
Céramique commune tournée ; dm 2(3) ; pâte rose ; surface beige,
lissée.
Vase ouvert, bord.
Karababa Basin, site 19 : Wilkinson 1990, fig. B.14 : 1 [séleucide-
hellénistique]

1056 T90 C14
Céramique commune tournée ; dm 2/3+ ; pâte verte ; surface verte,
lissée.
Vase ouvert, bord.
Karababa Basin, site 19 : Wilkinson 1990, fig. B.14 : 4 [séleucide-
hellénistique]
Nimrud : Oates D. 1968, fig. 16 : 62 [hellénistique]

1057 T90 C17
Céramique commune tournée ; dm 2/3+ ; pâte rose ; surface beige,
lissée.
Vase ouvert, bord.
Khirbet Qasrij : Curtis 1989, fig. 23 : 10 [début VIe s. av. J.-C.]

1058 T90 C13
Céramique commune tournée ; dm 2/3+ ; pâte beige-rose ; surface
beige.

Vase ouvert, bord.
Sabra : Tunca 1987, pl. 43 ; 10

1059 T90 C15
Céramique commune tournée ; dm 2 ; pâte beige-rose ; surface
verte, lissée.
Vase ouvert, bord.
Karababa Basin, site 9 : Wilkinson 1990, fig. B.14 : 36 [séleucide-
hellénistique]
Palestine : Lapp 1961, type 54 : 1, p. 179 : D [50-68 apr. J.-C.]

1060 T90 C2
Céramique commune tournée ; dm 2/3++, dv 2/4 ; pâte rose ;
surface verte, ravalée.
Vase ouvert, bord.

1061 T90 C1
Céramique commune tournée ; dm 2/3+, dv 2/3 ; pâte rose-rouge ;
surface rose, ravalée.
Vase ouvert, bord.

1062 T90 C8
Céramique commune tournée ; dm 2/3 ; pâte beige ; surface beige-
vert, lissée.
Vase fermé, bord.

Hama : Papanicolaou Christensen 1971, fig. 21 : 177 [hellénistique]

Barri : Ricciardi Venco 1982, n° 7 [parthe]

1063 T90 C11
Céramique commune tournée ; dm 2/3+ ; pâte verte ; surface verte, lissée.
Vase fermé, bord.

1064 T90 C10
Céramique commune tournée ; dm 2/3+, dv 2 ; pâte verte ; surface verte, lissée.
Vase fermé, bord.

1065 T90 C6
Céramique commune tournée ; dm 2/3(5) ; pâte rose ; surface beige, lissée ; anse verticale.
Vase fermé, bord.
Hama : Papanicolaou Christensen 1971, fig. 21 : 177 [hellénistique]
Barri : Ricciardi Venco 1982, n° 7 [parthe]

1066 T90 C5
Céramique commune tournée ; dm 2/3+ ; pâte rose à beige-brun ; surface beige, lissée.
Vase fermé, bord.

1067 T90 C4
Céramique commune tournée ; dm 2/3++ ; pâte beige ; surface beige-vert, lissée.
Vase fermé, bord.
Khirbet Qasrij : Curtis 1989, fig. 39 : 255 [début vi° s. av. J.-C.]

1068 T90 C9
Céramique commune tournée ; dm 2/3+ ; pâte beige ; surface beige-vert, lissée.
Vase fermé, bord.
Barri : Ricciardi Venco 1982, n° 6 [parthe]

1069 T90 C3
Céramique commune tournée ; dm 2/3++ ; pâte vert kaki ; surface vert kaki, lissée.
Vase fermé, bord.
Khirbet Qasrij : Curtis 1989, fig. 36 : 220, 222, 223 [début vi° s. av. J.-C.]
Hama : Papanicolaou Christensen 1971, fig. 21 : 192 [hellénistique]
Sabra : Tunca 1987, pl. 83 : 14 [SE/PA]

1070 T90 C23
Céramique commune tournée ; dm 2/3+ ; pâte rose ; surface verte, lissée.
Vase fermé, fond (base annulaire).

1071 T90 C22
Céramique commune tournée ; dm 2/3 ; pâte rose ; surface rose, lissée ; petite base annulaire aplatie.
Vase fermé, fond.

1072 T90 C24
Céramique commune modelée ; dm 2/3+ ; pâte beige ; surface beige.
Vase fermé, fond.

Site n° 91 - Et Tābīye 2 (pl. 82).

Trente-six fragments de bords ont été gardés, mais pour la moitié d'entre eux, leur trop petite taille ne permet pas d'en tirer de véritables conclusions. Près d'une vingtaine sont présentés ici. Il est cependant possible, pour la majeure partie des tessons, d'établir des parallèles avec la céramique paléobabylonienne trouvée à Mari ou à Haradum. Mais rares sont les formes incontestables. Quelques tessons ont d'autres comparaisons possibles à d'autres époques, mais elles ne constituent pas un ensemble homogène et ne sont donc pas décisives.

1073 T91 C31
Céramique mi-fine tournée ; dm 2 ; pâte beige-rose ; surface beige-vert, lissée.
Vase ouvert, bord.

1074 T91 C5
Céramique commune tournée ; dm 2/3 ; pâte verte ; surface beige-vert, lissée.
Vase fermé, bord.

1075 T91 C4
Céramique commune tournée ; dm 2/3 ; pâte rose ; surface verte, lissée.
Vase ouvert, bord.

1076 T91 C7
Céramique commune tournée ; dm 2/3/4, dv 2/3 ; pâte verte ; surface verdâtre, lissée, traces d'engobe (?) rouge.
Vase ouvert, bord.
Haradum : Kepinski-Lecomte 1992, fig. 116 : 6-8 [xviii°-xvii° s. av. J.-C.]
Assur : Haller 1954, Taf. 6 : b [néo-assyrien]

1077 T91 C6
Céramique commune tournée ; dm 2/3, dv 2 ; pâte verte ; surface beige-vert, lissée.
Vase ouvert, bord.
Haradum : Kepinski-Lecomte 1992, fig. 120 : 3 [xviii°-xvii° s. av. J.-C.]
Fort Shalmaneser : Oates J. 1959, pl. XXXV : 23 [néo-assyrien]
Nimrud : Oates D. 1968, fig. 15 : 35, 36 [hellénistique]

1078 T91 C1
Céramique commune tournée ; dm 2/3+ ; pâte beige-vert à rose ; surface beige-vert, ravalée.
Vase ouvert, bord.
Haradum : Kepinski-Lecomte 1992, fig. 106 : 5 [xviii°-xvii° s. av. J.-C.]

1079 T91 C2
Céramique commune tournée ; dm 2/3(5) ; pâte beige-vert ; surface beige-vert, ravalée.
Vase ouvert, bord.
Haradum : Kepinski-Lecomte 1992, fig. 106 : 5 [xviii°-xvii° s. av. J.-C.]

1080 T91 C8
Céramique commune tournée ; dm 2/3++ ; pâte rose ; surface rose, lissée.
Vase ouvert, bord.
Haradum : Kepinski-Lecomte 1992, fig. 118 : 4, 5 [xviii°-xvii° s. av. J.-C.]

1081 T91 C14
Céramique commune tournée ; dm 2/3/4 ; pâte rose ; surface rose, lissée.
Vase fermé, bord.
Haradum : Kepinski-Lecomte 1992, fig. 84 : 8 [xviii°-xvii° s. av. J.-C.]
Mari : Lebeau 1987 a, pl. III : 11 [paléobabylonien]

1082 T91 C18
Céramique commune tournée ; dm 2 ; pâte verte ; surface vert kaki, lissée.
Vase fermé, bord.

1083 T91 C22
Céramique commune tournée ; dm 2/3 ; pâte beige-vert ; surface beige, lissée.
Vase fermé, bord.

Haradum : Kepinski-Lecomte 1992, fig. 84 : 8 [xviiie-xviie s. av. J.-C.]

Mari : Lebeau 1987 a, pl. III : 11 [paléobabylonien]

1084   T91 C32
Céramique commune tournée ; dm 2/3 ; pâte beige-vert ; surface beige-vert, lissée.
Vase fermé, bord.
Haradum : Kepinski-Lecomte 1992, fig. 70 : 3-5 [xviiie-xviie s. av. J.-C.]

1085   T91 C15
Céramique commune tournée ; dm 2/3++ ; pâte beige ; surface beige-vert, ravalée.
Vase fermé, bord.
Haradum : Kepinski-Lecomte 1992, fig. 74 : 5 [xviiie-xviie s. av. J.-C.]
Nippur : McCown et Haines 1967, pl. 94 : 14 [paléobabylonien]

1086   T91 C16
Céramique commune tournée ; dm 2/3++ ; pâte rose ; surface beige à beige-vert, lissée.
Vase fermé, bord.
Haradum : Kepinski-Lecomte 1992, fig. 74 : 6 [xviiie-xviie s. av. J.-C.]
Mari : Lebeau 1987 a, pl. IV : 11 [paléobabylonien]

1087   T91 C11
Céramique commune tournée ; dm 2/3, dv 2 ; pâte rose ; surface beige, lissée.
Vase fermé, bord.
Mari : Lebeau 1987 a, pl. V : 3 [paléobabylonien]

Nippur : McCown et Haines 1967, pl. 102 : 2 [assyrien, néobabylonien, achémenide]

Uruk : Strommenger 1967, Taf. 20 : 2 [néobabylonien-parthe]

1088   T91 C12
Céramique commune tournée ; dm 2/3 ; pâte verte ; surface vert kaki, lissée.
Vase fermé, bord.

1089   T91 C28
Céramique commune tournée ; dm 2/3 ; pâte beige ; surface beige, lissée.
Vase fermé, bord.
Haradum : Kepinski-Lecomte 1992, fig. 74 : 5 [xviiie-xviie s. av. J.-C.]
Nippur : McCown et Haines 1967, pl. 94 : 14 [paléobabylonien]

1090   T91 C10
Céramique commune tournée ; dm 2/3(5), dv 2/3 ; pâte beige-vert ; surface vert kaki, lissée.
Vase fermé, bord.

1091   T91 C9
Céramique commune tournée ; dm 2/3 ; pâte beige-rose ; surface beige-vert, lissée.
Vase fermé, bord.
Haradum : Kepinski-Lecomte 1992, fig. 75 : 7 [xviiie-xviie s. av. J.-C.]
Mari : Lebeau 1987 a, pl. IV : 7 [paléobabylonien]

1092   T91 C23
Céramique commune tournée ; dm 2/3 ; pâte beige-vert ; surface beige-vert, lissée.
Vase fermé, bord.

Site n° 92 - Jedīd 'Aqīdat 1 (pl. 83 et 84).

Ce site semble pouvoir être daté de façon homogène de l'époque romaine tardive. Plusieurs fragments de bords (1104 à 1107) ou d'épaules de jarres (1109 à 1112) proviennent d'amphores carénées nord-syriennes dont plusieurs ont un décor de spirales peint en brun-rouge. Un fragment de sigillée africaine (*African Red Slip*) a aussi été trouvé sur ce site (1113) : malheureusement informe, il ne permet pas une comparaison précise avec des trouvailles faites sur d'autres sites, mais ce type de céramique est bien attesté depuis le milieu du iiie s. jusqu'au milieu du ve s.

Les fragments de jattes (1095 à 1098) en céramique commune ont des parallèles à Resafa.

1093   T92 C13
Céramique commune tournée ; dm 2/3+ ; pâte rose ; surface beige, ravalée.
Vase ouvert, bord.

1094   T92 C23
Céramique commune tournée ; dm 2/3(4)+ ; pâte rose ; surface beige clair, lissée.
Vase ouvert, bord.

1095   T92 C7
Céramique commune tournée ; dm 2 ; pâte beige-vert ; surface verte, lissée.
Vase ouvert (?), bord.
Resafa : Konrad 1992, Abb. 18 : 10 [fin ve-vie s. apr. J.-C.]

1096   T92 C19
Céramique commune tournée ; dm 2/3/4+ ; pâte beige ; surface gris-vert, ravalée.
Vase ouvert, bord.
Resafa : Konrad 1992, Abb. 18 : 10 [fin ve-vie s. apr. J.-C.]

1097   T92 C4
Céramique commune tournée ; dm 2/3(4)++ ; pâte brun-rose ; surface beige verdâtre.
Vase ouvert, bord.
Resafa : Konrad 1992, Abb. 18 : 10 [fin ve-vie s. apr. J.-C.]

1098   T92 C1
Céramique commune tournée ; dm 2/3++ ; pâte rose ; surface beige-vert grisâtre, ravalée.

Vase ouvert, bord.
Barri : Ricciardi Venco 1982, n° 21 [parthe (1re moitié du iiie s.)]
Nimrud : Oates D. 1968, fig. 16 : 38 [hellénistique]

1099   T92 C2
Céramique commune tournée ; dm 2/3, dv 2 ; pâte verte ; surface beige verdâtre, ravalée.
Vase fermé, bord.
Resafa : Konrad 1992, Abb. 20 : 5 [ve-début vie s. apr. J.-C.]

1100   T92 C5
Céramique commune tournée ; dm 2/3+ ; pâte brun-rose ; surface verte, lissée.
Vase fermé, bord.
Resafa : Konrad 1992, Abb. 20 : 6 [fin ve début vie s. apr. J.-C.]

1101   T92 C14
Céramique commune modelée ; dm 2/3, dv 2/3 ; pâte beige-vert ; surface verte, ravalée.
Vase fermé, bord.

1102   T92 C8
Céramique commune tournée ; dm 2/3++ ; pâte rose ; surface beige, ravalée.
Vase fermé, bord.
Ain Sinu : Oates D. 1968, fig. 21 : 48 [parthe]
Resafa : Konrad 1992, Abb. 10 : 12 [ve-début vie s. apr. J.-C.]

1103   T92 C17
Céramique commune tournée ; dm 2/3+ ; pâte beige-rose ; surface verte, lissée.

Vase fermé, bord.
Resafa : Konrad 1992, Abb. 20 : 5 [fin vᵉ-vɪᵉ s. apr. J.-C.]

1104 T92 C10
Céramique commune tournée ; dm 2/3++ ; pâte gris-beige ; surface beige, ravalée.

Vase fermé, bord.
Karababa Basin, site 8 : Wilkinson 1990, fig. B.25 : 27 [romain tardif-byzantin ancien]
Resafa : Mackensen 1984, Taf. 25 : 23 [vɪᵉ s. apr. J.-C.]

1105 T92 C11
Céramique commune tournée ; dm 2/3++ ; pâte beige-rose ; surface beige à beige-vert, ravalée.

Vase fermé, bord.
Karababa Basin, site 14 : Wilkinson 1990, fig. B.15 : 17 [romain tardif-byzantin ancien]

1106 T92 C15
Céramique commune tournée ; dm 2/3, dv 2/3 ; pâte beige ; surface beige, lissée ; peinture brun-noir sur l'épaule et le col (traces de bande horizontale) ; anse verticale.

Vase fermé, bord, céramique peinte nord-syrienne.
Karababa Basin, site 8 : Wilkinson 1990, fig. B.25 : 26 [romain tardif-byzantin ancien]
Resafa : Konrad 1992, Abb. 11 : 3 [vᵉ-début vɪᵉ s. apr. J.-C.]

1107 T92 C16
Céramique commune tournée ; dm 2/3(4)+ ; pâte verte ; surface verte, ravalée ; peinture brun-noir sur l'épaule et le col (traces) ; anse verticale.

Vase fermé, bord, céramique peinte nord-syrienne.
Karababa Basin, site 8 : Wilkinson 1990, fig. B.25 : 27 [romain tardif-byzantin ancien]
Resafa : Mackensen 1984, Taf. 10 : 2 [vɪᵉ s. apr. J.-C.]

1108 T92 C18
Céramique commune tournée ; dm 2/3/4+ ; pâte rose ; surface beige-rose, lissée.

Vase fermé, bord.
Karababa Basin : Wilkinson 1990, fig. B.25 : 22 [romain tardif-byzantin ancien]

1109 T92 C26
Céramique commune tournée ; dm 2/3+ ; pâte beige ; surface beige, ravalée ; peinture brun-rouge à brun clair (spirale) presque entièrement effacée.

Vase fermé, panse, céramique peinte nord-syrienne.
Fechērīje : Hrouda 1961, Abb. 5 : c [romain tardif (ɪvᵉ-vɪᵉ s.)]
Karababa Basin, site 14 : Wilkinson 1990, fig. B.15 : 29 [romain tardif-byzantin ancien]

1110 T92 C28
Céramique commune tournée ; dm 2/3+, dv 2/3 ; pâte beige-vert ; surface beige, lissée ; peinture brun-rouge (spirale).

Vase fermé, panse, céramique peinte nord-syrienne.
Fechērīje : Hrouda 1961, Abb. 5 : b [romain tardif (ɪvᵉ-vɪᵉ s.)]
Karababa Basin, site 2 : Wilkinson 1990, fig. B.19 : 23 [romain tardif-byzantin ancien]

1111 T92 C27
Céramique commune tournée ; dm 2/3(4), dv 2/3 ; pâte rose ; surface beige, lissée ; peinture brun plus ou moins foncé (spirale).

Vase fermé, panse, céramique peinte nord-syrienne.
Fechērīje : Hrouda 1961, Abb. 5 : b, d [romain tardif (ɪvᵉ-vɪᵉ s.)]
Karababa Basin, site 7 : Wilkinson 1990, fig. B.22 : 31 [romain tardif-byzantin ancien]

1112 T92 C29
Céramique commune tournée ; dm 2/3/4+, dv 2/3 ; pâte verte ; surface verte, ravalée ; peinture noire.

Vase fermé, panse, céramique peinte nord-syrienne.

1113 T92 C30   (n.i.)
Céramique fine tournée ; dm 1 ; pâte rouge ; surface rouge, polie.
Vase ouvert, panse, *Late Roman C* ou *African Red Slip.*

Site n° 93 - Shheil 1 (pl. 85 à 87).

Ce grand site, subdivisé en plusieurs secteurs identifiés par des sous-numéros (93.1 à 93.6), a fourni une céramique très abondante, mais de mauvaise qualité : très érodés, les tessons sont généralement de petite taille, ne permettant pas de reconstituer avec sûreté le profil, ni le diamètre d'ouverture du vase, ni de prendre en compte le traitement de la surface. Ne sont donc publiés ici que les tessons pour lesquels les indications étaient suffisantes (une petite cinquantaine). Tous les autres, plus d'une centaine, étaient de trop petite taille pour pouvoir être significatifs. De ce fait, le matériel, bien que retrouvé en abondance, est assez mal datable, d'autant que les tessons un peu mieux préservés ne renvoient pas à des formes très typiques.

La céramique provient en grande partie de l'époque islamique, notamment les secteurs 93.1, 93.2, 93.3, et 93.5 (cf. Berthier sous presse).

Pour le reste et principalement pour les secteurs 93.4 et 93.6, les comparaisons, en nombre restreint, donnent pour l'essentiel une fourchette de datation pour l'époque séleuco-parthe, qu'il est sans doute possible de resserrer sur la période parthe ; mais ces formes se retrouvent aussi plus ou moins depuis le IIᵉ millénaire jusqu'à l'époque romaine tardive, par exemple les bols à lèvre étirée plus ou moins oblique (1117 et 1118) ou à lèvre aplatie et à panse légèrement carénée (1121 et 1122). Deux fragments (1119 et 1147) ont des parallèles à l'époque néo-assyrienne, mais ces formes continuent encore d'exister au début de notre ère. La présence dans moins de la moitié des tessons de dégraissant végétal et l'absence de formes vraiment caractéristiques du IIᵉ millénaire inclinent à pencher pour une datation au début de notre ère.

Deux bords de jattes (1125 et 1126) ont des comparaisons à l'époque romaine tardive, notamment avec Resafa, mais ces formes, à la durée de vie assez longue — jusqu'au début de l'époque islamique —, ont dû apparaître plus tôt au cours de l'époque romaine : des bords de jattes de Seh Qubba (IIᵉ s.) et de ʿĀna (IIIᵉ s.) sont à peu près identiques, à l'exception du petit ressaut à l'extrémité intérieure de la lèvre. L'occupation à l'époque romaine tardive ne semble donc pas être à envisager en l'absence de céramique nord-syrienne caractéristique de cette époque. La quasi-absence de *Brittle Ware* — un seul exemplaire (1158) — fait aussi pencher pour une datation plutôt précoce au début de notre ère. Le fragment 1123 serait, quant à lui, à dater plutôt de l'époque islamique, la seule comparaison pour l'époque romaine tardive n'étant pas convaincante.

1114 T93 C11
Céramique commune tournée ; dm 2/3+ ; pâte gris-vert ; surface
    beige-vert, lissée.
Vase ouvert, bord.

1115 T93 C12
Céramique commune tournée ; dm 2/3+ ; pâte rose ; surface beige,
    lissée.
Vase ouvert, bord.

1116 T93.6 C4
Céramique commune tournée ; dm 2/3, dv 2/3 ; pâte beige ; surface
    beige, ravalée.
Vase ouvert, bord.

1117 T93.6 C3
Céramique commune tournée ; dm 2/3, dv 2 ; pâte beige ; surface
    beige-rose, ravalée.
Vase ouvert, bord.
'Āna : KILLICK 1988, fig. 32 : 61 [parthe]

1118 T93.6 C7
Céramique commune tournée ; dm 2/3, dv 2 ; pâte rose à cœur
    gris ; surface rose, ravalée.
Vase ouvert, bord.
'Āna : KILLICK 1988, fig. 32 : 63 [parthe]

1119 T93.4 C6
Céramique commune tournée ; dm 2/3++ ; pâte rose ; surface rose
    à l'intérieur, verte à l'extérieur, ravalée.
Vase ouvert, bord.
Khirbet Qasrij : CURTIS 1989, fig. 29 : 100 [néo-assyrien (1ʳᵉ moitié
    du vɪᵉ s.)]
Sabra : TUNCA 1987, pl. 44 : 20 [SE/PA]

1120 T93.6 C18
Céramique commune tournée ; dm 2/3 ; pâte verte ; surface beige-
    vert, lissée.
Vase ouvert, bord.

1121 T93.6 C10
Céramique commune tournée ; dm 2/3, dv 2/3 ; pâte rose ; surface
    rose, ravalée.
Vase ouvert, bord.
'Āna : KILLICK 1988, fig. 32 : 66 [parthe]

1122 T93.6 C21
Céramique commune tournée ; dm 2/3 ; pâte rose à cœur gris ;
    surface rose, ravalée.
Vase ouvert, bord.
'Āna : KILLICK 1988, fig. 32 : 66 [parthe]

1123 T93 C32
Céramique commune tournée ; dm 2/3++ ; pâte verte ; surface
    beige-vert, lissée ; bandes incisées sur la panse ; pressions du doigt
    sur la lèvre.
Vase ouvert, bord.
Resafa : KONRAD 1992, Abb. 16 : 1 [vᵉ-début vɪᵉ s. apr. J.-C.]]

1124 T93.6 C2
Céramique commune tournée ; dm 2/3, dv 2 ; pâte rose ; surface
    beige à beige-vert, lissée.
Vase ouvert, bord.
Resafa : KONRAD 1992, Abb. 18 : 14 [vᵉ-début vɪᵉ s. apr. J.-C.]

1125 T93 C22
Céramique commune tournée ; dm 2/3++ ; pâte rose ; surface gris-
    vert, ravalée.
Vase ouvert, bord.
'Āna : KILLICK 1988, fig. 35 : 72 [1ᵉʳ tiers du ɪɪɪᵉ s. apr. J.-C.]
Seh Qubba : CAMPBELL 1989, fig. 5.3 : 18 [ɪɪᵉ s. apr. J.-C.]
Resafa : KONRAD 1992, Abb. 14 : 6 [vᵉ-début vɪᵉ s. apr. J.-C.]

1126 T93 C25
Céramique commune tournée ; dm 2/3 ; pâte rose à cœur gris ;
    surface rose, lissée.

Vase ouvert, bord.
'Āna : KILLICK 1988, fig. 35 : 72 [1ᵉʳ tiers du ɪɪɪᵉ s. apr. J.-C.]
Seh Qubba : CAMPBELL 1989, fig. 5.3 : 18 [ɪɪᵉ s. apr. J.-C.]
Resafa : KONRAD 1992, Abb. 14 : 6 [vᵉ-début vɪᵉ s. apr. J.-C.]

1127 T93.6 C17
Céramique commune tournée ; dm 2/3(5)++ ; pâte grise ; surface
    brun-rouge, ravalée.
Vase fermé, bord.

1128 T93 C4
Céramique commune tournée ; dm 2/3+ ; pâte rose ; surface rose,
    ravalée ; anse verticale.
Vase fermé, bord.
Seh Qubba : CAMPBELL 1989, fig. 5.4 : 58 [ɪɪᵉ s. apr. J.-C.]

1129 T93.6 C6
Céramique commune tournée ; dm 2/3+ ; pâte beige ; surface beige-
    vert, ravalée.
Vase fermé, bord.

1130 T93 C6
Céramique commune tournée ; dm 2/3 ; pâte beige ; surface beige-
    vert, lissée.
Vase fermé, bord.
Sabra : TUNCA 1987, pl. 80 : 13 [SE/PA]
Sabra : HAERINCK 1980, pl. 18 : 14, 16 [0-150 apr. J.-C.]

1131 T93 C2
Céramique commune tournée ; dm 2+ ; pâte rose ; surface rose,
    ravalée.
Vase fermé, bord.
Sabra : TUNCA 1987, pl. 80 : 13 [SE/PA]
Sabra : HAERINCK 1980, pl. 18 : 14, 16 [0-150 apr. J.-C.]

1132 T93.4 C8
Céramique commune tournée ; dm 2/3 ; pâte beige ; surface beige,
    ravalée.
Vase fermé, bord.
Sabra : TUNCA 1987, pl. 80 : 14 [SE/PA]

1133 T93 C3
Céramique commune tournée ; dm 2/3++ ; pâte rose ; surface verte,
    ravalée.
Vase fermé, bord.
Sabra : TUNCA 1987, pl. 82 : 19 [SE/PA]

1134 T93 C10
Céramique commune tournée ; dm 2/3++ ; pâte gris-vert ; surface
    verte, ravalée.
Vase fermé, bord.
Seh Qubba : CAMPBELL 1989, fig. 5.4 : 57, 58 [ɪɪᵉ s. apr. J.-C.]

1135 T93 C36
Céramique commune tournée ; dm 2/3+ ; pâte brune à cœur gris ;
    surface verte, ravalée.
Vase fermé, bord.
'Āna : KILLICK 1988, fig. 34 : 88 [parthe récent (0-225)]

1136 T93 C7
Céramique commune tournée ; dm 2/3++ ; pâte rose ; surface beige-
    vert, ravalée.
Vase fermé, bord.
Sabra : TUNCA 1987, pl. 82 : 4 [SE/PA]
Mohammad 'Arab : ROAF 1983, fig. 6 : 40, 41 [hellénistique]

1137 T93.4 C4
Céramique commune tournée ; dm 2 ; pâte grise ; surface rose à
    l'intérieur, verte à l'extérieur, lissée.
Vase fermé, bord.

1138 T93.4 C13
Céramique commune tournée ; dm 2/3(4)++ ; pâte verte ; surface
    verte, ravalée.
Vase fermé, bord.
Doura : DYSON 1968, fig. 16 : 6 [parthe]

1139 T93.6 C14
Céramique commune tournée ; dm 2/3++ ; pâte brun-rouge ; surface brun-rouge, ravalée.
Vase fermé, bord.
Uruk : Duda 1978, Taf. 31 : 114 [parthe récent]

1140 T93.6 C13
Céramique commune tournée ; dm 2/3 ; pâte beige ; surface beige, ravalée.
Vase fermé, bord.
Sabra : Tunca 1987, pl. 77 : 17 [SE/PA]

1141 T93 C9
Céramique commune tournée ; dm 2/3++ ; pâte gris-vert ; surface verte, ravalée ; pressions du doigt sur la lèvre.
Vase fermé, bord.
Doura : Dyson 1968, pl. II : 142 [milieu du IIIᵉ s. apr. J.-C.]

1142 T93.6 C1
Céramique commune tournée ; dm 2/3++ ; pâte gris-vert à cœur gris ; surface beige verdâtre, ravalée.
Vase fermé, bord.

1143 T93.4 C5
Céramique commune tournée ; dm 2/3, dv 2/3 ; pâte grise ; surface verte, ravalée.
Vase fermé, bord.
Sabra : Tunca 1987, pl. 80 : 16 [SE/PA]

1144 T93.6 C5
Céramique commune tournée ; dm 2/3, dv 2/3 ; pâte verte ; surface beige-vert, ravalée.
Vase fermé, bord.
Ain Sinu : Oates D. 1968, fig. 23 : 64 [parthe]

1145 T93.4 C11
Céramique commune tournée ; dm 2/3(5) ; pâte rose ; surface rose, ravalée.
Vase fermé, bord.

1146 T93.4 C10
Céramique commune tournée ; dm 2/3 ; pâte beige-rose ; surface beige-rose, lissée.
Vase fermé, bord.

1147 T93.4 C12
Céramique commune tournée ; dm 2/3(5) ; pâte rose ; surface verte, lissée.
Vase fermé, bord.
Qasrij Cliff : Curtis 1989, fig. 11 : 51 [néo-assyrien (VIIIᵉ s.)]
Sabra : Tunca 1987, pl. 75 : 14 [SE/PA]

1148 T93.6 C9
Céramique commune tournée ; dm 2/3 ; pâte verte ; surface vert kaki, ravalée.
Vase fermé, bord.
Ain Sinu : Oates D. 1968, fig. 21 : 48 [parthe]

1149 T93.6 C12
Céramique commune tournée ; dm 2/3, dv 2 ; pâte beige ; surface beige, ravalée.
Vase fermé, bord.

1150 T93.4 C9
Céramique commune tournée ; dm 2/3++ ; pâte brun-rose ; surface brun-rose, ravalée.
Vase fermé, bord.

1151 T93.6 C8
Céramique commune tournée ; dm 2/3, dv 2/3 ; pâte gris-vert ; surface gris-vert, ravalée.
Vase fermé, bord.

1152 T93.4 C7
Céramique commune tournée ; dm 2/3 ; pâte rose ; surface beige, lissée.
Vase fermé, bord.

1153 T93.6 C11
Céramique commune tournée ; dm 2/3, dv 2/3 ; pâte beige ; surface beige, lissée.
Vase fermé, bord.

1154 T93.4 C2
Céramique commune tournée ; dm 2/3/4++ ; pâte rose ; surface beige, ravalée.
Vase fermé, bord.

1155 T93.4 C3
Céramique commune tournée ; dm 2/3 ; pâte rose ; surface rose, ravalée.
Vase ouvert (?), bord.
Sabra : Tunca 1987, pl. 80 : 22 [SE/PA]

1156 T93.4 C1
Céramique commune tournée ; dm 2/3, dv 2/3 ; pâte verte à cœur gris ; surface beige, ravalée.
Vase fermé, bord.
Sabra : Tunca 1987, pl. 80 : 14 [SE/PA]

1157 T93 C1
Céramique commune tournée ; dm 2(3)+ ; pâte rose ; surface rose, ravalée.
Vase fermé, bord.
Barri : Ricciardi Venco 1982, nº 6 [parthe (1ʳᵉ moitié du IIIᵉ s.)]

1158 T93 C13
Céramique de cuisson tournée ; dm 1/2 ; pâte gris-noir ; surface gris-noir, lissée.
Vase fermé, bord, *Brittle Ware.*
Barri : Ricciardi Venco 1982, nº 46 [parthe (1ʳᵉ moitié du IIIᵉ s.)]
Ain Sinu : Oates D. 1968, fig. 23 : 84 [parthe]

1159 T93.6 C15
Céramique de cuisson tournée ; dm 3/5 ; pâte noire ; surface brun-rouge à noire, lissée.
Vase fermé, bord.

1160 T93.6 C16
Céramique de cuisson tournée ; dm 2/3, dv 2/4 ; pâte verte à cœur gris ; surface verte, ravalée.
Vase fermé, bord.

1161 T93.6 C20
Céramique commune tournée ; dm 2 ; pâte brune à cœur gris ; surface brune, lissée.
Vase ouvert, fond.

Site nº 94 - Ali esh Shehel (pl. 87).

Le matériel trouvé sur ce site est homogène et peut être daté de la période romaine tardive (IVᵉ-VIᵉ s. apr. J.-C.), que ce soient les fragments d'amphores carénées nord-syriennes à décor peint de motifs en spirales (**1170** à **1172** ; le fragment **1169** provient du même type de récipient), un bord de jarre *torpedo* (**1168**), la *Brittle Ware* (**1174** à **1177**) ou le fond de coupe en *Late Roman C* (**1178**).

1162 T94 C5
Céramique commune tournée ; dm 2 ; pâte beige ; surface beige-vert, lissée.
Vase ouvert, bord.

Karababa Basin, site 37 : Wilkinson 1990, fig. B.16 : 41 [romain tardif-byzantin ancien]
Dibsi Faraj : Harper 1980, fig. E : 68 [byzantin ancien]

1163 T94 C6
Céramique commune tournée ; dm 2 ; pâte beige-rose ; surface beige, lissée.
Vase ouvert, bord.
Karababa Basin, site 12 : Wilkinson 1990, fig. B.15 : 13 [romain tardif-byzantin ancien]

1164 T94 C4
Céramique commune tournée ; dm 2/3 ; pâte gris-noir ; surface gris-noir, lissée.
Vase ouvert, bord.
Resafa : Konrad 1992, Abb. 18 : 10 [vᵉ-début vɪᵉ s.]
Samaria : Hennessy 1970, fig. 12 : 29-31 [hellénistique]

1165 T94 C3
Céramique commune tournée ; dm 2/3 ; pâte rose ; surface verte, lissée.
Vase ouvert, bord.
Resafa : Konrad 1992, Abb. 18 : 10 [vᵉ-début vɪᵉ s.]
Samaria : Hennessy 1970, fig. 12 : 29-31 [hellénistique]

1166 T94 C2
Céramique commune tournée ; dm 2/3 ; pâte rose ; surface beige, lissée.
Vase ouvert, bord.
Resafa : Konrad 1992, Abb. 18 : 10 [vᵉ-début vɪᵉ s.]
Samaria : Hennessy 1970, fig. 12 : 29-31 [hellénistique]

1167 T94 C1
Céramique commune tournée ; dm 2/3 ; pâte rose ; surface beige, lissée.
Vase ouvert, bord.
Resafa : Konrad 1992, Abb. 18 : 10 [vᵉ-début vɪᵉ s.]
Samaria : Hennessy 1970, fig. 12 : 29-31 [hellénistique]

1168 T94 C17
Céramique commune tournée ; dm 2/3 ; pâte rose ; surface rose, lissée ; bitume à l'extérieur (traces).
Vase fermé, bord, jarre *torpedo.*

1169 T94 C7
Céramique commune tournée ; dm 2/3+ ; pâte beige-rose ; surface beige, lissée.
Vase fermé, bord.
Karababa Basin, site 12 : Wilkinson 1990, fig. B.15 : 1 [romain tardif-byzantin ancien]
Dibsi Faraj : Harper 1980, fig. E : 69 [byzantin ancien]
Resafa : Konrad 1992, Abb. 10 : 7 [vᵉ-début vɪᵉ s.]

1170 T94 C9
Céramique commune tournée ; dm 2/3+ ; pâte beige ; surface beige, lissée ; peinture brun-noir sur l'épaule.
Vase fermé, panse, céramique peinte nord-syrienne.

Karababa Basin, site 12 : Wilkinson 1990, fig. B.15 : 4 [romain tardif-byzantin ancien]
Dibsi Faraj : Harper 1980, fig. E : 70, 71 [byzantin ancien]

1171 T94 C10   (n.i.)
Céramique commune tournée ; dm 2/3+ ; pâte beige ; surface beige, lissée ; peinture brun-noir sur l'épaule (traces).
Vase fermé, panse, céramique peinte nord-syrienne.
Karababa Basin, site 12 : Wilkinson 1990, fig. B.15 : 4 [romain tardif-byzantin ancien]
Dibsi Faraj : Harper 1980, fig. E : 70, 71 [byzantin ancien]

1172 T94 C11   (n.i.)
Céramique commune tournée ; dm 2/3+ ; pâte beige ; surface beige-vert, ravalée ; peinture brun-noir sur l'épaule (traces à peine visibles).
Vase fermé, panse, céramique peinte nord-syrienne.
Karababa Basin, site 12 : Wilkinson 1990, fig. B.15 : 4 [romain tardif-byzantin ancien]
Dibsi Faraj : Harper 1980, fig. E : 70, 71 [byzantin ancien]

1173 T94 C12
Céramique commune tournée ; dm 2 ; pâte beige ; surface beige-vert, lissée ; fines incisions parallèles réunies en bandes (deux ondulées, une horizontale).
Vase fermé, panse.
Resafa : Konrad 1992, Abb. 16 : 5, 8 [vᵉ-début vɪᵉ s. apr. J.-C.]

1174 T94 C18
Céramique de cuisson tournée ; dm 1 ; pâte brun-rouge à cœur noir ; surface brun-rouge à l'intérieur, brune à l'extérieur, lissée.
Vase ouvert, bord, *Brittle Ware.*
Resafa : Konrad 1992, Abb. 8 : 6 [vᵉ-début vɪᵉ s. apr. J.-C.]

1175 T94 C13
Céramique de cuisson tournée ; dm 1/2 ; pâte rouge ; surface brun-noir, lissée.
Vase fermé, bord, *Brittle Ware.*
Halabiyya : Orssaud 1991, fig. 122 : 16 [vɪᵉ s. apr. J.-C.]

1176 T94 C14   (n.i.)
Céramique de cuisson tournée ; dm 1/2 ; pâte rouge ; surface brun-noir, lissée.
?, panse, *Brittle Ware.*

1177 T94 C15   (n.i.)
Céramique de cuisson tournée ; dm 1/2 ; pâte rouge ; surface noire, lissée.
?, panse, *Brittle Ware.*

1178 T94 C19
Céramique fine tournée ; dm 1 ; pâte orange clair ; surface orange, engobe rouge lissé à lustré.
Vase ouvert, fond, *Late Roman C.*

Site nº 95 - Taiyāni 2 (pl. 88 et 89).

Les comparaisons qu'il est possible de faire pour la céramique de ce site convergent vers une occupation au Iᵉʳ millénaire av. J.-C., à l'époque néo-assyrienne, même si plusieurs des formes représentées dans ce matériel sont encore attestées à l'époque achéménide, voire à l'époque hellénistique (**1180** à **1182, 1186, 1193** à **1195**).

Il faut noter toutefois la probabilité d'une datation antérieure, qui pourrait remonter aux xɪɪɪᵉ-xɪɪᵉ s. av. J.-C., à en juger par la présence de plusieurs formes attestées à l'époque médio-assyrienne (**1183** à **1185, 1189, 1190**).

1179 T95 C14
Céramique commune modelée ; dm 2/3+ ; pâte verte ; surface verte, ravalée.
Disque, profil.

1180 T95 C4
Céramique commune tournée ; dm 2, dv 2/3 ; pâte rose ; surface beige, lissée.
Vase ouvert, bord.
Khirbet Qasrij : Curtis 1989, 26 : 62, 63 [1ʳᵉ moitié du vɪᵉ s. av. J.-C.]
Sippar : Haerinck 1980, pl. 10 : 16 [achéménide]

1181 T95 C3
Céramique commune tournée ; dm 2(4), dv 2/3++ ; pâte brune ; surface vert kaki, lissée.
Vase ouvert, bord.
Khirbet Qasrij : Curtis 1989, fig. 29 : 99, 100 [1ʳᵉ moitié du vɪᵉ s. av. J.-C.]
Sippar : Haerinck 1980, pl. 10 : 16 [achéménide]

1182 T95 C19
Céramique commune tournée ; dm 2/3++ ; pâte rose-orange à cœur gris ; surface rose-orange, ravalée.
Vase ouvert, bord.

Khirbet Qasrij : Curtis 1989, fig. 27 : 1 [1re moitié du vie s. av. J.-C.]
Halaf : Hrouda 1962, Taf. 61 : 154 [néo-assyrien]
Sweyhat : Holland 1976, fig. 6 : 21 [hellénistique]

1183 T95 C8
Céramique commune tournée ; dm 2/3, dv 2 ; pâte beige-rose ; surface beige-rose, lissée.
Vase ouvert, bord.
Imlihiye : Boehmer et Dämmer 1985, Taf. 29 : 53 [xiiie-début xiie s. av. J.-C.]
Khirbet Qasrij : Curtis 1989, fig. 23 : 7 [1re moitié du vie s. av. J.-C.]
Fort Shalmaneser : Oates J. 1959, pl. XXXV : 6 [néo-assyrien]

1184 T95 C18
Céramique commune tournée ; dm 2/3, dv 2/3 ; pâte beige-vert ; surface gris-vert, ravalée.
Vase ouvert, bord.
Imlihiye : Boehmer et Dämmer 1985, Taf. 29 : 49 [fin xiiie-début xiie s. av. J.-C.]
Khirbet Qasrij : Curtis 1989, fig. 23 : 7 [1re moitié du vie s. av. J.-C.]
Fort Shalmaneser : Oates J. 1959, pl. XXXV : 6 [néo-assyrien]

1185 T95 C7
Céramique commune tournée ; dm 2/3, dv 2/3 ; pâte beige-brun ; surface beige, lissée.
Vase ouvert, bord.
Imlihiye : Boehmer et Dämmer 1985, Taf. 31 : 72 [xiiie-début xiie s. av. J.-C.]
Khirbet Qasrij : Curtis 1989, fig. 24 : 33 [1re moitié du vie s. av. J.-C.]
Assur : Haller 1954, Taf. 6 : b [néo-assyrien]
Fort Shalmaneser : Oates J. 1959, pl. XXXV : 23 [néo-assyrien]

1186 T95 C22
Céramique commune tournée ; dm 2/4, dv 2/3+ ; pâte beige-rose à cœur gris ; surface beige, lissée.
Vase ouvert, bord.
Khirbet Qasrij : Curtis 1989, 23 : 8 [1re moitié du vie s. av. J.-C.]
Karababa Basin, site 7 : Wilkinson 1990, fig. B.20 : 20 [début Ier mill.]
Sabra : Tunca 1987, pl. 49 : 5 [SE/PA]

1187 T95 C1
Céramique commune tournée ; dm 2/3, dv 2/3+ ; pâte beige à cœur grisâtre ; surface beige-vert, lissée.
Vase ouvert, bord.
Khirbet Qasrij : Curtis 1989, fig. 23 : 18 [1re moitié du vie s. av. J.-C.]
Karababa Basin, site 7 : Wilkinson 1990, fig. B.20 : 34 [début Ier mill.]

1188 T95 C20
Céramique commune tournée ; dm 2/3, dv 3 ; pâte brune à cœur foncé ; surface verte, lissée.
Vase ouvert, bord.

1189 T95 C5
Céramique commune tournée ; dm 2/3(5), dv 2/3 ; pâte beige-rose ; surface beige-vert, lissée ; deux petites cannelures horizontales.
Vase ouvert, bord.
Imlihiye : Boehmer et Dämmer 1985, Taf. 37 : 126 [xiiie-début xiie s. av. J.-C.]

1190 T95 C6
Céramique commune tournée ; dm 3, dv 2 ; pâte brune à brun-rose ; surface verte à vert kaki, lissée ; deux petites cannelures horizontales formant un ressaut.
Vase ouvert, bord.
Zubeidi : Boehmer et Dämmer 1985, Taf. 118 : 239 ; 119 : 240 [fin xiiie-début xiie s. av. J.-C.]
Tall Šēḫ Ḥamad : Pfälzner 1995, Taf. 109 : a [xiiie s. av. J.-C.]
Imlihiye : Boehmer et Dämmer 1985, Taf. 34 : 106 ; 35 : 111 [xiiie-début xiie s. av. J.-C.]

1191 T95 C2
Céramique commune tournée ; dm 2, dv 2/3++ ; pâte beige ; surface beige-vert, ravalée.
Vase ouvert, bord.

1192 T95 C17
Céramique fine tournée ; dm 1 ; pâte beige-rose ; surface verte, engobe verdâtre clair lissé.
Vase fermé, panse.

1193 T95 C9
Céramique commune tournée ; dm 2/3, dv 2 ; pâte beige-rose ; surface beige-vert, lissée.
Vase fermé, bord.
Khirbet Qasrij : Curtis 1989, fig. 34 : 188 194 [1re moitié du vie s. av. J.-C.]
Samaria : Hennessy 1970, fig. 13 : 26 [perse (ve-ive s.)]

1194 T95 C21
Céramique commune tournée ; dm 2(4), dv 2/3 ; pâte beige ; surface beige-vert, lissée.
Vase fermé, bord.
Khirbet Qasrij : Curtis 1989, 33 : 172 [1re moitié du vie s. av. J.-C.]
Samaria : Hennessy 1970, fig. 13 : 26 [perse (ve-ive s.)]

1195 T95 C10
Céramique commune tournée ; dm 2, dv 2 ; pâte rose ; surface beige crème, engobe lissé.
Vase fermé, bord.
Halaf : Hrouda 1962, Taf. 60 : 126 [néo-assyrien]
Sabra : Tunca 1987, pl. 75 : 14 [SE/PA]

1196 T95 C12
Céramique commune tournée (?) ; dm 2/3, dv 2/4 ; pâte brun-vert ; surface verte, ravalée ; cannelure en forme d'ondulation.
Vase ouvert, bord.

1197 T95 C11
Céramique commune tournée (?) ; dm 2/3, dv 2/3+ ; pâte brun-rouge ; surface brun clair, ravalée.
Vase fermé, bord.

Site n° 96 - Taiyāni 3 (pl. 89).

La datation de ce site est difficile à établir : les tessons retrouvés sont en trop petit nombre et renvoient à des périodes différentes, ne constituant aucune série probante. Le fragment **1198** est sans doute l'indicateur le plus sûr ; il provient d'une coupe à décor fait de losanges concentriques peints en brun-noir, datable de l'époque de Halaf, avec plusieurs parallèles, dont un géographiquement assez proche, à Umm Qseir sur le Khābūr. Le fragment **1205** présente deux petites protubérances, pour lesquelles on peut trouver des correspondances à l'époque de Halaf, notamment à Halaf même (Schmidt 1943, Taf. I, 1, 2, 8, etc., Taf. II, 8, 9, 10, 12, Taf. III, 8), mais les formes des récipients sont différentes.

Une autre phase d'occupation pourrait remonter au Bronze moyen : le fragment (**1206**), décoré d'incisions en forme d'arbre stylisé, a des parallèles au début du second millénaire avant J.-C. à Sweyhat et à Halawa, mais aussi à l'époque séleuco-parthe à Sabra. La grande coupe **1199** à fond aplati est comparable à des récipients trouvés à Haradum et à Mari, mais la présence d'un engobe rouge laisserait pencher pour une datation à l'âge du Fer ou à l'époque hellénistique. Les autres tessons n'offrent pas de parallèles clairs.

1198 T96 C9

Céramique commune tournée ; dm 2/3, dv 2 ; pâte beige-brun ;
  surface beige à beige-vert, ravalée ; peinture brun-noir (à
  l'extérieur, bande horizontale ; à l'intérieur, losanges
  concentriques).

Vase ouvert, bord.

Umm Qseir : HOLE et JOHNSON 1986-1987, fig. 8 : e [Halaf]

Halaf : SCHMIDT 1943, Taf. XLIII : 12 [Halaf]

Gawra : TOBLER 1950, pl. LXVII : b5 ; LXX, 3 [Halaf]

Arpachiyah : HIJJARA 1997, pl. LIV : 366 ; LX : 405 [Halaf]

Ninive : MALLOWAN 1933, pl. XLI : 10 [Ninivite 2]

Ninive : GUT 1995, Taf. 49 : 741 [Halaf]

1199 T96 C8

Céramique commune tournée ; dm 2/3, dv 2/3 ; pâte rose ; surface
  rose, engobe rouge intérieur et extérieur lissé.

Vase ouvert, bord.

Haradum : KEPINSKI-LECOMTE 1992, fig. 119 : 7 [XVIIIe-XVIIe s.
  av. J.-C.]

Mari : LEBEAU 1987 a, pl. II : 12 [paléobabylonien]

1200 T96 C1

Céramique commune tournée ; dm 2/3+, dv 2/3 ; pâte brun-rose ;
  surface beige, ravalée.

Vase fermé, bord.

1201 T96 C4

Céramique commune tournée ; dm 2/3+ ; pâte grise ; surface
  chamois rose ; peinture noire sur la lèvre et sous la lèvre (traces).

Vase fermé, bord.

1202 T96 C6

Céramique commune tournée ; dm 2/5, dv 2/3 ; pâte rouge à cœur
  gris ; surface beige ; traces d'arrachage d'anse.

Vase fermé, bord.

1203 T96 C3

Céramique commune tournée ; dm 2(4), dv 2 ; pâte verte ; surface
  verte, ravalée.

Vase fermé, bord.

1204 T96 C2

Céramique commune tournée ; dm 2, dv 2/3 ; pâte beige-rose ;
  surface beige, lissée.

Vase fermé, bord.

1205 T96 C13

Céramique commune tournée ; dm 2/3, dv 2/3 ; pâte beige à cœur
  vert ; surface beige crème, ravalée ; boutons proéminents sous la
  carène.

Vase fermé, panse.

Sabra : TUNCA 1987, pl. 97 : 5 [DA/Akkad]

1206 T96 C12

Céramique commune modelée (?) ; dm 2/3, dv 2/4 ; pâte brune à
  cœur rouge ; surface brune, ravalée ; incisions (motif de l'arbre).

Vase fermé, panse.

Sweyhat : HOLLAND 1980, fig. 4 : 4, 5, 6 [Akkad-Ur III]

Halawa : ORTHMANN 1981, Taf. 47 : 21 [début IIe millénaire]

Sabra : TUNCA 1987, pl. 88 : 8 [SE/PA]

Site nº 97 - Buqras 2.

La totalité de la céramique est d'époque islamique (cf. BERTHIER sous presse).

Site nº 98 - El Bel'um.

La totalité de la céramique est d'époque islamique (cf. BERTHIER sous presse).

Site nº 99 - Haddāma 1 (pl. 90).

La plupart des tessons ramassés sur ce petit site semblent pouvoir être datés du Dynastique archaïque 1 d'après les
comparaisons effectuées avec la céramique du chantier B de Mari (LEBEAU 1985 a, 1987 b).

1207 T99 C7

Céramique commune tournée ; dm 2 ; pâte beige-rose ; surface
  beige, lissée.

Vase ouvert, bord.

Mari : LEBEAU 1985 a, pl. XXVIII : 3 [DA 1]

1208 T99 C8

Céramique commune tournée ; dm 2 ; pâte rose ; surface beige,
  lissée.

Vase ouvert, bord.

Mari : LEBEAU 1985 a, pl. XXVII : 4 [DA 1]

1209 T99 C5

Céramique commune tournée ; dm 2/3 ; pâte rose ; surface beige,
  lissée.

Vase ouvert, bord.

Mari : LEBEAU 1985 a, pl. XXIII : 11 [DA 1]

1210 T99 C6

Céramique mi-fine tournée ; dm 1/2 ; pâte rose ; surface brune,
  lissée.

Vase ouvert, bord.

Mari : LEBEAU 1985 a, pl. XXIII : 16 [DA 1]

1211 T99 C4

Céramique commune tournée ; dm 2/3 ; pâte rose ; surface rose,
  ravalée.

Vase ouvert, bord.

Mari : LEBEAU 1985 a, pl. XXIII : 10 ; XXIX : 2 ; etc. [DA 1]

1212 T99 C9

Céramique commune tournée ; dm 2 ; pâte beige-vert ; surface
  beige-vert, ravalée.

Vase ouvert, bord.

Mari : LEBEAU 1985 a, pl. XXIII : 22 [DA 1]

1213 T99 C10

Céramique commune tournée ; dm 2(4) ; pâte verte ; surface beige-
  vert, lissée.

Vase ouvert, bord.

1214 T99 C3

Céramique commune tournée ; dm 2/3+ ; pâte beige-vert ; surface
  beige, lissée.

Vase fermé, bord.

Mari : LEBEAU 1987 b, pl. III : 10 [DA 1]

1215 T99 C1

Céramique commune tournée ; dm 2/3+ ; pâte beige-rose ; surface
  beige, lissée.

Vase fermé, bord.

Mari : LEBEAU 1987 b, pl. III : 6 [DA 1]

1216 T99 C2

Céramique commune tournée ; dm 2/3(5) ; pâte beige ; surface
  beige, lissée.

Vase fermé, bord.

Mari : LEBEAU 1985 a, pl. XIII : 26 [DA 3]

Mari : LEBEAU 1987 b, pl. III : 17 [DA 1]

1217 T99 C11

Céramique commune tournée ; dm 2/3 ; pâte rose ; surface beige
  clair, lissée.

Vase ouvert, fond.

Site n° 100 - El Hawāij.

La totalité de la céramique est d'époque islamique (cf. BERTHIER sous presse).

Site n° 101 - Dībān 6 (pl. 90).

Sur les neufs tessons conservés, quatre ont des parallèles possibles à l'époque paléobabylonienne à Mari et à Haradum (**1219, 1221** à **1223**). Le bord **1218** ressemble aux bords de jattes/bassins de l'époque paléochrétienne, que l'on peut trouver, entre autres, à Resafa ; il peut donc aussi appartenir au début de l'époque islamique. Le fond **1225**, recouvert de glaçure verte, peut être comparé à une petite cruche trouvée à Uruk et datée de l'époque parthe tardive ; mais ce type de glaçure existe depuis l'époque néobabylonienne et se poursuit pendant toute la période parthe et sassanide.

1218 T101 C4
Céramique commune tournée ; dm 2/3 ; pâte beige à cœur rose ; surface beige à beige-vert, ravalée.
Vase ouvert, bord.
Resafa : KONRAD 1992, Abb. 15 : 3, 5 [v^e-début vi^e s. apr. J.-C.]

1219 T101 C8
Céramique commune tournée ; dm 2/3, dv 2/3 ; pâte noire ; surface verte, ravalée.
Vase ouvert, bord.
Mari : LEBEAU 1987 a, pl. III : 6 [paléobabylonien]
Haradum : KEPINSKI-LECOMTE 1992, fig. 120 : 9 [XVIIIe-XVIIe s. av. J.-C.]

1220 T101 C6
Céramique commune tournée ; dm 2/3, dv 2 ; pâte rose ; surface beige à beige-vert, lissée.
Vase fermé, bord.

1221 T101 C3
Céramique commune tournée ; dm 2/3, dv 2/3 ; pâte verte ; surface beige-vert, lissée.
Vase fermé, bord.
Haradum : KEPINSKI-LECOMTE 1992, fig. 62 : 2 [XVIIIe-XVIIe s. av. J.-C.]

1222 T101 C2
Céramique commune tournée ; dm 2/3, dv 2/3 ; pâte gris-vert ; surface vert kaki, lissée.
Vase fermé, bord.
Haradum : KEPINSKI-LECOMTE 1992, fig. 90 : 8 [XVIIIe-XVIIe s. av. J.-C.]

1223 T101 C1
Céramique commune tournée ; dm 2/3, dv 2/4 ; pâte rose ; surface verdâtre, lissée.
Vase ouvert, bord.
Haradum : KEPINSKI-LECOMTE 1992, fig. 103 : 3 [XVIIIe-XVIIe s. av. J.-C.]

1224 T101 C7
Céramique commune tournée ; dm 2, dv 2 ; pâte rose ; surface beige à beige-vert, lissée.
Vase fermé, bord.

1225 T101 C9
Céramique fine tournée ; dm 1 ; pâte brun clair ; surface brun clair, polie, engobe vert clair sur la panse.
Vase fermé, fond.
Uruk : STROMMENGER 1967, Taf. 28 : 4 [parthe récent]

Site n° 102 - Dheina 5.

Site sans céramique visible.

Site n° 103 - Dheina 6.

Site sans céramique visible.

Site n° 104 - Buseire 2 (pl. 91).

Deux cols (**1231, 1232**) appartiennent sans doute à des amphores nord-syriennes peintes ou à une fabrique comparable. Le fragment de bord **1227** semble pouvoir appartenir à une coupe (ou couvercle) à marli concave, habituellement décoré de petites impressions obliques, comme on en trouve à l'époque byzantine. Deux fragments à pâte orange assez fine et à la surface lustrée (**1226** et **1229**) sont des importations d'*African Red Slip* (sigillée africaine D), très répandue du ive au début du viie s.

1226 T104 C11
Céramique mi-fine tournée ; dm 1/2/3 ; pâte orange ; surface orange, polie et lustrée à l'intérieur.
Vase ouvert, bord, *Late Roman Fine Ware (African Red Slip).*
Resafa (FP 72/73) : MACKENSEN 1984, Taf. 19 : 24 [vi^e s. apr. J.-C.]

1227 T104 C7
Céramique commune tournée ; dm 2/3(4)+ ; pâte rose ; surface beige à beige-rose, lissée.
Vase ouvert, bord.
Fechērije : KANTOR 1958, pl. 42 : 11, 12 (avec décor sur la lèvre) [byzantin (?)]
Qseir es-Seile : MACKENSEN 1984, Taf. 29 : 3 [vi^e s. apr. J.-C.]
Halabiyya : ORSSAUD 1991, fig. 124 : 57, 58 [vi^e s. apr. J.-C.]

1228 T104 C9
Céramique commune tournée ; dm 1/2/3 ; pâte rouge ; surface rouge.

Vase ouvert, bord.
Sabra : TUNCA 1987, pl. 48 : 3, 12 [SE/PA]

1229 T104 C10
Céramique mi-fine tournée ; dm 1/2 ; pâte orange ; surface orange, polie et lustrée à l'intérieur et à l'extérieur.
Vase ouvert, bord, *Late Roman Fine Ware (African Red Slip* type 104B).
Dibsi Faraj : HARPER 1980, fig. B : 19 [romain tardif]
Halabiyya : ORSSAUD 1991, fig. 124 : 70 [fin vi^e-milieu viie s. apr. J.-C.]

1230 T104 C2
Céramique commune tournée ; dm 1/2 ; pâte rose ; surface rose, lissée.
Vase ouvert, bord.
Resafa : KONRAD 1992, Abb. 18 : 10 [v^e-début vi^e s. apr. J.-C.]

1231 T104 C6
Céramique commune tournée ; dm 2/3+ ; pâte rose ; surface verte, ravalée.
Vase fermé, bord.
Karababa Basin, site 12 : Wilkinson 1990, fig. B.15 : 1 [romain tardif-byzantin ancien]
Dibsi Faraj : Harper 1980, fig. E : 69 [byzantin ancien]

1232 T104 C4
Céramique commune tournée ; dm 2 ; pâte beige-vert ; surface verte, lissée ; anse verticale.
Vase fermé, bord.
Karababa Basin, site 26 : Wilkinson 1990, fig. B.16 : 4 [romain tardif-byzantin ancien]

Site n° 105 - Es Salu 5 (pl. 91 et 92).

Tous les tessons appartiennent à des formes bien attestées au Bronze moyen, pendant la période paléobabylonienne, tant à Mari qu'à Haradum.

1233 T105 C2
Céramique commune tournée ; dm 2+, dv 2/3 ; pâte beige-vert ; surface beige crème à l'intérieur ; beige-vert à l'extérieur, lissée.
Vase ouvert, bord.
Haradum : Kepinski-Lecomte 1992, fig. 111 : 4 [XVIIIᵉ-XVIIᵉ s. av. J.-C.]

1234 T105 C4
Céramique commune tournée ; dm 2/3++, dv 2/3 ; pâte verte ; surface brun crème, ravalée.
Vase ouvert, bord.
Haradum : Kepinski-Lecomte 1992, fig. 111 : 3 [XVIIIᵉ-XVIIᵉ s. av. J.-C.]

1235 T105 C1
Céramique commune tournée ; dm 2/3, dv 2 ; pâte rose ; surface verte, lissée.
Vase ouvert, bord.
Haradum : Kepinski-Lecomte 1992, fig. 119 : 6 [XVIIIᵉ-XVIIᵉ s. av. J.-C.]

1236 T105 C12
Céramique commune tournée ; dm 2/3, dv 2 ; pâte beige ; surface verte, ravalée.
Vase ouvert, bord.

1237 T105 C11
Céramique commune tournée ; dm 2/3++, dv 2/3 ; pâte beige-vert ; surface beige-vert, ravalée.
Vase ouvert, bord.
Haradum : Kepinski-Lecomte 1992, fig. 110 : 6 [XVIIIᵉ-XVIIᵉ s. av. J.-C.]

1238 T105 C27
Céramique commune tournée ; dm 2+ ; pâte rose ; surface beige-jaune, lissée.
Vase fermé, bord.
Mari : Lebeau 1983 a, fig. 3 : 5, 6 [XVIIIᵉ s. av. J.-C.]
Haradum : Kepinski-Lecomte 1992, fig. 90 : 1-3 [XVIIIᵉ-XVIIᵉ s. av. J.-C.]

1239 T105 C29
Céramique commune tournée ; dm 2/3 ; pâte brune ; surface brun-vert, lissée ; bitume sur la lèvre.
Vase fermé, bord.
Mari : Lebeau 1983 a, fig. 5 : 9 [XIXᵉ s. av. J.-C.]

1240 T105 C30
Céramique commune tournée ; dm 2/3+ ; pâte brun-rouge ; surface vert kaki, ravalée ; bitume sur la lèvre.
Vase fermé, bord.
Mari : Lebeau 1983 a, fig. 5 : 9 [XIXᵉ s. av. J.-C.]

1241 T105 C8
Céramique commune tournée ; dm 2/3+, dv 2/3 ; pâte brun-rose ; surface vert kaki, ravalée.
Vase fermé, bord.

1242 T105 C28
Céramique commune tournée ; dm 2/3+ ; pâte verte ; surface verte, lissée ; bitume sur la partie supérieure de la lèvre.

Vase fermé, bord.
Mari : Lebeau 1983 a, fig. 5 : 9 [XIXᵉ s. av. J.-C.]

1243 T105 C7
Céramique commune tournée ; dm 2/3+ ; pâte beige-rose ; surface vert-gris, lissée.
Vase fermé, bord.

1244 T105 C16
Céramique commune tournée ; dm 2/3 ; pâte brun-vert à cœur noir ; surface vert kaki, ravalée ; bitume (traces).
Vase fermé, bord.
Haradum : Kepinski-Lecomte 1992, fig. 62 : 2 ; 78 : 2, 3 [XVIIIᵉ-XVIIᵉ s. av. J.-C.]

1245 T105 C20
Céramique commune tournée ; dm 2/3, dv 2/3 ; pâte beige-rose ; surface beige crème, lissée ; bitume (bande horizontale sur le col, bandes verticales sur la panse sous le col).
Vase fermé, bord.
Haradum : Kepinski-Lecomte 1992, fig. 62 : 2 ; 78 : 2, 3 [XVIIIᵉ-XVIIᵉ s. av. J.-C.]

1246 T105 C21
Céramique commune tournée ; dm 2/3, dv 2/3 ; pâte verte ; surface vert kaki, ravalée ; bitume (traces de bande horizontale).
Vase fermé, bord.
Haradum : Kepinski-Lecomte 1992, fig. 62 : 2 ; 78 : 2, 3 [XVIIIᵉ-XVIIᵉ s. av. J.-C.]

1247 T105 C17
Céramique commune tournée ; dm 2/3, dv 3 ; pâte brune ; surface vert kaki, ravalée.
Vase fermé, bord.
Haradum : Kepinski-Lecomte 1992, fig. 78 : 2 [XVIIIᵉ-XVIIᵉ s. av. J.-C.]

1248 T105 C19
Céramique commune tournée ; dm 2/3, dv 2/3 ; pâte verte à cœur noir ; surface vert kaki, ravalée.
Vase fermé, bord.
Haradum : Kepinski-Lecomte 1992, fig. 70 [XVIIIᵉ-XVIIᵉ s. av. J.-C.]

1249 T105 C25
Céramique commune tournée ; dm 2/3++ ; pâte vert sombre ; surface vert kaki à noire, ravalée.
Vase fermé, bord.
Haradum : Kepinski-Lecomte 1992, fig. 84 : 5 [XVIIIᵉ-XVIIᵉ s. av. J.-C.]
Mari : Lebeau 1987 a, pl. III : passim [paléobabylonien]

1250 T105 C26
Céramique commune tournée ; dm 2/3++, dv 3 ; pâte vert sombre ; surface vert kaki à vert très sombre, ravalée.
Vase fermé, bord.
Mari : Lebeau 1987 a, pl. III : 19 [paléobabylonien]
Nippur : McCown et Haines 1967, pl. 95 : 9 [BM]

1251 T105 C6
Céramique commune tournée ; dm 2/3+, dv 2 ; pâte brun à beige ; surface vert kaki, lissée.
Vase ouvert, bord.

Site n° 106 - Abu Leil 3.

La totalité de la céramique est d'époque islamique (cf. BERTHIER sous presse).

Site n° 107 - Taiyāni 4.

La totalité de la céramique est d'époque islamique (cf. BERTHIER sous presse).

Site n° 108 - Es Salu 4.

La totalité de la céramique est d'époque islamique (cf. BERTHIER sous presse).

Site n° 109 - Dībān 7 (pl. 93 et 94).

Cinq bords (1252 à 1254 et deux non conservés) d'écuelles grossières du type *Bevelled-Rim Bowl* sont caractéristiques de l'époque d'Uruk. De la même période peuvent provenir les bords 1267 à 1269 ainsi que le fragment de panse 1270, décoré d'incisions irrégulières.

De nombreux fragments ont des parallèles au Bronze ancien, notamment à Mari. Parmi les plus caractéristiques, on peut signaler un fragment de « céramique métallique » (1271) et des fragments de jarres à gros bourrelets sur la panse (1282 à 1285), bien attestées dans la Diyala au Dynastique archaïque 3 et à la période d'Akkad.

L'occupation du site au Bronze moyen est attestée par quelques tessons, dont les bords de jarres à petit col vertical et à lèvre à trois ressauts sur la face externe (1275 à 1277) et le fragment (1264) de grande coupe à fond aplati et bord à lèvre aplatie et étirée à l'intérieur et à l'extérieur, pour lequel des comparaisons existent à Mari et à Haradum.

1252 T109 C19
Céramique commune modelée ; dm 2/3 ; pâte rose-orange ; surface beige, lissée.
Vase ouvert, bord, *Bevelled-Rim Bowl.*
Ḥabūba Kabira-Süd : SÜRENHAGEN 1978, Tab. 1 : 19 [fin IVᵉ millénaire av. J.-C.]
Diyala : DELOUGAZ 1952, pl. 168 : c.002.210 [protolit. c]

1253 T109 C18
Céramique commune modelée ; dm 2/3(4), dv 2/3 ; pâte verte ; surface verte.
Vase ouvert, bord, *Bevelled-Rim Bowl.*
Ḥabūba Kabira-Süd : SÜRENHAGEN 1978, Tab. 1 : 19 [fin IVᵉ millénaire av. J.-C.]
Diyala : DELOUGAZ 1952, pl. 168 : c.002.210 [protolit. c]

1254 T109 C17
Céramique commune modelée ; dm 2/3, dv 2/3 ; pâte verte ; surface vert clair.
Vase ouvert, bord, *Bevelled-Rim Bowl.*
Ḥabūba Kabira-Süd : SÜRENHAGEN 1978, Tab. 1 : 19 [fin IVᵉ millénaire av. J.-C.]
Diyala : DELOUGAZ 1952, pl. 168 : c.002.210 [protolit. c]

1255 T109 C25
Céramique commune tournée ; dm 2/3 ; pâte rose ; surface beige, lissée.
Vase ouvert, bord.
Mari : LEBEAU 1987 b, pl. II : 28 [DA 1]

1256 T109 C26
Céramique commune tournée ; dm 2/3 ; pâte rose ; surface beige, lissée.
Vase ouvert, bord.
Mari : LEBEAU 1987 b, pl. II : 28 [DA 1]

1257 T109 C32
Céramique commune tournée ; dm 2/3 ; pâte rose ; surface rose, lissée.
Vase ouvert, bord.
Mari : LEBEAU 1985 a, *passim* [BA]

1258 T109 C29
Céramique commune tournée ; dm 2/3 ; pâte rose ; surface rose, lissée.
Vase ouvert, bord.
Mari : LEBEAU 1985 a, *passim* [BA]

1259 T109 C30
Céramique commune tournée ; dm 2 ; pâte beige ; surface verte, lissée.
Vase ouvert, bord.
Mari : LEBEAU 1985 a, *passim* [BA]

1260 T109 C31
Céramique commune tournée ; dm 2/3++ ; pâte vert sombre ; surface vert sombre, ravalée.
Vase ouvert, bord.
Mari : LEBEAU 1985 a, *passim* [BA]

1261 T109 C27
Céramique commune tournée ; dm 2/3(4)+ ; pâte beige-rose ; surface beige verdâtre, ravalée.
Vase ouvert, bord.
Mari : LEBEAU 1987 b, pl. II : 28 [DA 1]

1262 T109 C28
Céramique commune tournée ; dm 2/3(4)+ ; pâte rose ; surface rose, lissée.
Vase ouvert, bord.
Mari : LEBEAU 1985 a, *passim* [BA]

1263 T109 C22
Céramique commune tournée ; dm 2/3 ; pâte noire ; surface noire, lissée.
Vase ouvert, bord.
Haradum : KEPINSKI-LECOMTE 1992, fig. 119 : 5 [XVIIIᵉ-XVIIᵉ s. av. J.-C.]

1264 T109 C21
Céramique commune tournée ; dm 2/3, dv 2/3+ ; pâte brune ; surface brune, ravalée.
Vase ouvert, bord.
Mari : LEBEAU 1983 a, fig. 9 : 2 [paléobabylonien]
Mari : LEBEAU 1987 a, pl. II : 12, 13 [paléobabylonien]
Haradum : KEPINSKI-LECOMTE 1992, fig. 120 : 10 [XVIIIᵉ-XVIIᵉ s. av. J.-C.]

1265 T109 C20
Céramique commune tournée ; dm 2/3, dv 2/3 ; pâte verte ; surface verte, lissée.
Vase ouvert, bord.

1266 T109 C9
Céramique commune tournée ; dm 2/3+ ; pâte rose ; surface beige verdâtre à beige-rose, lissée.

Vase fermé, bord.
Haradum : Kepinski-Lecomte 1992, fig. 112 : 3 [XVIIIᵉ-XVIIᵉ s. av. J.-C.]

1267 T109 C10
Céramique commune tournée ; dm 2/3(5) ; pâte verte ; surface verte, lissée.

Vase fermé, bord.
Ḥabūba Kabira-Süd : Sürenhagen 1978, Tab. 30 : 27 [fin IVᵉ millénaire av. J.-C.]

1268 T109 C6
Céramique commune tournée ; dm 2/3+ ; pâte beige-vert ; surface beige, lissée.

Vase fermé, bord.
Ḥabūba Kabira-Süd : Sürenhagen 1978, Tab. 27 : 119 [fin IVᵉ millénaire av. J.-C.]

1269 T109 C33
Céramique commune tournée ; dm 2/3(4), dv 2 ; pâte beige-brun ; surface beige-vert, ravalée.

Vase fermé, bord.
Ḥabūba Kabira-Süd : Sürenhagen 1978, Tab. 28 : 130 [fin IVᵉ millénaire av. J.-C.]

1270 T109 C36
Céramique commune modelée (?) ; dm 2/3, dv 2 ; pâte rose à cœur gris ; surface rose, lissée ; incisions irrégulières.

Vase fermé, panse.
Umm Qseir : Hole et Johnson 1986-1987, fig. 13 : w [Uruk]

1271 T109 C15
Céramique fine tournée ; dm 1 ; pâte rose ; surface beige clair, lissée.

Vase fermé, bord, *Metallische Ware.*
Mari : Lebeau 1985 a, pl. XXVII : 29 [DA 1]

1272 T109 C1
Céramique commune tournée ; dm 2/3 ; pâte brune ; surface verte, lissée.

Vase fermé, bord.
Mari : Lebeau 1985 a, pl. XXIV : 4 [DA 1]

1273 T109 C8
Céramique commune tournée ; dm 2/3 ; pâte rose ; surface beige verdâtre à beige, lissée.

Vase fermé, bord.
Mari : Lebeau 1985 a, pl. II : 18 19 [Akkad]

1274 T109 C2
Céramique commune tournée ; dm 2/4 ; pâte rose à cœur gris ; surface verte, lissée.

Vase fermé, bord.
Mari : Lebeau 1985 a, pl. II : 18 19 [Akkad]

1275 T109 C11
Céramique commune tournée ; dm 2/3+ ; pâte verte ; surface verte, lissée.

Vase fermé, bord.
Halawa : Orthmann 1981, Taf. 55 : 20, 24 [fin BA]
Abou Danné : Tefnin 1980, pl. VII : 6 [BM]

1276 T109 C12
Céramique commune tournée ; dm 2/4+ ; pâte beige ; surface verte, ravalée.

Vase fermé, bord.
Halawa : Orthmann 1981, Taf. 55 : 20, 24 [fin BA]
Abou Danné : Tefnin 1980, pl. VII : 6 [BM]

1277 T109 C13
Céramique commune tournée ; dm 2/3 ; pâte beige à cœur rose ; surface beige verdâtre, lissée.

Vase fermé, bord.
Halawa : Orthmann 1981, Taf. 55 : 20, 24 [fin BA]
Abou Danne : Tefnin 1980, pl. VII : 6 [BM]

1278 T109 C4
Céramique commune tournée ; dm 2/3 ; pâte beige-rose ; surface beige, lissée.

Vase fermé, bord.
1279 T109 C7
Céramique commune tournée ; dm 2/3 ; pâte rose ; surface beige, lissée.

Vase fermé, bord.
Mari : Lebeau 1985 a, pl. XXIV : 8, 10, 12 [DA 1]

1280 T109 C42
Céramique commune tournée ; dm 2/3+ ; pâte verte ; surface verte, ravalée.

Vase fermé, fond.
Mari : Lebeau 1985 a, pl. VI : 11 [DA 3]
Sabra : Tunca 1987, pl. 51 : 3 ; 52 [DA 3/Akkad]

1281 T109 C41
Céramique commune tournée ; dm 2/3, dv 3 ; pâte rose ; surface verte, lissée.

Vase fermé, fond.
Mari : Lebeau 1985 a, pl. VI : 11 [DA 3]
Sabra : Tunca 1987, pl. 51 : 3 ; 52 [DA 3/Akkad]

1282 T109 C37
Céramique commune tournée ; dm 2/3 ; pâte beige à cœur rose ; surface beige verdâtre, lissée ; cannelures sur l'épaule.

Vase fermé, panse.
Diyala : Delougaz 1952, pl. 177 : c.504.370 [DA 3]

1283 T109 C39
Céramique commune tournée ; dm 2/3+ ; pâte brun-rose ; surface rose, lissée.

Vase fermé, panse.
Diyala : Delougaz 1952, pl. 176 : c.475.360 ; pl. 177 : c.505.370c ; pl. 187 : c.655.370a, b, c ; c.655.460 [Akkad récent-DA 3]
Sabra : Tunca 1987, pl. 85 : 10-12 [DA 3/Akkad]

1284 T109 C38
Céramique commune tournée ; dm 2/3+ ; pâte rose ; surface beige-vert à beige-rose, lissée.

Vase fermé, panse.
Diyala : Delougaz 1952, pl. 176 : c.475.360 ; pl. 177 : c.505.370c ; pl. 187 : c.655.370a, b, c ; c.655.460 [Akkad récent-DA 3]
Sabra : Tunca 1987, pl. 85 : 10-12 [DA 3/Akkad]

1285 T109 C40
Céramique commune tournée ; dm 2/3 ; pâte verte à cœur rose ; surface beige verdâtre clair, lissée.

Vase fermé, panse.
Diyala : Delougaz 1952, pl. 176 : c.475.360 ; pl. 177 : c.505.370c ; pl. 187 : c.655.370a, b, c ; c.655.460 [Akkad récent-DA 3]
Sabra : Tunca 1987, pl. 85 : 10-12 [DA 3/Akkad]

Site nᵒ 110 - Taiyāni 5 (pl. 95).

L'ensemble de la céramique a des parallèles à l'époque hellénistique, bien qu'aucune forme indiscutable n'ait été trouvée. Les bords de grandes jarres (**1290, 1291**) peuvent être comparés à ceux des récipients semblables trouvés à Nimrud, mais sans décor peint. Le fond **1292**, en forme de petit bouton convexe, est attesté dès l'époque néo-assyrienne, par exemple à Assur ou à Khirbet Qasrij.

1286 T110 C9
Céramique commune tournée ; dm 2/3 ; pâte rose ; surface beige, ravalée.
Vase ouvert, bord.
Nimrud : OATES D. 1968, fig. 16 : 61 [hellénistique]
Samaria : HENNESSY 1970, fig. 11 : 27 [hellénistique]

1287 T110 C6
Céramique commune tournée ; dm 2/3+ ; pâte rose à cœur gris ; surface beige, lissée (extérieur délité).
Vase ouvert, bord.
Nimrud : OATES D. 1968, fig. 15 : 36, 37 [hellénistique]

1288 T110 C7
Céramique commune tournée ; dm 2/3, dv 2/3 ; pâte beige-vert ; surface beige, ravalée.
Vase ouvert, bord.
Nimrud : OATES D. 1968, fig. 15 : 36, 37 [hellénistique]

1289 T110 C5
Céramique commune tournée ; dm 2/3+, dv 2 ; pâte verte à cœur noir ; surface vert clair, lissée.
Vase fermé, bord.

Samaria : HENNESSY 1970, fig. 11 : 16 [hellénistique]
Sweyhat : HOLLAND 1976, fig. 6 : 31 [hellénistique]

1290 T110 C2
Céramique commune tournée ; dm 2/3(5), dv 2/3 ; pâte verte à cœur rose ; surface verte, lissée ; peinture brun-noir (bandes horizontales irrégulières).
Vase fermé, bord.
Nimrud : OATES D. 1968, fig. 19 : 119 [hellénistique]

1291 T110 C1
Céramique commune tournée ; dm 2/3, dv 3 ; pâte verte à cœur brun ; surface verdâtre, ravalée ; peinture brun-noir (bandes horizontales).
Vase fermé, bord.
Nimrud : OATES D. 1968, fig. 19 : 119 [hellénistique]

1292 T110 C10
Céramique commune tournée ; dm 2/3(4), dv 2/3 ; pâte beige à cœur rosé ; surface beige, lissée.
Vase fermé, fond.
Assur : HALLER 1954, Taf. 3 : ae, af, ai [néo-assyrien]
Khirbet Qasrij : CURTIS 1989, fig. 43 : 412 [1re moitié du VIe s. av. J.-C.]
Nimrud : OATES D. 1968, fig. 19 : 108, 110, 117 [hellénistique]

Site n° 111 - Taiyāni 6 (pl. 95 et 96).

Si deux bords sont vraisemblablement des fragments de cols de jarres carénées nord-syriennes de l'époque romaine tardive (**1298, 1299**), aucun fragment peint caractéristique de ce type de jarre n'a été retrouvé, non plus que de *Brittle Ware*. Quatre autres fragments peuvent être datés de l'époque romaine tardive avec des parallèles à Resafa (**1293, 1294, 1296, 1297**). Le fragment **1295** n'a pas de parallèle précis à cette époque, mais est une forme courante depuis l'âge du Fer. Un fragment informe à glaçure bleu turquoise, tirant vers le blanc, peut être daté de l'époque parthe à l'époque islamique.

1293 T111 C7
Céramique commune tournée ; dm 2/3++ ; pâte rose ; surface beige.
Vase ouvert, bord.
Resafa : KONRAD 1992, Abb. 14 : 6 [v^e-début VIe s. apr. J.-C.]

1294 T111 C1
Céramique commune tournée ; dm 2/3++ ; pâte brun-rose ; surface brun-rose, ravalée.
Vase ouvert, bord.
Resafa : KONRAD 1992, Abb. 17 : 9 ; 18 : 10 [v^e-début VIe s. apr. J.-C.]

1295 T111 C6
Céramique commune tournée ; dm 2/3 ; pâte verte ; surface verte, ravalée.
Vase ouvert, bord.
Sabra : TUNCA 1987, pl. 48 et 49 [SE/PA]
Nimrud : LINES 1954, pl. XXXVII : 5 [néo-assyrien]

1296 T111 C3
Céramique commune tournée ; dm 2/3 ; pâte verte ; surface verte, lissée.
Vase fermé, bord.
Resafa : KONRAD 1992, Abb. 12 : 6 [v^e-début VIe s. apr. J.-C.]

1297 T111 C8
Céramique commune tournée ; dm 2/3(4) ; pâte rose ; surface beige-rose, ravalée.
Vase fermé, bord (?).
Resafa : KONRAD 1992, Abb. 10 : 9 [v^e-début VIe s. apr. J.-C.]

1298 T111 C10
Céramique commune tournée ; dm 2/3+ ; pâte beige-vert ; surface beige-vert, ravalée ; anse verticale.
Vase fermé, bord.
Karababa Basin, site 12 : WILKINSON 1990, fig. B.15 : 2 [romain tardif-byzantin ancien]
Resafa : KONRAD 1992, Abb. 10 : 2 [v^e-début VIe s. apr. J.-C.]

1299 T111 C9
Céramique commune tournée ; dm 2/3+ ; pâte beige-vert ; surface beige-vert, ravalée ; anse verticale.
Vase fermé, bord.
Karababa Basin, site 37 : WILKINSON 1990, fig. B.16 : 36 [romain tardif-byzantin ancien]
Resafa : KONRAD 1992, Abb. 10 : 10 [v^e-début VIe s. apr. J.-C.]

Site n° 112 - El Fleif 1 (pl. 96).

La plupart des tessons sont datables de l'époque romaine tardive, en particulier deux fragments de jarres carénées à décor de spirales peint en rouge ou brun-rouge (**1309, 1310**) et deux bords de jarres de même fabrique (**1307, 1308**). Plusieurs bords de jattes/bassins ont des comparaisons à cette époque à Resafa ou à Halabīya. Une lampe (**1306**) est caractéristique de la fin de cette époque (forme ovale, profil anguleux, petit tenon conique vertical, canal reliant le trou de remplissage et celui servant à mettre la mèche) ; ce type est commun dans toute la Syrie de la deuxième moitié du VIe s. et du premier quart du VIIe s., avec des comparaisons à Halabīya, Hama et Antioche. Cinq fragments de *Brittle Ware*, dont deux ont été conservés (**1311, 1312**), corroborent cette datation.

Pour la céramique islamique, se reporter à BERTHIER sous presse.

1300 T112 C7
Céramique commune tournée ; dm 2/3 ; pâte beige ; surface beige, ravalée.

Disque (?), profil.
Resafa : KONRAD 1992, Abb. 20 : 17 [v^e-début VIe s. apr. J.-C.]

1301 T112 C12
Céramique commune tournée ; dm 2/3 ; pâte verte ; surface verte, lissée.
Vase ouvert, bord.

1302 T112 C13
Céramique commune tournée ; dm 2/3 ; pâte verte ; surface verte, lissée.
Vase ouvert, bord.

1303 T112 C11
Céramique commune tournée ; dm 2/3 ; pâte verte ; surface verte, lissée.
Vase ouvert, bord.
Resafa : KONRAD 1992, Abb. 15 : 2 [v^e-début vi^e s. apr. J.-C.]

1304 T112 C5
Céramique commune tournée ; dm 2 ; pâte beige-rose à cœur gris ; surface verte, lissée.
Vase ouvert, bord.

1305 T112 C2
Céramique commune tournée ; dm 2/3 ; pâte rose ; surface verte, lissée.
Vase ouvert, bord.
Karababa Basin, site 14 : WILKINSON 1990, fig. B.15 : 37 [romain tardif-byzantin ancien]
Resafa : KONRAD 1992, Abb. 18 : 10 [v^e-début vi^e s. apr. J.-C.]

1306 T112 C16
Céramique commune modelée ; dm 1/2 ; pâte rose ; surface rose, ravalée ; forme ovale à profil anguleux ; petit tenon conique vertical.
Lampe, complète.
Ḥalabiyya : ORSSAUD 1991, fig. 124 : 42-45 [vi^e-viie s. apr. J.-C.]
Hama : PAPANICOLAOU CHRISTENSEN 1986, fig. 13b (541) [byzantin (milieu vi^e à 2e quart du viie s. apr. J.-C.)]

1307 T112 C1
Céramique commune tournée ; dm 2/3 ; pâte rose ; surface beige, lissée ; anse verticale.
Vase fermé, bord.
Karababa Basin, site 7 : WILKINSON 1990, fig. B.22 : 35 [romain tardif-byzantin ancien]
Resafa : KONRAD 1992, Abb. 10 [v^e-début vi^e s. apr. J.-C.]

1308 T112 C4
Céramique commune tournée ; dm 2/3+ ; pâte beige-vert ; surface rose à verte, lissée.
Vase fermé, bord.
Karababa Basin, site 7 : WILKINSON 1990, fig. B.16 : 10 [romain tardif-byzantin ancien]

1309 T112 C8
Céramique commune tournée ; dm 2/3+ ; pâte beige ; surface beige, lissée ; peinture brun-rouge.
Vase fermé, panse, céramique peinte nord-syrienne.

1310 T112 C9
Céramique commune tournée ; dm 2/3+ ; pâte beige ; surface beige, lissée ; peinture brun-rouge/noir (spirale).
Vase fermé, panse, céramique peinte nord-syrienne.
Karababa Basin, site 12 : WILKINSON 1990, fig. B.15 : 4 [romain tardif-byzantin ancien]
Fechērije : HROUDA 1961, Abb. 5 : b [romain tardif-byzantin]

1311 T112 C14   (n.i.)
Céramique de cuisson tournée ; dm 1 ; pâte rouge ; surface rouge, ravalée.
Vase fermé, panse, *Brittle Ware.*

1312 T112 C15   (n.i.)
Céramique de cuisson tournée ; dm 1/2 ; pâte rouge ; surface noire à l'extérieur, ravalée.
Vase fermé, panse, *Brittle Ware.*

Site n° 113 - El Fleif 2 (pl. 97).

Trois fragments, l'un de jatte/bassin (**1317**), les deux autres de petites coupes (**1313** et **1314**), ont des comparaisons à Resafa ou à Halabiya au vi^e s. de notre ère. Toutefois, aucun fragment de *Brittle Ware* ou d'amphore peinte nord-syrienne n'ayant été trouvé, une datation plus tardive est possible.

Le reste de la céramique est d'époque islamique (cf. BERTHIER sous presse).

1313 T113 C1
Céramique commune tournée ; dm 2/3 ; pâte beige ; surface beige, lissée.
Vase ouvert, bord.
Resafa : KONRAD 1992, Abb. 19 : 7 [v^e-début vi^e s. apr. J.-C.]

1314 T113 C4
Céramique commune tournée ; dm 2 ; pâte beige à l'intérieur ; verte à l'extérieur ; surface beige, lissée.
Vase ouvert, bord.
Resafa : KONRAD 1992, Abb. 19 : 3 [v^e-début vi^e s. apr. J.-C.]

1315 T113 C5
Céramique commune tournée ; dm 2/3 ; pâte rose ; surface beige, ravalée.
Vase ouvert, bord.

1316 T113 C3
Céramique commune tournée ; dm 2 ; pâte verte ; surface beige-vert, lissée ; légère cannelure à l'extérieur.
Vase ouvert, bord.

1317 T113 C7
Céramique commune tournée ; dm 2/3 ; pâte gris-vert ; surface beige verdâtre, lissée ; bitume à l'extérieur.
Vase ouvert, bord.
Ḥalabiyya : ORSSAUD 1991, fig. 121 : 11 [vi^e s. apr. J.-C.]

1318 T113 C2
Céramique commune tournée ; dm 2/3 ; pâte beige-jaune ; surface beige, lissée ; bitume à l'intérieur et sur le bord.
Vase fermé, bord.

1319 T113 C6
Céramique commune tournée ; dm 2/3 ; pâte beige-rose ; surface beige, lissée.
Vase fermé (?), bord.

Site n° 114 - El Fleif 3.

La totalité de la céramique est d'époque islamique (cf. BERTHIER sous presse).

Site n° 115 - Mazlūm 1 (pl. 97 et 98).

Les tessons sont caractéristiques de l'époque romaine tardive ; outre quatre fragments de jarres carénées nord-syriennes à décor de spirales peint en rouge ou brun-rouge (**1323, 1328** à **1330**), plusieurs bords de jarres (**1324** à **1327, 1331, 1334**) de couleur crème appartiennent sans doute au même type de vases. Trois fragments à engobe rouge, dont deux conservés (**1338, 1339**), appartiennent à la fabrique de céramique fine *African Red Slip* (sigillée africaine D). Deux fragments de *Brittle Ware* (**1340, 1341**) et deux non conservés confirment cette datation.

    Le reste de la céramique est d'époque islamique (cf. BERTHIER sous presse).

1320 T115 C9
Céramique commune tournée ; dm 2/3++ ; pâte rose ; surface beige, lissée.
Vase ouvert, bord.
Barri : RICCIARDI VENCO 1982, n° 26 [1ʳᵉ moitié du ɪɪɪᵉ s. apr. J.-C.]
Resafa : KONRAD 1992, Abb. 19 : 19 [vᵉ-début vɪᵉ s. apr. J.-C.]

1321 T115 C20
Céramique commune tournée ; dm 2/3 ; pâte rose ; surface beige-vert, ravalée.
Vase ouvert, bord.
Resafa : KONRAD 1992, Abb. 18 : 10 [vᵉ-début vɪᵉ s. apr. J.-C.]

1322 T115 C18
Céramique commune tournée ; dm 2/3 ; pâte beige-vert ; surface verte, lissée.
Vase ouvert, bord.
Resafa : KONRAD 1992, Abb. 15 : 1 [vᵉ-début vɪᵉ s. apr. J.-C.]

1323 T115 C15
Céramique commune tournée ; dm 2/3 ; pâte beige ; surface beige, lissée ; peinture rouge (bande horizontale, traces ténues).
Vase fermé, bord, céramique peinte nord-syrienne.
Karababa Basin (site 12) : WILKINSON 1990, fig. B.15 : 1 [romain tardif-byzantin ancien]
Al-Quṣair : MACKENSEN 1984, Taf. 25 : 23 [vɪᵉ s. apr. J.-C.]

1324 T115 C16
Céramique commune tournée ; dm 2+ ; pâte beige-vert ; surface beige-vert, lissée.
Vase fermé, bord.
Resafa : KONRAD 1992, Abb. 10 : 7 [vᵉ-début vɪᵉ s. apr. J.-C.]

1325 T115 C1
Céramique commune tournée ; dm 2/3+ ; pâte beige ; surface beige, lissée.
Vase fermé, bord.
Karababa Basin, site 8 : WILKINSON 1990, fig. B.25 : 24 [romain tardif-byzantin ancien]
Resafa : KONRAD 1992, Abb. 10 : 3 [vᵉ-début vɪᵉ s. apr. J.-C.]

1326 T115 C3
Céramique commune tournée ; dm 2/3++ ; pâte beige ; surface beige, lissée.
Vase fermé, bord.
Karababa Basin, site 32 : WILKINSON 1990, fig. B.16 : 10 [romain tardif-byzantin ancien]
Resafa : KONRAD 1992, Abb. 10 : 10 [vᵉ-début vɪᵉ s. apr. J.-C.]

1327 T115 C6
Céramique commune tournée ; dm 2/3++ ; pâte beige ; surface beige, ravalée.
Vase fermé, bord.
Karababa Basin, site 32 : WILKINSON 1990, fig. B.16 : 10 [romain tardif-byzantin ancien]
Resafa : KONRAD 1992, Abb. 10 : 3 [vᵉ-début vɪᵉ s. apr. J.-C.]

1328 T115 C11
Céramique commune tournée ; dm 2/3+ ; pâte beige ; surface beige, lissée ; peinture rouge.
Vase fermé, panse, céramique peinte nord-syrienne.
Karababa Basin, site 6 : WILKINSON 1990, fig. B.17 : 41 [romain tardif-byzantin ancien]
Fechērīje : HROUDA 1961, Abb. 5 : b [romain tardif-byzantin]

1329 T115 C12
Céramique commune tournée ; dm 2/3+ ; pâte beige-rose ; surface beige, lissée ; peinture brun-noir.
Vase fermé, panse, céramique peinte nord-syrienne.

Karababa Basin, site 14 : WILKINSON 1990, fig. B.15 : 29 [romain tardif-byzantin ancien]
Fechērīje : HROUDA 1961, Abb. 5 : c [romain tardif-byzantin]

1330 T115 C10
Céramique commune tournée ; dm 2/3/4+ ; pâte rose à cœur gris ; surface beige, lissée ; peinture brun-noir.
Vase fermé, panse, céramique peinte nord-syrienne.
Karababa Basin, site 6 : WILKINSON 1990, fig. B.17 : 42 [romain tardif-byzantin]

1331 T115 C2
Céramique commune tournée ; dm 2/3+ ; pâte beige ; surface beige, lissée ; traces de feu.
Vase fermé, bord.
Karababa Basin, site 26 : WILKINSON 1990, fig. B.16 : 4 [romain tardif-byzantin ancien]

1332 T115 C4
Céramique commune tournée ; dm 2/3++ ; pâte beige ; surface beige, ravalée.
Vase fermé, bord.
Resafa : KONRAD 1992, Abb. 11 : 7 [vᵉ-début vɪᵉ s. apr. J.-C.]

1333 T115 C7
Céramique commune tournée ; dm 2 ; pâte beige-vert ; surface beige-vert, lissée.
Vase ouvert, bord.
Resafa : KONRAD 1992, Abb. 19 : 3 [vᵉ-début vɪᵉ s. apr. J.-C.]

1334 T115 C8
Céramique commune tournée ; dm 2/3++ ; pâte beige-vert ; surface beige-vert, ravalée.
Vase fermé, bord.
Karababa Basin, site 6 : WILKINSON 1990, fig. B.17 : 20 [romain tardif-byzantin ancien]

1335 T115 C17
Céramique commune tournée ; dm 2/3 ; pâte rose ; surface verte, lissée.
Vase fermé, bord.

1336 T115 C19
Céramique commune tournée ; dm 2/3(5) ; pâte rose ; surface beige-rose, ravalée.
Vase fermé, bord.

1337 T115 C21
Céramique commune tournée ; dm 2/3 ; pâte beige-rose ; surface beige-vert, lissée.
Vase ouvert, fond.

1338 T115 C22
Céramique fine tournée ; dm 1 ; pâte rouge ; surface rouge, engobe rouge à brun-rouge lissé.
Vase ouvert, bord, *African Red Slip* (Hayes, type IIIF).
Resafa : KONRAD 1992, Abb. 6 : 5-10 [1ʳᵉ moitié du vɪᵉ s. apr. J.-C.]

1339 T115 C23
Céramique fine tournée ; dm 1 ; pâte rouge ; surface rouge, engobe rouge lissé.
Vase ouvert, fond, *African Red Slip.*

1340 T115 C13   (n.i.)
Céramique de cuisson tournée ; dm 1 ; pâte rouge ; surface brun-noir, lissée.
Vase fermé (?), panse, *Brittle Ware.*

1341 T115 C14   (n.i.)
Céramique de cuisson tournée ; dm 1 ; pâte brun-rouge ; surface noire, lissée.
Vase fermé (?), panse, *Brittle Ware.*

Site n° 116 - Mazlūm 2 (pl. 98).

En dehors d'un fragment à dégraissant minéral et végétal (1347) qui trouverait une comparaison au Bronze ancien (époque d'Ur III), le reste de la céramique retrouvée est homogène et est à dater de la période romaine tardive (vi⁰ s. de notre ère). Parmi les fragments les plus significatifs, on peut noter un tesson de *Brittle Ware* (1348) et un autre d'amphore peinte nord-syrienne (1344). Le profil 1342 est typique de cette époque avec plusieurs comparaisons à Resafa.

1342 T116 C1
Céramique commune tournée ; dm 1/3 ; pâte rose ; surface beige, lissée.
Vase ouvert, profil.
Resafa : Konrad 1992, Abb. 19 : 2, 6, 7 [vᵉ-début vıᵉ s. apr. J.-C.]

1343 T116 C7
Céramique mi-fine tournée ; dm 1/2 ; pâte rose ; surface beige, lissée.
Vase fermé, bord.
Resafa : Konrad 1992, Abb. 20 : 1 [vᵉ-début vıᵉ s. apr. J.-C.]

1344 T116 C6
Céramique commune tournée ; dm 2/3+ ; pâte beige ; surface beige, lissée ; peinture brun-noir (bande horizontale, rangée de demi-cercles).
Vase ouvert, panse, céramique peinte nord-syrienne.

1345 T116 C3
Céramique commune tournée ; dm 2/3+ ; pâte verte ; surface verte, lissée.

Vase fermé, bord.
Resafa : Mackensen 1984, Taf. 20 : 9 [vıᵉ s. apr. J.-C.]

1346 T116 C2
Céramique commune tournée ; dm 1/2(3) ; pâte rose ; surface beige, lissée.
Vase fermé, bord.
Resafa : Konrad 1992, Abb. 20 : 6 [vᵉ-début vıᵉ s. apr. J.-C.]

1347 T116 C9
Céramique commune tournée ; dm 2/3, dv 2/3 ; pâte gris-noir ; surface vert kaki, ravalée.
Vase fermé, bord.
Mari : Lebeau 1985 a, pl. I : 16, 20 [Ur III]

1348 T116 C8   (n.i.)
Céramique de cuisson tournée ; dm 1 ; pâte brun-rouge ; surface brun-rouge, lissée.
Vase fermé, panse, *Brittle Ware.*

Site n° 117 - El Fleif 4 (pl. 98).

Les quelques tessons provenant de ce site ne donnent pas d'élément réellement fiable pour en assurer la datation. Il semble bien toutefois que les bords 1354 et 1355 appartiennent à des jarres *torpedo*, dont l'existence est connue pendant la période romaine et jusqu'au début de l'époque islamique ; un fragment de jatte (1349) a un parallèle à Resafa, de dimensions plus réduites. Le matériel de ce site est peut-être à dater de l'époque romaine tardive, mais aucun fragment caractéristique de céramique peinte nord-syrienne ou de *Brittle Ware* n'a été retrouvé.

Le reste de la céramique est d'époque islamique (cf. Berthier sous presse).

1349 T117 C4
Céramique commune tournée ; dm 2 ; pâte verte ; surface beigeasse, lissée.
Vase ouvert, bord.
Resafa : Konrad 1992, Abb. 18 : 7 [vᵉ-début vıᵉ s. apr. J.-C.]
Resafa : Mackensen 1984, Taf. 14 : 16 [vıᵉ s. apr. J.-C.]

1350 T117 C6
Céramique commune tournée ; dm 2/3+ ; pâte beige ; surface beige, ravalée.
Vase fermé, bord.

1351 T117 C5
Céramique commune tournée ; dm 2/3 ; pâte rose ; surface beige à beige-vert, lissée ; bourrelet repoussé au doigt.
Vase fermé, bord.
'Aǧīǧ-Gebiet : Bernbeck 1993, Abb. 140 : n [vıᵉ-vııᵉ s. apr. J.-C.]

1352 T117 C3
Céramique commune tournée ; dm 2/3+ ; pâte verte ; surface verdâtre, ravalée.
Vase fermé, bord.
'Aǧīǧ-Gebiet : Bernbeck 1993, Abb. 140 : 5 [ııᵉ-vııᵉ s. apr. J.-C.]

1353 T117 C2
Céramique commune tournée ; dm 2/3 ; pâte beige à cœur gris ; surface verdâtre, ravalée ; petit bourrelet incisé sous le bord.
Vase fermé, bord.

1354 T117 C8
Céramique commune tournée ; dm 2/3 ; pâte beige verdâtre ; surface verdâtre, ravalée.
Vase fermé, bord.

1355 T117 C1
Céramique commune tournée ; dm 2(4) ; pâte rose ; surface verte, lissée ; bitume à l'intérieur et sur le bord à l'extérieur ; coulures à l'extérieur.
Vase fermé, bord, jarre *torpedo.*
'Āna : Killick 1988, fig. 34 : 83 ; 35 : 91 [parthe ; sassanide ancien]
'Āna : Northedge 1988, fig. 37 : 9 [sassanide moyen]
'Aǧīǧ-Gebiet : Bernbeck 1993, Abb. 143 : b, e

1356 T117 C7
Céramique commune tournée ; dm 2/3 ; pâte beige ; surface beige-vert, lissée.
Vase fermé, fond (?).

Site n° 118 - Rweshed 1 (pl. 99).

Deux bords (1358, 1359) de coupelles, ou couvercles, dont l'extrémité supérieure de la panse, infléchie vers l'extérieur, est décorée de petites incisions verticales, ont des parallèles à Resafa à l'époque romaine tardive. Il en est de même pour le bord de jatte 1360. Les fragments 1361 et 1362 appartiennent sans doute à des amphores typiques de cette époque. Aucun fragment peint de cette fabrique n'a été retrouvé. La *Brittle Ware* n'est pas attestée.

Le reste de la céramique est d'époque islamique (cf. Berthier sous presse).

1357 T118 C6
Céramique commune tournée ; dm 2/3 ; pâte rose ; surface verte, lissée.

Vase ouvert, bord.
Resafa : Konrad 1992, Abb. 17 : 5 [vᵉ-début vıᵉ s. apr. J.-C.]

1358 T118 C4
Céramique commune tournée ; dm 2/3 ; pâte rose ; surface verte, ravalée ; incisions sur le bord.
Vase ouvert, bord.
Resafa : KONRAD 1992, Abb. 19 : 5 [v^e-début vi^e s. apr. J.-C.]

1359 T118 C5
Céramique commune tournée ; dm 2/3 ; pâte rose ; surface beige, lissée ; incisions sur le bord.
Vase ouvert, bord.
Resafa : KONRAD 1992, Abb. 19 : 5 [v^e-début vi^e s. apr. J.-C.]

1360 T118 C3
Céramique commune tournée ; dm 2(4) ; pâte rose ; surface verte, lissée ; cannelure ondulée sur le bord.
Vase ouvert, bord.
Resafa : KONRAD 1992, Abb. 15 : 7 [v^e-début vi^e s. apr. J.-C.]

1361 T118 C8
Céramique commune tournée ; dm 2/3+ ; pâte rose ; surface verte, ravalée.
Vase fermé, bord.
Resafa : KONRAD 1992, Abb. 11 : 3 [v^e-début vi^e s. apr. J.-C.]

1362 T118 C7
Céramique commune tournée ; dm 2(3) ; pâte verte ; surface verte, ravalée.
Vase fermé, bord.
Resafa : KONRAD 1992, Abb. 10 : 3 [v^e-début vi^e s. apr. J.-C.]

1363 T118 C1
Céramique commune tournée ; dm 2/3 ; pâte beige-vert ; surface verte, lissée.
Vase fermé, bord.

1364 T118 C2
Céramique commune tournée ; dm 2/3 ; pâte brun-rose ; surface verdâtre, ravalée.
Vase fermé, bord.

1365 T118 C9
Céramique commune modelée ; dm 2/3 ; pâte rose ; surface verte, ravalée ; petits boutons (4).
Vase fermé, anse.
Fechērije : HROUDA 1961, Abb. 4 : e [sassanide]

Site n° 119 - El Fleif 5 (pl. 99).

La céramique de ce site est à dater de l'époque romaine tardive : trois fragments peints d'amphores nord-syriennes (**1368** à **1370**), auxquels il convient d'ajouter un fragment de col du même type de céramique (**1367**) et deux fragments informes de *Brittle Ware* (**1371**, **1372**).

Le reste de la céramique est d'époque islamique (cf. BERTHIER sous presse).

1366 T119 C2
Céramique commune tournée ; dm 2/3+ ; pâte beige ; surface beige, ravalée.
Vase fermé, bord.
Karababa Basin, site 26 : WILKINSON 1990, fig. B.16 : 4 [romain tardif-byzantin ancien]

1367 T119 C3
Céramique commune tournée ; dm 2/3 ; pâte beige ; surface beige, lissée.
Vase fermé, bord.
Karababa Basin, site 37 : WILKINSON 1990, fig. B.16 : 36 [romain tardif-byzantin ancien]
Resafa : KONRAD 1992, Abb. 10 : 10 [v^e-début vi^e s. apr. J.-C.]

1368 T119 C6
Céramique commune tournée ; dm 2/3 ; pâte rose à cœur gris ; surface rose, lissée ; peinture rouge (bande horizontale et volutes).
Vase fermé, panse, céramique peinte nord-syrienne.

1369 T119 C4 (n.i.)
Céramique commune tournée ; dm 2/3 ; pâte beige ; surface beige, lissée ; peinture rouge à brun (bande horizontale).
Vase fermé, panse, céramique peinte nord-syrienne.

1370 T119 C5 (n.i.)
Céramique commune tournée ; dm 2/3 ; pâte beige-rose ; surface beige, lissée ; peinture brun-rouge (bande horizontale).
Vase fermé, panse, céramique peinte nord-syrienne.

1371 T119 C8 (n.i.)
Céramique de cuisson tournée ; dm 1 ; pâte rouge ; surface noire, ravalée.
Vase fermé (?), panse, *Brittle Ware*.

1372 T119 C9 (n.i.)
Céramique de cuisson tournée ; dm 1 ; pâte rouge ; surface brun-noir, ravalée.
Vase fermé (?), panse, *Brittle Ware*.

Site n° 120 - Es Sabkha 1 (pl. 99).

Les rares tessons trouvés sur ce site sont à dater du Ier millénaire av. J.-C., sans doute de la période néo-assyrienne.

1373 T120 C5
Céramique commune tournée ; dm 2/3, dv 2 ; pâte rose ; surface beige, lissée.
Vase ouvert, bord.
Nippur : McCOWN et HAINES 1967, pl. 97 : 18 [kassite à achéménide]
Halaf : HROUDA 1962, Taf. 61 : 152, 153 [néo-assyrien]
Khirbet Qasrij : CURTIS 1989, fig. 29 : 99 [1re moitié du vi^e s. av. J.-C.]
Uruk : STROMMENGER 1967, Taf. 5 : 6 [néobabylonien]
Sippar : HAERINCK 1980, pl. 10 : 16 [achéménide (vi^e-iiie s.)]

1374 T120 C4
Céramique commune tournée ; dm 2/3, dv 2/3 ; pâte rose ; surface rose, lissée.

Vase fermé, bord.
Khirbet Qasrij : CURTIS 1989, fig. 34 : 186 : 36 : 217 [1re moitié du vi^e s. av. J.-C.]
Samaria : HENNESSY 1970, fig. 14 : 2 [perse (v^e-ive s av.)]
Sippar : HAERINCK 1980, pl. 13 : 19 ; 15 : 9 [achéménide (vi^e-iiie s.)]

1375 T120 C2
Céramique commune tournée ; dm 2/3 ; pâte rose ; surface rose, engobe beige-vert épais lissé.
Vase ouvert, bord.
Fort Shalmaneser : OATES J. 1959, pl. XXXV : 15, 16 [néo-assyrien]
Khirbet Qasrij : CURTIS 1989, fig. 30 : 112-115 [1re moitié du vi^e s. av. J.-C.]

Site n° 121 - Shheil 2 (pl. 100 et 101).

Si la plupart des tessons ont des correspondances au Ier millénaire av. J.-C., notamment à l'époque néo-assyrienne, plusieurs fragments de pied fusiformes (4 conservés sur une dizaine ramassés : **1394** à **1397**) sont typiques de la période kassite. Une petite coupe à fond arrondi et lèvre amincie (**1376**) a des parallèles au Bronze ancien (Chuera, Mari), mais est peut-être à dater aussi de l'époque néo-assyrienne, si on la compare à une coupe similaire, mais à lèvre arrondie, trouvée à Assur (Haller 1954, Taf. 6 : ao). Le bord de grande jarre à bourrelet horizontal sous la lèvre (**1390**) ainsi que plusieurs autres fragments (non conservés) similaires et présentant des traces de bitume sur la paroi extérieure, sont attestés à l'époque néo-assyrienne, mais peuvent aussi renvoyer au Bronze moyen.

1376 T121 C26
Céramique commune tournée (?) ; dm 2/3, dv 2/3 ; pâte rose ; surface rose, lissée.
Vase ouvert, profil.
Chuera : Kühne 1976, Abb. 155 [DA]
Mari : Lebeau 1985 a, pl. XXII : 8 [DA 2/1]
Assur : Haller 1954, Taf. 6 : ao [néo-assyrien]

1377 T121 C18
Céramique commune tournée ; dm 2/3, dv 2/3 ; pâte rose ; surface rose, lissée.
Vase ouvert, bord.
Halaf : Hrouda 1962, Taf. 61 : 162 [néo-assyrien]

1378 T121 C20
Céramique commune tournée ; dm 2/3, dv 2/3 ; pâte verte ; surface verte, lissée.
Vase ouvert, bord.
Imlihiye : Boehmer et Dämmer 1985, Taf. 29 : 46, 53 [XIIIᵉ-XIIᵉ s. av. J.-C.]
Nimrud : Lines 1954, XXXVII : 6 [néo-assyrien]
Fort Shalmaneser : Oates J. 1959, pl. XXXV : 6 [néo-assyrien]

1379 T121 C19
Céramique commune tournée ; dm 2/3, dv 2/3 ; pâte rose ; surface verte, lissée ; bitume à l'intérieur et sur le bord extérieur.
Vase ouvert, bord.
Halaf : Hrouda 1962, Taf. 61 : 166 [néo-assyrien]

1380 T121 C15
Céramique commune tournée ; dm 2/3 ; pâte vert kaki ; surface vert kaki, lissée.
Vase ouvert, bord.
Fakhariyah : Kantor 1958, pl. 39 : 102 [âge du Fer]
Halaf : Hrouda 1962, Taf. 61 : 157 [néo-assyrien]

1381 T121 C11
Céramique commune tournée ; dm 2/3+ ; pâte gris-vert ; surface verte, ravalée.
Vase fermé, bord.
Abou Danné : Lebeau 1983 b, type ABC47 ; pl. CXXVIII : 3 [Fer II/III]

1382 T121 C8
Céramique commune tournée ; dm 2/3, dv 2/3 ; pâte beige ; surface beige-brun, lissée ; petites incisions à l'extrémité de la lèvre.
Vase fermé, bord.
Khirbet Qasrij : Curtis 1989, fig. 32 : 165 [1ʳᵉ moitié du VIᵉ s. av. J.-C.]

1383 T121 C14
Céramique commune tournée ; dm 2/3, dv 2/3 ; pâte verte ; surface verte, ravalée.
Vase fermé, bord.
Zubeidi : Boehmer et Dämmer 1985, Taf. 126 : 295 [fin XIIIᵉ-début XIIᵉ s. av. J.-C.]

1384 T121 C13
Céramique commune tournée ; dm 2/3 ; pâte verte ; surface verte, lissée.
Vase fermé, bord.
Khirbet Qasrij : Curtis 1989, fig. 32 : 157 [1ʳᵉ moitié du VIᵉ s. av. J.-C.]

1385 T121 C3
Céramique commune tournée ; dm 2/3, dv 2/3 ; pâte vert kaki, lissée.
Vase fermé, bord.

Khirbet Qasrij : Curtis 1989, fig. 34 : 195 ; 39 : 253 [1ʳᵉ moitié du VIᵉ s. av. J.-C.]

1386 T121 C4
Céramique commune tournée ; dm 2/3, dv 2/4 ; pâte verte ; surface verte, lissée.
Vase fermé, bord.
Khirbet Qasrij : Curtis 1989, fig. 39 : 255 [1ʳᵉ moitié du VIᵉ s. av. J.-C.]

1387 T121 C7
Céramique commune tournée ; dm 2/3 ; pâte rose à cœur gris ; surface rose, lissée ; petites incisions à l'extrémité de la lèvre.
Vase fermé, bord.
Khirbet Qasrij : Curtis 1989, fig. 42 : 291 [1ʳᵉ moitié du VIᵉ s. av. J.-C.]

1388 T121 C6
Céramique commune tournée ; dm 2/3(4), dv 2/4 ; pâte vert kaki ; surface verte, lissée.
Vase fermé, bord.
Qasrij Cliff : Curtis 1989, fig. 11 : 51 [VIIIᵉ s. av. J.-C.]

1389 T121 C5
Céramique commune tournée ; dm 2/3, dv 2/3 ; pâte verte ; surface verte, lissée.
Vase fermé, bord.
Qasrij Cliff : Curtis 1989, fig. 11 : 51 [VIIIᵉ s. av. J.-C.]

1390 T121 C1
Céramique commune tournée ; dm 2/3, dv 2/4+ ; pâte verte ; surface verte, lissée.
Vase fermé, bord.
Haradum : Kepinski-Lecomte 1992, fig. 73 : 2 [XVIIIᵉ-XVIIᵉ s. av. J.-C.]
Khirbet Qasrij : Curtis 1989, fig. 38 : 248 [1ʳᵉ moitié du VIᵉ s. av. J.-C.]

1391 T121 C24
Céramique de cuisson modelée ; dm 2/3(5), dv 2/3 ; pâte verte ; surface verte, lissée ; anse verticale à section rectangulaire.
Vase fermé, bord.
Abou Danné : Lebeau 1983b, type MM4 ; pl. XLVIII : 5 ; XLIX : 1, 2 [Fer II/III]
Fort Shalmaneser : Oates J. 1959, pl. XXXIX : 108 [néo-assyrien]

1392 T121 C9
Céramique commune tournée ; dm 2/3(5), dv 2/4 ; pâte verte ; surface verte, lissée.
Vase fermé, bord.
Abou Danné : Lebeau 1983b, type JP2 ; pl. LXXX : 3 [Fer II/III]

1393 T121 C28
Céramique commune modelée ; dm 2/3 ; pâte verte ; surface verte, lissée.
Vase fermé, fond.
Ur : Woolley 1965, pl. 40 : 32, 35 [kassite-néobabylonien]
Nippur : McCown et Haines 1967, pl. 98 : 16 [kassite]
Zubeidi : Boehmer et Dämmer 1985, Taf. 131 : *passim* [fin XIIIᵉ-début XIIᵉ s. av. J.-C.]

1394 T121 C31
Céramique commune modelée ; dm 2/3(4), dv 2/3 ; pâte verte ; surface verte, lissée.
Vase fermé, fond.
Ur : Woolley 1965, pl. 41 : 43 [Larsa-kassite]
Nippur : McCown et Haines 1967, pl. 98 : 16 [kassite]
Zubeidi : Boehmer et Dämmer 1985, Taf. 128 : 342, 348 [fin XIIIᵉ-début XIIᵉ s. av. J.-C.]

1395 T121 C30
Céramique commune modelée ; dm 2/3(4), dv 2/3 ; pâte verte ;
 surface verte, lissée.
Vase fermé, fond.
Ur : WOOLLEY 1965, pl. 41 : 43 [Larsa-kassite]
Nippur : McCOWN et HAINES 1967, pl. 98 : 16 [kassite]
Zubeidi : BOEHMER et DÄMMER 1985, Taf. 128 : 342, 348 [fin XIIIe-
 début XIIe s. av. J.-C.]

1396 T121 C29   (n.i.)
Céramique commune modelée ; dm 2/3(4), dv 2/3 ; pâte rose ;
 surface verte, lissée.

Vase fermé, fond.
Ur : WOOLLEY 1965, pl. 41 : 43 [Larsa-kassite]
Nippur : McCOWN et HAINES 1967, pl. 98 : 16 [kassite]
Zubeidi : BOEHMER et DÄMMER 1985, Taf. 128 : 342, 348 [fin XIIIe-
 début XIIe s. av. J.-C.]

1397 T121 C32   (n.i.)
Céramique commune modelée ; dm 2/3, dv 2 ; pâte beige-rose ;
 surface verte, lissée ; bitume au fond.
Vase fermé, fond.
Ur : WOOLLEY 1965, pl. 41 : 43 [Larsa-kassite]
Nippur : McCOWN et HAINES 1967, pl. 98 : 16 [kassite]

Site n° 122 - Mazār Sheikh Ibrāhīm.

La totalité de la céramique est d'époque islamique (cf. BERTHIER sous presse).

Site n° 123 - Dībān 8 (pl. 101).

Les sept fragments, *a priori* non islamiques, retrouvés et conservés sont des bords de coupes qui ne présentent pas de caractéristiques suffisantes pour pouvoir être datés.
Le reste de la céramique est d'époque islamique (cf. BERTHIER sous presse).

1398 T123 C2
Céramique commune tournée ; dm 2/3 ; pâte brun-rose ; surface
 brun-rose, ravalée.
Vase ouvert, bord.

1399 T123 C1
Céramique commune tournée ; dm 2/3(5) ; pâte brune ; surface gris
 verdâtre, ravalée.
Vase ouvert, bord.

1400 T123 C4
Céramique commune tournée ; dm 2/3 ; pâte rose ; surface beige-
 rose, ravalée.
Vase ouvert, bord.

1401 T123 C3
Céramique commune tournée ; dm 2/3 ; pâte verte ; surface verte,
 ravalée.
Vase ouvert, bord.

1402 T123 C6
Céramique commune tournée ; dm 2/3 ; pâte beige-jaune ; surface
 beige-jaune, lissée.
Vase ouvert, bord.

1403 T123 C7
Céramique commune tournée ; dm 2/3(5) ; pâte brun-rose ; surface
 beige-rose, ravalée.
Vase ouvert, bord.

1404 T123 C5
Céramique commune tournée ; dm 2/3 ; pâte verte ; surface gris-
 vert, ravalée.
Vase ouvert, bord.

Site n° 124 - El Graiye 4 (pl. 102).

Quatre des cinq fragments présentés sont des bords de jattes ou de bassins comparables au matériel retrouvé à Resafa aux ve et vi^e s., mais peuvent aussi avoir des parallèles à l'époque islamique. Dans la mesure où aucun fragment de céramique peinte nord-syrienne ou de *Late Roman* n'a été repéré, il est difficile de dater avec certitude les fragments présentés de l'époque romaine tardive.
Le reste de la céramique est d'époque islamique (cf. BERTHIER sous presse).

1405 T124 C4
Céramique commune tournée ; dm 2/3+ ; pâte rose ; surface verte,
 lissée.
Vase ouvert, bord.
Resafa : KONRAD 1992, Abb. 14 : 5, 6 [v^e-début vi^e s. apr. J.-C.]

1406 T124 C3
Céramique commune tournée ; dm 2/3+ ; pâte brune ; surface beige
 grisâtre, ravalée.
Vase ouvert, bord.
Resafa : MACKENSEN 1984, Taf. 26 : 6 [v^e-début vi^e s. apr. J.-C.]

1407 T124 C5
Céramique commune tournée ; dm 2/3 ; pâte gris-vert ; surface
 verte, lissée.

Vase ouvert, bord.
Resafa : KONRAD 1992, Abb. 14 : 7 [v^e-début vi^e s. apr. J.-C.]

1408 T124 C2
Céramique commune tournée ; dm 2/3+ ; pâte beige-rose ; surface
 beige-vert, ravalée.
Vase ouvert, bord.

1409 T124 C1
Céramique commune tournée ; dm 2/3 ; pâte rose ; surface beige à
 beige-vert, lissée.
Vase ouvert (bassin), bord.
Resafa : KONRAD 1992, Abb. 15 [v^e-début vi^e s. apr. J.-C.]

Site n° 125 - Maqbarat Fandi.

La totalité de la céramique est d'époque islamique (cf. BERTHIER sous presse).

Site n° 126 - Abu Hardūb 1 (pl. 102 et 103).

La céramique retrouvée en surface est dans une grande proportion rongée par le sel, ce qui a détérioré certaines formes et rend le traitement de la surface des tessons peu visible. La quasi-totalité des tessons ramassés est datable de la fin de l'époque kassite, aux XIIIe et XIIe s. av. J.-C. Signalons notamment la présence de deux pieds fusiformes particulièrement typiques de cette époque (**1441, 1442**). Parmi les formes ouvertes, plusieurs coupes ou bols à panse carénée et bord convexe sont largement attestés à l'époque médio-assyrienne, même si plusieurs d'entre eux le sont dès le Bronze moyen (**1417, 1418, 1419**) ; le **1416** présente une paroi intérieure à peu près rectiligne et une carène extérieure surmontée d'un important rétrécissement de la paroi ; d'autres bords de coupes à parois rectilignes (**1410** à **1415**) sont attestés depuis le Bronze ancien jusqu'à l'époque perse. La plupart des cols de jarres présentent des parallèles à l'époque médio-assyrienne.

1410 T126 C51
Céramique commune tournée ; dm 2/3, dv 2/3 ; pâte vert kaki ; surface vert kaki, lissée.
Vase ouvert, bord.
Mari : LEBEAU 1985 a, pl. I : 1 ; II : 2 ; III : 1, 5 [Ur III-Akkad-DA 3]
Mari : LEBEAU 1985 b, p. 129 : 1-8 [BA IVa]
Assur : HALLER 1954, Taf. 2 : av [médio-assyrien]
Nippur : McCOWN et HAINES 1967, pl. 97 : 7 [kassite, assyrien]
Ur : WOOLLEY 1965, pl. 38 : 1-4 [Larsa, kassite jusqu'à époque perse]

1411 T126 C50
Céramique commune tournée ; dm 2/3, dv 2/3+ ; pâte vert kaki ; surface vert kaki, lissée.
Vase ouvert, bord.
Mari : LEBEAU 1985 a, pl. I : 1 ; II : 2 ; III : 1, 5 [Ur III-Akkad-DA 3]
Mari : LEBEAU 1985 b, p. 129 : 1-8 [BA IVa]
Assur : HALLER 1954, Taf. 2 : av [médio-assyrien]
Nippur : McCOWN et HAINES 1967, pl. 97 : 7 [kassite, assyrien]
Ur : WOOLLEY 1965, pl. 38 : 1-4 [Larsa, kassite jusqu'à époque perse]

1412 T126 C58
Céramique commune tournée ; dm 2/3(5), dv 2/3 ; pâte vert kaki ; surface vert kaki, ravalée.
Vase ouvert, bord.
Imlihiye : BOEHMER et DÄMMER 1985, Taf. 28 : 28 [XIIIe s. av. J.-C.]

1413 T126 C48
Céramique commune tournée ; dm 2/3, dv 2/4 ; pâte beige-vert ; surface beige-vert.
Vase ouvert, bord.
Mari : LEBEAU 1985 a, pl. I : 1 ; II : 2 ; III : 1, 5 [Ur III-Akkad-DA 3]
Mari : LEBEAU 1985 b, p. 129 : 1-8 [BA IVa]
Assur : HALLER 1954, Taf. 2 : av [médio-assyrien]
Nippur : McCOWN et HAINES 1967, pl. 97 : 7 [kassite, assyrien]
Ur : WOOLLEY 1965, pl. 38 : 1-4 [Larsa, kassite jusqu'à époque perse]

1414 T126 C52
Céramique commune tournée ; dm 2/3, dv 2/3+ ; pâte vert kaki ; surface vert kaki, ravalée.
Vase ouvert, bord.
Mari : LEBEAU 1985 a, pl. I : 1 ; II : 2 ; III : 1, 5 [Ur III-Akkad-DA 3]
Mari : LEBEAU 1985 b, p. 129 : 1-8 [BA IVa]
Assur : HALLER 1954, Taf. 2 : av [médio-assyrien]
Nippur : McCOWN et HAINES 1967, pl. 97 : 7 [kassite, assyrien]
Ur : WOOLLEY 1965, pl. 38 : 1-4 [Larsa, kassite jusqu'à époque perse]

1415 T126 C49
Céramique commune tournée ; dm 2/3, dv 2/4 ; pâte vert kaki ; surface vert kaki, lissée.
Vase ouvert, bord.
Mari : LEBEAU 1985 a, pl. I : 1 ; II : 2 ; III : 1, 5 [Ur III-Akkad-DA 3]
Mari : LEBEAU 1985 b, p. 129 : 1-8 [BA IVa]
Assur : HALLER 1954, Taf. 2 : av [médio-assyrien]
Nippur : McCOWN et HAINES 1967, pl. 97 : 7 [kassite, assyrien]
Ur : WOOLLEY 1965, pl. 38 : 1-4 [Larsa, kassite jusqu'à époque perse]

1416 T126 C46
Céramique commune modelée ; dm 2, dv 2 ; pâte rose à verte ; surface beige, ravalée.
Vase ouvert, bord.
Tall Šēḫ Ḥamad : PFÄLZNER 1995, Taf. 105 : e [médio-assyrien]
Ur : WOOLLEY 1965, pl. 38 : 9 [kassite (?)]
Imlihiye : BOEHMER et DÄMMER 1985, Taf. 29 : 38-40 [XIIIe-début XIIe s. av. J.-C.]

1417 T126 C44
Céramique commune tournée ; dm 2/3, dv 2/4+ ; pâte vert kaki ; surface vert kaki.
Vase ouvert, bord.
Tall Šēḫ Ḥamad : PFÄLZNER 1995, Taf. 77 : h [médio-assyrien]
Assur : HALLER 1954, Taf. 2 : s, as [paléo-assyrien, médio-assyrien]
Halaf : HROUDA 1962, Taf. 62 : 171 [néo-assyrien]

1418 T126 C43
Céramique commune tournée ; dm 2/3, dv 2/3 ; pâte beige ; surface beige.
Vase ouvert, bord.
Tall Šēḫ Ḥamad : PFÄLZNER 1995, Taf. 77 : h [médio-assyrien]
Assur : HALLER 1954, Taf. 2 : s, as [paléo-assyrien, médio-assyrien]
Halaf : HROUDA 1962, Taf. 62 : 171 [néo-assyrien]

1419 T126 C37
Céramique commune tournée ; dm 2/3, dv 2/4+ ; pâte beige-rose ; surface verte, ravalée.
Vase ouvert, bord.
Tall Šēḫ Ḥamad : PFÄLZNER 1995, Taf. 71 : c [médio-assyrien]

1420 T126 C36
Céramique commune tournée ; dm 2/3, dv 2/4+ ; pâte beige à brun ; surface verte, lissée.
Vase ouvert, bord.
Zubeidi : BOEHMER et DÄMMER 1985, Taf. 116 : 211 [fin XIIIe-début XIIe s. av. J.-C.]

1421 T126 C28
Céramique commune tournée ; dm 2/3, dv 2 ; pâte beige-vert ; surface beige-vert, engobe (?) [traces de rose].
Vase fermé, bord.

1422 T126 C13
Céramique commune tournée ; dm 2/3, dv 2/3 ; pâte brun-rose ; surface beige-vert, lissée.
Vase fermé, bord.

1423 T126 C17
Céramique commune tournée ; dm 2/3+, dv 2 ; pâte vert kaki ; surface vert kaki, ravalée.
Vase fermé, bord.

1424 T126 C5
Céramique commune tournée ; dm 2/3, dv 2/3 ; pâte vert kaki ; surface vert kaki, ravalée.
Vase fermé, bord.
Tall Šēḫ Ḥamad : PFÄLZNER 1995, Taf. 123 : a [médio-assyrien]

1425 T126 C27
Céramique commune tournée ; dm 2/3, dv 2/3 ; pâte verte ; surface verte.
Vase fermé, bord.
Bdēri : PFÄLZNER 1995, Taf. 153 : f [médio-assyrien]

1426 T126 C14
Céramique commune tournée ; dm 2/3, dv 2 ; pâte beige ; surface beige, ravalée.
Vase fermé, bord.

1427 T126 C12
Céramique commune tournée ; dm 2/3, dv 2/4+ ; pâte verte ; surface brun-vert.
Vase fermé, bord.
Zubeidi : BOEHMER et DÄMMER 1985, Taf. 126 : 289 [fin XIIIe-début XIIe s. av. J.-C.]

1428 T126 C18
Céramique commune tournée ; dm 2/3(5), dv 2/4 ; pâte vert kaki ; surface vert kaki, lissée.
Vase fermé, bord.
Zubeidi : Boehmer et Dämmer 1985, Taf. 126 : 290 [fin XIIIe-début XIIe s. av. J.-C.]

1429 T126 C39
Céramique commune tournée ; dm 2/3+ ; pâte brune ; surface brune, ravalée.
Vase fermé, bord.
Zubeidi : Boehmer et Dämmer 1985, Taf. 109 : 71 [XIIIe s. av. J.-C.]

1430 T126 C11
Céramique commune tournée ; dm 2/3++ ; pâte beige ; surface beige.
Vase fermé, bord.
Zubeidi : Boehmer et Dämmer 1985, Taf. 126 : 288 [fin XIIIe-début XIIe s. av. J.-C.]

1431 T126 C33
Céramique commune tournée ; dm 2/3, dv 2/4 ; pâte verte ; surface verte.
Vase fermé, bord.
Imlihiye : Boehmer et Dämmer 1985, Taf. 38 : 132 [XIIIe s. av. J.-C.]

1432 T126 C29
Céramique commune tournée ; dm 2/3(5), dv 2/3+ ; pâte beige-rose ; surface beige-rose à vert.
Vase fermé, bord.

1433 T126 C9
Céramique commune tournée ; dm 2/3+ ; pâte brun-rouge ; surface brun-rouge, ravalée.
Vase fermé, bord.
Bdēri : Pfälzner 1995, Taf. 156 : e [médio-assyrien]
Zubeidi : Boehmer et Dämmer 1985, Taf. 108 : 62 [XIIIe s. av. J.-C.]

1434 T126 C2
Céramique commune tournée ; dm 2/3, dv 2(3) ; pâte brune ; surface beige à brun, lissée.
Vase fermé, bord.
Tall Šēḫ Ḥamad : Pfälzner 1995, Taf. 79 : b [médio-assyrien]

1435 T126 C1
Céramique commune tournée ; dm 2, dv 2/3 ; pâte beige ; surface beige-vert.
Vase fermé, bord.
Assur : Haller 1954, Taf. 5 : c [néo-assyrien]
Tall Šēḫ Ḥamad : Pfälzner 1995, Taf. 79 : e [médio-assyrien]

1436 T126 C56
Céramique commune tournée ; dm 2/3, dv 2/4 ; pâte brun-rose ; surface verte, ravalée.
Vase fermé, bord.
Assur : Haller 1954, Taf. 5 : c [néo-assyrien]
Bdēri : Pfälzner 1995, Taf. 146 : g [médio-assyrien]

1437 T126 C30
Céramique commune tournée ; dm 2/4(5), dv 2/3+ ; pâte brun-rose ; surface verte.
Vase fermé, bord.
Zubeidi : Boehmer et Dämmer 1985, Taf. 107 : 38 [fin XIIIe-début XIIe s. av. J.-C.]

1438 T126 C31
Céramique commune tournée ; dm 2/3(5), dv 2/4 ; pâte verte ; surface verte.
Vase ouvert, bord.
Assur : Haller 1954, Taf. 2 : w [paléo-assyrien]
Ur : Woolley 1965, pl. 47 : 93 [Larsa, kassite]

1439 T126 C25
Céramique commune tournée ; dm 2/4, dv 2/4+ ; pâte vert kaki ; surface vert kaki, ravalée.
Vase fermé, bord.

1440 T126 C59
Céramique commune modelée ; dm 2/3(5), dv 2/3+ ; pâte verte ; surface verte, lissée.
Vase fermé, fond.

1441 T126 C60
Céramique commune modelée ; dm 2/3, dv 2/3 ; pâte rose ; surface beige-vert, ravalée.
Vase fermé, fond.
Nippur : McCown et Haines 1967, pl. 98 : 15, 16 [kassite]
Ur : Woolley 1965, pl. 41 : 42 [kassite]
Zubeidi : Boehmer et Dämmer 1985, Taf. 109 : 75 ; 129 : 352-354 [XIIIe-début XIIe s. av. J.-C.]

1442 T126 C61   (n.i.)
Céramique commune modelée ; dm 2/3, dv 2/4 ; pâte brun-vert ; surface vert kaki, lissée.
Vase fermé, fond.
Nippur : McCown et Haines 1967, pl. 98 : 15, 16 [kassite]
Ur : Woolley 1965, pl. 41 : 42 [kassite]
Zubeidi : Boehmer et Dämmer 1985, Taf. 109 : 75 ; 129 : 352-354 [XIIIe-début XIIe s. av. J.-C.]

Site n° 127 - Abu Hardūb 2 (pl. 104).

Les comparaisons renvoient au XIIIe s. et au début du XIIe s. av. J.-C., à l'époque kassite, même si aucune des formes les plus typiques de cette époque n'est représentée dans le matériel retrouvé, en l'occurrence peu abondant.

1443 T127 C8
Céramique commune tournée ; dm 2/3, dv 2/3 ; pâte rose ; surface beige-vert, lissée.
Vase ouvert, bord.
Imlihiye : Boehmer et Dämmer 1985, Taf. 29 : 46 [XIIIe s. av. J.-C.]

1444 T127 C7
Céramique commune tournée ; dm 2/3+ ; pâte rose ; surface brun-rose, lissée.
Vase ouvert, bord.
Zubeidi : Boehmer et Dämmer 1985, Taf. 105 : 24 [XIIIe s. av. J.-C.]
Assur : Haller 1954, Taf. 6 : bc [néo-assyrien]

1445 T127 C6
Céramique commune tournée ; dm 2/3+ ; pâte rose ; surface brun-rose, lissée.
Vase fermé, bord.
Zubeidi : Boehmer et Dämmer 1985, Taf. 127 : 321 [fin XIIIe-début XIIe s. av. J.-C.]

1446 T127 C4
Céramique commune tournée ; dm 2/3++ ; pâte rose ; surface beige-vert à gris, lissée.
Vase fermé, bord.
Zubeidi : Boehmer et Dämmer 1985, Taf. 108 : 55 [XIIIe s. av. J.-C.]

1447 T127 C10
Céramique commune tournée ; dm 2/3+ ; pâte rose ; surface rose à vert, ravalée.
Vase fermé, bord.
Zubeidi : Boehmer et Dämmer 1985, Taf. 125 : 283 [fin XIIIe-début XIIe s. av. J.-C.]
Tall Šēḫ Ḥamad : Pfälzner 1995, Taf. 91 : a [médio-assyrien]

1448 T127 C3
Céramique commune tournée ; dm 2/3++ ; pâte rose ; surface brun-rose, lissée.
Vase fermé, bord.
Zubeidi : Boehmer et Dämmer 1985, Taf. 127 : 322 [fin XIIIe-début XIIe s. av. J.-C.]

1449 T127 C2
Céramique commune tournée ; dm 2/3+ ; pâte rose ; surface beige-
vert, lissée.
Vase fermé, bord.
Zubeidi : BOEHMER et DÄMMER 1985, Taf. 126 : 291 [fin XIIIᵉ-début
XIIᵉ s. av. J.-C.]

1450 T127 C1
Céramique commune tournée ; dm 2/3, dv 2 ; pâte beige verdâtre ;
surface vert clair, lissée.
Vase fermé, bord.

Site nᵒ 128 - Jīshīye (pl. 104).

Aucun des douze fragments présentés n'a de caractéristique suffisamment marquée pour dater de façon certaine
l'occupation de ce site. Les comparaisons peuvent renvoyer à l'époque kassite, à l'époque néo-assyrienne comme à l'époque
parthe. L'absence de tout tesson de *Brittle Ware* ferait plutôt pencher pour les périodes les plus anciennes, mais sans
certitude. Aucune des formes les plus typiques de ces deux époques n'est représentée.

Le reste de la céramique est d'époque islamique (cf. BERTHIER sous presse).

1451 T128 C10
Céramique commune tournée ; dm 2 ; pâte beige ; surface beige-
vert, ravalée.
Vase ouvert, bord.
Imlihiye : BOEHMER et DÄMMER 1985, Taf. 32 : 91 [XIIIᵉ s. av. J.-C.]

1452 T128 C9
Céramique commune tournée ; dm 2/3+ ; pâte verte ; surface verte,
lissée.
Vase ouvert, bord.
Barri : RICCIARDI VENCO 1982, nᵒ 25 [parthe]
Sabra : TUNCA 1987, pl. 40 : 1 [SE/PA]
Tall Šēḫ Ḥamad : PFÄLZNER 1995, Taf. 69 : g [médio-assyrien]

1453 T128 C11
Céramique commune tournée ; dm 2/3 ; pâte rose ; surface beige-
vert, ravalée.
Vase ouvert, bord.
'Āna : KILLICK 1988, fig. 32 : 65 [parthe récent (0-225 apr. J.-C.)]
'Āna : KILLICK 1988, fig. 28 : 18 (avec glaçure) [néo-assyrien]
Nippur : McCOWN et HAINES 1967, pl. 97 : 20 [kassite à achéménide]

1454 T128 C12
Céramique commune tournée ; dm 2/3 ; pâte verte ; surface verte,
ravalée.
Vase fermé, bord.
'Āna : KILLICK 1988, fig. 36 : 106 [partho-sassanide]
Zubeidi : BOEHMER et DÄMMER 1985, Taf. 126 : 305 [fin XIIIᵉ-début
XIIᵉ s. av. J.-C.]

1455 T128 C7
Céramique commune tournée ; dm 2/3 ; pâte beige-jaune à
l'intérieur ; vert kaki à l'extérieur ; surface beige-jaune à
l'intérieur ; vert kaki à l'extérieur, lissée.
Vase fermé, bord.

1456 T128 C2
Céramique commune tournée ; dm 2/3 ; pâte verte ; surface verte,
lissée.
Vase fermé, bord.

Sabra : TUNCA 1987, pl. 83 : 14 [SE/PA]
'Āna : KILLICK 1988, fig. 34 : 84 [parthe récent (0-225 apr. J.-C.)]
Ain Sinu : OATES D. 1968, fig. 23 : 62 [parthe (début IIIᵉ s.)]

1457 T128 C4
Céramique commune tournée ; dm 2/3+ ; pâte verte ; surface verte,
lissée.
Vase fermé, bord.
'Āna : KILLICK 1988, fig. 33 : 76 [parthe récent (0-225 apr. J.-C.)]
Séleucie : DEBEVOISE 1934, fig. 23 (p. 47) [parthe]
Zubeidi : BOEHMER et DÄMMER 1985, Taf. 126 : 295 [fin XIIIᵉ-début
XIIᵉ s. av. J.-C.]

1458 T128 C1
Céramique commune tournée ; dm 2/3 ; pâte vert kaki ; surface
vert kaki, ravalée.
Vase fermé, bord.
Samaria : HENNESSY 1970, fig. 11 : 1 [hellénistique]
Tall Šēḫ Ḥamad : PFÄLZNER 1995, Taf. 93 : b ; 123 : b [médio-assyrien]
'Āna : KILLICK 1988, fig. 29 : 20 [néo-assyrien]

1459 T128 C6
Céramique commune tournée ; dm 2/3(4) ; pâte rose à cœur gris ;
surface beige-vert, ravalée.
Vase fermé, bord.

1460 T128 C8
Céramique commune tournée ; dm 2/3+ ; pâte beige-vert ; surface
beige-vert, ravalée.
Vase fermé, bord.
Tall Šēḫ Ḥamad : PFÄLZNER 1995, Taf. 120 : b [médio-assyrien]

1461 T128 C5
Céramique commune tournée ; dm 2/3++ ; pâte rose ; surface gris
verdâtre, ravalée.
Vase ouvert (?), bord.

1462 T128 C3
Céramique commune tournée ; dm 2/3 ; pâte verte ; surface verte,
lissée ; cannelure sur la panse.
Vase fermé, bord.

Site nᵒ 129 - Deir ez Zōr 2.

Site sans céramique visible.

Site nᵒ 130 - Rweshed 2.

Site sans céramique visible.

Site nᵒ 131 - El Baghdadī.

Site sans céramique visible.

Site nᵒ 132 - Er Rāshdi.

Site sans céramique visible.

Site nᵒ 133 - El Masri.

Site sans céramique visible.

Site n° 134 - El Lawzīye 1.

Site sans céramique visible.

Site n° 135 - El Lawzīye 2.

Site sans céramique visible.

Site n° 136 - El Bahra (pl. 105).

Les fragments retrouvés sont dans l'ensemble trop petits ou de trop mauvaise qualité pour pouvoir être datés, certains même pour pouvoir être identifiés. Le bord de jatte **1469** a d'éventuels parallèles à l'époque kassite à Imlihiye (BOEHMER et DÄMMER 1985, Taf. 34 et 35) ou à Zubeidi (*ibid.*, Taf. 119), mais sans décor. Le **1468** est sans doute un fond de godet de noria, mais ressemble aussi à une forme de couvercle de Zubeidi. Le bord **1467** est peut-être un col de jarre *torpedo*.

Le reste de la céramique est d'époque islamique (cf. BERTHIER sous presse).

1463 T136 C3
Céramique commune tournée ; dm 2/3 ; pâte verte ; surface verte, lissée.
Vase ouvert (?), bord.

1464 T136 C6
Céramique commune tournée ; dm 2/3 ; pâte verte ; surface verte, ravalée.
Vase fermé (?), bord.

1465 T136 C5
Céramique commune tournée ; dm 2/3+ ; pâte beige à cœur gris-noir ; surface verte, ravalée.
Vase fermé (?), bord.

1466 T136 C2
Céramique commune tournée ; dm 2/3(4)+ ; pâte beige-vert ; surface beige à beige-vert, ravalée.
Vase fermé, bord.

1467 T136 C7
Céramique commune tournée ; dm 2/3 ; pâte verte ; surface verte, ravalée.
Vase fermé, bord, jarre *torpedo* (?).

1468 T136 C4
Céramique commune tournée ; dm 2/3 ; pâte vert kaki ; surface vert kaki, lissée.
Vase fermé (godet de noria ?), fond.
Dibsi Faraj : HARPER 1980, fig. E : 76 [byzantin ancien]
Zubeidi : BOEHMER et DÄMMER 1985, Taf. 133 : 483 [fin XIIIᵉ-début XIIᵉ s. av. J.-C.]

1469 T136 C1
Céramique commune tournée ; dm 2/3 ; pâte gris-vert ; surface verte, ravalée ; pressions du doigt sur la lèvre.
Vase ouvert, bord.
Samaria : HENNESSY 1970, fig. 11 : 9 [hellénistique]
Zubeidi : BOEHMER et DÄMMER 1985, Taf. 119 [fin XIIIᵉ-début XIIᵉ s. av. J.-C.]
Imlihiye : BOEHMER et DÄMMER 1985, Taf. 34 : 108 [XIIIᵉ s. av. J.-C.]

Site n° 137 - Kharāij 1 (pl. 105).

L'ensemble du matériel céramique récolté peut être daté de la période séleuco-parthe. Deux fragments de vases fermés à bord rentrant avec lèvre épaissie à l'extérieur et légère gorge vers l'intérieur (**1476** et **1477**) ont des parallèles à cette époque, mais aussi dès le début du IIᵉ millénaire et tout au long des deux millénaires avant J.-C. ; on peut, en effet, ajouter aux références données plusieurs comparaisons possibles à l'époque néo-assyrienne à Khirbet Qasrij (CURTIS 1989, fig. 33 : 181 par exemple). Toutefois, la présence de *Brittle Ware* à paroi très fine (**1481**) va plutôt dans le sens d'une occupation au début de notre ère.

1470 T137 C13
Céramique commune tournée ; dm 2 ; pâte beige-vert ; surface beige-vert, lissée.
Vase ouvert, bord.
Samaria : HENNESSY 1970, fig. 9 : 7 [hellénistique récent]

1471 T137 C15
Céramique commune tournée ; dm 2 ; pâte brune ; surface rose, lissée ; bitume à l'intérieur et à l'extérieur.
Vase ouvert, bord.
Sabra : TUNCA 1987, pl. 44 : 1 [SE/PA]

1472 T137 C3
Céramique commune tournée ; dm 2/3+ ; pâte rose ; surface beige, ravalée ; bitume à l'intérieur, traces à l'extérieur.
Vase fermé, bord.
Samaria : HENNESSY 1970, fig. 11 : 3 [hellénistique]

1473 T137 C4
Céramique commune tournée ; dm 2/3+ ; pâte rose ; surface verte, ravalée.
Vase fermé, bord.
Nimrud : OATES D. 1968, fig. 17 : 74 [hellénistique]
Sabra : TUNCA 1987, pl. 81 : 22, 23 [SE/PA]

1474 T137 C7
Céramique commune tournée ; dm 2/3 ; pâte gris-vert ; surface verte, lissée.
Vase fermé, bord.
Sabra : TUNCA 1987, pl. 81 : 24 [SE/PA]

1475 T137 C11
Céramique commune tournée ; dm 2/3+ ; pâte verte ; surface verte, ravalée.
Vase fermé, bord.
Samaria : HENNESSY 1970, fig. 9 : 11 ; 11 : 5 [hellénistique (récent)]
Samaria : HENNESSY 1970, fig. 13 : 14 [perse]
Sabra : TUNCA 1987, pl. 81 : 4, 5 [SE/PA]

1476 T137 C10
Céramique commune tournée ; dm 2/3 ; pâte verte ; surface verte, ravalée.
Vase fermé, bord.
Halawa : ORTHMANN 1981, Taf. 46 : 14 [début IIᵉ mill. av. J.-C.]
Tall Šēḫ Hamad : PFÄLZNER 1995, Taf. 81 : c [médio-assyrien]
Sippar : HAERINCK 1980, pl. 13 : 2 [achéménide (mi VIᵉ-mi-IIIᵉ s.)]
Sabra : TUNCA 1987, pl. 80 : 19 [SE/PA]
'Āna : KILLICK 1988, fig. 34 : 87 [parthe]

1477 T137 C12
Céramique commune tournée ; dm 2/3, dv 2 ; pâte verte ; surface verte, ravalée.
Vase fermé, bord.
Halawa : Orthmann 1981, Taf. 46 : 14 [début II⁰ mill. av. J.-C.]
Tall Šēḥ Ḥamad : Pfälzner 1995, Taf. 81 : c [médio-assyrien]
Sippar : Haerinck 1980, pl. 13 : 2 [achéménide (mi vi⁰-mi-iii⁰ s.)]
Sabra : Tunca 1987, pl. 80 : 19 [SE/PA]
'Āna : Killick 1988, fig. 34 : 87 [parthe]

1478 T137 C2
Céramique commune tournée ; dm 2/3+ ; pâte rose ; surface beige, ravalée ; traces de bitume.
Vase fermé, bord.
Sweyhat : Holland 1976, fig. 6 : 33 [hellénistique]
Nimrud : Oates D. 1968, fig. 19 : 116 ; 20 : 143 [hellénistique]

1479 T137 C1
Céramique commune tournée ; dm 2/3+ ; pâte brun-rose ; surface beige, ravalée ; traces de bitume sur la lèvre.
Vase fermé, bord.

1480 T137 C18
Céramique commune tournée ; dm 2/3 ; pâte rose ; surface rose, ravalée ; bitume à l'intérieur.
Vase fermé, fond.
'Āna : Killick 1988, fig. 34 : 80 [parthe]

1481 T137 C19   (n.i.)
Céramique de cuisson tournée ; dm 1 ; pâte rouge ; surface noire, lissée.
Vase fermé, panse, *Brittle Ware.*

Site n° 138 - Kharāij 2 (pl. 105).

La céramique de ce site, peu abondante et très éparse en surface (une trentaine de tessons), est peu facilement datable : sur la quinzaine de bords, plusieurs sont de trop petite taille pour être significatifs et aucun ne rappelle clairement les périodes antérieures à notre ère.

Dans un trou d'environ 30 cm de diamètre, une quantité plus importante de tessons a été trouvée sur une épaisseur de 15 cm : en dehors d'un bord de coupe aux parois fines (**1482**), la totalité de ces tessons était du gros matériel, essentiellement des fragments de jarres bitumées à l'intérieur, mais sans bord correspondant. Ce matériel ressemble aux jarres retrouvées à Doura-Europos (i⁰ᵉʳ et ii⁰ s. de notre ère).

L'occupation de ce site pourrait donc remonter à l'époque romano-parthe.

1482 T138 C1
Céramique fine tournée ; dm 1 ; pâte beige ; surface beige-vert clair, lissée.
Vase ouvert, bord.
Karababa Basin, site 19 : Wilkinson 1990, fig. B.14 : 4 [séleucide]

1483 T138 C3
Céramique commune tournée ; dm 2/3+ ; pâte rose ; surface rose, ravalée.
Vase fermé, bord.

1484 T138 C2
Céramique commune tournée ; dm 2/3+ ; pâte rose ; surface rose, ravalée.
Vase fermé, bord.
Nippur : McCown et Haines 1967, pl. 104 : 5 [achéménide et postérieur]
Samaria : Hennessy 1970, fig. 11 : 3 [hellénistique]

1485 T138 C13
Céramique commune tournée ; dm 2/3 ; pâte rose ; surface beige-rose, ravalée.
Vase fermé, bord.

1486 T138 C5
Céramique commune tournée ; dm 2/3+ ; pâte rose ; surface rose, ravalée.
Vase fermé, bord.

1487 T138 C11
Céramique commune tournée ; dm 2/3 ; pâte rose ; surface beige, lissée.
Vase fermé, bord.

1488 T138 C10
Céramique commune tournée ; dm 2/3 ; pâte rose ; surface rose à beige-rose, ravalée ; traces de bitume.
Vase fermé, bord.

1489 T138 C12
Céramique commune tournée ; dm 2/3, dv 2/3 ; pâte verte à cœur gris ; surface vert kaki, lissée.
Vase fermé, bord.
Karababa Basin, site 19 : Wilkinson 1990, fig. B14 : 27 [séleucide]

1490 T138 C4
Céramique commune tournée ; dm 2/3+ ; pâte rose ; surface rose, ravalée.
Vase fermé, bord.

Site n° 139 - Hasīyet 'Abīd (pl. 106 et 107).

Plusieurs périodes d'occupation semblent être attestées par la céramique de ce site : les fragments **1502** à **1504** pourraient remonter au Bronze moyen (bords de grandes jarres aux parois éventuellement recouvertes de bitume à peu près verticales, aux lèvres étalées et aplaties, que l'on rencontre, entre autres, à Mari ou à Haradum) ; toutefois, le bord **1502** est aussi attesté à l'époque néo-assyrienne, tandis que les fragments **1503** et **1504** sont relativement proches de formes attestées aussi dans la première partie du I⁰ᵉʳ millénaire av. J.-C. ; la comparaison avec une grande jarre d'époque hellénistique trouvée à Ain Sinu est moins probante. Les bords **1491**, **1496**, **1500** et **1501** ont des parallèles au Bronze moyen, mais ces formes sont attestées aussi au Bronze récent et à l'époque néo-assyrienne.

La deuxième partie du II⁰ millénaire est l'époque la plus sûrement attestée. Quatre pieds sont typiques (**1505** à **1508**), avec leur forme effilée et leur petite base annulaire à fond concave, ainsi qu'un bord de bol caréné (**1492**). Plusieurs bords précédemment évoqués pourraient aussi dater de cette période kassite.

Les bords de jarres à col étroit (**1495**) ou sans col à ouverture moyenne (**1496**) ou large (**1499** à **1501**) sont bien attestés à l'époque néo-assyrienne, par exemple à Khirbet Qasrij. Mais aucune forme typique de coupe remontant à cette période n'a été trouvée.

Les autres fragments pourraient être datés de l'époque séleuco-parthe, même si l'un d'entre eux (**1493**), recouvert d'une glaçure bleu-vert à bleu turquoise, peut aussi être achéménide.

1491 T139 C19
Céramique commune tournée ; dm 2/3/4, dv 2/3 ; pâte verte ; surface verte, lissée.
Vase ouvert, bord.
Mari : Lebeau 1987 a, pl. I : 9 [paléobabylonien]
Imlihiye : Boehmer et Dämmer 1985, Taf. 28 : 24 [XIIIᵉ s. av. J.-C.]

1492 T139 C18
Céramique commune tournée ; dm 2/3 ; pâte rose ; surface brune à l'intérieur, verdâtre à l'extérieur, ravalée.
Vase ouvert, bord.
Imlihiye : Boehmer et Dämmer 1985, Taf. 29 : 40 [XIIIᵉ s. av. J.-C.]
Zubeidi : Boehmer et Dämmer 1985, Taf. 115 : 170 [fin XIIIᵉ-début XIIᵉ s. av. J.-C.]

1493 T139 C29
Céramique commune tournée ; dm 2/3 ; pâte beige-jaune ; surface beige, lissée ; glaçure bleu turquoise pâle à l'intérieur.
Vase ouvert, bord.

1494 T139 C15
Céramique commune tournée ; dm 2/3 ; pâte verte ; surface beige-vert, lissée.
Vase fermé, bord.
Qasrij Cliff : Curtis 1989, fig. 33 : 168 [1ʳᵉ moitié du VIᵉ s. av. J.-C.]
Sabra : Tunca 1987, pl. 83 : 3 [SE/PA]

1495 T139 C16
Céramique commune tournée ; dm 2/3 ; pâte gris-vert ; surface vert kaki, lissée.
Vase fermé, bord.
Khirbet Qasrij : Curtis 1989, fig. 33 : 172 [1ʳᵉ moitié du VIᵉ s. av. J.-C.]
Qasrij Cliff : Curtis 1989, fig. 12 : 61 [VIIIᵉ s. av. J.-C.]
Sippar : Haerinck 1980, pl. 13 : 11, 14 [achéménide]

1496 T139 C3
Céramique commune tournée ; dm 2/3, dv 3 ; pâte verte ; surface verte, ravalée.
Vase fermé, bord.
Halawa : Orthmann 1981, Taf. 46 : 14 [début IIᵉ mill. av. J.-C.]
Tall Šēḫ Ḥamad : Pfälzner 1995, Taf. 81 : c [médio-assyrien]
Sippar : Haerinck 1980, pl. 13 : 2 [achéménide (mi VIᵉ-mi IIIᵉ s.)]
Sabra : Tunca 1987, pl. 80 : 19 [SE/PA]
'Āna : Killick 1988, fig. 34 : 87 [parthe]

1497 T139 C8
Céramique commune tournée ; dm 2/3 ; pâte gris-vert ; surface verte, lissée.
Vase fermé, bord.

1498 T139 C11
Céramique commune tournée ; dm 2/3 ; pâte rose ; surface rose, lissée.
Vase fermé, bord.
Sabra : Tunca 1987, pl. 81 : 23 [SE/PA]

1499 T139 C9
Céramique commune tournée ; dm 2/3 ; pâte rose ; surface beige, lissée.
Vase fermé, bord.
Sippar : Haerinck 1980, pl. 13 : 2 [achéménide]
Samaria : Hennessy 1970, fig. 11 : 21 [hellénistique]
Sabra : Tunca 1987, pl. 81 : 14 [SE/PA]
Halawa : Orthmann 1981, Taf. 46 : 14 [début IIᵉ mill. av. J.-C.]

1500 T139 C7
Céramique commune tournée ; dm 2/3 ; pâte rose ; surface rose, lissée.
Vase fermé, bord.
Halawa : Orthmann 1981, Taf. 46 : 14 [début IIᵉ mill. av. J.-C.]
Tall Šēḫ Ḥamad : Pfälzner 1995, Taf. 81 : c [médio-assyrien]

Khirbet Qasrij : Curtis 1989, fig. 33 : 181 [1ʳᵉ moitié du VIᵉ s. av. J.-C.]
Sabra : Tunca 1987, pl. 80 : 19 [SE/PA]
'Āna : Killick 1988, fig. 34 : 87 [parthe]

1501 T139 C6
Céramique commune tournée ; dm 2/3 ; pâte rose ; surface beige, ravalée.
Vase fermé, bord.
Halawa : Orthmann 1981, Taf. 46 : 14 [début IIᵉ mill. av. J.-C.]
Tall Šēḫ Ḥamad : Pfälzner 1995, Taf. 81 : c [médio-assyrien]
Khirbet Qasrij : Curtis 1989, fig. 33 : 181 [1ʳᵉ moitié du VIᵉ s. av. J.-C.]
Sabra : Tunca 1987, pl. 80 : 19 [SE/PA]
'Āna : Killick 1988, fig. 34 : 87 [parthe]

1502 T139 C2
Céramique commune tournée ; dm 2/3, dv 2/3 ; pâte rose ; surface verte, lissée.
Vase fermé, bord.
Haradum : Kepinski-Lecomte 1992, fig. 73 : 2 [XVIIIᵉ-XVIIᵉ s. av. J.-C.]
Khirbet Qasrij : Curtis 1989, fig. 38 : 242 [1ʳᵉ moitié du VIᵉ s. av. J.-C.]

1503 T139 C21
Céramique commune tournée (?) ; dm 2/3, dv 2/3 ; pâte rose à cœur gris ; surface beige-vert, lissée ; bitume à l'extérieur.
Vase fermé, bord.
Mari : Lebeau 1983 a, fig. 3 : 8 [BM II]
Haradum : Kepinski-Lecomte 1992, fig. 103 : 3, 4 [XVIIIᵉ-XVIIᵉ s. av. J.-C.]
Nimrud : Oates D. 1968, fig. 19 : 119 [hellénistique]

1504 T139 C1
Céramique commune tournée (?) ; dm 2/3 ; pâte verte ; surface verte, lissée.
Vase fermé, bord.
Mari : Lebeau 1983 a, fig. 3 : 8 [BM II]
Haradum : Kepinski-Lecomte 1992, fig. 103 : 3, 4 [XVIIIᵉ-XVIIᵉ s. av. J.-C.]
Nimrud : Oates D. 1968, fig. 19 : 119 [hellénistique]

1505 T139 C22
Céramique commune tournée ; dm 2/3 ; pâte rose ; surface beige, ravalée.
Vase fermé, fond.
Nippur : McCown et Haines 1967, pl. 98 : 15 [kassite]
Zubeidi : Boehmer et Dämmer 1985, Taf. 128 : 344 [fin XIIIᵉ-début XIIᵉ s. av. J.-C.]

1506 T139 C23
Céramique commune tournée ; dm 2/3, dv 2/3 ; pâte verte ; surface beige-vert, ravalée.
Vase fermé, fond.
Nippur : McCown et Haines 1967, pl. 98 : 15 [kassite]
Zubeidi : Boehmer et Dämmer 1985, Taf. 128 : 344 [fin XIIIᵉ-début XIIᵉ s. av. J.-C.]

1507 T139 C24
Céramique commune tournée ; dm 2/3, dv 2/3 ; pâte rose ; surface beige-vert, ravalée.
Vase fermé, fond.
Nippur : McCown et Haines 1967, pl. 98 : 15 [kassite]
Zubeidi : Boehmer et Dämmer 1985, Taf. 128 : 344 [fin XIIIᵉ-début XIIᵉ s. av. J.-C.]

1508 T139 C25   (n.i.)
Céramique commune tournée ; dm 2/3, dv 2/3 ; pâte verte ; surface verte, ravalée.
Vase fermé, fond.

Nippur : McCown et Haines 1967, pl. 98 : 15 [kassite]
Zubeidi : Boehmer et Dämmer 1985, Taf. 128 : 344 [fin xiiie-début xiie s. av. J.-C.]

1509 T139 C28
Céramique commune tournée ; dm 2 ; pâte verte ; surface beige, lissée ; glaçure bleu turquoise pâle à l'extérieur.
Vase fermé, fond.

1510 T139 C26
Céramique commune tournée ; dm 2/3 ; pâte rose ; surface rose, ravalée.
Vase fermé, fond.
Es-Sūsa : Geyer et Monchambert 1987 a, fig. 10 : 23 [parthe]
'Āna : Killick 1988, fig. 34 : 80 [parthe]

Site n° 140 - Tell es Sufa (pl. 107 et 108).

Peu de tessons de ce site sont vraiment caractéristiques : beaucoup sont de toute petite taille et près d'une dizaine sont des bords de coupes à parois à peu près rectilignes, connus depuis l'époque protodynastique jusqu'à l'époque parthe. Parmi les tessons plus typiques, un bord de grande jatte (**1522**) à parois divergentes (plusieurs exemplaires similaires retrouvés) peut être daté des périodes d'Akkad, paléobabylonienne ou kassite. Deux fragments de cols de jarres ont des parallèles plus ou moins nets au Bronze moyen (**1526** à Haradum, **1528** à ed-Dēr), mais ce dernier est aussi attesté au Bronze récent.

Toutefois, dans leur majorité, les tessons ramassés ont des correspondances à l'époque kassite, même si les fabriques les plus typiques de cette période ne sont pas représentées : par exemple, le bord de bol **1521** et celui d'une jarre (**1525**) ; de même, une dizaine de bords de coupes à lèvre légèrement épaissie, avec un méplat intérieur sur le modèle de **1519**, a des parallèles à Imlihiye à l'époque kassite.

1511 T140 C18
Céramique commune tournée ; dm 2/3, dv 2/3 ; pâte beige ; surface beige, lissée.
Vase ouvert, bord.
Imlihiye : Boehmer et Dämmer 1985, Taf. 50 : 214-221 [xiiie s. av. J.-C.]
Zubeidi : Boehmer et Dämmer 1985, Taf. 128 : 340 [fin xiiie-début xiie s. av. J.-C.]

1512 T140 C21
Céramique commune tournée ; dm 2/3, dv 2 ; pâte verte ; surface verte, lissée.
Vase ouvert, bord.
Imlihiye : Boehmer et Dämmer 1985, Taf. 50 : 214-221 [xiiie s. av. J.-C.]
Zubeidi : Boehmer et Dämmer 1985, Taf. 128 : 340 [fin xiiie-début xiie s. av. J.-C.]

1513 T140 C24
Céramique commune tournée ; dm 2/3, dv 2/3 ; pâte vert kaki ; surface vert kaki, lissée.
Vase ouvert, bord.

1514 T140 C20
Céramique commune tournée ; dm 2/3, dv 2 ; pâte verte ; surface verte, lissée.
Vase ouvert, bord.
Nippur : McCown et Haines 1967, pl. 82 : 13 [Ur III-kassite]
Nippur : McCown et Haines 1967, pl. 97 : 12 [kassite]
Imlihiye : Boehmer et Dämmer 1985, Taf. 28 : 24, 26 [xiiie s. av. J.-C.]

1515 T140 C16
Céramique commune tournée ; dm 2/3, dv 2/3/4 ; pâte verte ; surface verte, lissée.
Vase ouvert, bord.
Nippur : McCown et Haines 1967, pl. 82 : 13 [Ur III-kassite]
Nippur : McCown et Haines 1967, pl. 97 : 12 [kassite]
Imlihiye : Boehmer et Dämmer 1985, Taf. 28 : 24, 26 [xiiie s. av. J.-C.]

1516 T140 C17
Céramique commune tournée ; dm 2/3, dv 2 ; pâte beige-rose ; surface beige, ravalée.
Vase ouvert, bord.
Nippur : McCown et Haines 1967, pl. 82 : 13 [Ur III-kassite]
Nippur : McCown et Haines 1967, pl. 97 : 12 [kassite]

1517 T140 C23
Céramique commune tournée ; dm 2/3 ; pâte vert kaki ; surface vert kaki, lissée.
Vase ouvert, bord.

Nippur : McCown et Haines 1967, pl. 82 : 13 [Ur III-kassite]
Nippur : McCown et Haines 1967, pl. 97 : 12 [kassite]

1518 T140 C19
Céramique commune tournée ; dm 2/3 ; pâte verte ; surface verte, lissée.
Vase ouvert, bord.
Nippur : McCown et Haines 1967, pl. 82 : 13 [Ur III-kassite]
Nippur : McCown et Haines 1967, pl. 97 : 12 [kassite]

1519 T140 C15
Céramique commune tournée ; dm 2/3 ; pâte verte ; surface beige-vert, lissée.
Vase ouvert, bord.
Imlihiye : Boehmer et Dämmer 1985, Taf. 32 : 89 [xiiie s. av. J.-C.]

1520 T140 C14
Céramique commune tournée ; dm 2/3 ; pâte beige-vert ; surface beige-vert, lissée.
Vase ouvert, bord.
Mari : Lebeau 1983 a, fig. 1 : 12 [xviie s. av. J.-C.]

1521 T140 C22
Céramique commune tournée ; dm 2/3, dv 2/3 ; pâte verte ; surface verte, lissée.
Vase ouvert, bord.
Imlihiye : Boehmer et Dämmer 1985, Taf. 30 : 64 ; 31 : 73 [xiiie s. av. J.-C.]
Tall Šēḫ Ḥamad : Pfälzner 1995, Taf. 108 : c [médio-assyrien]

1522 T140 C6
Céramique commune tournée ; dm 2/3 ; pâte verte ; surface vert beigeasse, lissée.
Vase ouvert, bord.
Imlihiye : Boehmer et Dämmer 1985, Taf. 34 : 106 [xiiie s. av. J.-C.]
Tall Šēḫ Ḥamad : Pfälzner 1995, Taf. 126 : b [médio-assyrien]
Nippur : McCown et Haines 1967, pl. 93 : 12 [paléobabylonien]
Sabra : Tunca 1987, pl. 40 : 13 [Akkad]

1523 T140 C10
Céramique commune tournée ; dm 2/3, dv 2/3 ; pâte vert kaki ; surface vert kaki, lissée.
Vase fermé, bord.
Nippur : McCown et Haines 1967, pl. 81 : 3, 4 [DA 3-Akkad]
Nippur : McCown et Haines 1967, pl. 87 : 12 [Ur III-BM]
Haradum : Kepinski-Lecomte 1992, fig. 81 : 3 [xviiie-xviie s. av. J.-C.]
Sabra : Tunca 1987, pl. 82 : 28 [SE/PA]

1524 T140 C9
Céramique commune tournée ; dm 2/3(blanc) ; pâte beige ; surface beige, lissée.
Vase fermé, bord.

Nippur : McCown et Haines 1967, pl. 81 : 3, 4 [DA 3-Akkad]
Nippur : McCown et Haines 1967, pl. 87 : 12 [Ur III-BM]
Imlihiye : Boehmer et Dämmer 1985, Taf. 44 : 182 [xiiie s. av. J.-C.]

1525 T140 C8
Céramique commune tournée ; dm 2/3, dv 2/3 ; pâte rose ; surface beige-rose, lissée.
Vase fermé, bord.
Imlihiye : Boehmer et Dämmer 1985, Taf. 42 : 163 [xiiie s. av. J.-C.]

1526 T140 C13
Céramique commune tournée ; dm 2/3, dv 2/3 ; pâte vert kaki ; surface vert kaki, lissée.
Vase fermé, bord.
Haradum : Kepinski-Lecomte 1992, fig. 65 : 3 [xviiie-xviie s. av. J.-C.]

1527 T140 C4
Céramique commune tournée ; dm 2/3, dv 2 ; pâte verte ; surface verte, lissée.
Vase ouvert, bord.
Mari : Lebeau 1983 a, fig. 3 : 11 [1re moitié du xviiie s. av. J.-C.]
Mari : Lebeau 1987 a, pl. IV : 10 [paléobabylonien]

1528 T140 C1
Céramique commune tournée ; dm 2/3, dv 2/3 ; pâte beige-vert ; surface beige-vert, ravalée.
Vase ouvert, bord.
Tell ed-Dēr : Gasche 1978, pl. 19 : 2 [paléobabylonien]
Imlihiye : Boehmer et Dämmer 1985, Taf. 37 : 120 [xiiie s. av. J.-C.]

Site n° 141 - Hajīn 1 (pl. 108).

Les quelques tessons ramassés sur ce site ont des comparaisons au Ier millénaire av. J.-C., aux époques néo-assyrienne et perse. Si certaines formes, comme **1529** et **1530**, sont attestées sur des périodes très longues, d'autres, comme les cols de jarres **1531** et **1532** (à paroi verticale décorée de petits ressauts et à lèvre épaissie), n'ont pas de parallèles exacts avant la période perse ; des cols de jarres au profil avoisinant (ressaut extérieur) sont néanmoins attestés à l'époque néo-assyrienne à Khirbet Qasrij (Curtis 1989 : ajouter aux exemples donnés ci-dessous fig. 32 : 158, 159 ; fig. 40 : 259, 260, 263).

1529 T141 C6
Céramique commune tournée ; dm 2/3, dv 2/3 ; pâte beige ; surface beige-gris, lissée.
Vase ouvert, bord.
Fort Shalmaneser : Oates J. 1959, pl. 35 : 18 [néo-assyrien]
Khirbet Qasrij : Curtis 1989, fig. 24 : 26 [1re moitié du vie s. av. J.-C.]
Nimrud : Lines 1954, pl. XXXVII : 10 [néo-assyrien]
Sippar : Haerinck 1980, pl. 12 : 6 [achéménide (milieu ve-milieu iiie av. J.-C.)]
Sabra : Tunca 1987, pl. 49 : 6 [SE/PA]

1530 T141 C1
Céramique commune tournée ; dm 2 ; pâte rose ; surface beige, lissée.
Vase fermé, bord.
Samaria : Hennessy 1970, fig. 13 : 16 [perse (ve-ive s. av. J.-C.)]
Uruk : Strommenger 1967, Taf. 20 : 2 [néobabylonien]
Nippur : McCown et Haines 1967, pl. 102 : 8 [assyrien à parthe]

1531 T141 C3
Céramique commune tournée ; dm 2/3 ; pâte rose ; surface beige, lissée.
Vase fermé, bord.

Nimrud : Lines 1954, pl. 38 : 5 [néo-assyrien]
Samaria : Hennessy 1970, fig. 13 : 27 [perse (ve-ive s. av. J.-C.)]

1532 T141 C7
Céramique commune tournée ; dm 2/3 ; pâte rose ; surface beige-rose, lissée.
Vase fermé, bord.
Nimrud : Lines 1954, pl. 38 : 5 [néo-assyrien]
Sippar : Haerinck 1980, pl. 14 : 3 [achéménide (milieu ve-milieu iiie s. av. J.-C.)]

1533 T141 C4
Céramique commune tournée ; dm 2/3 ; pâte rose à cœur gris ; surface beige-rose, lissée.
Vase fermé, bord.
Khirbet Qasrij : Curtis 1989, fig. 33 : 168 [1re moitié du vie s. av. J.-C.]
Samaria : Hennessy 1970, fig. 13 : 26 [perse]
Sabra : Tunca 1987, pl. 82 : 6, 7, 20 [SE/PA]

1534 T141 C2
Céramique commune tournée ; dm 2/3, dv 2/4 ; pâte beige-vert à cœur rose ; surface beige-vert, lissée.
Support, bord.

Site n° 142 - Hajīn 2 (pl. 108 à 110).

Deux époques semblent bien attestées par la céramique : d'une part, le Bronze moyen avec, notamment, des vases fermés globulaires de grande taille (**1543** à **1548**), des coupes à lèvre épaissie en bourrelet à l'intérieur (**1535, 1537, 1538**), comme on en trouve à Mari et à Haradum ; d'autre part, la période séleuco-parthe, plus vraisemblablement parthe, avec des fragments de jarres sans col, à bord épaissi et souvent recouvertes de bitume à l'intérieur et, éventuellement, près de la lèvre sur l'extérieur (**1549** à **1551, 1556, 1557**). Il faut noter cependant qu'aucun fragment de *Brittle Ware* n'a été trouvé, qui aurait pu confirmer cette deuxième période d'occupation du site. En outre, trois fragments (**1539, 1540, 1555**) ont des parallèles possibles à l'époque néo-assyrienne.

1535 T142 C14
Céramique commune tournée ; dm 2/3+ ; pâte beige-rose ; surface verte, lissée.
Vase ouvert, bord.
Haradum : Kepinski-Lecomte 1992, fig. 121 : 7, 10 [xviiie-xviie s. av. J.-C.]
Nippur : McCown et Haines 1967, pl. 82 : 14 [Ur III à kassite]

1536 T142 C9
Céramique commune tournée ; dm 2/3 ; pâte beige-rose ; surface beige-vert, ravalée.

Vase ouvert, bord.
Haradum : Kepinski-Lecomte 1992, fig. 124 : 15, 18 [xviiie-xviie s. av. J.-C.]

1537 T142 C13
Céramique commune tournée ; dm 2/3 ; pâte beige-rose ; surface verte, lissée.
Vase ouvert, bord.
Haradum : Kepinski-Lecomte 1992, fig. 121 : 7, 10 [xviiie-xviie s. av. J.-C.]
Nippur : McCown et Haines 1967, pl. 82 : 14 [Ur III à kassite]

1538 T142 C15
Céramique commune tournée ; dm 2/3+ ; pâte brun-rose ; surface verdâtre, lissée.
Vase ouvert, bord.
Haradum : Kepinski-Lecomte 1992, fig. 121 : 7, 10 [xviiie-xviie s. av. J.-C.]
Nippur : McCown et Haines 1967, pl. 82 : 14 [Ur III à kassite]

1539 T142 C16
Céramique commune tournée ; dm 2/3+ ; pâte brun-rouge ; surface brune, ravalée.
Vase ouvert, bord.
Haradum : Kepinski-Lecomte 1992, fig. 116 : 11 [xviiie-xviie s. av. J.-C.]
Khirbet Qasrij : Curtis 1989, fig. 25 : 53 [1re moitié du vi^e s. av. J.-C.]

1540 T142 C17
Céramique commune tournée ; dm 2/3 ; pâte verte à cœur noir ; surface verte, lissée.
Vase ouvert, bord.
Khirbet Qasrij : Curtis 1989, fig. 25 : 52 [1re moitié du vi^e s. av. J.-C.]
Nimrud : Oates D. 1968, fig. 20 : 139 [hellénistique]

1541 T142 C18
Céramique commune tournée ; dm 2/3 ; pâte rose ; surface rose, très érodée.
Vase ouvert, bord.
Resafa : Konrad 1992, Abb. 15 : 1 [v^e-début vi^e s. apr. J.-C.]

1542 T142 C19
Céramique commune tournée ; dm 2/3, dv 2/4 ; pâte rose ; surface beige verdâtre, lissée.
Vase ouvert, bord.

1543 T142 C21
Céramique commune tournée ; dm 2/3 ; pâte beige-rose ; surface beige, lissée.
Vase fermé, bord.
Haradum : Kepinski-Lecomte 1992, fig. 73 : 2 [xviiie-xviie s. av. J.-C.]
Nippur : McCown et Haines 1967, pl. 89 : 9 [paléobabylonien]
Mari : Lebeau 1983 a, fig. 3 : 8 [xviiie s. av. J.-C.]

1544 T142 C12
Céramique commune tournée ; dm 2/3, dv 2/4 ; pâte verte à cœur plus foncé ; surface verte, lissée ; traces noires à l'extérieur (bitume ou peinture).
Vase fermé, bord.
Haradum : Kepinski-Lecomte 1992, fig. 73 : 2 [xviiie-xviie s. av. J.-C.]
Nippur : McCown et Haines 1967, pl. 89 : 9 [paléobabylonien]
Mari : Lebeau 1983 a, fig. 3 : 7, 8 [xviiie s. av. J.-C.]

1545 T142 C20
Céramique commune tournée ; dm 2/3 ; pâte verte à cœur noir ; surface vert kaki, ravalée.
Vase fermé, bord.
Haradum : Kepinski-Lecomte 1992, fig. 73 : 2 [xviiie-xviie s. av. J.-C.]
Nippur : McCown et Haines 1967, pl. 89 : 9 [paléobabylonien]
Mari : Lebeau 1983 a, fig. 3 : 8 [xviiie s. av. J.-C.]

1546 T142 C7
Céramique commune tournée ; dm 2/3/4 ; pâte verte à cœur noir ; surface beige, engobe beige ; fine incision horizontale.
Vase fermé, bord.
Nippur : McCown et Haines 1967, pl. 89 : 6 [paléobabylonien]

1547 T142 C23
Céramique commune tournée ; dm 2/3, dv 2/3/4 ; pâte verte à cœur rose ; surface beige-vert, lissée.
Vase fermé, bord.

Haradum : Kepinski-Lecomte 1992, fig. 73 : 2 [xviiie-xviie s. av. J.-C.]
Nippur : McCown et Haines 1967, pl. 89 : 9 [paléobabylonien]
Mari : Lebeau 1983 a, fig. 3 : 9, 11 [xviiie s. av. J.-C.]

1548 T142 C22
Céramique commune tournée ; dm 2/3, dv 2/3/4 ; pâte verte ; surface vert kaki, lissée ; bitume à l'extérieur (traces).
Vase fermé, bord.
Haradum : Kepinski-Lecomte 1992, fig. 73 : 2 [xviiie-xviie s. av. J.-C.]
Nippur : McCown et Haines 1967, pl. 89 : 9 [paléobabylonien]
Mari : Lebeau 1983 a, fig. 3 : 9, 11 [xviiie s. av. J.-C.]

1549 T142 C2
Céramique commune tournée ; dm 2/3+ ; pâte rose ; surface beige-rose, lissée ; bitume sur la lèvre (irrégulier).
Vase fermé, bord.
Sabra : Tunca 1987, pl. 80 : 13 [SE/PA]
Sippar : Haerinck 1980, pl. 18 : 14, 16 [0-150 apr. J.-C.]

1550 T142 C1
Céramique commune tournée ; dm 2/3(4) ; pâte rose ; surface rose, ravalée ; bitume à l'intérieur et traces à l'intérieur.
Vase fermé, bord, jarre *torpedo*.
Sabra : Tunca 1987, pl. 80 : 13 [SE/PA]
Sippar : Haerinck 1980, pl. 18 : 14, 16 [0-150 apr. J.-C.]

1551 T142 C5
Céramique commune tournée ; dm 2/3 ; pâte beige-rose ; surface beige-vert, lissée ; fines incisions horizontales (2).
Vase fermé, bord.
Sabra : Tunca 1987, pl. 77 : 10-18 [SE/PA]

1552 T142 C8
Céramique commune tournée ; dm 2/3+ ; pâte beige-vert ; surface verte, lissée.
Vase fermé, bord.
'Ağiğ-Gebiet : Bernbeck 1993, Abb. 146 : k [iiie-ixe s. apr. J.-C.]

1553 T142 C11
Céramique commune tournée ; dm 2/3+ ; pâte verte ; surface verte, lissée.
Vase fermé, bord.
Haradum : Kepinski-Lecomte 1992, fig. 67 : 4 ; 100 : 6 [xviiie-xviie s. av. J.-C.]

1554 T142 C6
Céramique commune tournée ; dm 2/3 ; pâte beige-rose ; surface beige-vert, lissée.
Vase fermé, bord.
Sabra : Tunca 1987, pl. 78 : 4 [SE/PA]

1555 T142 C10
Céramique commune tournée ; dm 2/3, dv 2/3 ; pâte verte ; surface verte, lissée.
Vase fermé, bord.
Haradum : Kepinski-Lecomte 1992, fig. 62 : 5 [xviiie-xviie s. av. J.-C.]
Khirbet Qasrij : Curtis 1989, fig. 39 : 255 [1re moitié du vi^e s. av. J.-C.]

1556 T142 C3
Céramique commune tournée ; dm 2/3 ; pâte rose ; surface verte, lissée.
Vase fermé, bord.
Sabra : Tunca 1987, pl. 80 : 13 [SE/PA]
Sippar : Haerinck 1980, pl. 18 : 14, 16 [0-150 apr. J.-C.]

1557 T142 C4
Céramique commune tournée ; dm 2/3 ; pâte rose ; surface verte, lissée ; fines incisions horizontales (2) ; anse (arrachée) de la lèvre à l'épaule.
Vase fermé, bord.
Sabra : Tunca 1987, pl. 83 : 14, 15 [SE/PA]

Site n° 143 - Bkīye (pl. 111).

Aucun des trois tessons retrouvés n'est datable.

1558 T143 C1
Céramique commune tournée ; dm 2/3+ ; pâte rose ; surface brun-rose, ravalée.
Vase ouvert (?), bord.

1559 T143 C3
Céramique commune tournée ; dm 2/3+ ; pâte rose ; surface rose, ravalée.
Vase ouvert, bord.

1560 T143 C2
Céramique commune tournée ; dm 2/3 ; pâte brun-rose ; surface rose, ravalée.
Vase ouvert, bord.

Site n° 144 - Haddāma 2 (pl. 111).

Le seul tesson retrouvé, bien qu'abîmé, devrait pouvoir être daté du Bronze moyen.

1561 T144 C1
Céramique commune tournée ; dm 2/3, dv 2/3 ; pâte verte ; surface verte, ravalée ; surface très abîmée.
Vase fermé, bord.
Mari : LEBEAU 1983 a, fig. 5 : 2 [XIXᵉ s. av. J.-C.]

Mari : LEBEAU 1987 a, pl. III [paléobabylonien]
Haradum : KEPINSKI-LECOMTE 1992, fig. 70 : 6 ; 84 : 5 [XVIIIᵉ-XVIIᵉ s. av. J.-C.]
Baghouz : DU MESNIL DU BUISSON 1948, pl. LXX, LXXI, LXXII [XVIᵉ-XIVᵉ s. av. J.-C.]

Site n° 145 - Dheina 8.

Site sans céramique visible.

Site n° 146 - Dībān 9.

La totalité de la céramique est d'époque islamique (cf. BERTHIER sous presse).

Site n° 147 - Hasīyet er Rifān (pl. 111).

La céramique est difficile à dater avec certitude : la seule forme un peu typique est le bord de jarre **1565**, pour lequel les comparaisons possibles vont du début du IIᵉ millénaire à l'époque achéménide, voire séleuco-parthe. Les bords **1562** et **1563** viennent sans doute de coupes ou de bols tronconiques, datables depuis la période protodynastique jusqu'à l'époque parthe.

1562 T147 C5
Céramique commune tournée ; dm 2/3 ; pâte verte ; surface verte, lissée.
Vase ouvert, bord.

1563 T147 C3
Céramique commune tournée ; dm 2/3 ; pâte rose ; surface beige, lissée.
Vase ouvert, bord.

1564 T147 C4
Céramique commune tournée ; dm 2/3+ ; pâte verte ; surface verte, lissée.
Vase fermé, bord.
Sippar : HAERINCK 1980, pl. 13 : 14 [achéménide]

1565 T147 C2
Céramique commune tournée ; dm 2/3+ ; pâte gris-vert ; surface verte, lissée.
Vase fermé, bord.
Halawa : ORTHMANN 1981, Taf. 46 : 14 [début IIᵉ millénaire av. J.-C.]
Khirbet Qasrij : CURTIS 1989, fig. 33 : 180, 181 ; 39, 252, 255 [1ʳᵉ moitié du VIᵉ s. av. J.-C.]
Sippar : HAERINCK 1980, pl. 13 : 2 [achéménide]

1566 T147 C1
Céramique commune tournée ; dm 2/3, dv 2/3/4 ; pâte rose ; surface verte, ravalée.
Vase fermé, bord.

Site n° 148 - Atou Ammayy.

La totalité de la céramique est d'époque islamique (cf. BERTHIER sous presse).

Site n° 149 - Hatla 2 (pl. 111).

Parmi les trois fragments de céramique ramassés en surface, un est probablement un fragment de sarcophage (**1567**) pouvant dater de l'époque hellénistique ou romaine. Les deux autres sont des fragments informes de *Brittle Ware*, à dater sans doute de l'époque romaine.

1567 T149 C1
Céramique commune modelée ; dm 2/3, dv 2/4 ; pâte rose ; surface beige à beige-rose, ravalée.
Vase ouvert, bord, sarcophage (fragment).
Nimrud : OATES D. 1968, fig. 19 : 119 [hellénistique]

1568 T149 C2   (n.i.)
Céramique de cuisson (?) tournée ; dm 1/2 ; pâte brun-rouge ; surface brun-rouge, lissée.
Vase fermé, panse, *Brittle Ware*.

1569 T149 C3   (n.i.)
Céramique de cuisson (?) tournée ; dm 1/2(3) ; pâte brun-rouge ; surface brun-rouge, lissée.
Vase fermé, panse, *Brittle Ware*.

Site n° 150 - Es Sabkha 2.

La totalité de la céramique est d'époque islamique (cf. Berthier sous presse).

Site n° 151 - El Hawāij 2.

Un seul tesson, un fragment de *Brittle Ware*, est identifiable, mais il ne peut être daté avec plus de précision que l'époque romaine, l'époque romaine tardive ou le début de l'époque islamique ; les autres tessons, très rares, sont atypiques.

Site n° 152 - Dībān 10.

La totalité de la céramique est d'époque islamique (cf. Berthier sous presse).

Site n° 153 - Sālihīye 3.

Site sans céramique visible.

Site n° 154 - Mahkān 1.

La totalité de la céramique est d'époque islamique (cf. Berthier sous presse).

Site n° 155 - Hajīn 3.

Site sans céramique visible.

Site n° 156 - El Musallakha.

Les rares tessons retrouvés sont tous atypiques ; aucun ne peut être daté.

Site n° 157 - Es Sūsa 4 (pl. 111 et 112).

La plupart des tessons trouvent des comparaisons au Bronze moyen, notamment sur les sites de Mari et de Haradum. Le bord **1577**, de facture beaucoup plus grossière, est peut-être modelé et pourrait remonter à l'époque d'Uruk.

1570 T157 C6
Céramique commune tournée ; dm 2/3, dv 2 ; pâte brun-rose ; surface beige-vert, lissée.
Vase ouvert, bord.
Haradum : Kepinski-Lecomte 1992, fig. 118 : 12 ; 121 : 6 [xviii°-xvii° s. av. J.-C.]

1571 T157 C3
Céramique commune tournée ; dm 2/3+ ; pâte beige-vert ; surface beige-vert, ravalée.
Vase ouvert, bord.

1572 T157 C2
Céramique commune tournée ; dm 2/3(4), dv 2/3 ; pâte rose ; surface beige, ravalée.
Vase ouvert, bord.
Haradum : Kepinski-Lecomte 1992, fig. 123 : 9, 11 [xviii°-xvii° s. av. J.-C.]

1573 T157 C1
Céramique commune tournée ; dm 2/3, dv 2/3 ; pâte brun-rose ; surface beige-rose, ravalée.
Vase ouvert, bord.
Haradum : Kepinski-Lecomte 1992, fig. 123 : 9, 11 [xviii°-xvii° s. av. J.-C.]

1574 T157 C7
Céramique commune tournée ; dm 2/3, dv 2/3 ; pâte rose ; surface beige-vert, lissée.
Vase ouvert, bord.
Haradum : Kepinski-Lecomte 1992, fig. 121 : 9, 10 [xviii°-xvii° s. av. J.-C.]

1575 T157 C5
Céramique commune tournée ; dm 2/3, dv 2/3 ; pâte beige-vert ; surface verte, lissée.
Vase ouvert, bord.
Haradum : Kepinski-Lecomte 1992, fig. 121 : 9, 10 [xviii°-xvii° s. av. J.-C.]

1576 T157 C4
Céramique commune tournée ; dm 2/3, dv 2/3 ; pâte beige-rose ; surface beige, lissée.
Vase fermé, bord.
Tell ed-Dēr : Gasche 1971, pl. 19 : 4-6 [paléobabylonien]
Halawa : Orthmann 1981, Taf. 44 : 4 [fin BM]

1577 T157 C8
Céramique commune tournée (?) ; dm 2/3, dv 2/3 ; pâte brun-rose ; surface beige, ravalée et irrégulière.
Vase ouvert, bord.
Habūba Kabira-Süd : Sürenhagen 1978, Tab. 24 : 6 [fin du IV° millénaire]

1578 T157 C9
Céramique commune tournée ; dm 2/3, dv 2/3+ ; pâte beige-vert ; surface beige-vert, lissée.
Vase ouvert, bord.

1579 T157 C14
Céramique commune tournée ; dm 2/3, dv 2/4 ; pâte verte ; surface verte, lissée.
Vase fermé, bord.
Nippur : McCown et Haines 1967, pl. 90 : 15 [BM]
Halawa : Orthmann 1981, Taf. 45 : 25 [début II° millénaire]

1580 T157 C10
Céramique commune tournée ; dm 2/3, dv 2/3 ; pâte beige-vert ; surface beige, lissée.
Vase fermé, bord.
Tell ed-Dēr : Gasche 1971, pl. 19 : 4-6 [paléobabylonien]
Halawa : Orthmann 1981, Taf. 44 : 4 [fin BM]

1581 T157 C15
Céramique commune tournée ; dm 2/3, dv 2/3+ ; pâte verte ; surface verte, ravalée.
Vase fermé, bord.

1582 T157 C13
Céramique commune tournée ; dm 2/3, dv 2/3 ; pâte verte ; surface beige-vert, lissée.
Vase ouvert, bord.

1583 T157 C12
Céramique commune tournée ; dm 2/3 ; pâte rose ; surface beige-rose, lissée.
Vase fermé, bord.

1584 T157 C16
Céramique commune tournée ; dm 2/3, dv 2/3+ ; pâte verte ; surface
   verte, ravalée.
Vase fermé, bord.
Haradum : Kepinski-Lecomte 1992, fig. 63 : 1-3 [xviiie-xviie s.
   av. J.-C.]
Halawa : Orthmann 1981, Taf. 45 : 28 ; 46 : 12 ; 48 : 16 [début
   IIe millénaire]

1585 T157 C18
Céramique commune tournée ; dm 2/3, dv 2/3 ; pâte verte ; surface
   verte, lissée ; incision (ligne ondulée).
Vase fermé, bord.
Haradum : Kepinski-Lecomte 1992, fig. 86 : 9 [xviiie-xviie s.
   av. J.-C.]
Mari : Lebeau 1987 a, pl. IV : 8 [paléobabylonien]
Terqa : Kelly-Buccellati et Shelby 1977, p. 23, fig. 10 : TPR4
   14 [1750-1500 av. J.-C.]

Site n° 158 - Maqbarat Wardi (pl. 113).

Quatre tessons à dégraissant minéral et végétal provenant de ce site ne semblent pas être islamiques. Parmi eux, un bord de grande jarre légèrement fermée (**1588**) a des parallèles à l'époque néo-assyrienne, mais aussi dès le Bronze moyen à Mari et à Haradum. Un second bord (**1589**), conservé sur une trop petite hauteur, est datable de ces mêmes époques. Les deux autres fragments, dont un fond (**1587**), ne sont pas datables.

Le reste de la céramique est d'époque islamique (cf. Berthier sous presse).

1586 T158 C3
Céramique commune tournée ; dm 2/3++, dv 2 ; pâte rose ; surface
   beige-rose, ravalée.
Vase fermé, bord.
1587 T158 C4
Céramique commune tournée ; dm 2/3(5), dv 2/4 ; pâte beige ;
   surface beige, ravalée.
Vase fermé, fond.
1588 T158 C1
Céramique commune tournée ; dm 2/3, dv 2/4 ; pâte rose ; surface
   beige-jaune, lissée.
Vase fermé, bord.

Khirbet Qasrij : Curtis 1989, fig. 38 : 248 [1re moitié du vie s.
   av. J.-C.]
Haradum : Kepinski-Lecomte 1992, fig. 78 : 2 [xviiie-xviie s.
   av. J.-C.]
Mari : Lebeau 1983 a, fig. 3 : 7 [BM II]
1589 T158 C2
Céramique commune tournée ; dm 2/3, dv 2/4 ; pâte rose ; surface
   beige-jaune, lissée.
Vase ouvert, bord.
Khirbet Qasrij : Curtis 1989, fig. 38 : 243 [1re moitié du vie s.
   av. J.-C.]
Mari : Lebeau 1983 a, fig. 3 : 6 [BM II]

Site n° 159 - Mahkān 2.

La totalité de la céramique est d'époque islamique (cf. Berthier sous presse).

Site n° 160 - Et Ta'as el Jāiz.

La totalité de la céramique est d'époque islamique (cf. Berthier sous presse).

Site n° 161 - Mazār el Arba'in.

Site sans céramique.

Site n° 162 - Dībān 11 (pl. 113 et 114).

Ce site a été occupé pour l'essentiel à l'époque abbasside (cf. Berthier sous presse).

Néanmoins, une cinquantaine de tessons atteste une occupation plus ancienne : pour la plupart, la pâte est de couleur verte et contient du dégraissant végétal. Plusieurs bords appartiennent à des bols fréquents à l'époque néo-assyrienne (**1590** à **1593**, **1596** à **1598**), même si plusieurs de ces formes sont attestées plus anciennement et jusqu'à l'époque hellénistico-romaine. Le bord **1593** a des correspondances au viie s. av. J.-C. dans le Wādi 'Ajij et au vie s. à Khirbet Qasrij.

Un col de petite jarre (**1608**) a un parallèle à l'époque parthe à Tell Barri. Plusieurs fragments pourraient provenir de vases de l'époque romaine tardive. Le bord **1601** semble appartenir à une amphore de la fabrique nord-syrienne ; toutefois, aucun fragment peint de cette céramique bien typique n'a été retrouvé. Le bord **1604** pourrait être daté de cette même époque. Quant au bord **1600**, des formes avoisinantes sont connues à Resafa au ve s. apr. J.-C., mais aussi dans le bassin du Karababa à l'âge du Fer. Aucun tesson de *Brittle Ware* n'a été retrouvé.

1590 T162 C5
Céramique commune tournée ; dm 2, dv 2 ; pâte rose ; surface rose,
   ravalée.
Vase ouvert, bord.
1591 T162 C10
Céramique commune tournée ; dm 2/3 ; pâte verte ; surface verte,
   ravalée.
Vase ouvert, bord.
'Ağīğ-Gebiet : Bernbeck 1993, Abb. 98 : c [âge du Fer (viiie s.)]
1592 T162 C13
Céramique commune tournée ; dm 2/3, dv 2 ; pâte verte ; surface
   beige-vert, ravalée.

Vase ouvert, bord.
Khirbet Qasrij : Curtis 1989, fig. 25 : 48 ; 26 : 62 [1re moitié du
   vie s. av. J.-C.]
1593 T162 C9
Céramique commune tournée ; dm 2/3, dv 2 ; pâte verte ; surface
   verte, ravalée.
Vase ouvert, bord.
Khirbet Qasrij : Curtis 1989, fig. 27 : 76 [1re moitié du vie s.
   av. J.-C.]
'Ağīğ-Gebiet : Bernbeck 1993, Abb. 108 : b [âge du Fer (viie s.)]

1594 T162 C12
Céramique commune tournée ; dm 2/3+ ; pâte gris-vert ; surface verte, ravalée.
Vase ouvert, bord.

1595 T162 C6
Céramique commune tournée ; dm 2, dv 2 ; pâte beige-vert à beige-rose ; surface beige-vert, lissée.
Vase ouvert, bord.

1596 T162 C17
Céramique commune tournée ; dm 2/3, dv 2 ; pâte verte à cœur gris ; surface verte, ravalée.
Vase ouvert, bord.
Khirbet Qasrij : CURTIS 1989, fig. 26 : 60 [1ʳᵉ moitié du vıᵉ s. av. J.-C.]

1597 T162 C11
Céramique commune tournée ; dm 2, dv 2/3 ; pâte gris-vert ; surface beige-vert, lissée.
Vase ouvert, bord.
Khirbet Qasrij : CURTIS 1989, fig. 25 : 52 [1ʳᵉ moitié du vıᵉ s. av. J.-C.]
'Āna : KILLICK 1988, fig. 28 : 11 [néo-assyrien]

1598 T162 C1
Céramique commune tournée ; dm 1/2 ; pâte rose ; surface beige-rose, ravalée.
Vase ouvert, bord.
Khirbet Qasrij : CURTIS 1989, fig. 27 : 77 [1ʳᵉ moitié du vıᵉ s. av. J.-C.]

1599 T162 C4
Céramique commune tournée ; dm 2/4+ ; pâte brun-rose ; surface rose, ravalée.
Vase fermé, bord.
'Ağığ-Gebiet : BERNBECK 1993, Abb. 119 : e [âge du Fer]

1600 T162 C16
Céramique commune tournée ; dm 2, dv 2 ; pâte beige à vert ; surface verte, lissée.
Vase fermé, bord.
Resafa : KONRAD 1992, Abb. 20 : 7 [vᵉ-début vıᵉ s. apr. J.-C.]

1601 T162 C14
Céramique commune tournée ; dm 2/3+ ; pâte rose ; surface beige-rose, ravalée.

Vase fermé, bord.
Resafa : KONRAD 1992, Abb. 10 : 2, 3 [vᵉ-début vıᵉ s. apr. J.-C.]

1602 T162 C7
Céramique commune tournée ; dm 2 ; pâte verte ; surface verte, ravalée.
Vase fermé, bord.

1603 T162 C19
Céramique commune tournée ; dm 2/3(4), dv 2 ; pâte beige à cœur vert ; surface beige-rose, ravalée.
Vase fermé, bord.

1604 T162 C8
Céramique commune tournée ; dm 2/3+, dv 1 ; pâte verte ; surface verte, ravalée.
Vase fermé, bord.

1605 T162 C20
Céramique commune tournée ; dm 2/3(4), dv 2 ; pâte rose ; surface rose, ravalée.
Vase fermé, bord.

1606 T162 C2
Céramique commune tournée ; dm 2/3+ ; pâte beige à cœur rose ; surface beige-vert, ravalée.
Vase fermé, bord.

1607 T162 C18
Céramique commune tournée ; dm 2/3 ; pâte verte ; surface verte, lissée.
Vase fermé, bord.

1608 T162 C3
Céramique commune tournée ; dm 2/3+ ; pâte beige-rose à beige-vert ; surface beige, lissée.
Vase fermé, bord.
Barri : RICCIARDI VENCO 1982, n° 7 [parthe]
'Ağığ-Gebiet : BERNBECK 1993, Abb. 142 : c [ıııᵉ s. apr. J.-C.]

1609 T162 C15
Céramique commune tournée ; dm 2/3 ; pâte verte ; surface verte, ravalée ; cercles incisés (2).
Vase fermé, panse.

Site n° 163 - Tell Boubou.

La quasi-totalité de la céramique est d'époque islamique (cf. BERTHIER sous presse).

Une petite dizaine de tessons pourrait être antérieure à l'occupation abbasside. Ces fragments sont pour la plupart très abîmés et sont presque exclusivement constitués d'une pâte très rugueuse, due à la présence d'un dégraissant minéral de taille moyenne, parfois très abondant. Un seul tesson présente des traces de dégraissant végétal. Aucune forme n'est suffisamment éloquente pour permettre une datation précise. Trois fragments pourraient avoir des parallèles aux vᵉ et vıᵉ s. de notre ère, mais ces formes sont aussi attestées à l'époque umayyade et pourraient donc laisser envisager une occupation à cette dernière période, d'autant qu'aucun tesson n'évoque la céramique peinte nord-syrienne typique de la période romaine tardive.

Site n° 164 - Ali esh Shehel 2.

La totalité de la céramique est d'époque islamique (cf. BERTHIER sous presse).

Site n° 165 - Safāt ez Zerr 3.

La totalité de la céramique est d'époque islamique (cf. BERTHIER sous presse).

Site n° 166 - Safāt ez Zerr 4.

La totalité de la céramique est d'époque islamique (cf. BERTHIER sous presse).

Site n° 167 - Safāt ez Zerr 5.

La totalité de la céramique est d'époque islamique (cf. BERTHIER sous presse).

Site n° 168 - Shheil 5 (pl. 114).

En dehors de la céramique abbasside, retrouvée en quantité importante sur ce site (cf. BERTHIER sous presse), une dizaine de tessons semble attester une occupation antérieure, vraisemblablement à l'époque romaine et/ou romaine tardive.

Les fragments **1616** et **1617** sont des bords de jarres bitumées à l'intérieur, du type des jarres *torpedo*, que l'on retrouve pendant les premiers siècles de notre ère dans cette région. Plusieurs fragments de jarres (**1615**, **1618**, **1619**, **1621**) ont des parallèles possibles dans le Wādi ʿAjij, datés par Bernbeck dès le IIIe s. de notre ère jusqu'au début de l'époque islamique.

La petite dépression sur la lèvre des bords **1612** et **1613** rappelle les formes des couvercles de la période romaine tardive.

Les trois fragments de *Brittle Ware* retrouvés (non publiés ici), avec leur pâte rouge et leur surface tirant sur le brun-rouge, sont plutôt caractéristiques de l'époque umayyade.

1610 T168 C6
Céramique commune tournée ; dm 2/3 ; pâte brun-rose ; surface beige-rose, ravalée.
Vase ouvert, bord.

1611 T168 C15
Céramique commune tournée ; dm 2/3+ ; pâte beige-vert ; surface beige-vert, ravalée.
Vase ouvert, bord.

1612 T168 C9
Céramique commune tournée ; dm 2/3(5) ; pâte beige-rose ; surface beige, ravalée.
Vase ouvert, bord.
Resafa : KONRAD 1992, Abb. 9 : 7 [V[e]-début VIe s. apr. J.-C.]

1613 T168 C5
Céramique commune tournée ; dm 2/3 ; pâte beige-rose ; surface verte, lissée.
Vase ouvert, bord.
Resafa : KONRAD 1992, Abb. 19 : 16 [V[e]-début VIe s. apr. J.-C.]

1614 T168 C10
Céramique commune tournée ; dm 2/3 ; pâte beige ; surface beige-vert, lissée.
Vase fermé, bord.

1615 T168 C11
Céramique commune tournée ; dm 2/3 ; pâte beige-rose ; surface beige-vert, ravalée.
Vase fermé, bord.
ʿĀna : NORTHEDGE 1988, fig. 38 : 11 [VIe-VIIe s. apr. J.-C.]
ʾAğīğ-Gebiet : BERNBECK 1993, Abb. 140 : m, n [VIe-VIIe s. apr. J.-C.]

1616 T168 C2
Céramique commune tournée ; dm 2/3 ; pâte rose ; surface rose, ravalée ; bitume à l'intérieur et coulures à l'extérieur.
Vase fermé, bord.
ʿĀna : NORTHEDGE 1988, fig. 38 : 6 [sassanide récent]

1617 T168 C1
Céramique commune tournée ; dm 2/3 ; pâte rose ; surface rose, ravalée ; bitume à l'intérieur.
Vase fermé, bord.
Sabra : TUNCA 1987, pl. 77 : 16, 17 [SE/PA]

1618 T168 C4
Céramique commune tournée ; dm 2/3 ; pâte beige-vert ; surface beige-vert, lissée.
Vase fermé, bord.
ʾAğīğ-Gebiet : BERNBECK 1993, Abb. 142 : c [IIIe s. apr. J.-C.]

1619 T168 C3
Céramique commune tournée ; dm 2/3(5)++ ; pâte rose ; surface rose, ravalée.
Vase fermé, bord.
ʾAğīğ-Gebiet : BERNBECK 1993, Abb. 148 : p [romain tardif/ islamique ancien]

1620 T168 C7
Céramique commune tournée ; dm 2/3 ; pâte gris-vert ; surface verte, ravalée.
Vase fermé, bord.
ʿĀna : KILLICK 1988, fig. 34 : 87 [parthe]

1621 T168 C14
Céramique commune tournée ; dm 2/3 ; pâte verte ; surface beige-vert, ravalée.
Vase fermé, bord.
ʿĀna : NORTHEDGE 1988, fig. 38 : 11 [VIe-VIIe s. apr. J.-C.]
ʾAğīğ-Gebiet : BERNBECK 1993, Abb. 140 : m, n [VIe-VIIe s. apr. J.-C.]

Site n° 169 - Er Rweiha 1.

La totalité de la céramique est d'époque islamique (cf. BERTHIER sous presse).

Site n° 170 - Er Rweiha 2.

La totalité de la céramique est d'époque islamique (cf. BERTHIER sous presse).

Site n° 171 - Shheil 6 (pl. 115).

Sur quatorze tessons retrouvés, neuf étaient informes. Les autres fragments sont trop petits pour pouvoir être réellement identifiés et datés.

1622 T171 C2
Céramique commune tournée ; dm 2/3+ ; pâte beige ; surface beige-rose, ravalée.
Vase fermé, bord.

1623 T171 C1
Céramique commune tournée ; dm 2/3(5) ; pâte grisâtre ; surface gris-vert, ravalée.
Vase fermé, bord.

1624 T171 C5
Céramique commune tournée ; dm 2/3++ ; pâte verte ; surface verte, ravalée.
Vase fermé, bord.

1625 T171 C4
Céramique commune tournée ; dm 2/3++ ; pâte beige-rose ; surface beige-rose, ravalée.
Vase fermé, bord.

1626 T171 C3
Céramique commune tournée ; dm 2/3 ; pâte verte ; surface verte, ravalée.
Vase fermé, bord.

Site n° 172 - Shheil 7.

La totalité de la céramique est d'époque islamique (cf. BERTHIER sous presse).

Site n° 173 - Shheil 8.

La totalité de la céramique est d'époque islamique (cf. BERTHIER sous presse).

Site n° 174 - Shheil 9.

La totalité de la céramique est d'époque islamique (cf. BERTHIER sous presse).

Site n° 175 - Shheil 10.

La totalité de la céramique est d'époque islamique (cf. BERTHIER sous presse).

Site n° 176 - Shheil 11.

La totalité de la céramique est vraisemblablement d'époque islamique (cf. BERTHIER sous presse). Quelques tessons pourraient être préislamiques, mais aucun d'entre eux ne présente de forme caractéristique.

Site n° 177 - Shheil 12.

La totalité de la céramique est d'époque islamique (cf. BERTHIER sous presse).

Site n° 178 - Shheil 13.

La totalité de la céramique est d'époque islamique (cf. BERTHIER sous presse).

Site n° 179 - Shheil 14.

La totalité de la céramique est d'époque islamique (cf. BERTHIER sous presse).

Site n° 180 - Shheil 15.

La totalité de la céramique est d'époque islamique (cf. BERTHIER sous presse).

Site n° 181 - Shheil 16.

La totalité de la céramique est d'époque islamique (cf. BERTHIER sous presse).

Site n° 182 - Shheil 17.

La totalité de la céramique est d'époque islamique (cf. BERTHIER sous presse).

Site n° 183 - Dībān 12.

La totalité de la céramique est d'époque islamique (cf. BERTHIER sous presse).

Site n° 184 - Dībān 13.

La totalité de la céramique est d'époque islamique (cf. BERTHIER sous presse).

Site n° 185 - Dībān 14.

La totalité de la céramique est d'époque islamique (cf. BERTHIER sous presse).

Site n° 186 - Dībān 15 (pl. 115).

Une vingtaine de tessons en provenance de ce site a été conservée, dont plusieurs fragments de bords très abîmés et quelques fonds. Sur les dix tessons publiés, la plupart présentent des correspondances avec la céramique néo-assyrienne retrouvée à Khirbet Qasrij, à 'Āna ou dans le Wādi 'Ajij. Il faut toutefois noter l'absence complète, dans le matériel retrouvé, de bords de bols à lèvre rentrée et épaissie, typiques de cette période. Des comparaisons sont aussi possibles, dans une moindre mesure, avec des vases de Sabra datés de l'époque séleuco-parthe.

1627 T186 C3
Céramique commune tournée ; dm 2/3, dv 2 ; pâte beige-vert ; surface beige-vert, lissée.
Vase ouvert, bord.

1628 T186 C10
Céramique commune tournée ; dm 2/3+(5+) ; pâte rose ; surface beige, ravalée.
Vase fermé, bord.
'Āna : KILLICK 1988, fig. 29 : 23 [néo-assyrien]

1629 T186 C8
Céramique commune tournée ; dm 2/3(5) ; pâte beige-brun ; surface beige-jaune, lissée.
Vase fermé, bord.
Sabra : TUNCA 1987, pl. 82 : 21 [SE/PA]

1630 T186 C9
Céramique commune tournée ; dm 2/3 ; pâte verte ; surface beige, ravalée.
Vase fermé, bord.
'Ağīğ-Gebiet : BERNBECK 1993, Abb. 110 : a [âge du Fer]

1631 T186 C2
Céramique commune tournée ; dm 2/3 ; pâte verte ; surface verte, ravalée.
Vase fermé, bord.
Khirbet Qasrij : Curtis 1989, fig. 33 : 173 [1ʳᵉ moitié du vɪᵉ s. av. J.-C.]
Sabra : Tunca 1987, pl. 81 : 14 [SE/PA]

1632 T186 C1
Céramique commune tournée ; dm 2/3 ; pâte rose ; surface beige, lissée ; traces de bitume sur la lèvre à l'extérieur.
Vase fermé, bord.
'Āna : Killick 1988, fig. 29 : 24 [néo-assyrien]
Khirbet Qasrij : Curtis 1989, fig. 32 : 157 [1ʳᵉ moitié du vɪᵉ s. av. J.-C.]

1633 T186 C5
Céramique commune tournée ; dm 2/3 ; pâte verte ; surface beige, ravalée.
Vase fermé, bord.
Khirbet Qasrij : Curtis 1989, fig. 32 : 155 [1ʳᵉ moitié du vɪᵉ s. av. J.-C.]

1634 T186 C6
Céramique commune tournée ; dm 2/3 ; pâte brun-rouge ; surface beige à l'intérieur ; verdâtre à l'extérieur, lissée.
Vase fermé, bord.
'Ağīğ-Gebiet : Bernbeck 1993, Abb. 122 : d [vɪɪᵉ s. av. J.-C.]

1635 T186 C7
Céramique commune tournée ; dm 2/3 ; pâte rose-rouge ; surface beige, lissée.
Vase fermé, bord.
Khirbet Qasrij : Curtis 1989, fig. 36 : 222-224 [1ʳᵉ moitié du vɪᵉ s. av. J.-C.]

1636 T186 C4
Céramique commune tournée ; dm 2/3(5), dv 2 ; pâte beige ; surface beige, lissée.
Vase fermé, bord.
Khirbet Qasrij : Curtis 1989, fig. 34 : 188 193 194 [1ʳᵉ moitié du vɪᵉ s. av. J.-C.]

Site n° 187 - Dībān 16.

La totalité de la céramique est d'époque islamique (cf. Berthier sous presse).

Site n° 188 - Dībān 17 (pl. 115).

Les tessons retrouvés sur ce site sont très abîmés ; de ce fait, leur surface est très rugueuse. Les formes gardées (six sur une vingtaine de fragments ramassés) ne sont pas très explicites ; quatre comparaisons sont envisageables avec du matériel de l'époque néo-assyrienne (**1637** à **1639**, **1641**).

1637 T188 C4
Céramique commune tournée ; dm 2/3 ; pâte rose ; surface beige-vert, très rugueuse.
Vase ouvert, bord.
Khirbet Qasrij : Curtis 1989, fig. 23 : 3 [1ʳᵉ moitié du vɪᵉ s. av. J.-C.]

1638 T188 C5
Céramique commune tournée ; dm 2/3 ; pâte rouge à cœur noir ; surface rose à rouge.
Vase fermé, bord.
Khirbet Qasrij : Curtis 1989, fig. 34 : 192 [1ʳᵉ moitié du vɪᵉ s. av. J.-C.]

1639 T188 C3
Céramique commune tournée ; dm 2/3, dv 2 ; pâte verte ; surface verte, très rugueuse.
Vase fermé (?), bord.
Khirbet Qasrij : Curtis 1989, fig. 28 : 86, 87 ; 33 : 167, 169 [1ʳᵉ moitié du vɪᵉ s. av. J.-C.]

1640 T188 C1
Céramique commune tournée ; dm 2/3++ ; pâte rose ; surface beige, très rugueuse.
Vase fermé, bord.

1641 T188 C2
Céramique commune tournée ; dm 2/3++ ; pâte brun-rouge ; surface beige-vert, très rugueuse.
Vase fermé, bord.
Khirbet Qasrij : Curtis 1989, fig. 32 : 164 [1ʳᵉ moitié du vɪᵉ s. av. J.-C.]
'Āna : Killick 1988, fig. 33 : 71 [parthe]

1642 T188 C6
Céramique commune tournée ; dm 2/3 ; pâte verte ; surface verte.
Vase fermé, fond.

Site n° 189 - Dībān 18 (pl. 116).

La quasi-totalité de la céramique est d'époque islamique (cf. Berthier sous presse).

Il est possible cependant qu'une dizaine de tessons soient antérieurs à cette période, notamment en raison de la présence de dégraissant végétal dans plusieurs d'entre eux (**1645**, **1647** et plusieurs fragments de panses non gardés). Mais leur taille très réduite et leur mauvais état de conservation (seuls six ont été conservés) ne permettent pas d'en préciser la datation. Le fragment **1643** porte des traces de bitume sur la lèvre (trois autres fragments de panses en présentaient aussi).

1643 T189 C1
Céramique commune tournée ; dm 2/3 ; pâte rose ; surface rose, ravalée ; traces de bitume sur le dessus de la lèvre.
Vase fermé, bord.
'Āna : Killick 1988, fig. 34 : 83 [parthe]

1644 T189 C3
Céramique commune tournée ; dm 2/3 ; pâte rose ; surface rose, ravalée.
Vase fermé, bord.

1645 T189 C2
Céramique commune tournée ; dm 2/3, dv 2 ; pâte gris-beige ; surface gris-brun, ravalée.
Vase fermé, bord.

1646 T189 C6
Céramique commune tournée ; dm 2/3(4) ; pâte gris-vert ; surface gris-vert, ravalée.
Vase fermé, bord.

1647 T189 C4
Céramique commune tournée ; dm 2/3(5), dv 2/3 ; pâte verte ; surface beige-vert, ravalée.
Vase fermé, panse, tenon.

1648 T189 C5
Céramique commune tournée ; dm 2/3 ; pâte rose ; surface verte, lissée ; cannelures horizontales (2) et traits verticaux incisés (2).
Vase fermé, panse.

Site nº 190 - Shheil 18.

La totalité de la céramique est d'époque islamique (cf. Berthier sous presse).

Site nº 191 - Shheil 19.

La totalité de la céramique est d'époque islamique (cf. Berthier sous presse).

Site nº 192 - Ali esh Shehel 3.

La totalité de la céramique est d'époque islamique (cf. Berthier sous presse).

Site nº 193 - Shheil 20.

La totalité de la céramique est d'époque islamique (cf. Berthier sous presse).

Site nº 194 - Er Rāshdi 2.

La totalité de la céramique est d'époque islamique (cf. Berthier sous presse).

Site nº 195 - Er Rāshdi 3 (pl. 116).

La quasi-totalité de la céramique est d'époque islamique (cf. Berthier sous presse).

Une dizaine de tessons appartiennent à de la céramique d'époque antérieure. Trois d'entre eux sont publiés, les autres étant des fragments de panse. Les trois bords ont des comparaisons à l'époque néo-assyrienne, en particulier à Khirbet Qasrij.

1649 T195 C1
Céramique commune tournée ; dm 2/3 ; pâte rose ; surface verte, lissée.
Vase fermé, bord.
Khirbet Qasrij : Curtis 1989, fig. 37 : 235 [1re moitié du vie s. av. J.-C.]
'Ağiğ-Gebiet : Bernbeck 1993, Abb. 121 : f [ixe-viiie s. av. J.-C.]
1650 T195 C3
Céramique commune tournée ; dm 2/3 ; pâte rose ; surface rose, lissée ; bitume à l'intérieur et sur la lèvre.

Vase fermé, bord.
Khirbet Qasrij : Curtis 1989, fig. 32 : 160 ; 38 : 247 [1re moitié du vie s. av. J.-C.]
1651 T195 C2
Céramique commune tournée ; dm 2/3 ; pâte verte ; surface gris-vert, ravalée.
Vase fermé, bord.
Khirbet Qasrij : Curtis 1989, fig. 34 : 189 192 [1re moitié du vie s. av. J.-C.]

Site nº 196 - Er Rāshdi 4.

La totalité de la céramique est d'époque islamique (cf. Berthier sous presse).

Site nº 197 - Dībān 19.

Une vingtaine de tessons ont été retrouvés, mais en l'absence de profil caractéristique, leur datation est impossible.

Site nº 198 - Wādi el Balīn.

La totalité de la céramique est d'époque islamique (cf. Berthier sous presse).

Site nº 199 - Dībān 20.

La totalité de la céramique est d'époque islamique (cf. Berthier sous presse).

Site nº 200 - Dībān 21 (pl. 116 à 118).

Une grande quantité de tessons a été retrouvée sur ce site, avec parfois une très forte densité, allant jusqu'à une dizaine de tessons au m².

Un cinquième environ de ce matériel est d'époque islamique (cf. Berthier sous presse).

Le reste semble pouvoir être daté dans sa totalité de l'époque parthe. L'ensemble des comparaisons que l'on peut établir renvoie en effet aux premiers siècles de notre ère. L'absence de céramique peinte nord-syrienne et de cols d'amphores du même type va dans le même sens. Les très rares fragments de *Brittle Ware* (trois au total, dont **1704**) sont malheureusement sans forme, mais leur texture poreuse avec des inclusions grises les fait ressembler davantage aux fabrications romaines. Un fragment de sigillée (**1705**, fragment de panse) est vraisemblablement identifiable à la fabrique *Eastern Sigillata A* (*ESA*), datée du Ier s. de notre ère ; un second (**1703**, fragment de fond) est moins sûr.

1652 T200 C47
Céramique commune tournée ; dm 2/3 ; pâte rose ; surface rose, lissée.
Vase ouvert, bord.

1653 T200 C28
Céramique commune tournée ; dm 2/3 ; pâte beige ; surface verte, lissée.
Vase ouvert, bord.

1654 T200 C26
Céramique commune tournée ; dm 2/3+ ; pâte verte ; surface verte, lissée.
Vase ouvert, profil.

1655 T200 C22
Céramique commune tournée ; dm 2/3/4+ ; pâte rose ; surface beige-rose, lissée.
Vase ouvert, bord.

1656 T200 C1
Céramique commune tournée ; dm 2/3 ; pâte grise ; surface grise, ravalée.
Vase ouvert, bord.
Déhès : Orssaud 1980, fig. 109 : 5 [vi⁰ s. apr. J.-C.]

1657 T200 C12
Céramique commune tournée ; dm 2/3+ ; pâte rose ; surface rose, ravalée.
Vase ouvert, bord.
'Āna : Killick 1988, fig. 32 : 61 [parthe]

1658 T200 C15
Céramique commune tournée ; dm 2/3(4) ; pâte beige à vert ; surface beige-vert, lissée.
Vase ouvert, bord.
Resafa : Konrad 1992, Abb. 19 : 18 [v⁰-début vi⁰ s. apr. J.-C.]
'Ağiğ-Gebiet : Bernbeck 1993, Abb. 138 : s [iii⁰-ix⁰ s. apr. J.-C.]

1659 T200 C24
Céramique commune tournée ; dm 2/3 ; pâte brun-rose ; surface verte, lissée.
Vase ouvert, bord.
Uruk : Duda 1978, Taf. 32 : 135 [parthe récent]

1660 T200 C25
Céramique commune tournée ; dm 2/3, dv 2/3 ; pâte brun-rose ; surface beige-rose, lissée.
Vase ouvert, bord.

1661 T200 C48
Céramique commune tournée ; dm 2/3+(4) ; pâte brun-rouge ; surface brun-rouge, ravalée.
Vase ouvert, bord.
Uruk : Duda 1978, Taf. 29 : 12 [parthe récent]

1662 T200 C50
Céramique de cuisson (?) tournée ; dm 2 ; pâte brun-rouge ; surface brun-rouge, ravalée.
Vase fermé, bord.

1663 T200 C9
Céramique commune tournée ; dm 2/3+ ; pâte gris-vert ; surface vert kaki, ravalée.
Vase fermé, bord.
Uruk : Strommenger 1967, Taf. 19 : 9 [SE/PA]

1664 T200 C38
Céramique commune tournée ; dm 2/3+ ; pâte rose ; surface beige, lissée.
Vase fermé, bord.
Sabra : Tunca 1987, pl. 81 : 22 [SE/PA]

1665 T200 C49
Céramique de cuisson (?) tournée ; dm 1/2(3) ; pâte brun-rouge ; surface brun-rouge, lissée.
Vase fermé, bord.

1666 T200 C10
Céramique commune tournée ; dm 2/3(4), dv 2 ; pâte beige à vert ; surface beige, lissée.
Vase fermé, bord.

1667 T200 C14
Céramique commune tournée ; dm 2/3(4)+ ; pâte rose ; surface rose, ravalée.
Vase fermé, bord.

1668 T200 C8
Céramique commune tournée ; dm 2/3+, dv 2 ; pâte verte ; surface verte, ravalée.
Vase fermé, bord.

1669 T200 C37
Céramique commune tournée ; dm 2/3(4)+ ; pâte verte ; surface vert kaki, ravalée.
Vase fermé, bord.
Sabra : Tunca 1987, pl. 81 : 19 [SE/PA]

1670 T200 C36
Céramique commune tournée ; dm 2/3+ ; pâte verte ; surface verte, lissée.
Vase fermé, bord.

1671 T200 C4
Céramique commune tournée ; dm 2/3 ; pâte gris-brun ; surface gris brunâtre, ravalée.
Vase fermé, bord.

1672 T200 C5
Céramique commune tournée ; dm 2/3+ ; pâte gris-vert ; surface verte, ravalée.
Vase fermé, bord.
Sabra : Tunca 1987, pl. 83 : 12 [SE/PA]
'Ağiğ-Gebiet : Bernbeck 1993, Abb. 149 : c [iii⁰-ix⁰ s. apr. J.-C.]

1673 T200 C46
Céramique commune tournée ; dm 2/3+ ; pâte beige-rose ; surface verte, lissée.
Vase fermé, bord.

1674 T200 C45
Céramique commune tournée ; dm 2/3 ; pâte verte ; surface verte, lissée.
Vase fermé, bord.

1675 T200 C42
Céramique commune tournée ; dm 2/3+ ; pâte beige-rose ; surface beige-gris, ravalée.
Vase fermé, bord.

1676 T200 C35
Céramique commune tournée ; dm 2/3 ; pâte verte ; surface verte, lissée.
Vase fermé, bord.
Sabra : Tunca 1987, pl. 82 : 15, 17 [SE/PA]

1677 T200 C7
Céramique commune tournée ; dm 2/3+ ; pâte verdâtre ; surface verdâtre, ravalée.
Vase fermé, bord.
Sabra : Tunca 1987, pl. 88 : 13 [SE/PA]
Barri : Ricciardi Venco 1982, n° 8 [parthe (1ʳᵉ moitié du iii⁰ s.)]
'Ağiğ-Gebiet : Bernbeck 1993, Abb. 148 : p [iii⁰-ix⁰ s. apr. J.-C.]

1678 T200 C39
Céramique commune tournée ; dm 2/3(4) ; pâte gris-vert ; surface beige-vert à beige, ravalée.
Vase fermé, bord.
Sabra : Tunca 1987, pl. 80 : 6 [SE/PA]

1679 T200 C40
Céramique commune tournée ; dm 2/3+ ; pâte grise ; surface vert kaki, lissée.
Vase fermé, bord.
'Āna : Killick 1988, fig. 35 : 95 [sassanide ancien (début iii⁰ s.)]

1680 T200 C6
Céramique commune tournée ; dm 2/3 ; pâte brun-rouge ; surface beige-brun, ravalée.
Vase fermé, bord.

1681 T200 C33
Céramique commune tournée ; dm 2/3+ ; pâte brun-rose ; surface brun-rose, ravalée.

Vase fermé, bord.
'Āna : KILLICK 1988, fig. 33 : 74 [parthe]

1682 T200 C32
Céramique commune tournée ; dm 2/3++ ; pâte brun-rose ; surface
   brun-rose, ravalée.
Vase fermé, bord.

1683 T200 C13
Céramique commune tournée ; dm 2/3+ ; pâte rose ; surface brun-
   rose, ravalée.
Vase fermé, bord.
'Āna : KILLICK 1988, fig. 36 : 106 [partho-sassanide (début IIIᵉ s.)]

1684 T200 C27
Céramique commune tournée ; dm 2/3 ; pâte rose ; surface verte,
   lissée ; partie inférieure de la lèvre repoussée au doigt.
Vase fermé, bord.

1685 T200 C19
Céramique commune tournée ; dm 2/3 ; pâte rose ; surface brun-
   rose, ravalée.
Vase fermé, bord.
Sabra : TUNCA 1987, pl. 82 : 22 [SE/PA]

1686 T200 C31
Céramique commune tournée ; dm 2/3 ; pâte beige ; surface beige,
   lissée ; bitume à l'intérieur et sur la lèvre ; coulures à l'extérieur.
Vase fermé, bord.

1687 T200 C18
Céramique commune tournée ; dm 2/3 ; pâte rose ; surface rose à
   l'intérieur, verte à l'extérieur, ravalée ; anse verticale.
Vase fermé, bord.

1688 T200 C11
Céramique commune tournée ; dm 2/3++ ; pâte rose ; surface rose,
   ravalée.
Vase fermé, bord.

1689 T200 C20
Céramique commune tournée ; dm 2/3 ; pâte verte ; surface verte,
   ravalée ; anse verticale.
Vase fermé, bord.

1690 T200 C21
Céramique commune tournée ; dm 2/3+ ; pâte rose ; surface rose à
   l'intérieur, verte à l'extérieur, lissée ; lignes incisées (4).
Vase fermé, bord.
Uruk : DUDA 1978, Taf. 30 : 67 [parthe récent]
'Āna : KILLICK 1988, fig. 33 : 70 [parthe]

1691 T200 C2
Céramique commune tournée ; dm 2/3 ; pâte beige-rose ; surface
   beige-vert, ravalée.
Vase fermé, bord.
'Āna : KILLICK 1988, fig. 33 : 75 [parthe]

1692 T200 C23
Céramique commune tournée ; dm 2/3, dv 1 ; pâte beige à vert ;
   surface verte, lissée.
Vase fermé, bord.

1693 T200 C34
Céramique commune tournée ; dm 2/3+ ; pâte verte ; surface verte,
   ravalée.

Vase fermé, bord.
'Āna : KILLICK 1988, fig. 35 : 94 [sassanide ancien (1ᵉʳ tiers du IIIᵉ s.)]

1694 T200 C3
Céramique commune tournée ; dm 2/3 ; pâte brun-rose ; surface
   verte, ravalée.
Vase fermé, bord.
Barri : RICCIARDI VENCO 1982, n° 3 [parthe (1ʳᵉ moitié du IIIᵉ s.)]

1695 T200 C41
Céramique commune tournée ; dm 2/3 ; pâte beige-rose ; surface
   beige, engobe rouge léger lissé.
Vase fermé, bord.
'Āna : KILLICK 1988, fig. 35 : 95 [sassanide ancien (début IIIᵉ s.)]

1696 T200 C51
Céramique de cuisson (?) tournée ; dm 1/2 ; pâte brun-rouge ;
   surface brun-rouge, ravalée.
Vase fermé, bord.

1697 T200 C16
Céramique commune tournée ; dm 2/3, dv 2 ; pâte verte ; surface
   verte, lissée ; petites stries verticales.
Vase fermé, panse.

1698 T200 C52
Céramique commune tournée ; dm 2/3 ; pâte rose ; surface verte,
   ravalée.
Vase fermé, fond.
'Āna : KILLICK 1988, fig. 34 : 81 [parthe récent]

1699 T200 C17
Céramique commune tournée ; dm 2/3 ; pâte rose ; surface rose,
   ravalée.
Vase fermé, fond.

1700 T200 C56
Céramique commune tournée ; dm 2/3+ ; pâte rose ; surface
   verdâtre, engobe rouge extérieur.
Vase fermé, fond.

1701 T200 C55
Céramique commune tournée ; dm 2/3 ; pâte rose ; surface beige-
   rose, ravalée.
Vase ouvert, fond.

1702 T200 C54
Céramique mi-fine tournée ; dm 1 ; pâte brun orangé ; surface beige-
   brun, engobe brun à brun-rouge lissé.
Vase ouvert (?), fond.

1703 T200 C53
Céramique fine tournée ; dm 1 ; pâte orange ; surface rose-orange,
   engobe rouge lissé.
Vase ouvert, fond, sigillée (*Eastern Sigillata A ?*).

1704 T200 C29   (n.i.)
Céramique de cuisson tournée ; dm 1 ; pâte rouge à cœur gris ;
   surface rouge, lissée.
Vase fermé, panse, *Brittle Ware*.

1705 T200 C30   (n.i.)
Céramique fine tournée ; dm 1 ; pâte rose orangé ; surface rouge,
   engobe rouge épais bien lissé.
Vase fermé, panse, sigillée (*Eastern Sigillata A*).

Site n° 201 - Zabāri 2.

La totalité de la céramique est d'époque islamique (cf. BERTHIER sous presse).

Site n° 202 - El Graiye 5.

Pas de céramique récoltée sur ce site daté par K. Simpson (1983) « *early Medieval* ».

Site n° 203 - El Kishma.

Pas de céramique récoltée sur ce site daté par K. Simpson (1983) du Bronze ancien (*early Dynastic III*).

Site n° 204 - Dablān.

Pas de céramique récoltée sur ce site daté par K. Simpson (1983) « *Sasanian, early Medieval* ».

Site n° 205 - El Graiye 6.

Pas de céramique récoltée sur ce site daté par K. Simpson (1983) « *Parthian/Sasanian, early (?) Medieval* ».

Site n° 206 - El Graiye 7.

Pas de céramique récoltée sur ce site daté par K. Simpson (1983) « *Pre-Medieval* », plutôt « *Seleucid* » ou « *Parthian* ».

Site n° 207 - Hatla 3 (pl. 118).

La céramique de ce site est bien datable de l'époque romaine tardive ; parmi les fragments les plus caractéristiques, on peut noter les **1709**, **1710** et **1711**, qui appartiennent à la fabrique d'amphores nord-syriennes à décor peint, et le fond arrondi de pot en *Brittle Ware* (**1712**), avec des parallèles nombreux pendant l'époque romaine (par exemple, à Dibsi Faraj au Iᵉʳ s. apr. J.-C. et à Doura au IIIᵉ s.) et pendant l'époque romaine tardive.

Trois autres petits tessons (**1706** à **1708**) ne sont pas datables.

1706 T207 C3
Céramique commune tournée ; dm 2/3+++ ; pâte beige-rose ;
   surface beige, ravalée.
Vase fermé, bord.

1707 T207 C2
Céramique commune tournée ; dm 2/3 ; pâte verte ; surface verte,
   lissée.
Vase fermé, bord.

1708 T207 C1
Céramique commune tournée ; dm 2 ; pâte rose ; surface beige-
   rose, lissée.
Vase fermé (?), bord.

1709 T207 C4   (n.i.)
Céramique commune tournée ; dm 2/3+ ; pâte beige-rose ; surface
   beige, lissée ; peinture brun-noir (bande horizontale).
Vase fermé, panse, céramique peinte nord-syrienne.
Dibsi Faraj : HARPER 1980, fig. E : 70, 71 [byzantin ancien]
Karababa Basin, site 12 : WILKINSON 1990, fig. B15 : 4 [romain
   tardif-byzantin ancien]
Resafa : MACKENSEN 1984, Taf. 23 : 18 ; 18 : 20, 21 [Vᵉ-VIᵉ s.
   apr. J.-C.]

1710 T207 C5   (n.i.)
Céramique commune tournée ; dm 2/3+ ; pâte rose ; surface rose,
   lissée ; peinture brun-rouge (bande horizontale).

Vase fermé, panse, céramique peinte nord-syrienne.
Dibsi Faraj : HARPER 1980, fig. E : 70, 71 [byzantin ancien]
Karababa Basin, site 12 : WILKINSON 1990, fig. B15 : 4 [romain
   tardif-byzantin ancien]
Resafa : MACKENSEN 1984, Taf. 23 : 18 ; 18 : 20, 21 [Vᵉ-VIᵉ s.
   apr. J.-C.]

1711 T207 C6   (n.i.)
Céramique commune tournée ; dm 2/3+ ; pâte beige ; surface beige,
   lissée ; peinture brun-noir (bande horizontale).
Vase fermé, panse, céramique peinte nord-syrienne.
Dibsi Faraj : HARPER 1980, fig. E : 70, 71 [byzantin ancien]
Karababa Basin, site 12 : WILKINSON 1990, fig. B15 : 4 [romain
   tardif-byzantin ancien]
Resafa : MACKENSEN 1984, Taf. 23 : 18 ; 18 : 20, 21 [Vᵉ-VIᵉ s.
   apr. J.-C.]

1712 T207 C7   (n.i.)
Céramique de cuisson tournée ; dm 1 ; pâte rouge ; surface brun à
   noir, lissée.
Vase fermé, fond, *Brittle Ware.*
Doura : DYSON 1968, fig. 13 : 429 ; 19 : IIID3, 4 [milieu IIIᵉ s.
   apr. J.-C.]
Palestine : LAPP 1961, p. 186, type 71.1, K [75 av. J.-C.-
   68 apr. J.-C.]
Dibsi Faraj : HARPER 1980, p. 336 fig. C : 51, 52, 58 [Iᵉʳ s. apr. J.-C.].

Site n° 208 - Sreij 2.

Pas de céramique récoltée sur ce site.

Site n° 209 - Sālihīye 4.

Site sans céramique visible.

Canaux et barrage (pl. 119)

Nahr Dawrīn (tracé B), section de Darnaj (48a/1983/C) [pl. 119].

Le matériel a été ramassé sur les digues du canal. Si le bord **1713** a des comparaisons possibles à plusieurs périodes, dont le Bronze moyen à Mari, à Haradum et à Nippur, et l'époque kassite, le bord de jarre sans col **1714** n'en trouve qu'à cette dernière et à l'époque néo-assyrienne.

1713 48a/1983/C/C1
Céramique commune tournée ; dm 2/3, dv 2/3 ; pâte rose à cœur
   beige ; surface beige, lissée.
Vase ouvert, bord.
Mari : LEBEAU 1983 a, fig. 1 : 3 [XVIIᵉ s. av. J.-C.]
Haradum : KEPINSKI-LECOMTE 1992, fig. 115 : 1 [XVIIIᵉ-XVIIᵉ s.
   av. J.-C.]
Nippur : McCOWN et HAINES 1967, pl. 88 : 7 [BM]
Zubeidi : BOEHMER et DÄMMER 1985, Taf. 116 : 195 [XIIIᵉ-XIIᵉ s. av. J.-C.]
Nimrud : OATES D. 1968, fig. 20 : 130 [hellénistique]

1714 48a/1983/C/C2
Céramique commune tournée ; dm 2/3+ ; pâte rose ; surface beige-
   vert, lissée.
Vase fermé, bord.
Imlihiye : BOEHMER et DÄMMER 1985, Taf. 37 : 128 [XIIIᵉ-XIIᵉ s.
   av. J.-C.]
Qasrij Cliff : CURTIS 1989, fig. 13 : 80 [VIIIᵉ s. av. J.-C.]

Nahr Dawrīn (tracé B), section de Darnaj (48b/1983/C) [pl. 119].

Le matériel a été ramassé sur la surface des terrasses quaternaires, de part et d'autre du canal. L'unique fragment retrouvé n'est pas sans rappeler des bords de coupes néo-assyriennes à lèvre arrondie et épaissie vers l'extérieur, mais aucune véritable comparaison ne peut être effectuée. Le mauvais état de conservation ne permet pas de déterminer précisément le revêtement de la surface : peinture ou engobe noir ou bitume ?

1715 48b/1983/C/C1
Céramique commune tournée ; dm 2/3+ ; pâte verte ; surface verte, lissée ; traces noires (peinture ?) sur le bord et à l'extérieur. **Vase ouvert, bord**.

Grand canal de l'alvéole de Tell Hariri, section de Hasrāt (55/1983/C) [pl. 119].

Le matériel a été ramassé sur les digues du canal. L'unique fragment de céramique identifiable parmi les quatorze retrouvés pourrait être daté du Bronze moyen. Des comparaisons sont possibles avec les sites de Mari et de Haradum.

1716 55/1983/C/C1
Céramique commune tournée ; dm 2+ ; pâte verte ; surface verte, lissée ; traces de bitume (uniforme) sur la lèvre et sur la partie supérieure intérieure du bord.
Vase fermé, bord.
Haradum : Kepinski-Lecomte 1992, fig. 84 : 8-10 [xviiie-xviie s. av. J.-C.]
Mari : Lebeau 1983 a, fig. 5 : 2 [xixe s. av. J.-C.]

Grand canal de l'alvéole de Tell Hariri, canal secondaire de Tell Mankut (59/1983/C) [pl. 119].

Le matériel a été ramassé sur les digues du canal. S'il est difficile de dater avec certitude les deux bords de coupes **1717** et **1718**, en revanche, les deux bords de cols de jarres **1719** et **1720** appartiennent à des bouteilles ovoïdes caractéristiques du Bronze moyen.

1717 59/1983/C/C3
Céramique commune tournée ; dm 2/3+ ; pâte beige-rose ; surface beige, lissée.
Vase ouvert, bord.
1718 59/1983/C/C5
Céramique commune tournée ; dm 2/3 ; pâte rose à orange ; surface beige.
Vase ouvert, bord.
1719 59/1983/C/C1
Céramique commune tournée ; dm 2/3 ; pâte beige ; surface beige, lissée.

Vase fermé, bord.
Mari : Lebeau 1983 a, fig. 5 : 2 [xixe s. av. J.-C.]
1720 59/1983/C/C2
Céramique commune tournée ; dm 2/3++ ; pâte beige-rose ; surface beige-rose.
Vase fermé, bord.
Mari : Lebeau 1983 a, fig. 5 : 2 [xixe s. av. J.-C.]
1721 59/1983/C/C4
Céramique commune tournée ; dm 2/3 ; pâte beige-rose ; surface beige-vert, lissée ; cannelures horizontales et incisions triangulaires.
Vase fermé, panse.
Sabra : Tunca 1987, pl. 50 : 1 (décor) [SE/PA]

Nahr Dawrīn (tracé B), section d'Abu Hasan (47/1984/C) [pl. 119].

Le matériel a été ramassé sur les digues du canal. Aucun des trois tessons n'est suffisamment typique pour être daté avec certitude, malgré quelques comparaisons possibles, notamment au Bronze moyen pour les bords **1723** et **1724**.

1722 47/1984/C/C2
Céramique commune tournée ; dm 2/3+ ; pâte rose-orange ; surface rose-orange, lissée.
Vase fermé, bord.
1723 47/1984/C/C1
Céramique commune tournée ; dm 2/3+ ; pâte rose ; surface rose, ravalée.
Vase fermé, bord.
Halawa : Orthmann 1981, Taf. 47 : 11 [début IIe millénaire]

1724 47/1984/C/C3
Céramique commune tournée ; dm 2/3+ ; pâte rose ; surface beige-rose, lissée.
Vase fermé, bord.
Haradum : Kepinski-Lecomte 1992, fig. 86 : 1 [xviiie-xviie s. av. J.-C.]
Halawa : Orthmann 1981, Taf. 44 : 8 [fin BM]
Sabra : Tunca 1987, pl. 78 : 12-16 [SE/PA]

Nahr Dawrīn (tracé A), section de Darnaj (16/1985/C) [pl. 119].

Le matériel a été ramassé sur les digues du canal. Aucun des deux tessons ne peut être daté.

1725 16/1985/C/C1
Céramique commune tournée ; dm 2/3+ ; pâte rose ; surface rose.
Vase fermé, bord.

1726 16/1985/C/C2
Céramique commune tournée ; dm 2/3 ; pâte rose à cœur gris ; surface brun-rouge, lissée.
Vase fermé, fond.

Grand canal de l'alvéole de Tell Hariri, section de Hasrāt (29/1987/C) [pl. 119].

Le matériel a été ramassé dans la coupe d'une tranchée ouverte au bulldozer dans le canal. L'unique tesson identifiable, un fragment de col de jarre aux parois épaisses et à gros bourrelet, ne peut être daté.

1727 29/1987/C/C1
Céramique commune tournée ; dm 2/3, dv 2/4+ ; pâte rose ; surface beige-vert à brun, ravalée.
Vase fermé, bord.

Barrage du Wādi Dheina = site n° 77 (11/1985/B) [pl. 119].

Le fragment **1730** fait penser aux grandes jattes de l'époque romaine tardive, comme celles de Resafa, mais sans parallèle précis (Konrad 1992, Abb. 14, 15 et 18, notamment 18 : 13).

Le tesson **1731** est un fragment d'anse de *Brittle Ware* qu'il n'est pas possible d'identifier avec plus de précision et qui peut dater des époques romaine, romaine tardive ou islamique ancienne. Un autre fragment, informe, n'a pas été inventorié.

1730 11/1985/B/C2 (T77C2)
Céramique commune tournée ; dm 2/3++(4) ; pâte beige-vert ;
surface beige-vert, ravalée.
Vase ouvert, bord.

1731 11/1985/B/C1 (T77C1)
Céramique de cuisson modelée ; dm 1(2) ; pâte brun-rouge ; surface
brun-rouge, lissée.
Vase fermé, anse, *Brittle Ware.*

Gravières et formation alluviale (**pl. 120 et 121**)

Formation Q₀ᵦ à Dībān 1, cf. chap. ɪ, fig. 47 (23/1987/P) [pl. 120].

La plupart des fragments retrouvés dans cet ensemble trouvent des parallèles à Mari à la fin du Bronze ancien et au Bronze moyen. Toutefois, les formes les plus typiques de cette dernière période ne sont pas représentées.

1732 23/1987/P/C6
Céramique commune tournée ; dm 2/3, dv 2/3 ; pâte gris-beige à
cœur noir ; surface gris-beige.
Vase ouvert, bord.
Mari : Lebeau 1983 a, fig. 1 : 6 [xviiᵉ s. av. J.-C.]

1733 23/1987/P/C4
Céramique commune tournée ; dm 2/3, dv 2 ; pâte verte ; surface
verte, ravalée.
Vase fermé, bord.
Mari : Lebeau 1985 a, pl. I : 11 [Ur III]

1734 23/1987/P/C1
Céramique commune tournée ; dm 2/3+ ; pâte vert grisâtre ; surface
verte, lissée.
Vase fermé, bord.
Halawa : Orthmann 1981, Taf. 55 : 20, 22, 24 [fin BA]
Mari : Lebeau 1985 a, pl. I : 20 [Ur III]
Khirbet Qasrij : Curtis 1989, fig. 36 : 211 [1ʳᵉ moitié du vɪᵉ s.
av. J.-C.]

1735 23/1987/P/C8
Céramique commune tournée ; dm 2 ; pâte rose ; surface beige,
lissée ; traces de peinture (?) noire ou de bitume à l'extérieur.
Vase fermé, bord.
Mari : Lebeau 1983 a, fig. 3 : 5 [BM II (1ʳᵉ moitié du xviiiᵉ s.)]

Haradum : Kepinski-Lecomte 1992, fig. 90 : 2, 3 [xviiiᵉ-xviiᵉ s.
av. J.-C.]

1736 23/1987/P/C5
Céramique commune tournée ; dm 2/3 ; pâte brune à cœur gris ;
surface beige, ravalée.
Vase fermé, bord.
Mari : Lebeau 1987 a, pl. VI : 7 [paléobabylonien]

1737 23/1987/P/C2
Céramique commune tournée ; dm 2/3+ ; pâte beige ; surface verte,
ravalée ; traces de bitume.
Vase fermé, bord.
Mari : Lebeau 1985 a, pl. I : 14, 17 [Ur III]

1738 23/1987/P/C3
Céramique commune tournée ; dm 2/3, dv 2/3 ; pâte verte ; surface
gris-vert, ravalée.
Vase fermé, bord.
Haradum : Kepinski-Lecomte 1992, fig. 69 : 1, 4, 7 [xviiiᵉ-xviiᵉ s.
av. J.-C.]

1739 23/1987/P/C7
Céramique commune tournée ; dm 2/3(5) ; pâte rose ; surface beige
crème, lissée.
Vase ouvert, fond.

Formation Q₀ᵦ au NNO de Dībān 1, cf. chap. ɪ, p. 46 (24/1987/P) [pl. 120].

Le seul des deux tessons pouvant être daté est un fragment de pied (**1741**), caractéristique de la période kassite.

1740 24/1987/P/C1
Céramique commune tournée ; dm 2, dv 2/3+ ; pâte verte ; surface
verte, ravalée.
Vase fermé, fond.

1741 24/1987/P/C2
Céramique commune modelée ; dm 2, dv 2/3+ ; pâte verte ; surface
verte, ravalée.
Vase fermé, fond.
Nippur : McCown et Haines 1967, pl. 98 : 15 [kassite]

Formation Q₀ᵦ d'El Jurdi Sharqi, cf. chap. ɪ, fig. 46 (pl. 121).

La plupart des tessons recueillis renvoient au Bronze ancien et surtout au Bronze moyen. Trois bords de bouteilles ovoïdes (**1749** à **1751**) sont caractéristiques de cette dernière période. Il en va de même pour les bords **1752** et **1753**, recouverts d'une fine couche de peinture noire ou, plus vraisemblablement, de bitume.

1742 20/1987/P/C3
Céramique commune tournée ; dm 2/3 ; pâte beige ; surface verte,
lissée.
Vase ouvert, bord.
Halawa : Orthmann 1981, Taf. 64 : 20 [fin BA]

1743 20/1987/P/C7
Céramique commune tournée ; dm 2/3 ; pâte beige ; surface beige,
lissée.

Vase fermé, bord.
Haradum : Kepinski-Lecomte 1992, fig. 81 : 5 [xviiiᵉ-xviiᵉ s.
av. J.-C.]

1744 20/1987/P/C5
Céramique commune tournée ; dm 2/3+ ; pâte verte ; surface beige-
vert ; peinture (?) noire sur le dessus et dans le creux extérieur de
la lèvre.
Vase fermé, bord.

1745 20/1987/P/C6
Céramique commune tournée ; dm 2/3+ ; pâte verte ; surface verte.
Vase fermé, bord.

1746 JS8
Céramique commune tournée ; dm 2/3 ; dv 2/3 ; pâte beige ; surface beige, lissée.
Vase fermé, bord.

1747 JS7
Céramique commune tournée ; dm 2/3 ; dv 2/3 ; pâte rose ; surface rose, lissée.
Vase fermé, bord.

1748 JS3
Céramique commune tournée ; dm 2/3 ; dv 2/3 ; pâte rose ; surface beige, lissée.
Vase fermé, bord.

1749 JS6
Céramique commune tournée ; dm 2/3 ; dv 2/3 ; pâte rose ; surface rose, lissée.
Vase fermé, bord.
Haradum : Kepinski-Lecomte 1992, fig. 84 : 8 [XVIIIᵉ-XVIIᵉ s. av. J.-C.]
Mari : Lebeau 1987 a, pl. IV : 5, 6 [paléobabylonien]

1750 JS4
Céramique commune tournée ; dm 2/3 ; dv 2/3 ; pâte rose ; surface beige, lissée.
Vase fermé, bord.
Haradum : Kepinski-Lecomte 1992, fig. 84 : 8 [XVIIIᵉ-XVIIᵉ s. av. J.-C.]
Mari : Lebeau 1987 a, pl. IV : 5, 6 [paléobabylonien]

1751 20/1987/P/C4
Céramique commune tournée ; dm 2/3+ ; pâte rose ; surface beige, ravalée ; bande noire dans la cannelure de la lèvre.
Vase fermé, bord.

Mari : Lebeau 1983 a, fig. 3 : 3 ; 8 : 4 [BM (1ʳᵉ moitié du XVIIIᵉ s.)]
Mari : Lebeau 1987 b, pl. IV : 5, 6 [paléobabylonien]

1752 JS5
Céramique commune tournée ; dm 2/3 ; dv 2/3 ; pâte beige ; surface beige, lissée ; peinture noire sur la lèvre et le col.
Vase fermé, bord.

1753 JS1
Céramique commune tournée ; dm 2/3 ; dv 2/3 ; pâte beige ; surface beige, lissée ; peinture noire sur la lèvre et le col.
Vase fermé, bord.
Haradum : Kepinski-Lecomte 1992, fig. 78 : 3 [XVIIIᵉ-XVIIᵉ s. av. J.-C.]
Mari : Lebeau 1987 a, pl. V : 3 [paléobabylonien]

1754 JS9
Céramique commune tournée ; dm 2/3 ; dv 2/3 ; pâte beige à cœur gris ; surface beige, lissée.
Vase fermé, bord.
Mari : Lebeau 1987 a, pl. IV : 7 [paléobabylonien]

1755 20/1987/P/C1
Céramique commune tournée ; dm 2/3++ ; pâte verte à rose ; surface verte, ravalée.
Vase fermé, bord.
Mari : Lebeau 1985 a, pl. XXI : 12 [DA 2/1]

1756 JS2
Céramique commune tournée ; dm 2/3 ; dv 2/3 ; pâte beige ; surface beige, lissée.
Vase fermé, bord.
Haradum : Kepinski-Lecomte 1992, fig. 69 : 5 [XVIIIᵉ-XVIIᵉ s. av. J.-C.]
Mari : Lebeau 1987 a, pl. V : 4, 5 [paléobabylonien]

1757 20/1987/P/C2
Céramique commune tournée ; dm 2/3, dv 2/3 ; pâte rose ; surface verte, ravalée.
Vase fermé, fond.

LES MISCELLANÉES

Remarques préliminaires et présentation du catalogue

Les cinquante objets qui figurent dans ce catalogue (numéros **1758** à **1807**) représentent la quasi-totalité des trouvailles d'objets antérieurs à l'époque islamique, autres que la céramique, à l'exclusion toutefois des artefacts en silex et en obsidienne. Ils sont présentés par sites.

Parmi les catégories d'objets sont essentiellement représentés le mobilier en pierre (vaisselle et petits outils), la terre cuite (quelques fragments de figurines), le verre (quelques fragments de vases). S'y ajoutent quelques objets divers, parmi lesquels un sceau de l'époque d'Uruk (**1758**), un petit vase à bec en gouttière en bronze (**1764**) et une monnaie (**1780**) provenant des environs de Buseire et datée très précisément de 581/582 après J.-C.

Le catalogue est présenté de la façon suivante :

N° publication	N° identification Site (Planche)
Objet (matériau)	
Description	
Dimensions	
Comparaisons éventuelles	
Datation	

Bibliographie

Bellinger A. R.
1966   *Catalogue of the Byzantine Coins in the Dumbarton Oaks Collection and in the Whittemore Collection. T. I. Anastasius I to Maurice 491-602*, Washington.

Lohof E.
1983   Figurines, Other Clay, Stone and Bone Artefacts, and Seals, in P. A. Akkermans *et al., Bouqras Revisited: Preliminary Report on a Project in Eastern Syria*, Proceedings of the Prehistoric Society 49, p. 354-357.

Mackensen M.
1984   *Resafa I. Eine befestigte spätantike Anlage vor den Stadtmauern von Resafa*, Mainz.

Morrisson C.
1970   *Catalogue des monnaies byzantines de la Bibliothèque Nationale. T. I. D'Anastase à Justinien II (491-711)*, Paris.

Tobler A.J.
1950   *Excavations at Tepe Gawra, vol. II. Levels IX-XX*, Philadelphia.

CATALOGUE (pl. 122 à 125)

1758 MP1   site n° **4**   (pl. 122 et 124)
Sceau (stéatite ?)
Complet (ébréché à la base). Forme conique. Perforation au sommet
  (à 0,2 cm sous le sommet, diam. : 0,2 cm). Traces verticales sur
  les parois du cône. Empreinte sous la base.
H. : 1,3 cm ; diam. : 2,8 cm.
Gawra [stratum XII] : TOBLER 1950, fig. CLIX, 26 et 27
Datation : Uruk.

1759 MP2   site n° **4**   (pl. 122)
Plaque fragmentaire (bronze)
Fragment informe ; légère pliure sur une extrémité.
L. : 5,1 cm ; l. : 2,7 cm ; ép. : 0,05 cm.
Datation ?

1760 MP3   site n° **4**   (pl. 122)
Plaque fragmentaire (gypse)
Fragment informe ; perforation.
L. : 3,2 cm ; l. : 1,7 cm ; ép. : 0,5 cm.
Datation ?

1761 MP46   site n° **7**   (pl. 122)
Broyeur (basalte)
Petit objet de forme cylindrique avec deux plans de travail non
  parallèles.
Diam. inf. : 5,4 cm ; diam. sup. : 4,6 cm ; H. : 2,7 à 3,9 cm.
Datation ?

1762 MP4   site n° **7**
Coquillage perforé (coquille)
Valve de bivalve, avec perforation sur le bulbe.
L. : 4,5 cm ; l. : 3,6 cm ; H. : 1,6 cm ; diam. perforation : 0,35 cm.
Datation ?

1763 MP79   site n° **14**
Dalle perforée (basalte)
Bloc de basalte travaillé (cassé) ; une face lissée, percée d'une
  croix ; de l'autre côté, surface irrégulière, avec une dépression
  centrale rectangulaire dans laquelle est percée la croix, et une
  petite dépression longitudinale de part et d'autre de la dépression
  centrale.
L. cons. : 49 cm ; l. cons. : 44 cm ; ép. max. : 9,3 cm ; dépression
  centrale : L. : 19 cm ; l. : 14 cm.
Datation ?

1764 MP49   site n° **16**   (pl. 122 et 124)
Récipient (bronze)
Petit récipient aux parois obliques rectilignes, pourvu d'un long
  bec tubulaire en forme de gouttière semi-ouverte.
Diam. sup. : 4,8 cm ; diam. inf. : 2,2 cm ; H. : 2,3 cm ; L. du bec :
  3,9 cm ; l. du bec : 0,95 cm.
Datation ?

1765 MP5   site n° **29**   (pl. 122)
Perle (pierre blanche)
Petite perle ronde.
Diam. : 1 cm ; ép. : 0,32 cm ; diam. perforation : 0,2 cm.
Datation ?

1766 MP8   site n° **29**
Tige fragmentaire (bronze)
Petit fragment de tige.
L. : 3,2 cm ; diam. : 0,4 cm.
Datation ?

1767 MP9   site n° **29**   (pl. 124)
Jetons [lot de 7] (pierre)
Galets plats ovales de petites dimensions, réutilisés comme jetons.
1) L. : 2,7 cm ; l. : 2,2 cm ; ép. : 0,5 cm.
2) L. : 2 cm ; l. : 1,6 cm ; ép. : 0,47 cm.
3) L. : 2,5 cm ; l. : 1,8 cm ; ép. : 0,39 cm.
4) L. : 2 cm ; l. : 2 cm ; ép. : 0,36 cm.
5) L. : 2,1 cm ; l. : 1,8 cm ; ép. : 0,27 cm.

6) L. : 1,8 cm ; l. : 1,5 cm ; ép. : 0,6 cm.
7) L. : 1,5 cm ; l. : 1,3 cm ; ép. : 0,27 cm.
Datation ?

1768 MP6   site n° **29**   (pl. 122 et 124)
Hache (diorite ?)
Pierre polie de couleur vert-noir, zébrée de zones plus claires, grises.
  Forme trapézoïdale. Cassée sur un bout du tranchant.
L. : 8,23 cm ; l. : 3,75 cm ; ép. max. : 1,35 cm.
Datation ?

1769 MP7   site n° **29**   (pl. 122 et 124)
Hache (?) [pierre grise]
Pierre polie de couleur grise. Forme ovale. Une des deux extrémités
  est aiguisée (cassure).
L. : 6,48 cm ; l. : 2,9 cm ; ép. max. : 1,8 cm.
Datation ?

1770 MP83   site n° **29**   (pl. 122)
Vase fragmentaire (pierre marbrée)
Fragment de bord de vase ouvert en pierre blanche marbrée, polie ;
  lèvre légèrement tournée vers l'extérieur.
Diam. sup. : 12 cm.
Datation ?

1771 MP48   site n° **29**   (pl. 122)
Vase ouvert (pierre marbrée)
Bord de vase ouvert en pierre marbrée polie ; lèvre arrondie
  soulignée par une légère incision.
Diam. : 16,7 cm.
Datation : PPNB.

1772 MP55   site n° **29**   (pl. 122)
Vase fragmentaire (verre)
Bord de couvercle (?) en verre de couleur vert pâle, translucide.
Resafa : MACKENSEN 1984, Taf. 15 : 22
Datation : romain tardif.

1773 MP56   site n° **29**   (pl. 122)
Vase fragmentaire (verre)
Bord de vase ouvert (?) en verre clair translucide. Irisation blanche.
Datation : romain tardif

1774 MP32   site n° **45**
Percuteur (silex)
Galet allongé, de section à peu près triangulaire, présentant des
  traces de percussion aux deux extrémités.
L. : 10,5 cm ; l. à la base : 6,9 cm ; H. : 6,2 cm.
Datation ?

1775 MP40   site n° **63**   (pl. 122 et 124)
Anse fragmentaire (pâte de verre)
Fragment d'anse en pâte bleu-noir foncé opaque. Section
  rectangulaire. Partie supérieure ornée d'incisions horizontales.
L. : 3,5 cm ; l. : 1,5 cm ; ép. : 0,38 cm.
Datation ?

1776 MP60   site n° **64**   (pl. 124)
Figurine fragmentaire (terre cuite)
Base de figurine humaine ; jambes non marquées ; terre cuite rose
  à surface beige lissée (dégraissant minéral assez fin à moyen).
H. cons. : 6 cm ; l. max. : 2,5 cm ; ép. : 1,3 à 1,4 cm.
Datation ?

1777 MP43   site n° **73**   (pl. 122 et 125)
Figurine fragmentaire (terre cuite)
Fragment d'objet en terre cuite de couleur verte à cœur rouge avec
  dégraissant végétal de taille moyenne très abondant et dégraissant
  minéral ; surface inférieure plane ; partie inférieure de forme plus
  ou moins rectangulaire, haute de 4,4 cm, aux côtés légèrement
  rentrants ; au-dessus, petit ressaut de forme triangulaire ; puis,
  départ d'élément vertical (cassé à 1,4 cm) de forme triangulaire.
  Semble être une base de statuette.
L. max. cons. : 11 cm ; l. max. cons. : 8,6 cm ; H. max. cons. :
  6,8 cm.
Datation ?

1778 MP76   site n° **73**
Vase fragmentaire (verre)
Fragment de vase en verre de couleur bleue, translucide.
Datation ?

1779 MP45   site n° **74**   (pl. 122 et 125)
Figurine animale fragmentaire (terre cuite)
Fragment d'avant-train de taureau en terre cuite de couleur rose
    avec dégraissant minéral assez fin ; surface inférieure plane ; patte
    avant gauche avec sabot et ergot visibles.
L. max. cons. : 7,9 cm ; l. max. cons. : 4,8 cm.
Datation ?

1780 MP50   site n° **75**   (pl. 125)
Monnaie (cuivre)
Diam. : 2,8 cm.
Follis en cuivre. Série consulaire. Frappé à Nicomedia.
Au droit : buste de face de Tibère II (26 septembre 578-14 août 582)
    portant le diadème crucigère, vêtu du *divitision* et du *loros*, tenant
    en main droite la *mappa*, en main gauche le *scipio* surmonté d'une
    croix ; autour : lettres relativement peu lisibles : ..CONS TAN.
Revers : un grand M (au-dessus, une croix disparue) ; à g. : A/N/N/
    O ; à dr. la date (GI/I) ; à l'exergue, NIKO et la lettre d'officine : A.
Morrisson 1970, p. 167 et pl. XXVII : 6/NI/AE/03 ; Bellinger
    1966, p. 279 et pl. LXIII
Datation : romain tardif (581/582 apr. J.-C.).

1781 MP57   site n° **80**
Outil ? (pierre)
Pierre de couleur gris à vert olive, se délitant en plaquettes et laissant
    apparaître du sable (brun) ; aspect extérieur lissé. Forme
    cylindrique (cassée).
A pu servir d'outil (traces d'usure sur une extrémité).
L. : 15 cm ; l. : 6,8 cm ; H. cons. : 5,4 cm.
Datation ?

1782 MP63   site n° **81**   (pl. 122 et 125)
Stèle fragmentaire (?) [plâtre]
Fragment de stèle (?) avec décor en relief : en bordure, bande de
    petits trous circulaires ; registre principal : sorte de roue.
L. cons. : 22 cm ; l. cons. : 12,5 cm ; ép. : 7,2 cm.
Datation ?

1783 MP34   site n° **82**   (pl. 123)
Percuteur (?) [basalte]
Fragment de basalte allongé, de section ovoïde, cassé aux deux
    extrémités.
L. : 7,3 cm ; l. : 4,2 cm ; ép. max. : 2,3 cm.
Datation ?

1784 MP35   site n° **82**   (pl. 123)
Percuteur (?) [basalte]
Fragment de basalte allongé, de section ovoïde, cassé aux deux
    extrémités.
L. : 3,2 cm ; l. : 5,7 cm ; ép. max. : 3,1 cm.
Datation ?

1785 MP36   site n° **82**   (pl. 123)
Crapaudine (?) [calcaire coquillier]
Pierre de contour irrégulier ; deux des côtés et le fond sont
    travaillés ; sur le dessus, dépression circulaire.
L. : 12,5 cm ; l. : 11 cm ; ép. : 4,3 à 6 cm ; dépression : diam. max. :
    6 cm ; prof. max. : 3,2 cm.
Datation ?

1786 MP89   site n° **82**   (pl. 123)
Vase (pierre)
Fragment de vase en pierre polie à fond aplati et lèvre amincie.
Diam. sup. : 8 cm ; H. : 2 cm.
Datation : PPNB ?

1787 MP77   site n° **82**   (pl. 123)
Vase fragmentaire (pierre marbrée)

Bord de vase en pierre beige marbrée de rouge ; lèvre amincie,
    légèrement évasée.
Diam. sup. : 7,5 cm ; H. cons. : 3,3 cm.
Bouqras : Lohof 1983, pl. 39, en bas à dr.
Datation : PPNB ?

1788 MP78   site n° **82**   (pl. 123)
Vase fragmentaire (pierre)
Bord de vase en pierre beige marbrée de rouge ; lèvre amincie.
Diam. sup. : 8 cm ; H. cons. : 3 cm.
Datation : PPNB ?

1789 MP88   site n° **82**   (pl. 123)
Vase (pierre)
Bord de vase en pierre polie à parois rectilignes épaisses et à lèvre
    amincie.
Diam. sup : 15 cm ; H. cons. : 5 cm.
Datation : PPNB ?

1790 MP86   site n° **82**
Vase (pierre)
Datation : PPNB ?

1791 MP87   site n° **82**
Vase (pierre)
Datation : PPNB ?

1792 MP84   site n° **82**
Vase (plâtre)
Datation : PPNB ?

1793 MP85   site n° **82**
Vase (plâtre)
Datation : PPNB ?

1794 MP81   site n° **93**   (pl. 123)
**Figurine animale ou vase zoomorphe fragmentaire (terre
    cuite)**
Fragment de terre cuite allongée et creuse, de couleur rose, avec
    dégraissant minéral assez fin ; à l'extrémité, représentation
    schématique d'une tête animale.
Datation ?

1795 MP33   site n° **95**   (pl. 123)
Broyeur (basalte)
Fragment de basalte présentant des traces d'usure.
L. max. : 4,2 cm ; l. max. : 6,2 cm ; ép. : 4 cm.
Datation ?

1796 MP82   site n° **109**   (pl. 123)
Vase fragmentaire (albâtre)
Fragment de panse de vase fermé à fond arrondi ; paroi décorée en
    relief ; motif (petit bouton surmonté d'une petite guirlande
    verticale) répété quatre fois.
Diam. max. : 8 cm ; H. cons. : 6,4 cm.
Datation : Uruk.

1797 MP47   site n° **109**   (pl. 125)
Galet perforé (calcaire ?)
Petit galet plat, régularisé et poli, de forme ovale ; trois petites incisions
    obliques réparties régulièrement sur chacune des deux faces.
L. : 3,13 cm ; l. : 2,17 cm ; ép. max. : 0,71 cm ; diam. perf. : 0,3 à
    0,6 cm.
Datation ?

1798 MP62   site n° **115**   (pl. 123 et 125)
Élément de harnachement (?) ou de ceinture (?) [bronze]
H. : 2,8 cm ; l. : 2,5 cm.
Datation ?

1799 MP69   site n° **115**
Plaque fragmentaire (*juṣ*)
Fragment de *juṣ* irrégulier, présentant à plusieurs endroits de la
    peinture rouge.
L. max. : 17 cm ; l. max. : 10 cm ; ép. : 6,1 à 6,5 cm.
Datation ?

1800 MP65 site n° **115**
Bracelet fragmentaire (pâte de verre)
Fragment de bracelet en pâte de verre verdâtre translucide ; partie extérieure de couleur jaune et orange par zones ; section triangulaire.
Diam. reconstitué : 8 cm ; L. cons. : ± 1/8 ; l. : 0,5 cm ; ép. : 0,82 cm.
Datation : byzantin ou islamique ancien.

1801 MP66 site n° **115**
Vase fragmentaire (verre)
Bord de couvercle (?) en verre de couleur verte, translucide.
Diam. d'ouverture : ≈ 6 à 8 cm.
Resafa : MACKENSEN 1984, Taf. 13 : 4, 6
Datation : romain tardif.

1802 MP61 site n° **117**
Bracelet fragmentaire (pâte de verre)
Fragment de bracelet en pâte de verre noire, à section triangulaire aplatie.
Diam. reconstitué : 8 cm ; L. conservée : ± 1/5 ; l. : 0,9 cm ; ép. : 0,63 cm.
Datation : byzantin ou islamique ancien.

1803 MP71 site n° **121** (pl. 123)
Broyeur (pierre)
Petit broyeur de forme parallélépipédique aux petits côtés arrondis.
L. : 10,5 cm ; l. : 7,4 cm ; ép. : 4,6 à 5,3 cm.
Datation ?

1804 MP70 site n° **121** (pl. 123)
Anse ? (terre cuite)
Objet de forme légèrement arrondie, se rétrécissant à une de ses extrémités. Section quadrangulaire.
L. cons. : 16 cm ; l. : 7 à 8 cm ; ép. : 6,2 cm.
Datation ?

1805 MP67 site n° **124**
Vase fragmentaire (verre)
Fragment de verre irisé (sans doute fragment de fond).
Resafa : MACKENSEN 1984, Taf. 15 : 5
Datation : romain tardif.

1806 MP68 site n° **124** (pl. 123)
Vase fragmentaire (verre)
Bord de vase en verre de couleur verte, translucide.
Diam. d'ouverture : 7 cm.
Resafa : MACKENSEN 1984, Taf. 13 : 7
Datation : romain tardif.

1807 MP90 **59/1983/C** (pl. 123)
Vase fragmentaire (pierre)
Bord de petit vase ouvert en pierre grise.
Datation ?

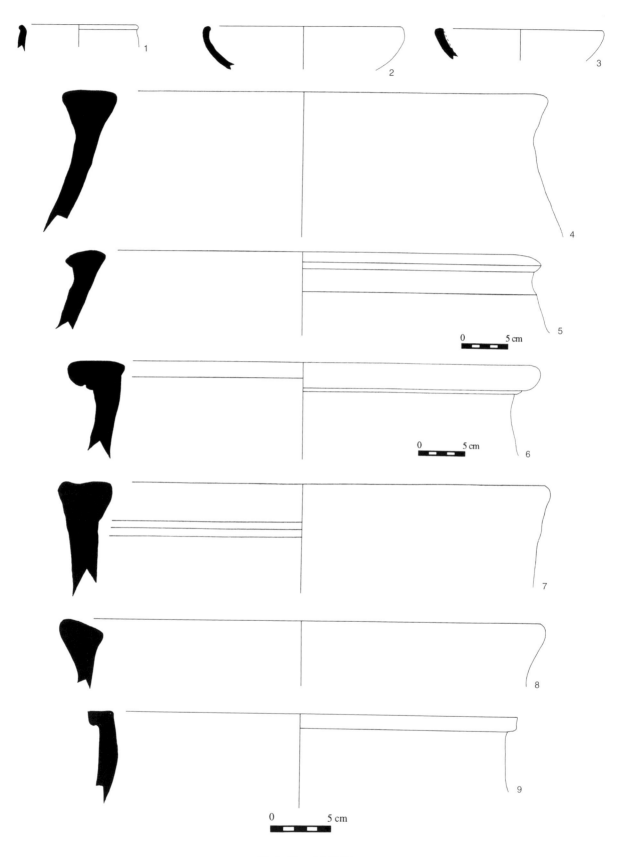

*Pl. 1 - Site n° 2 (**1-9**).*

Site n° 3

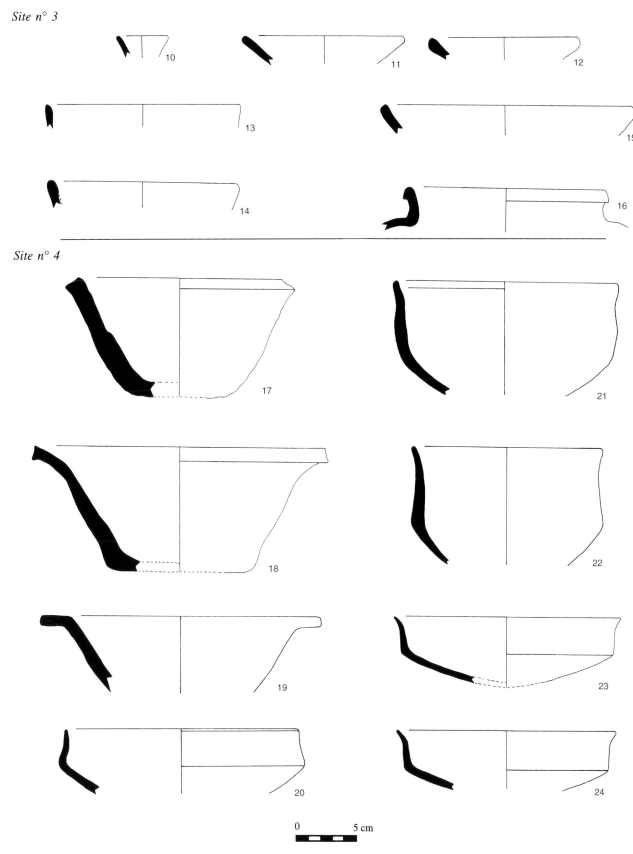

Site n° 4

*Pl. 2 - Sites n°s 3 (**10-16**) et 4 (**17-24**).*

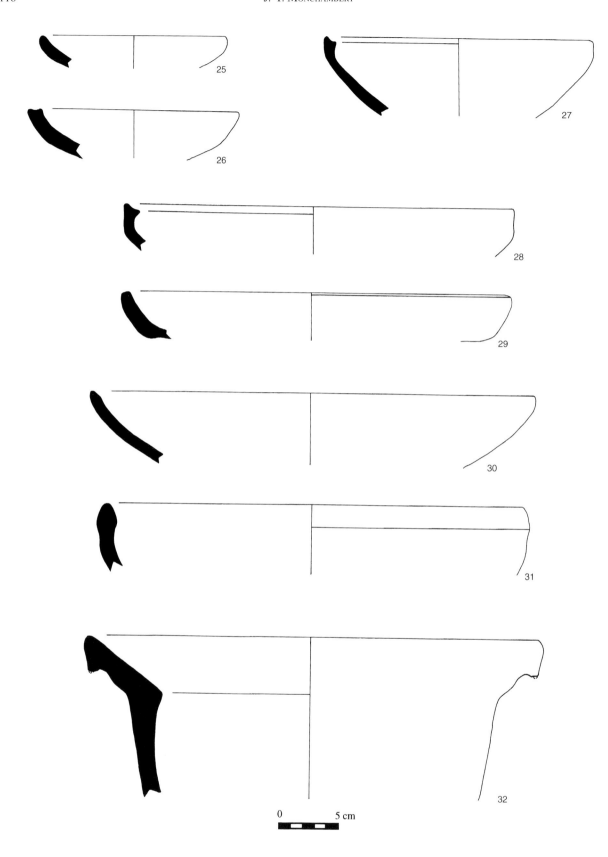

Pl. 3 - Site n° 4 (25-32).

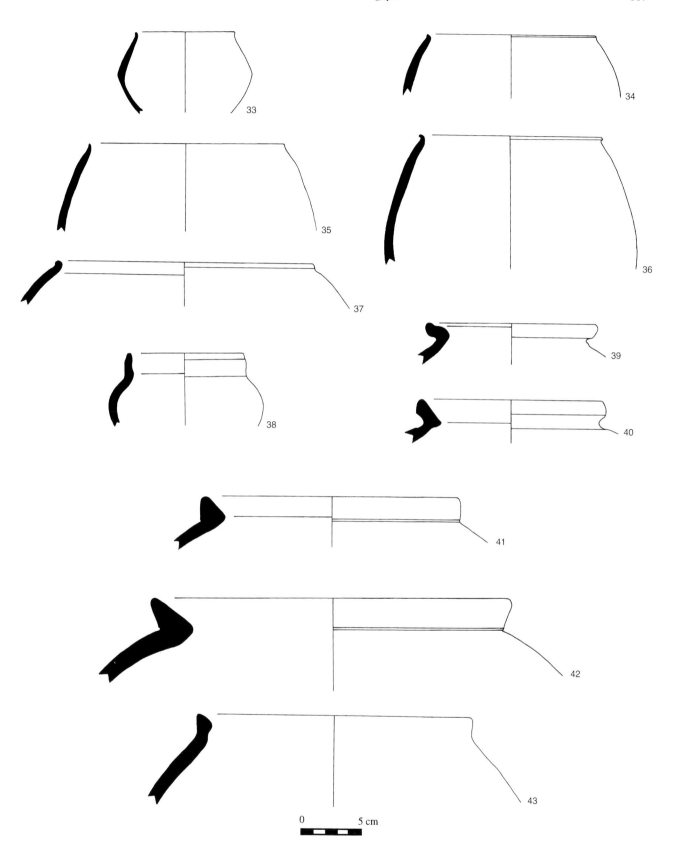

Pl. 4 - Site n° 4 (33-43).

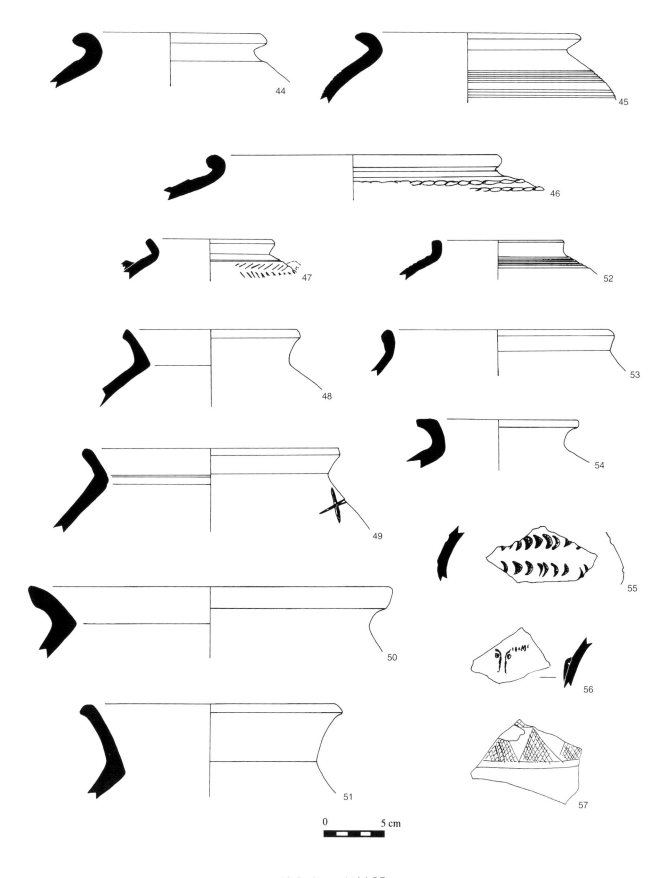

*Pl. 5 - Site n° 4 (**44-57**).*

Site n° 4

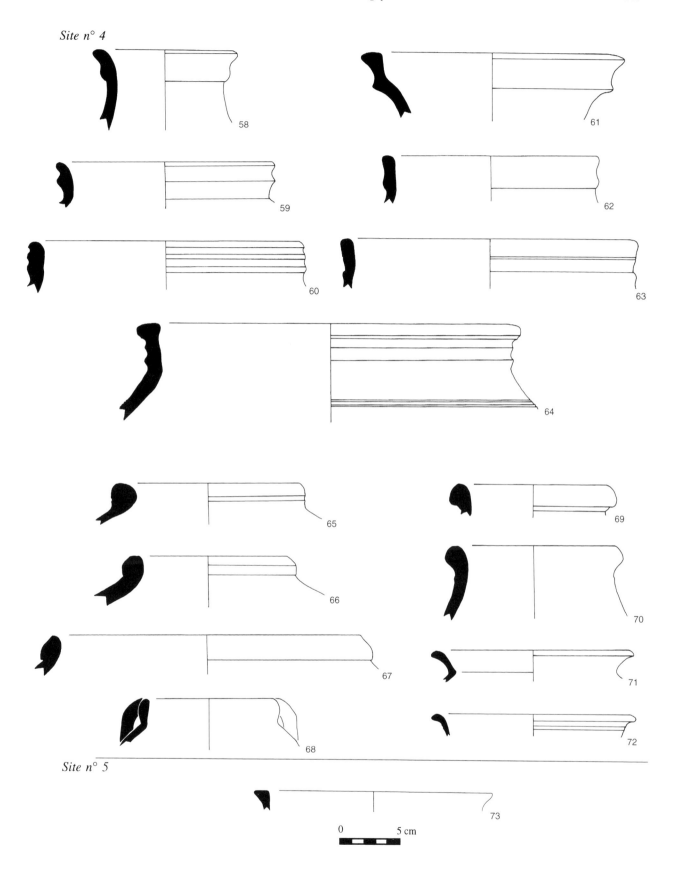

Site n° 5

*Pl. 6 - Sites nᵒˢ 4 (**58-72**) et 5 (**73**).*

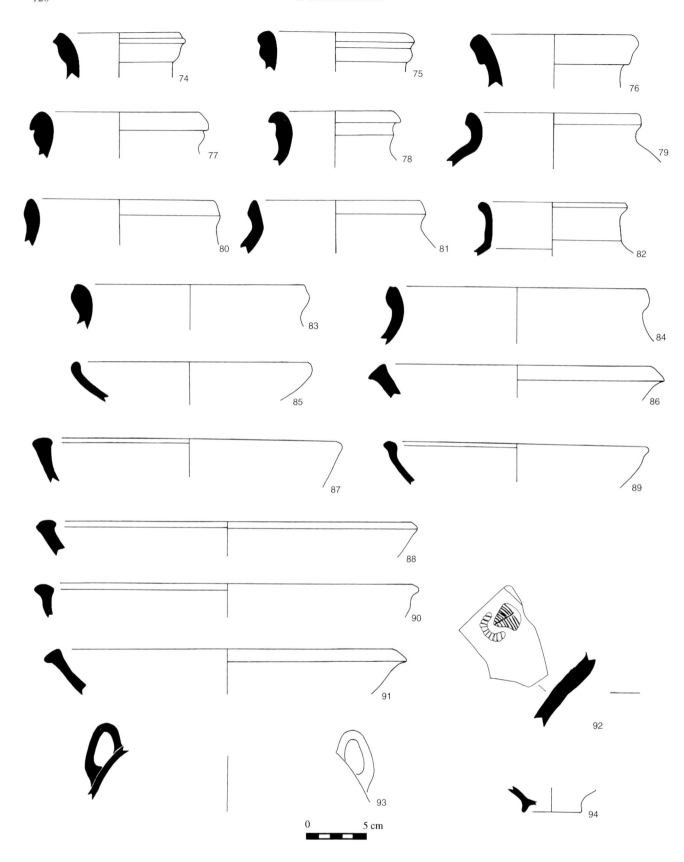

0   5 cm

*Pl. 7 - Site nᵒ 6 (**74-94**).*

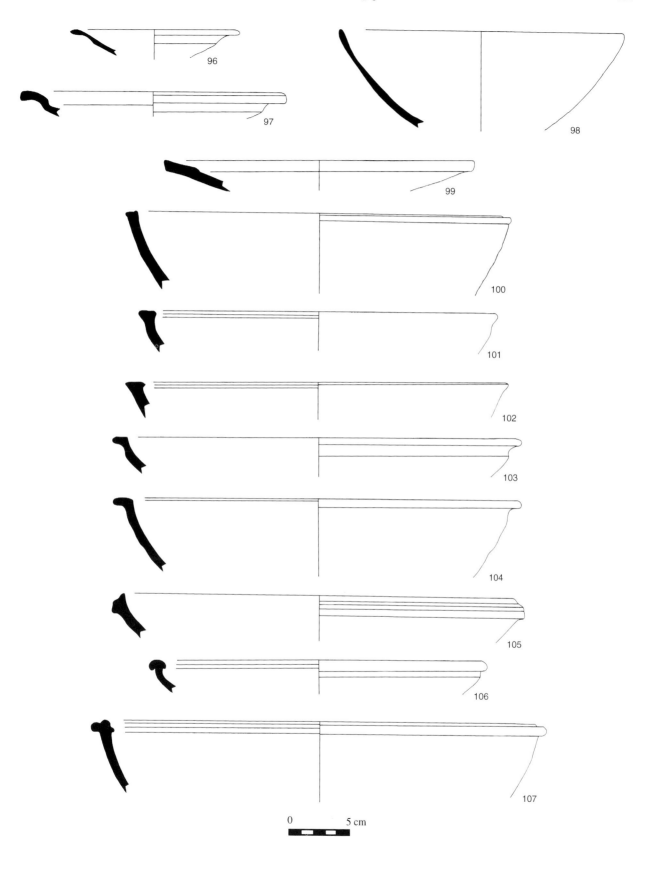

0   5 cm

*Pl. 8 - Site n° 7 (**96-107**).*

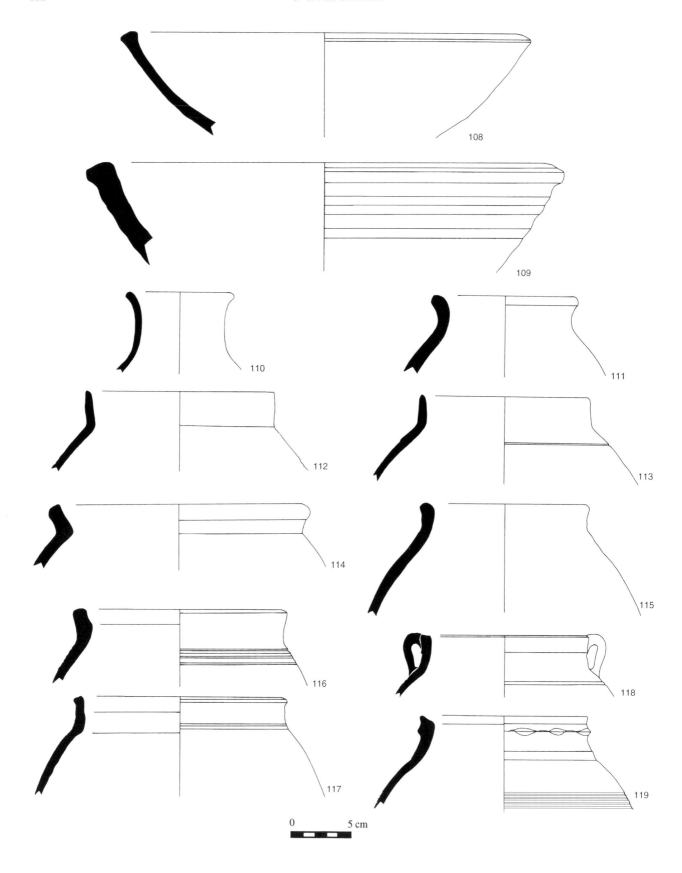

*Pl. 9 - Site nº 7 (**108-119**).*

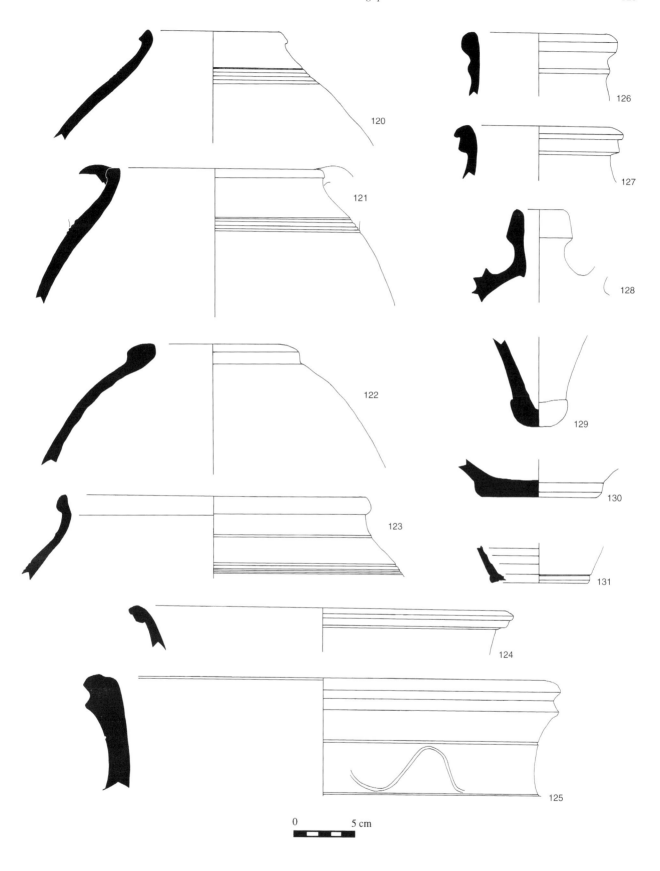

*Pl. 10 - Site n° 7 (**120-131**).*

Site n° 8

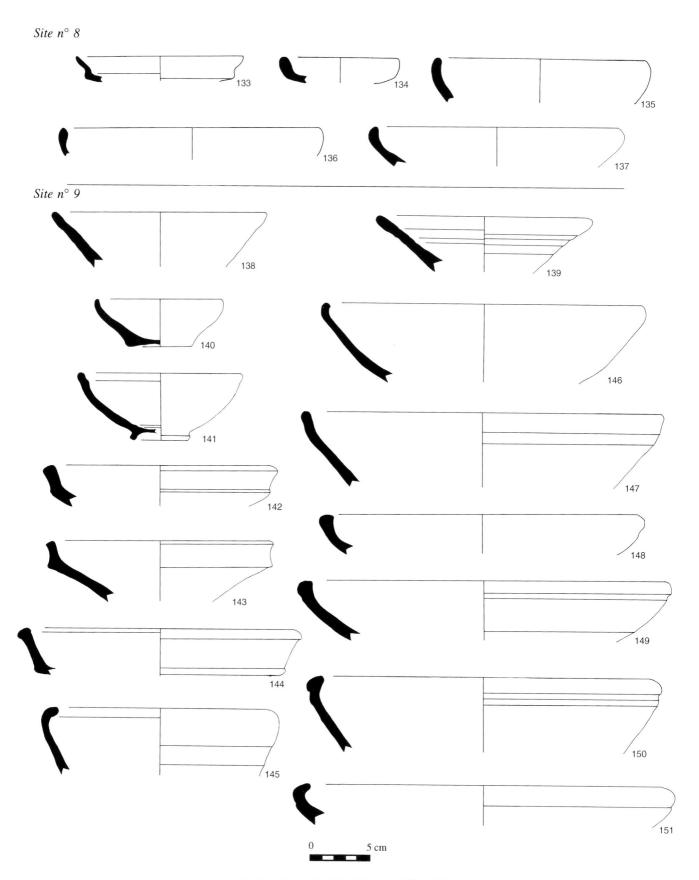

Site n° 9

Pl. 11 - Sites n°s 8 (133-137) et 9 (138-151).

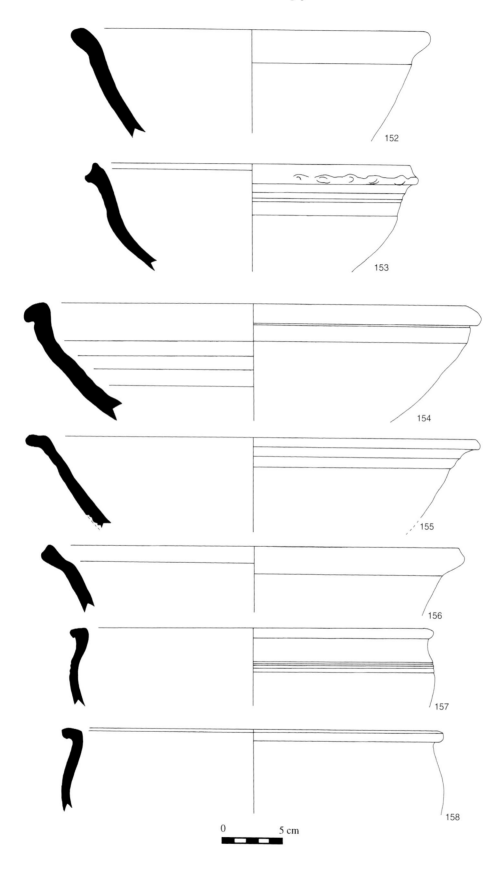

0   5 cm

*Pl. 12 - Site n° 9 (**152-158**).*

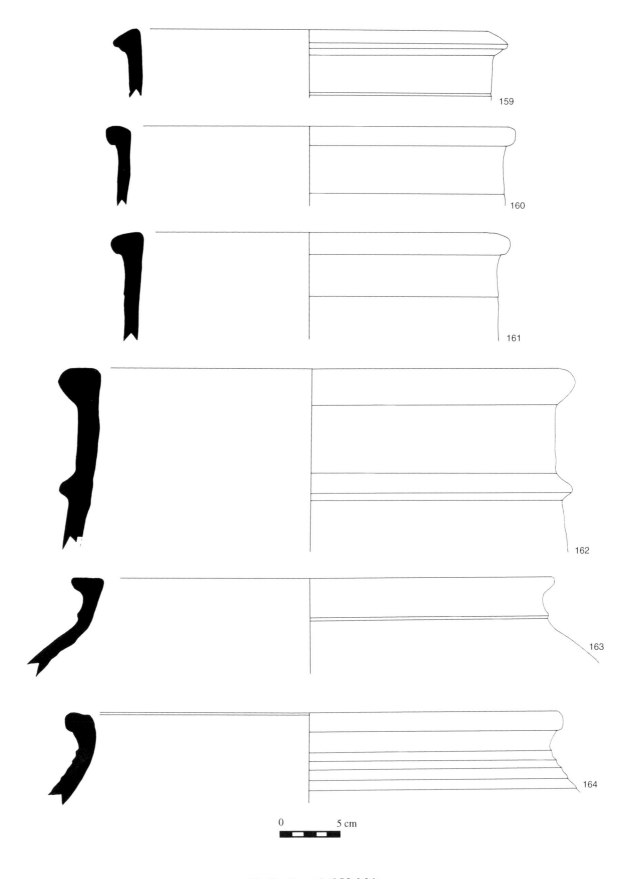

0   5 cm

*Pl. 13 - Site n° 9 (**159-164**).*

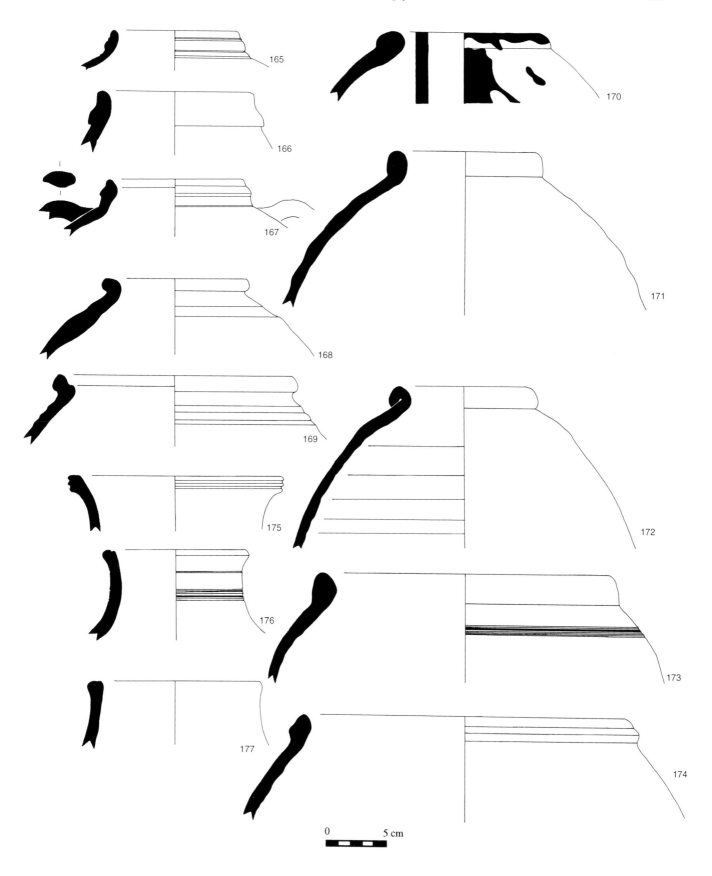

*Pl. 14 - Site n° 9 (**165-177**).*

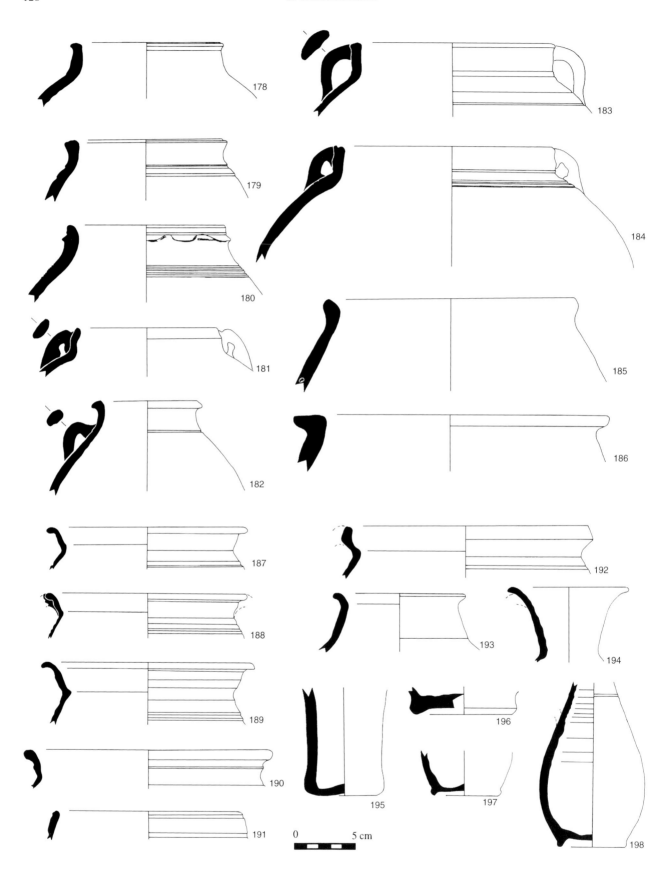

*Pl. 15 - Site n° 9 (**178-198**).*

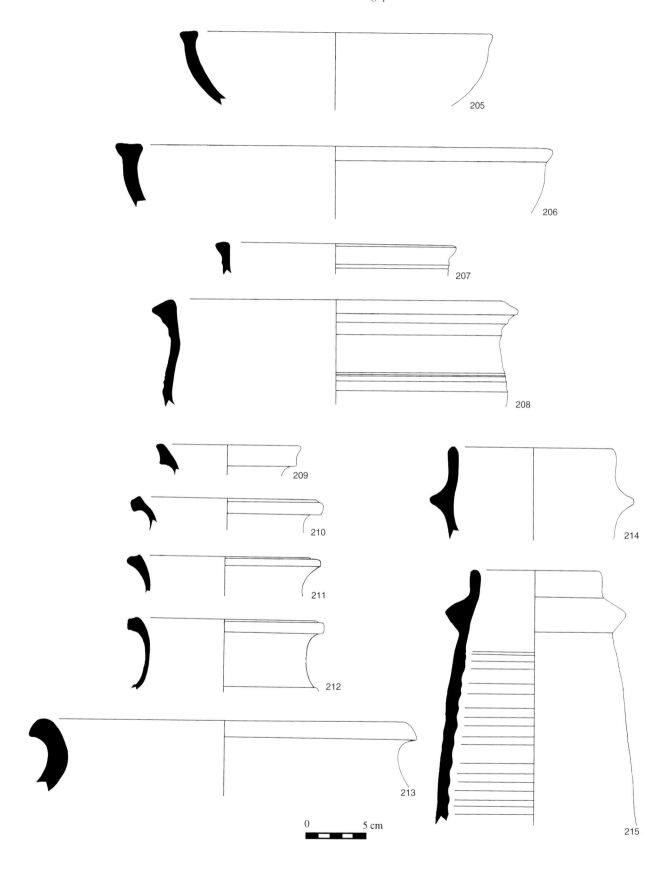

0 5 cm

*Pl. 16 - Site n° 10 (**205-215**).*

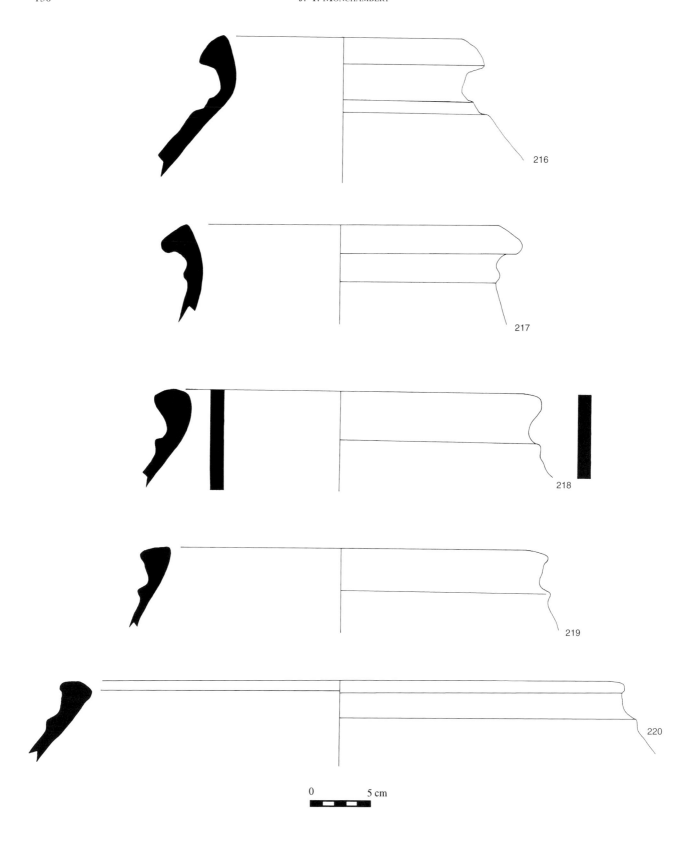

*Pl. 17 - Site n° 10 (**216-220**).*

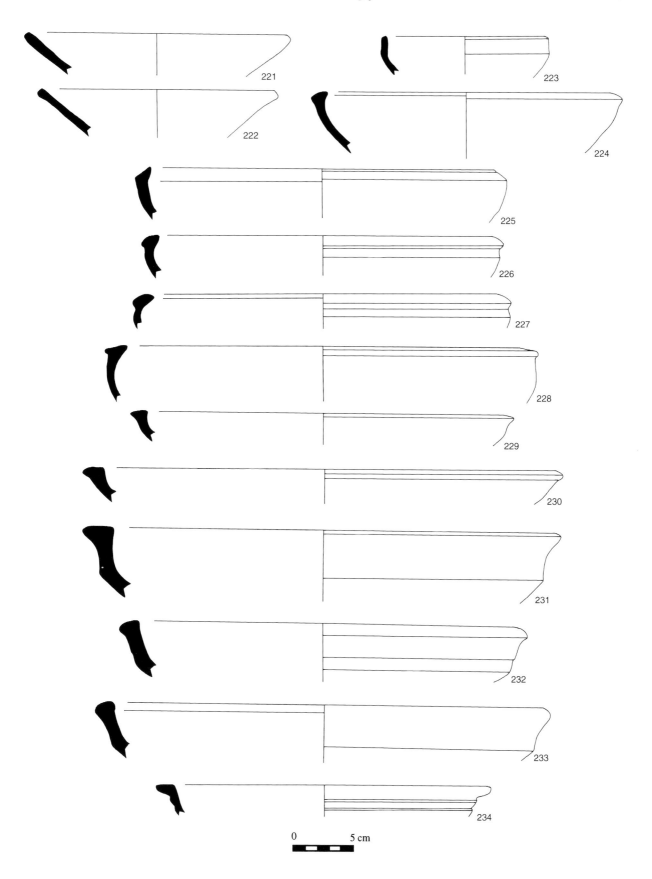

0   5 cm

*Pl. 18 - Site n° 11 (**221-234**).*

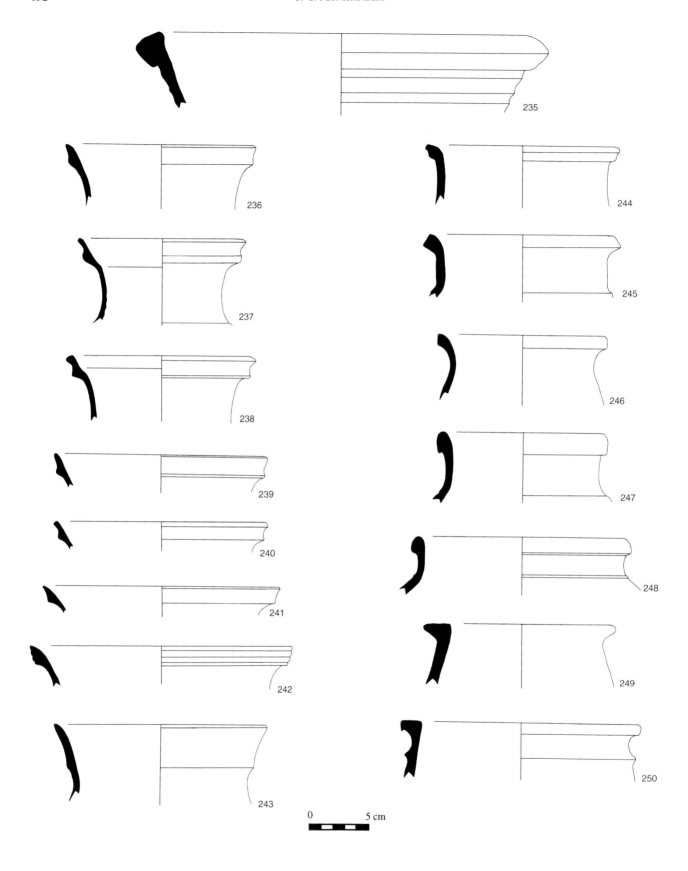

0   5 cm

*Pl. 19 - Site n° 11 (**235-250**).*

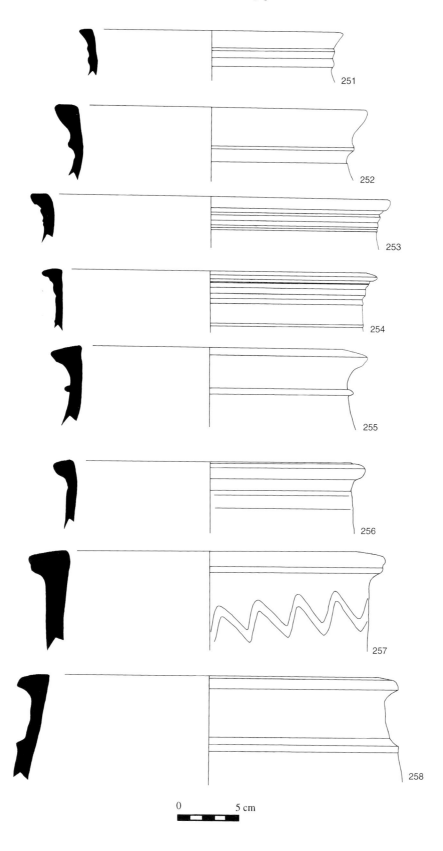

0   5 cm

*Pl. 20 - Site n° 11 (**251-258**).*

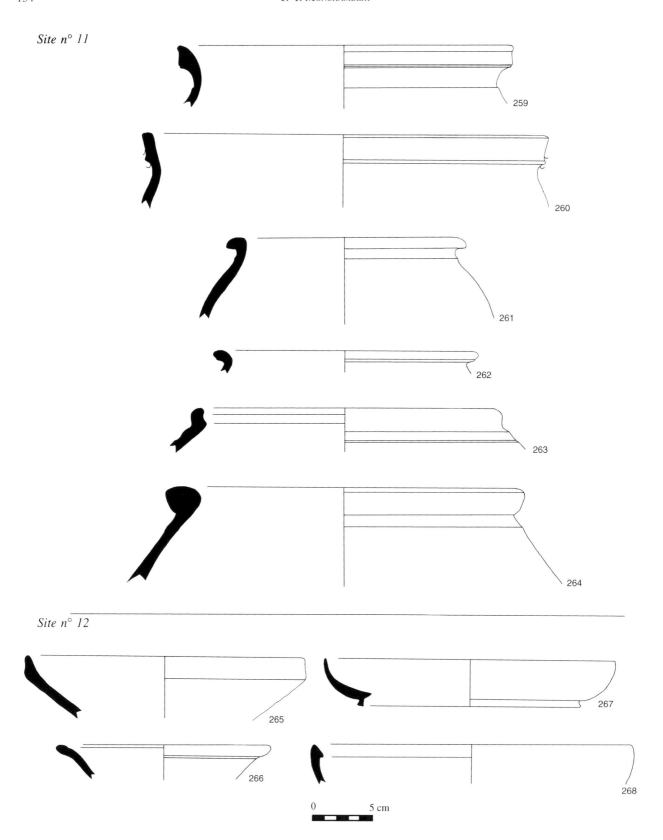

Site n° 11

Site n° 12

Pl. 21 - Sites n°s 11 (259-264) et 12 (265-268).

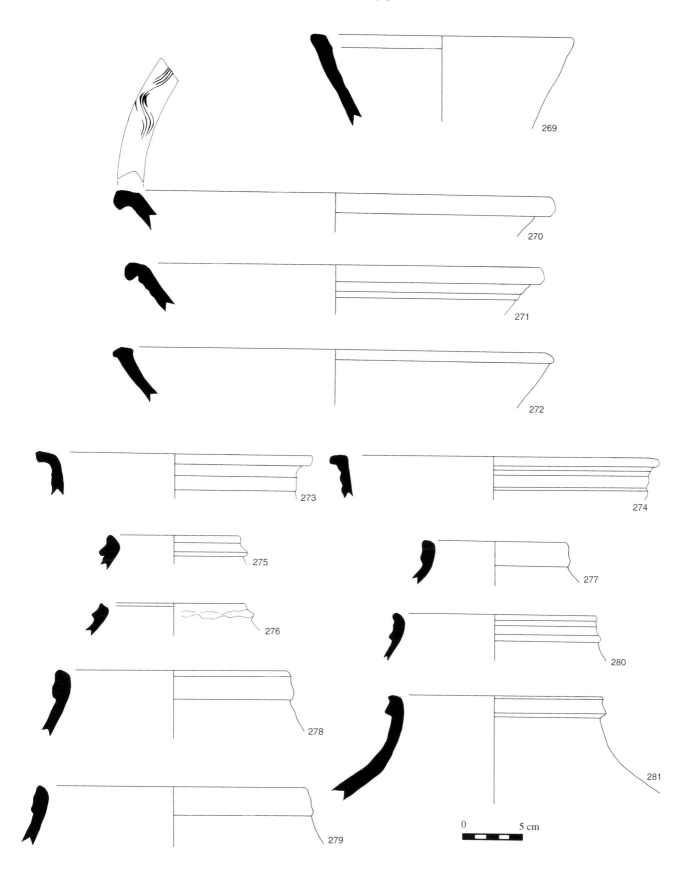

*Pl. 22 - Site n° 12 (**269-281**).*

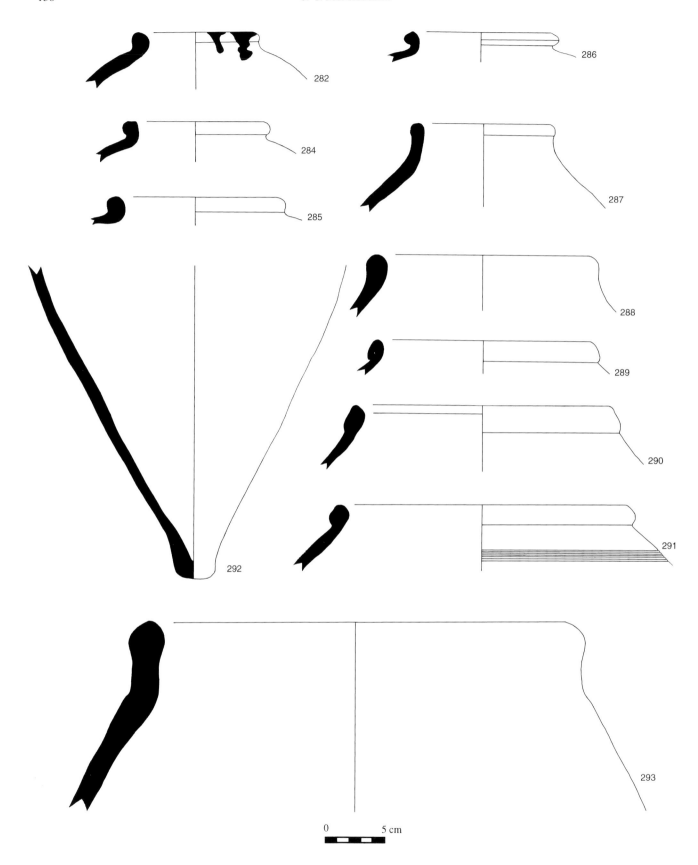

*Pl. 23 - Site n° 12 (**282-293**).*

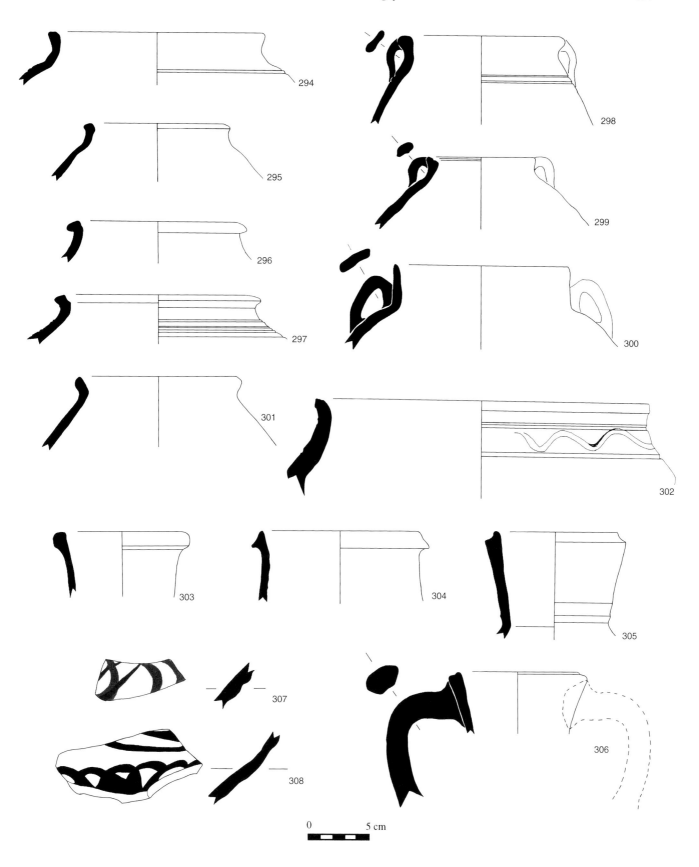

*Pl. 24 - Site n° 12 (**294-308**).*

Site n° 12

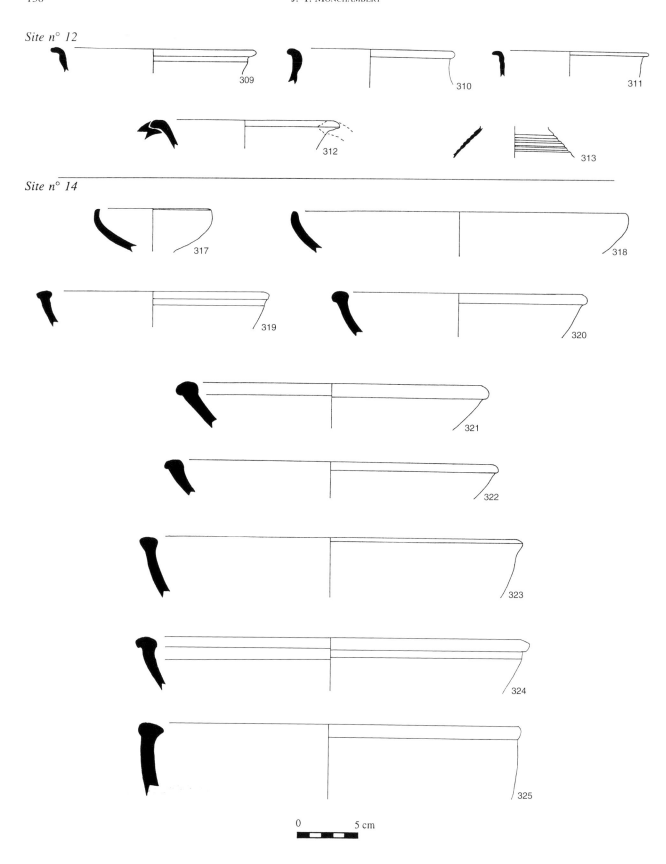

Site n° 14

Pl. 25 - Sites n⁰ˢ 12 (**309-313**) et 14 (**317-325**).

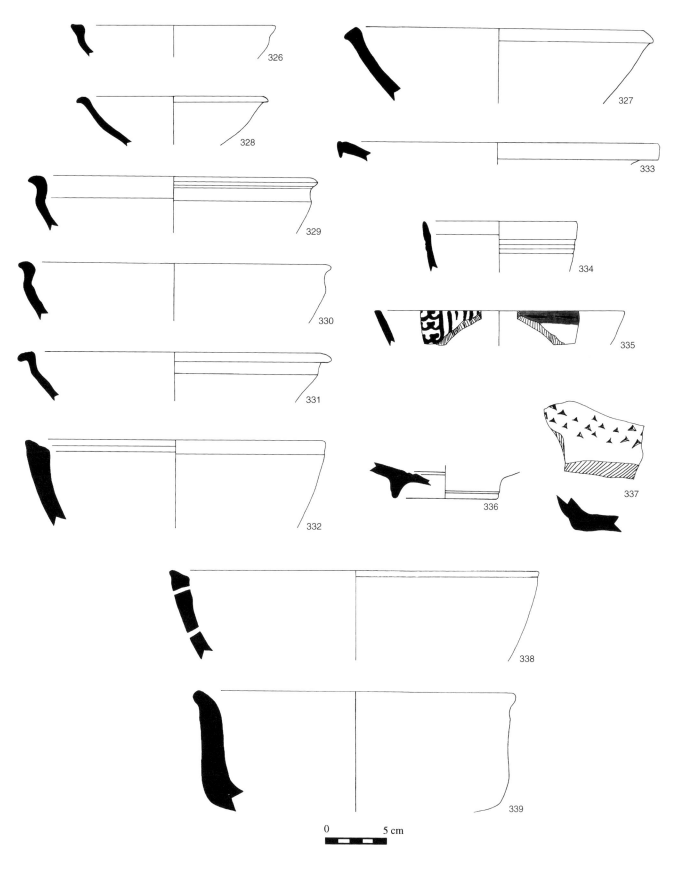

*Pl. 26 - Site n° 14 (**326-339**).*

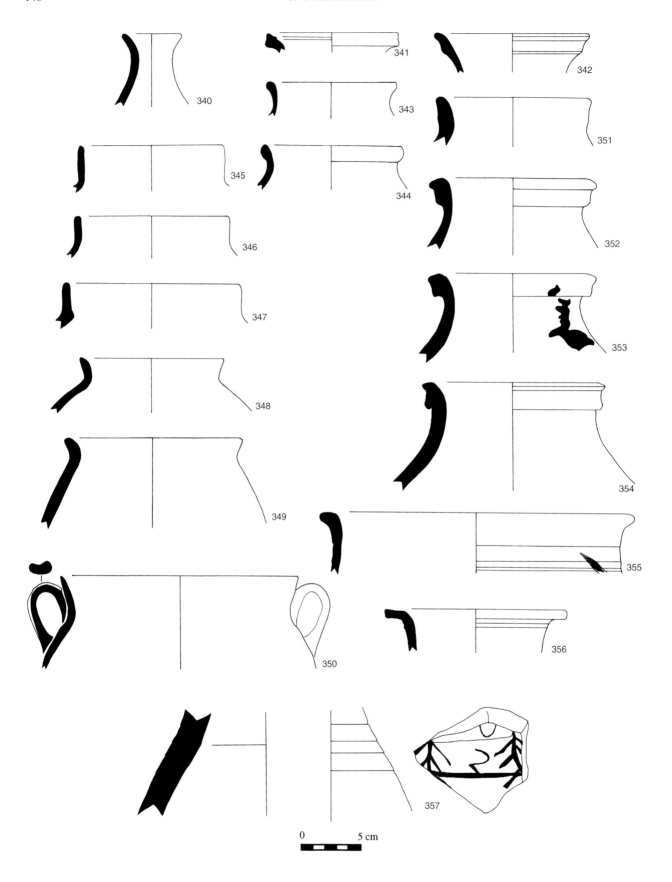

*Pl. 27 - Site nᵒ 14 (**340-357**).*

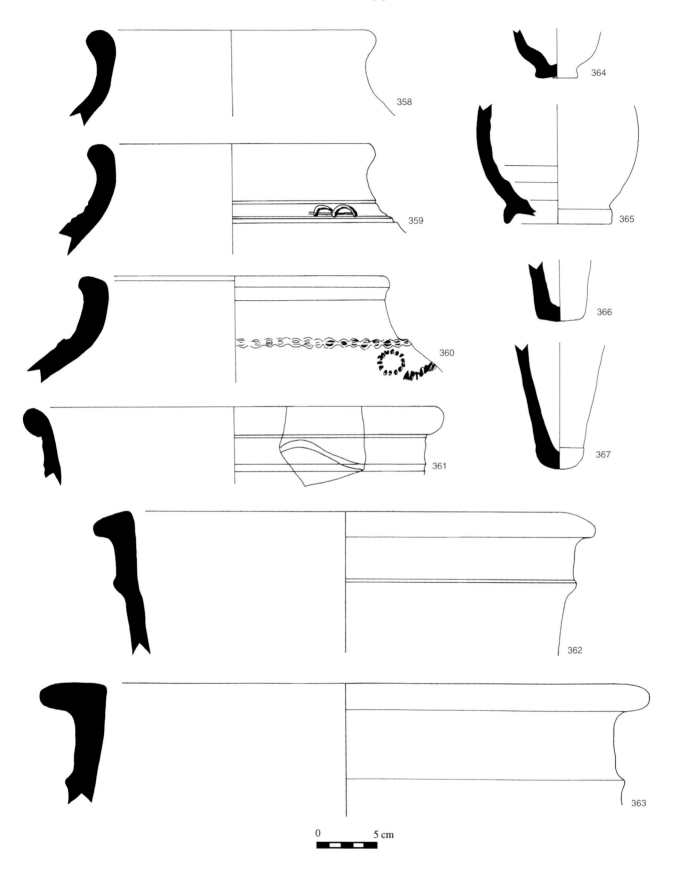

Pl. 28 - Site n° 14 (358-367).

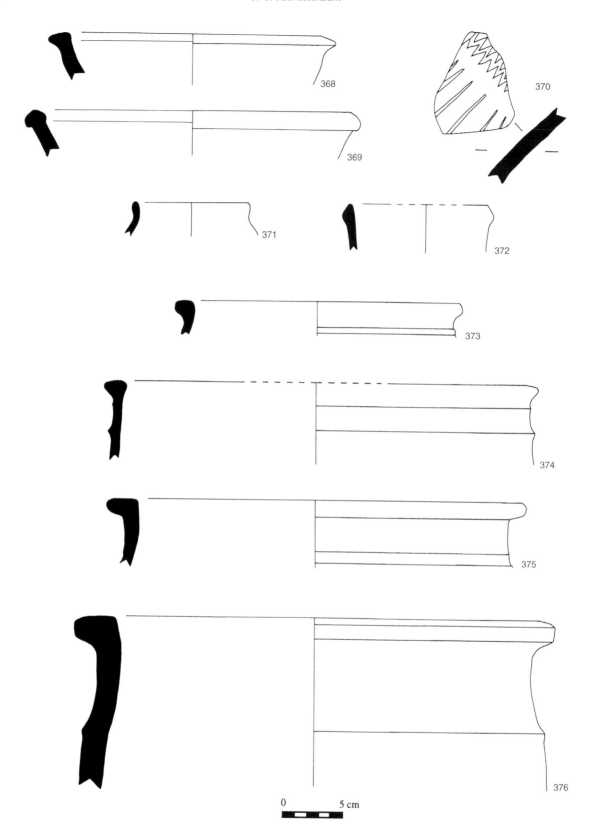

*Pl. 29 - Site nº 15 (**368-376**).*

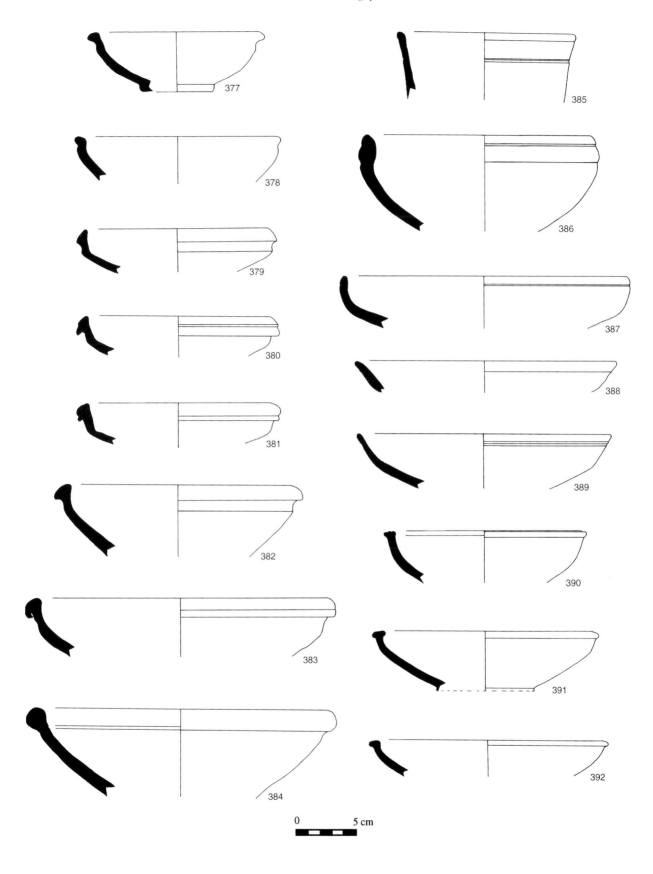

*Pl. 30 - Site n° 16 (**377-392**).*

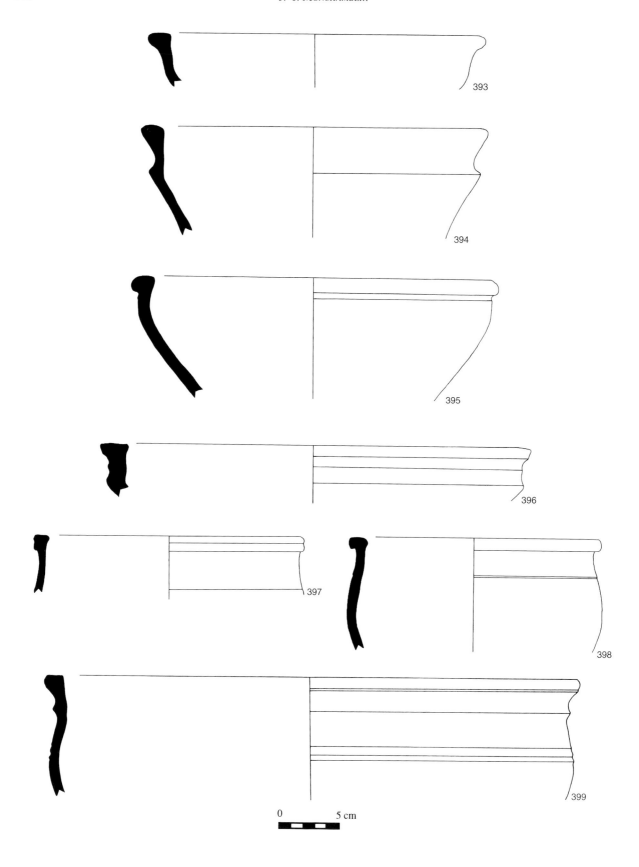

*Pl. 31 - Site nº 16 (**393-399**).*

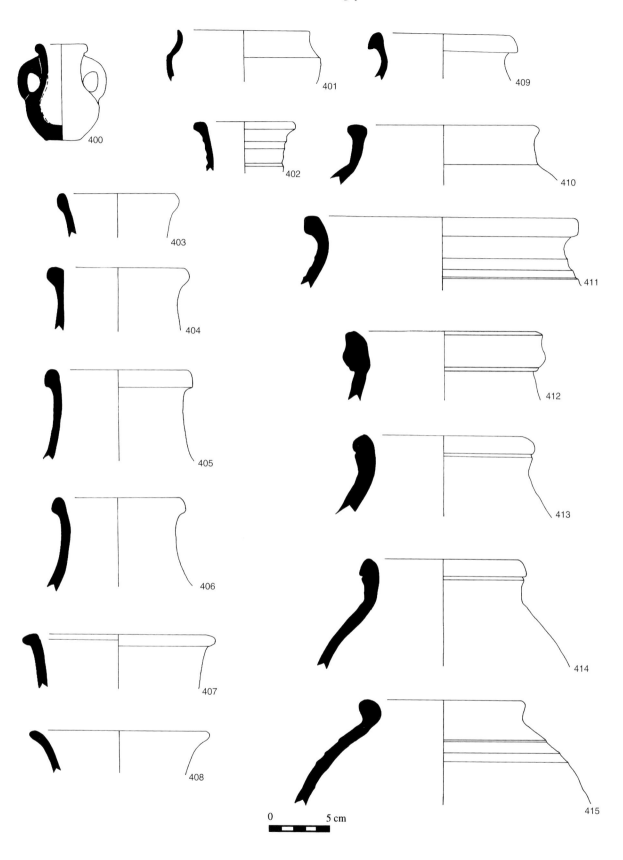

*Pl. 32 - Site n° 16 (**400-415**).*

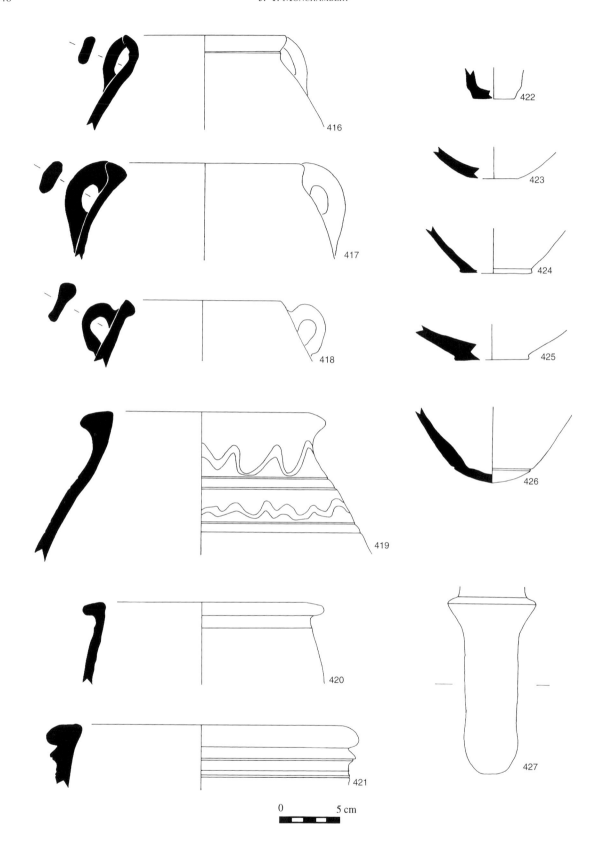

*Pl. 33 - Site n° 16 (**416-427**).*

Site n° 16

Site n° 18

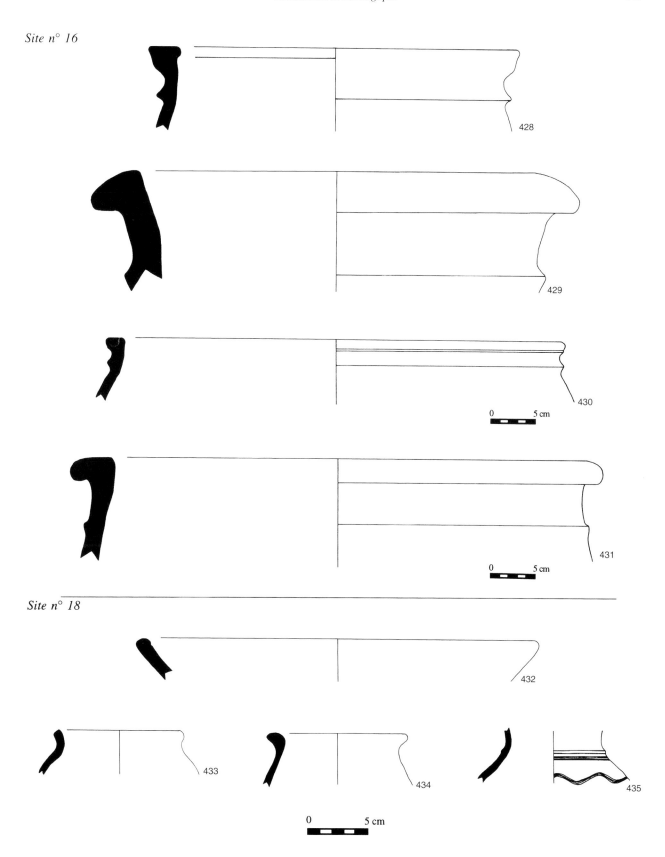

*Pl. 34 - Sites n°^s 16 (**428-431**) et 18 (**432-435**).*

Site n° 18

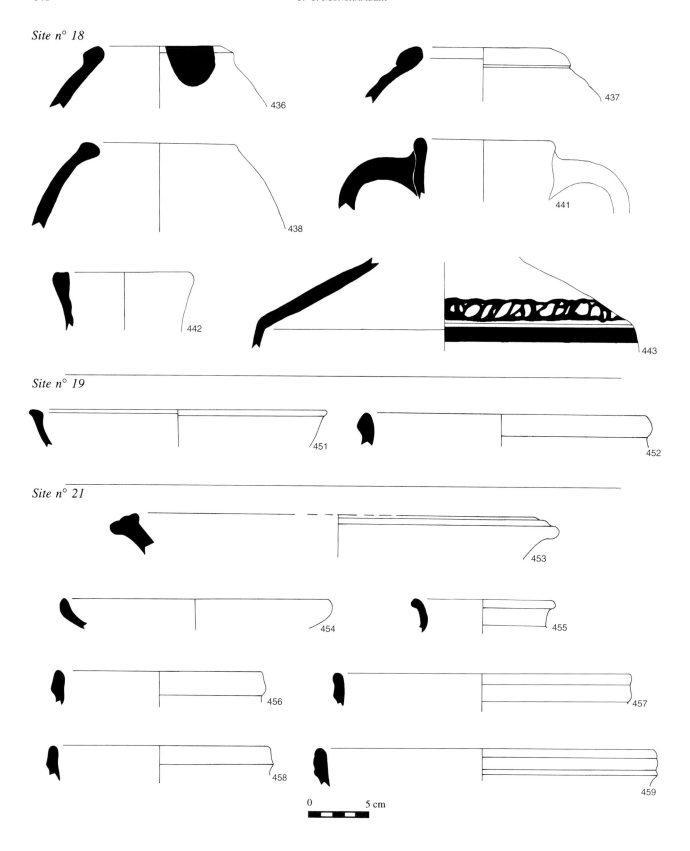

Site n° 19

Site n° 21

*Pl. 35 - Sites nᵒˢ 18 (**436-450**), 19 (**451-452**) et 21 (**453-459**).*

Site n° 21

Site n° 25

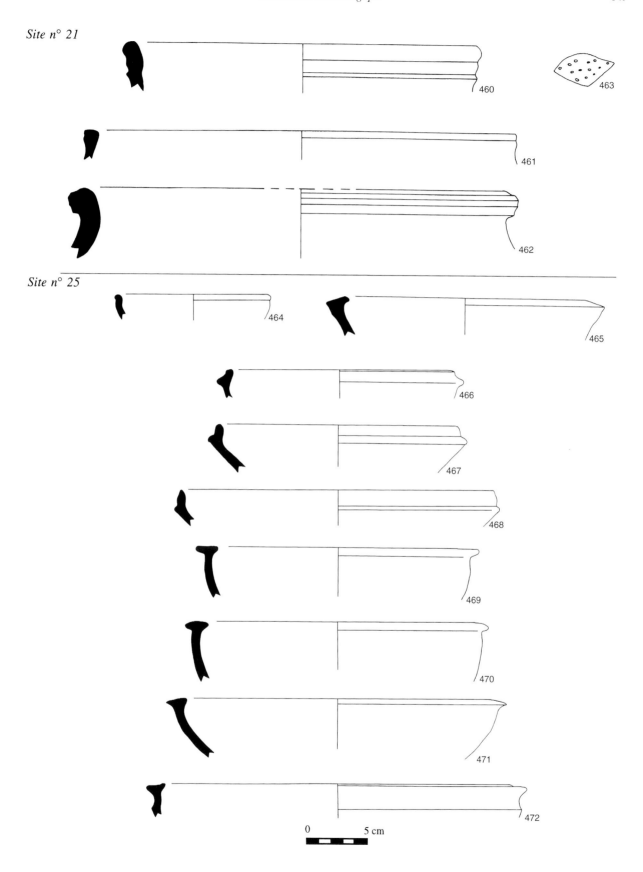

*Pl. 36 - Sites n°s 21 (**460-463**) et 25 (**464-472**).*

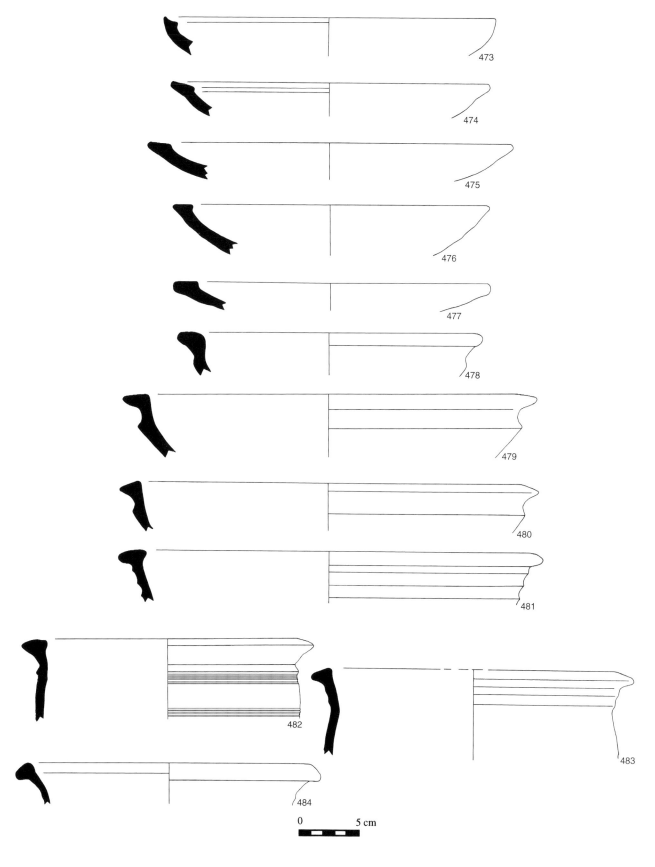

*Pl. 37 - Site n° 25 (**473-484**).*

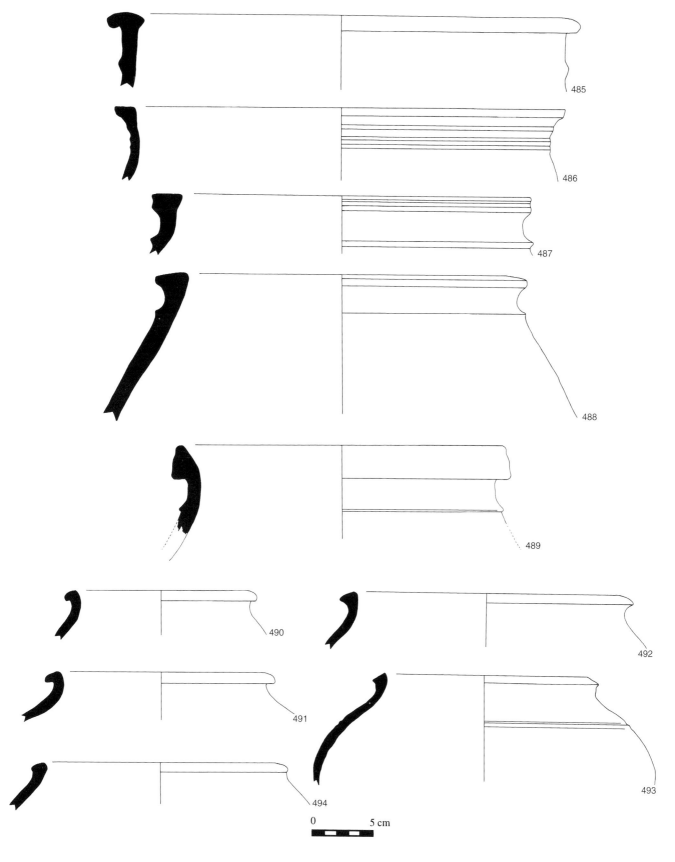

*Pl. 38 - Site n° 25 (**485-494**).*

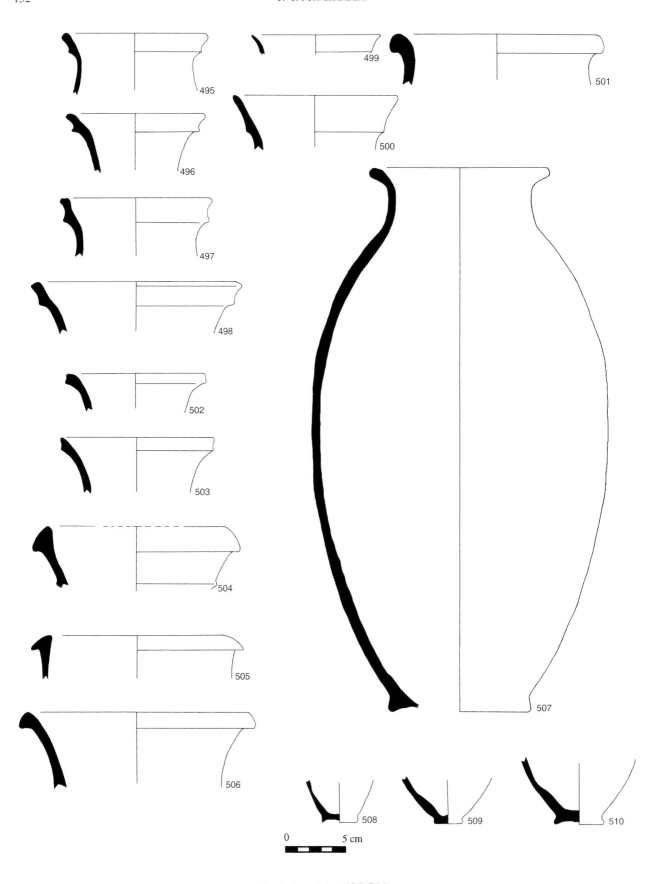

*Pl. 39 - Site n° 25 (**495-510**).*

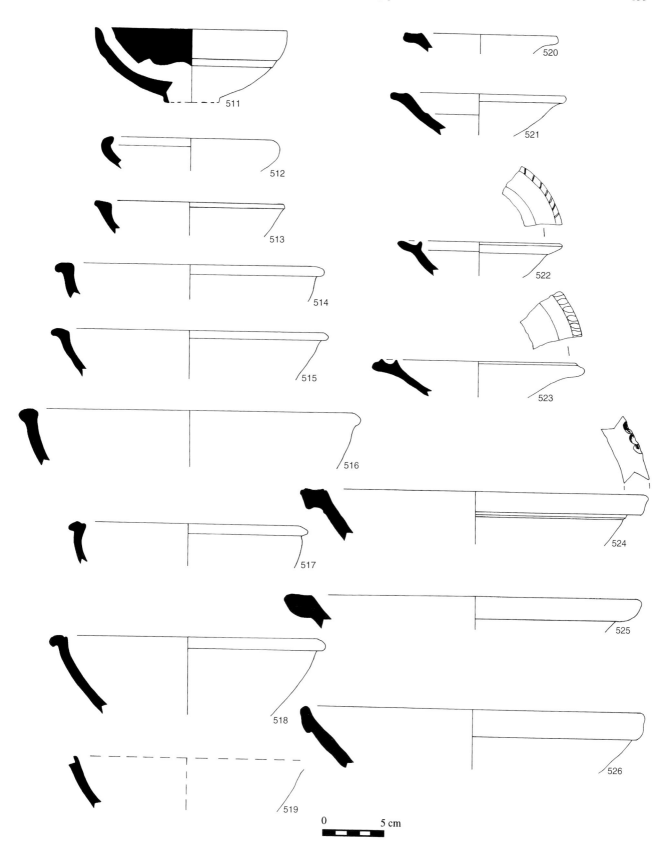

*Pl. 40 - Site nº 29 (**511-526**).*

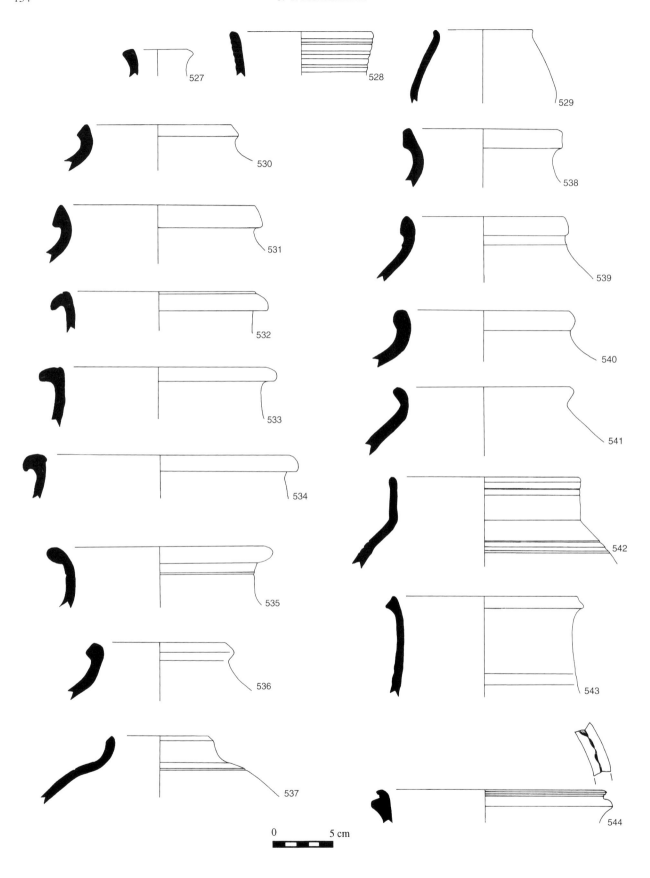

0   5 cm

*Pl. 41 - Site n° 29 (**527-544**).*

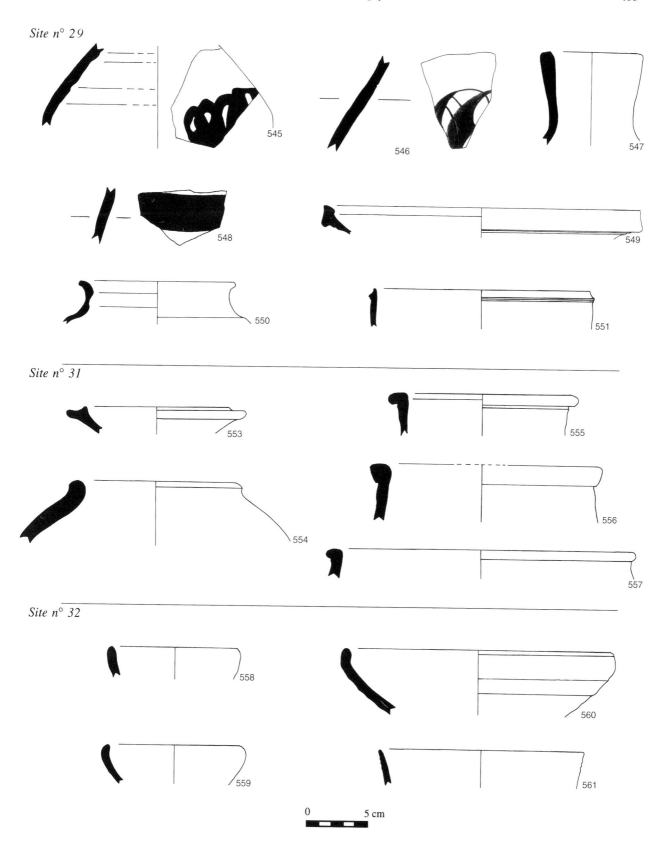

Site n° 29

Site n° 31

Site n° 32

0   5 cm

*Pl. 42 - Sites n°ˢ 29 (**545-551**), 31 (**553-557**) et 32 (**558-561**).*

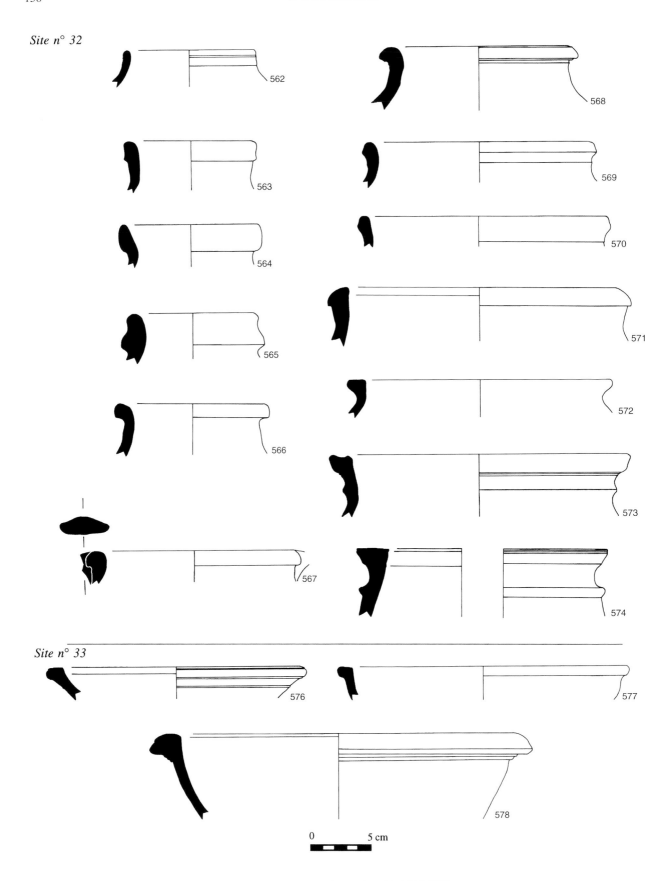

Site n° 32

Site n° 33

0   5 cm

*Pl. 43 - Sites n°s 32 (**562-574**) et 33 (**576-578**).*

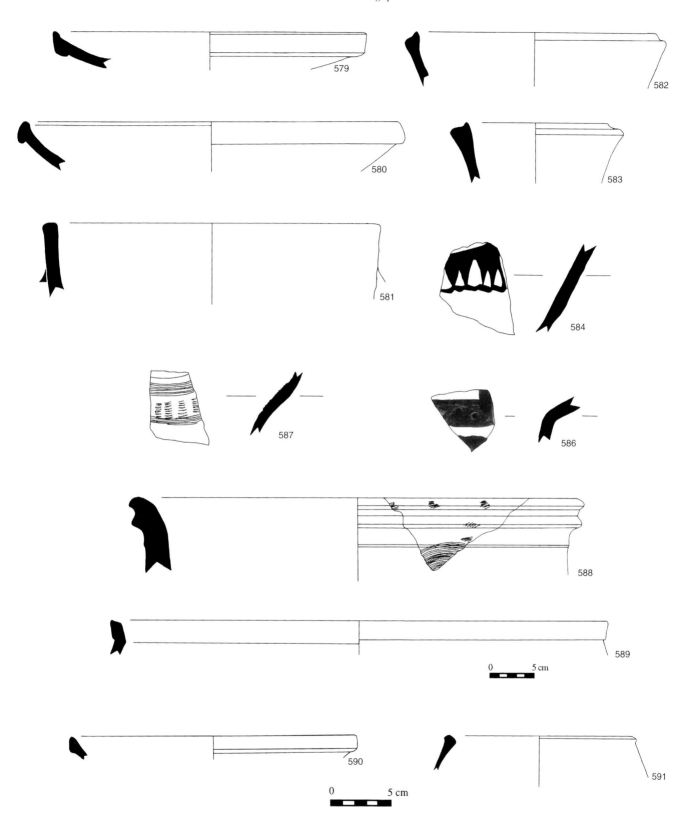

Pl. 44 - Site n° 33 (**579-591**).

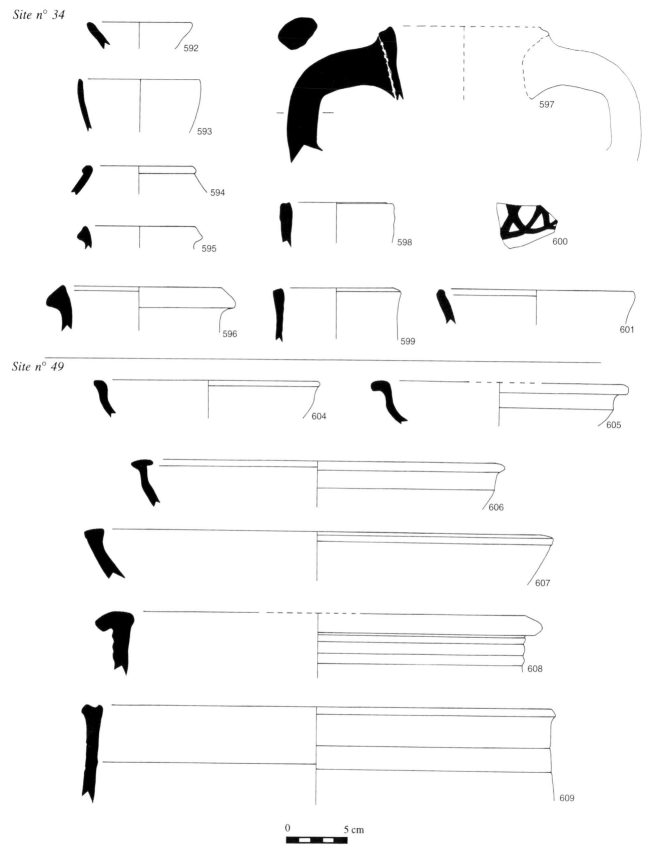

*Pl. 45 - Sites n°s 34 (**592-601**) et 49 (**604-609**).*

Site n° 49

Site n° 55

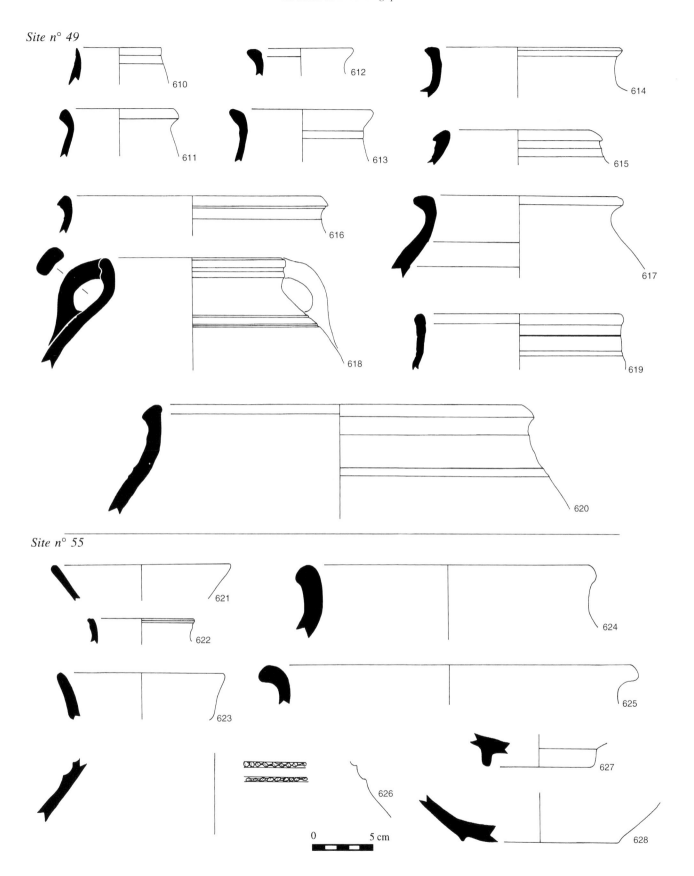

*Pl. 46 - Sites n°s 49 (**610-620**) et 55 (**621-628**).*

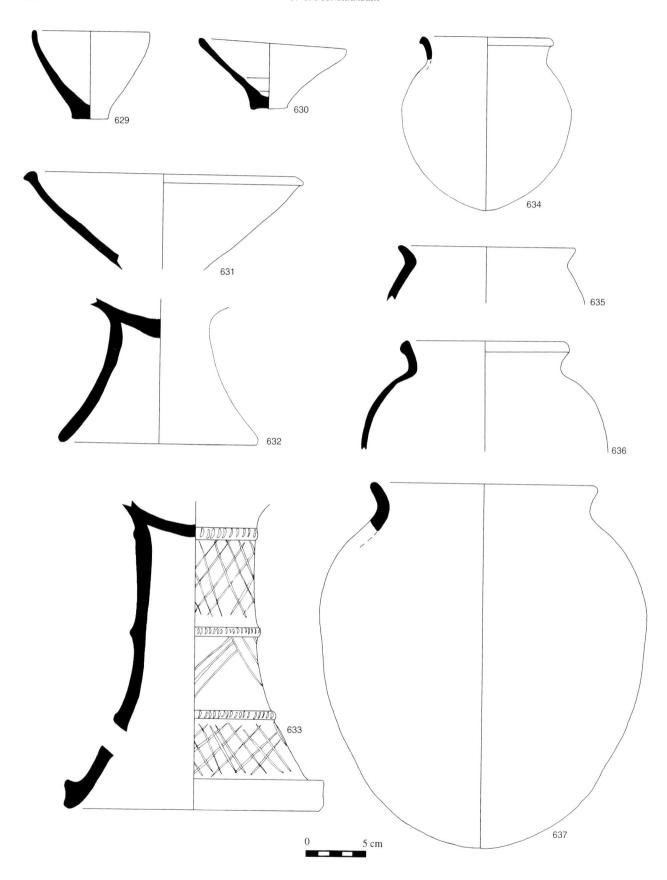

0   5 cm

*Pl. 47 - Site n° 56 (**629-637**).*

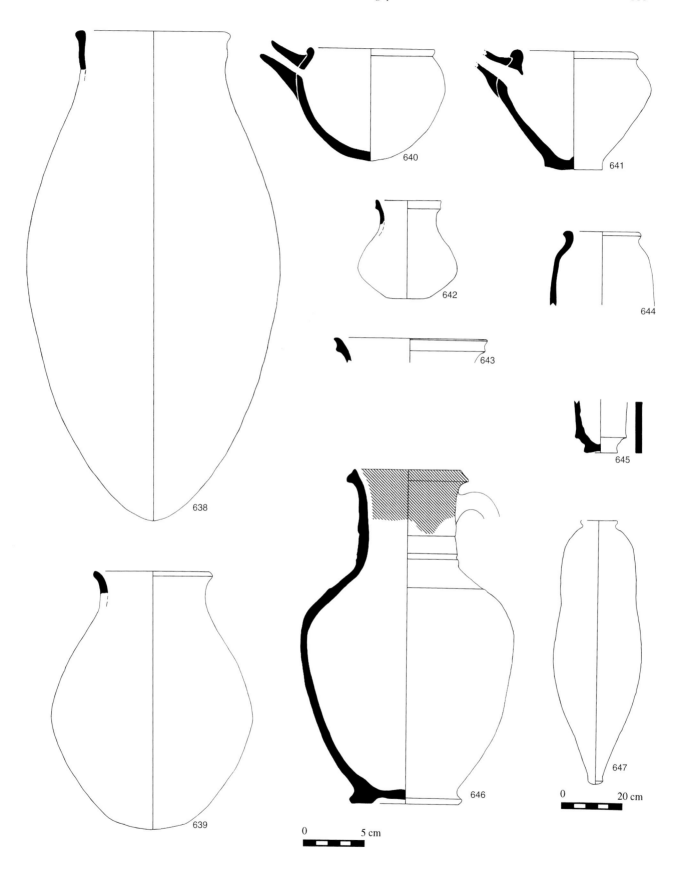

*Pl. 48 - Site n° 56 (**638-647**).*

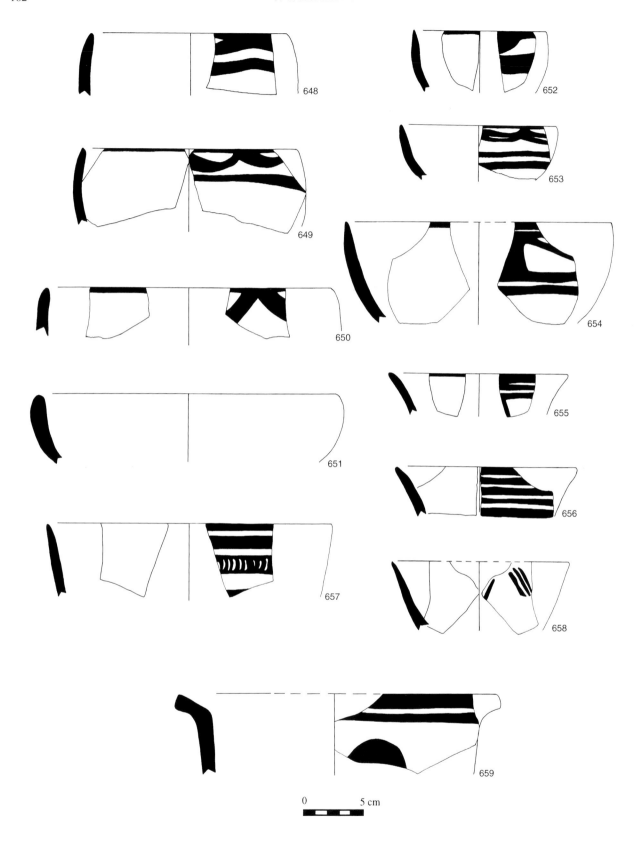

*Pl. 49 - Site n° 57 (**648-659**).*

*Pl. 50 - Site n° 57 (**660-673**).*

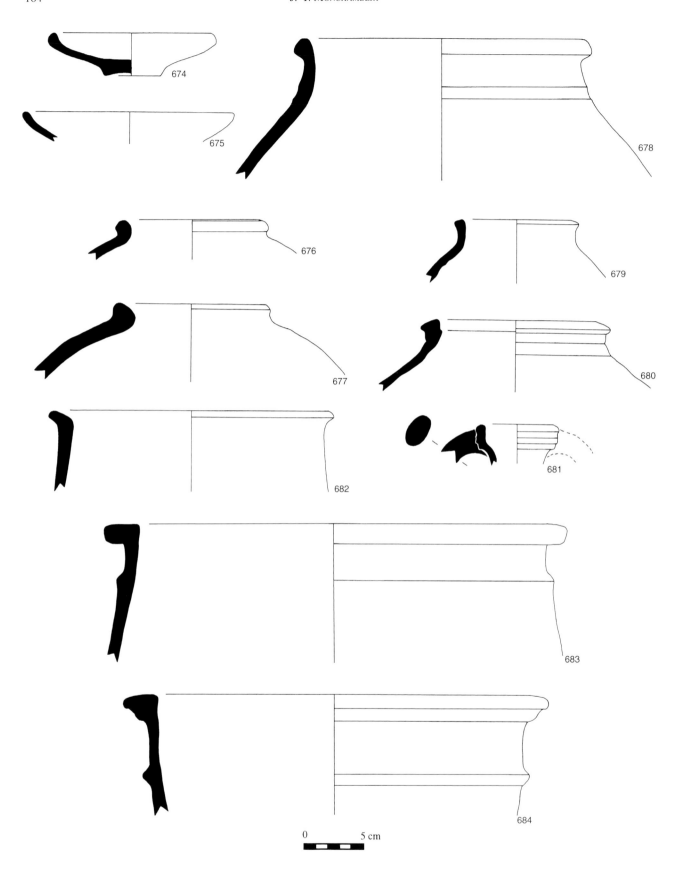

*Pl. 51 - Site n° 59 (**674-684**).*

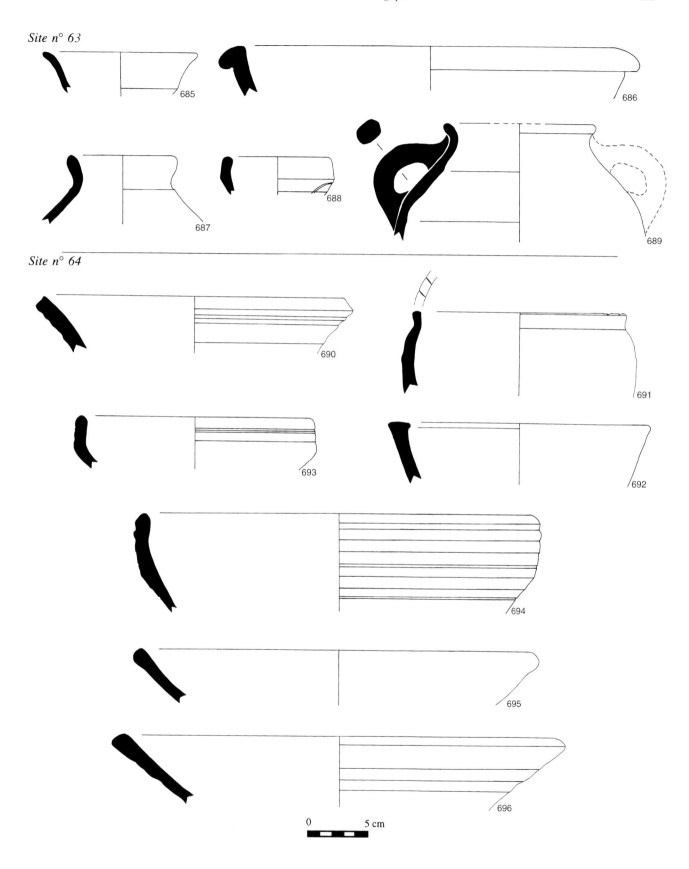

Site n° 63

685

686

687

688

689

Site n° 64

690

691

693

692

694

695

696

0 5 cm

*Pl. 52 - Sites n°ˢ 63 (**685-689**) et 64 (**690-696**).*

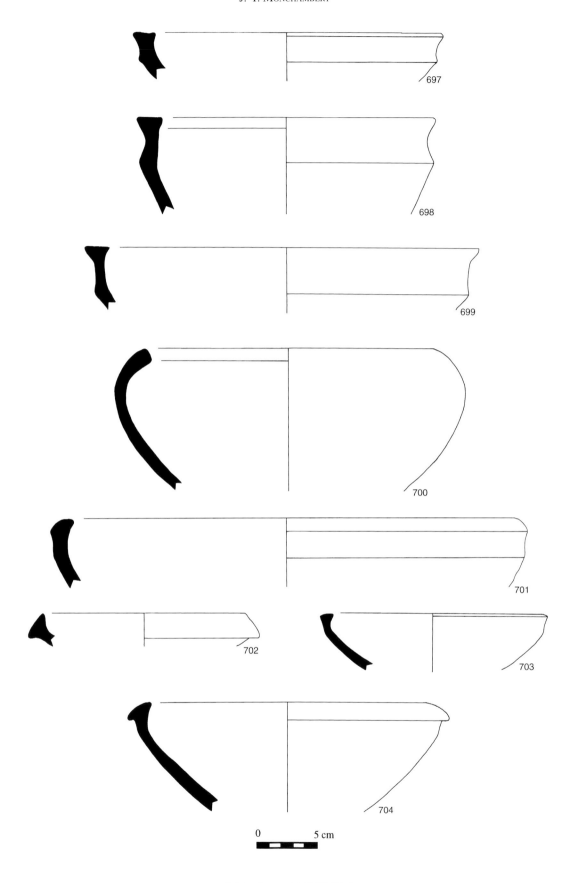

0   5 cm

*Pl. 53 - Site n° 64 (**697-704**).*

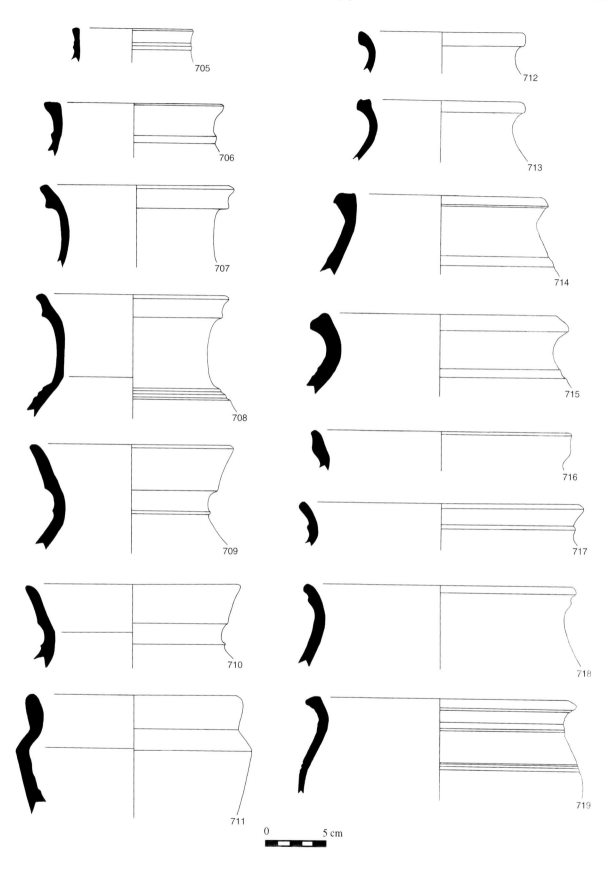

*Pl. 54 - Site n° 64 (**705-719**).*

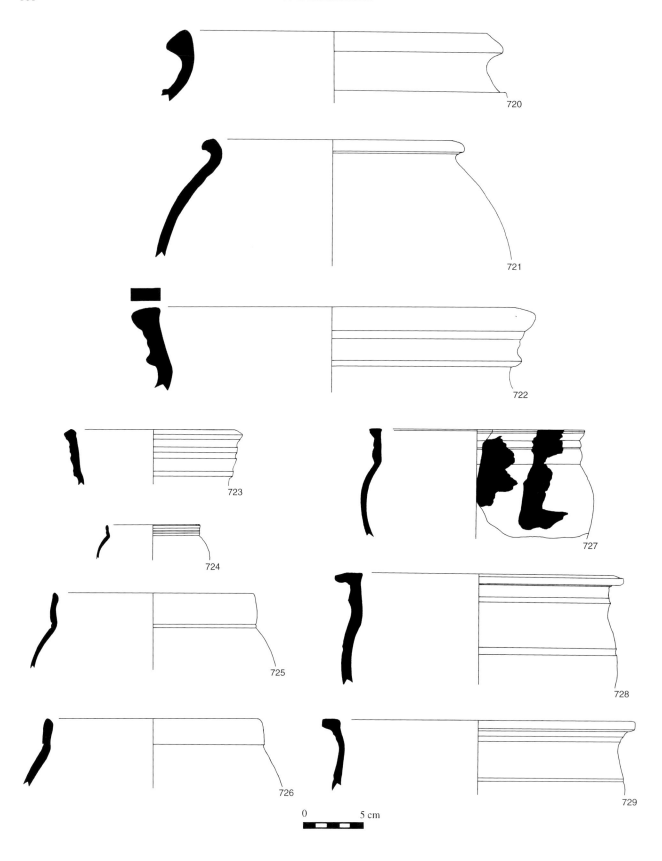

*Pl. 55 - Site n° 64 (**720-729**).*

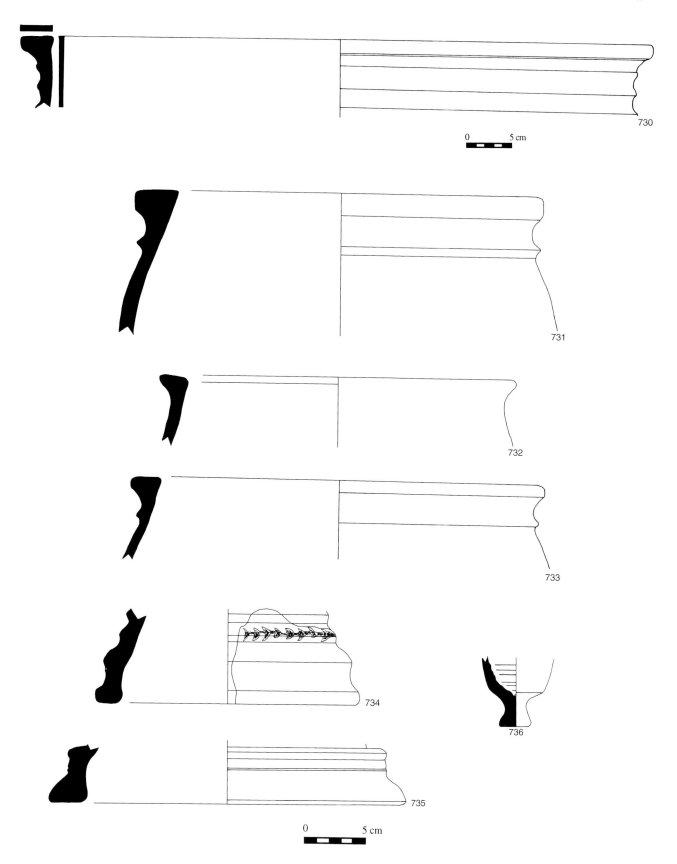

*Pl. 56 - Site n° 64 (**730-736**).*

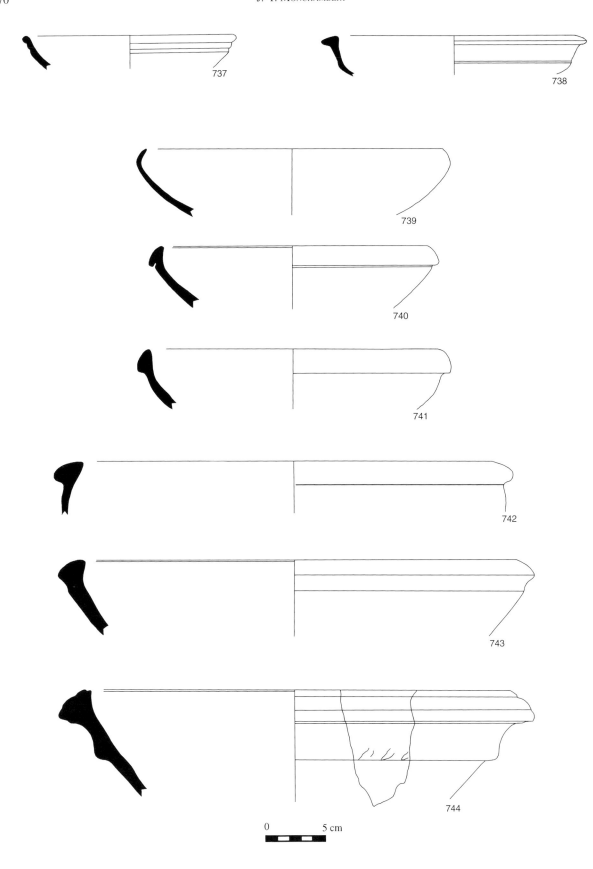

*Pl. 57 - Site n° 66 (**737-744**).*

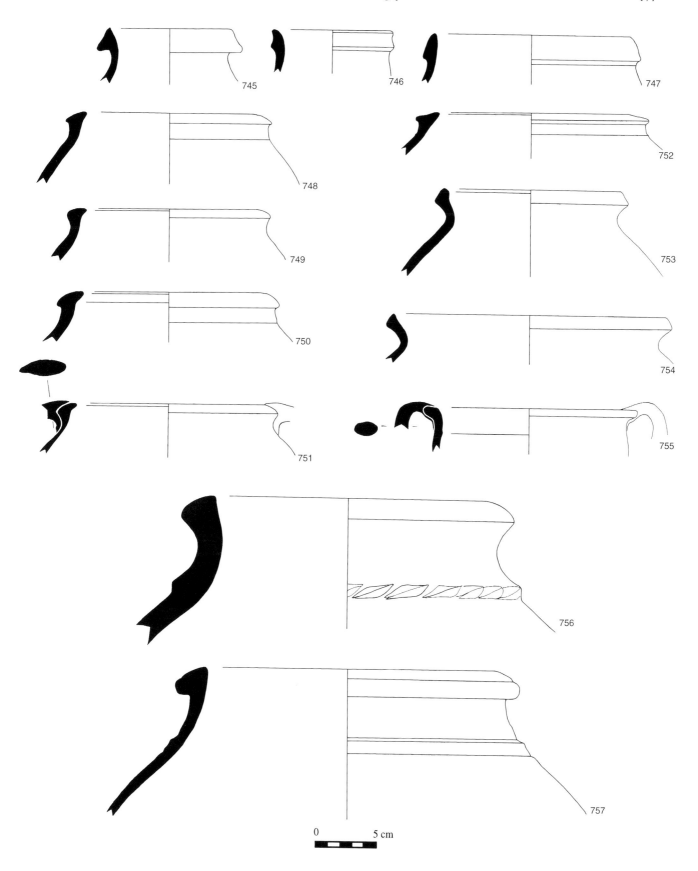

0   5 cm

*Pl. 58 - Site n° 66 (**745-757**).*

Site n° 66

Site n° 67

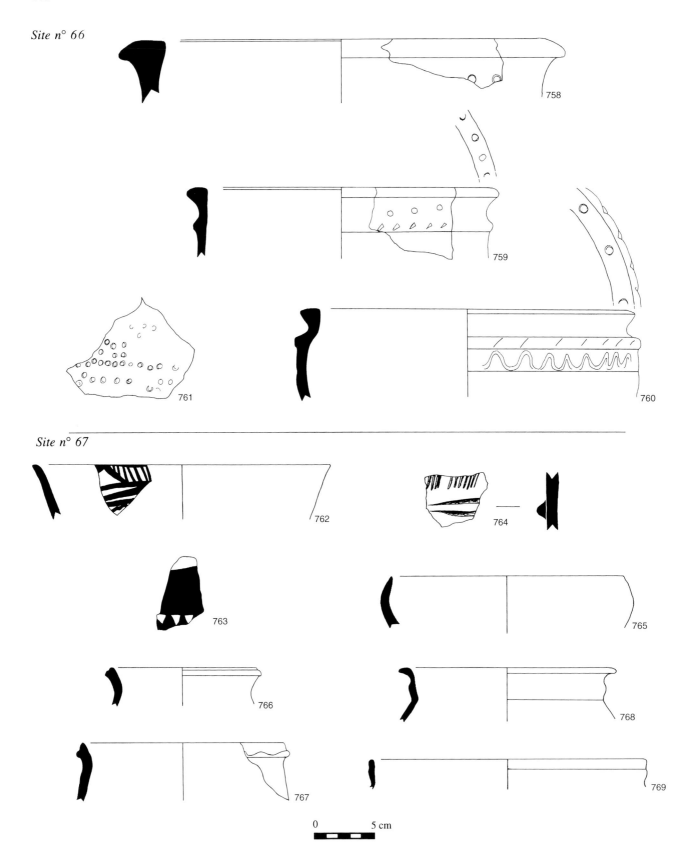

0　　　5 cm

*Pl. 59 - Sites n°ˢ 66 (**758-761**) et 67 (**762-769**).*

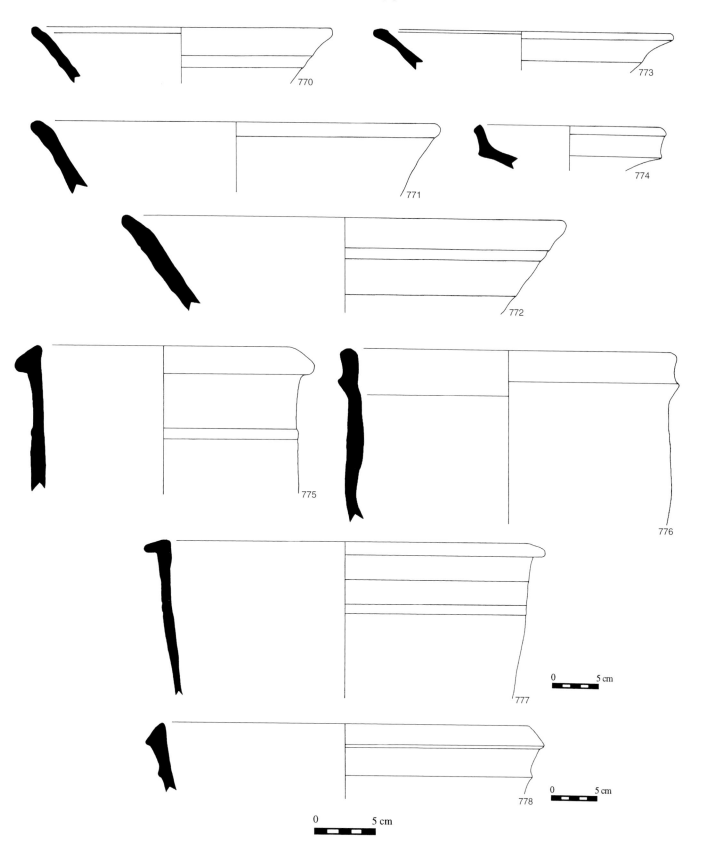

*Pl. 60 - Site n° 68 (**770-778**).*

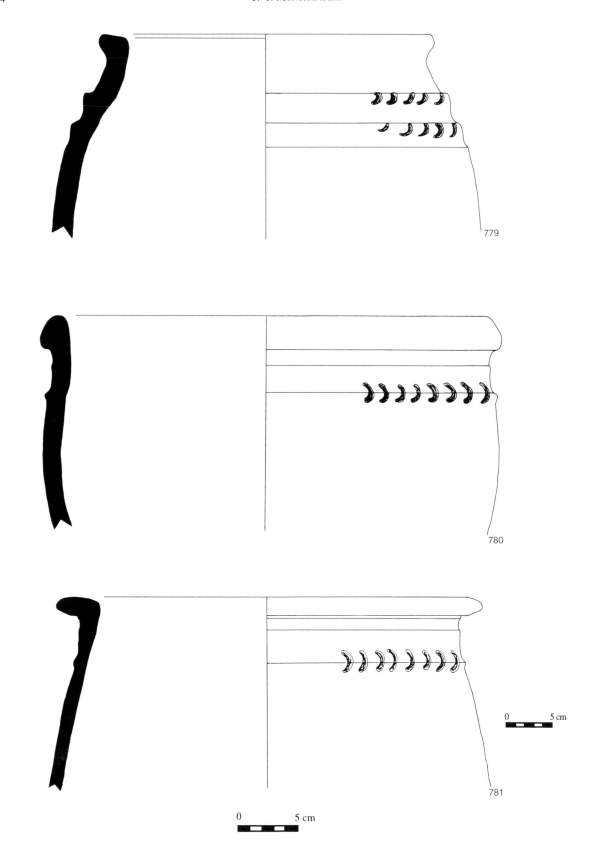

*Pl. 61 - Site n° 68 (**779-781**).*

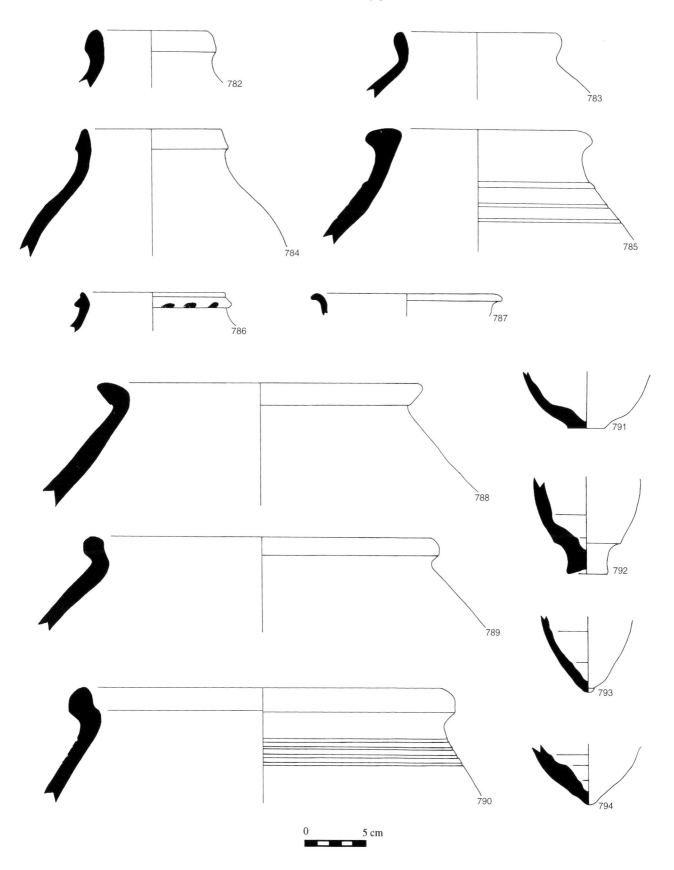

0   5 cm

*Pl. 62 - Site n° 68 (**782-794**).*

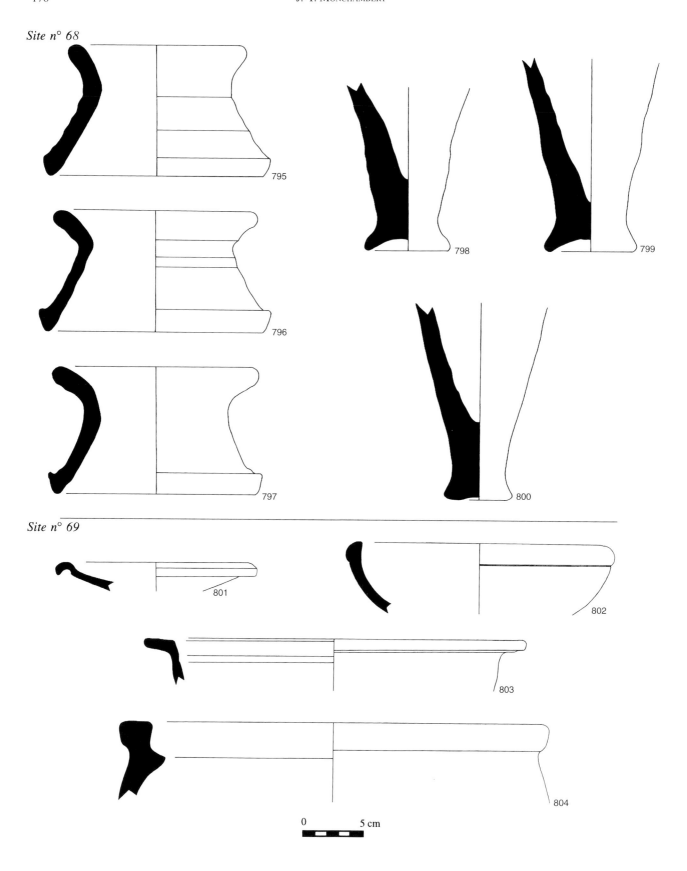

Site n° 68

795

796

797

798

799

800

Site n° 69

801

802

803

804

0   5 cm

*Pl. 63 - Sites n°ˢ 68 (**795-800**) et 69 (**801-804**).*

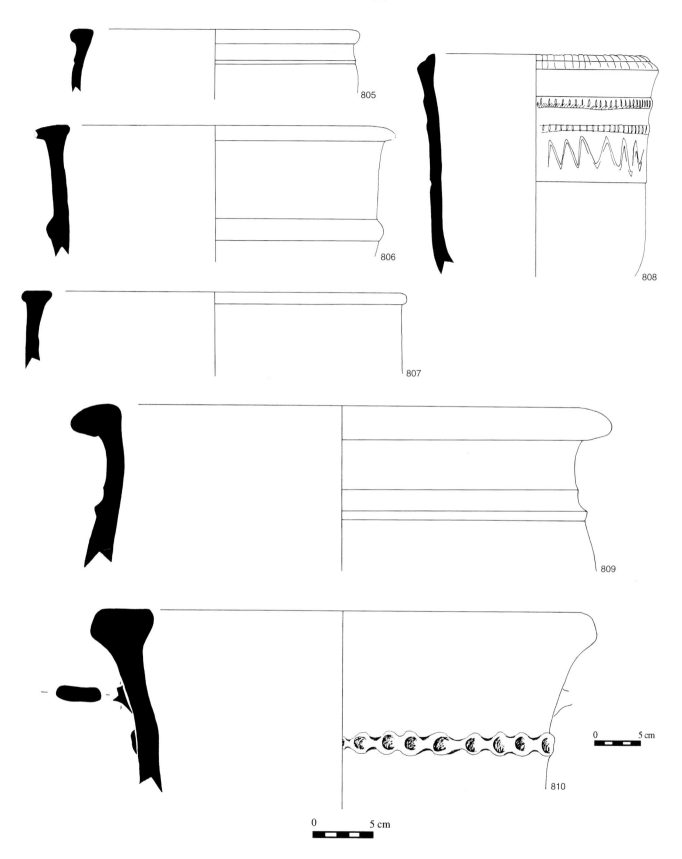

*Pl. 64 - Site n° 69 (**805-810**).*

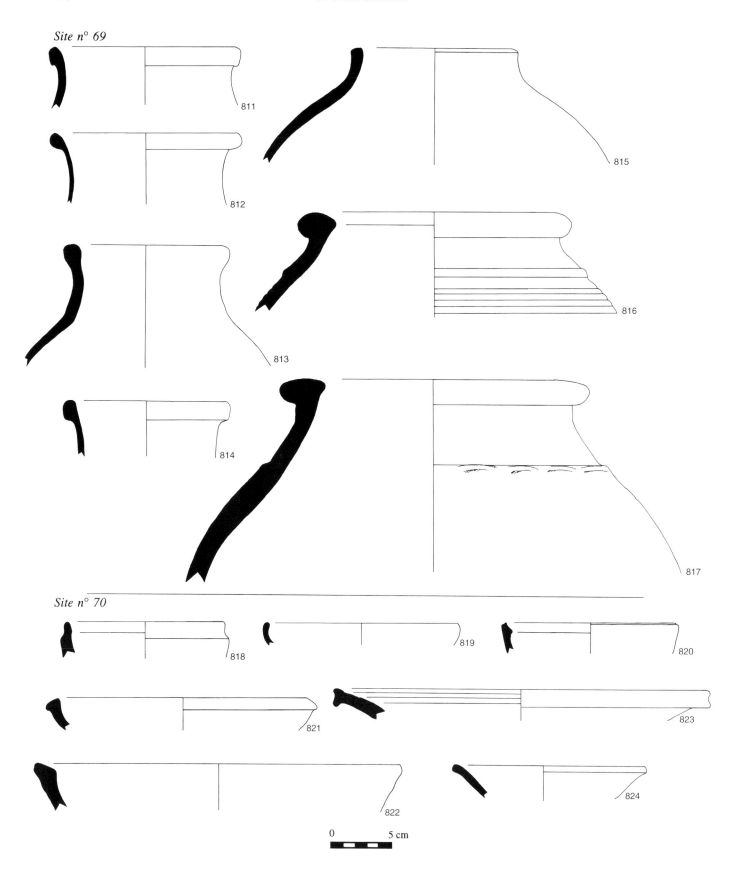

*Pl. 65 - Site nᵒˢ 69 (**811-817**) et 70 (**818-824**).*

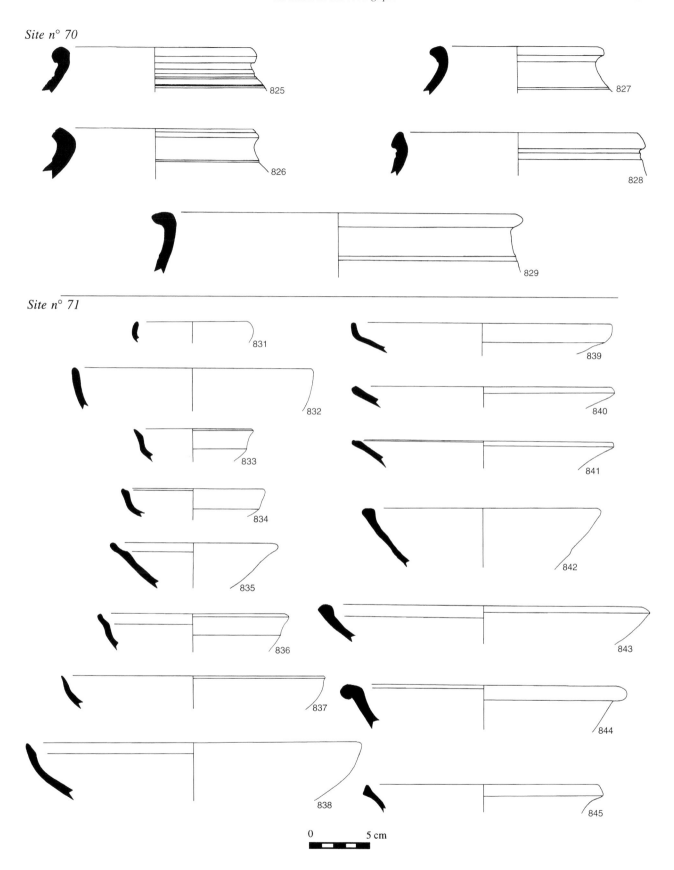

Site n° 70

Site n° 71

0   5 cm

*Pl. 66 - Sites nᵒˢ 70 (**825-829**) et 71 (**831-845**).*

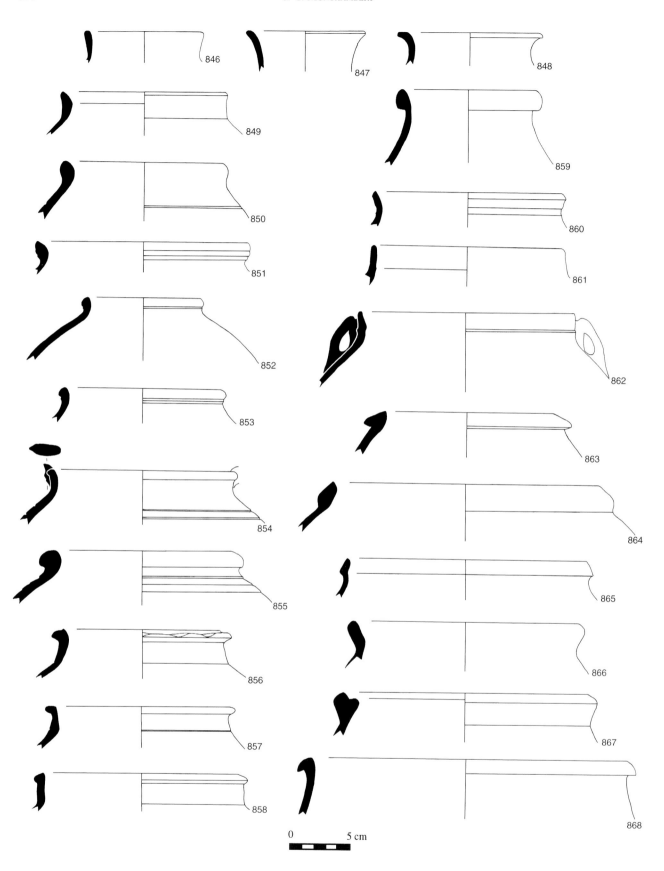

0   5 cm

*Pl. 67 - Site n° 71 (**846-868**).*

Site n° 72

Site n° 73

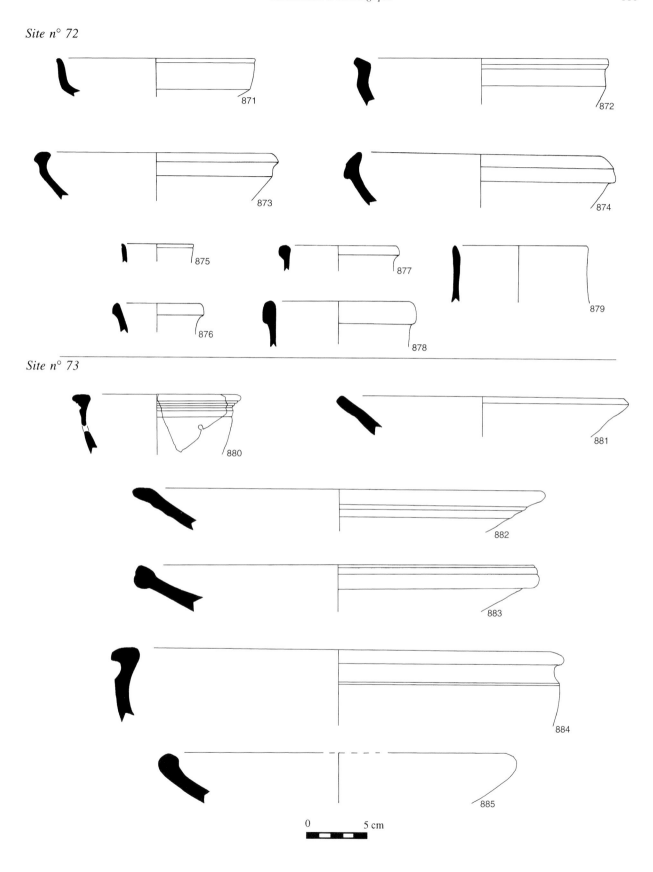

*Pl. 68 - Sites n°ˢ 72 (**871-879**) et 73 (**880-885**).*

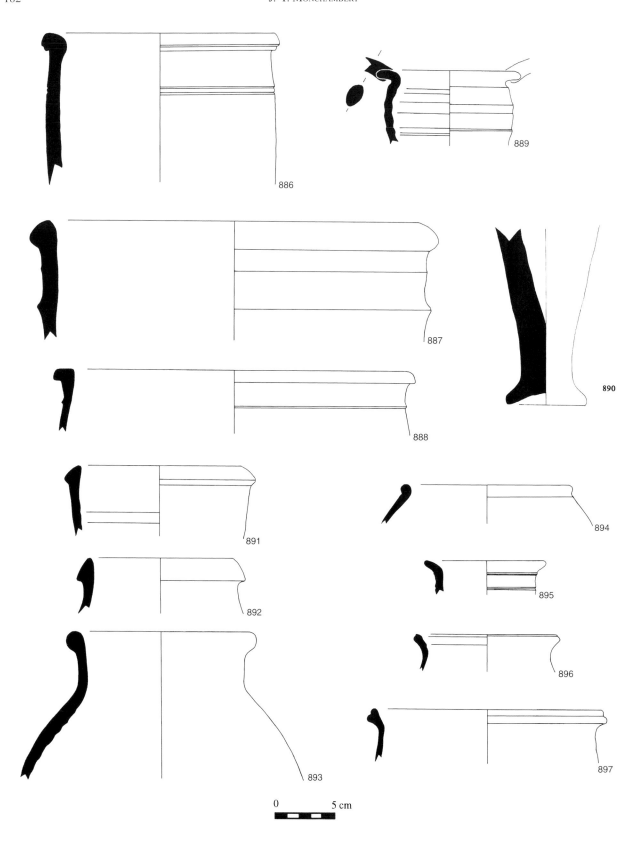

0   5 cm

*Pl. 69 - Site n° 73 (**886-897**).*

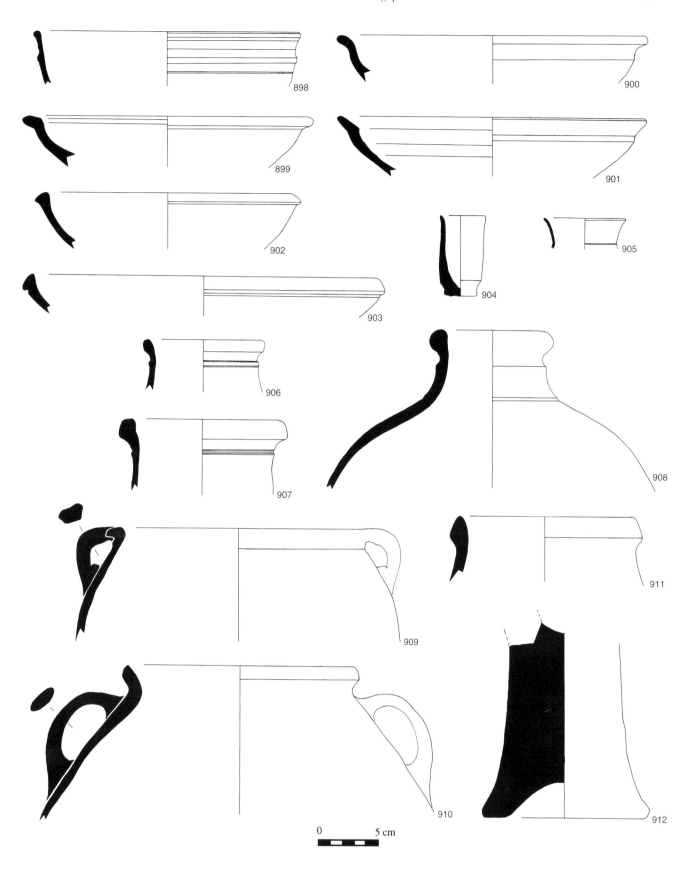

*Pl. 70 - Site n° 74 (**898-912**).*

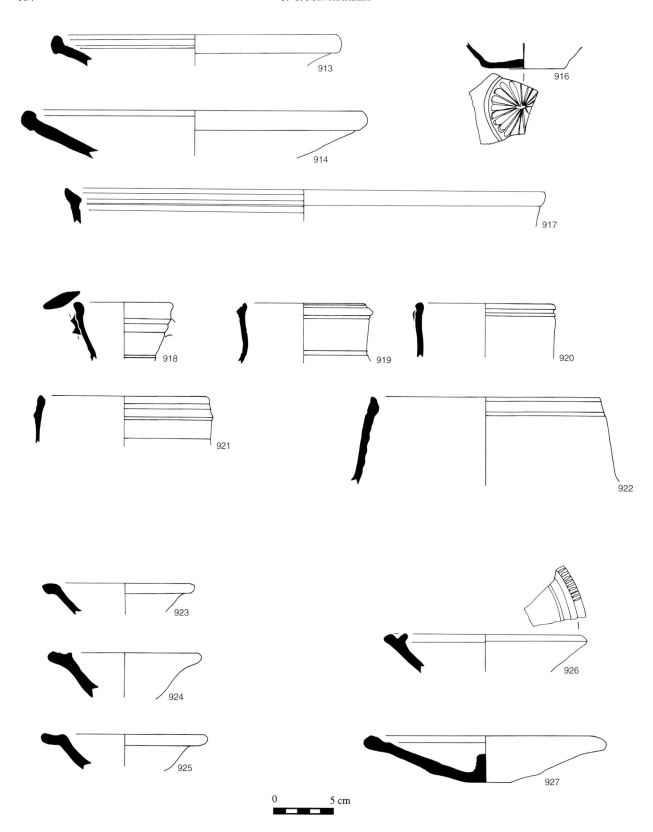

*Pl. 71 - Site nº 75 (**913-927**).*

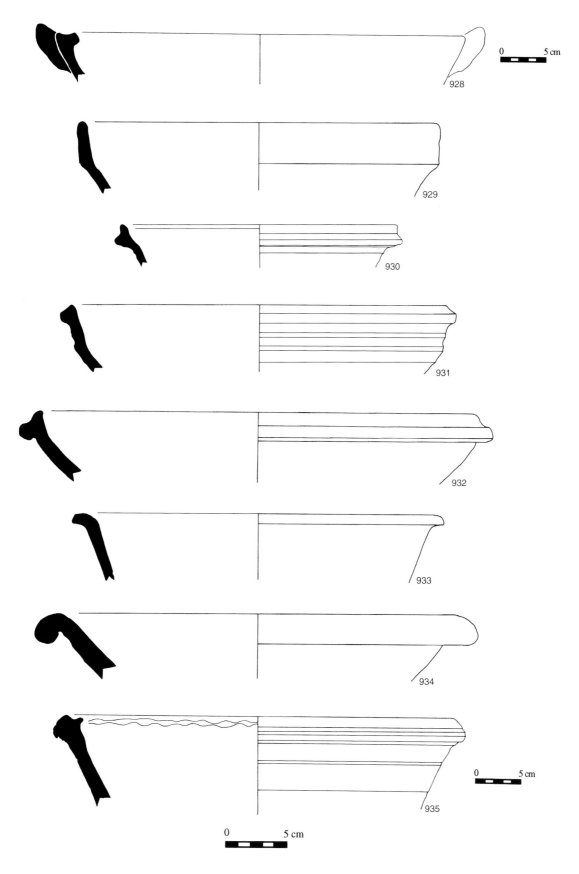

*Pl. 72 - Site n° 75 (**928-935**).*

*Pl. 73 - Site n° 75 (**936-951**).*

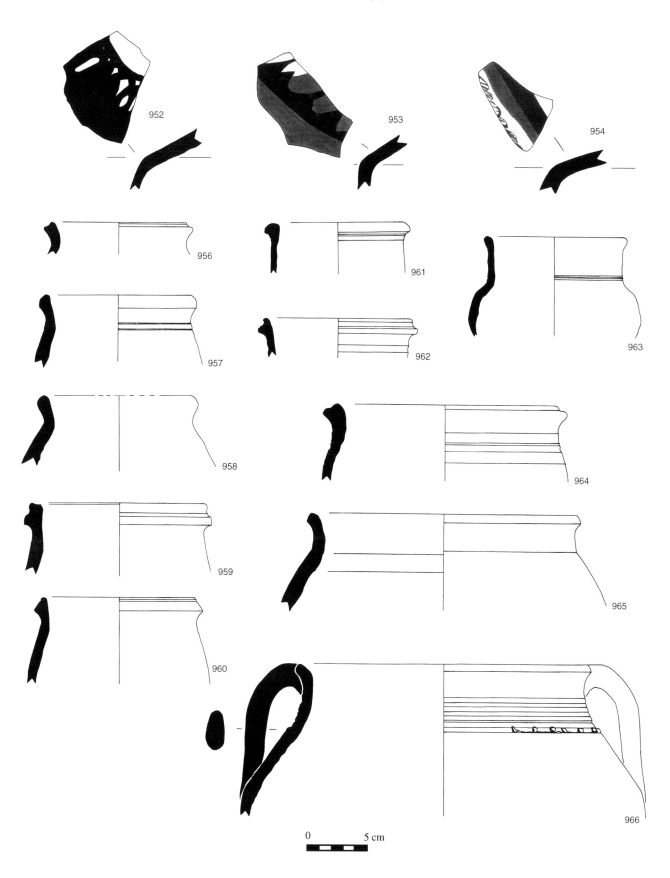

0   5 cm

*Pl. 74 - Site n° 75 (**952-966**).*

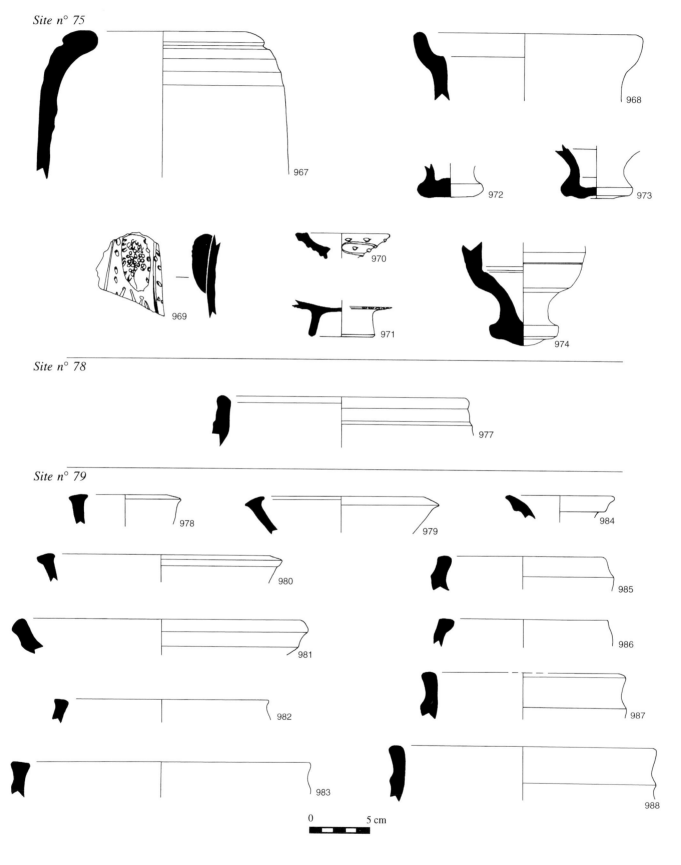

Site n° 75

967

968

972

973

969

970

971

974

Site n° 78

977

Site n° 79

978

979

984

980

985

981

986

982

987

983

988

0   5 cm

*Pl. 75 - Sites nᵒˢ 75 (**967-974**), 78 (**977**) et 79 (**978-988**).*

Site n° 79

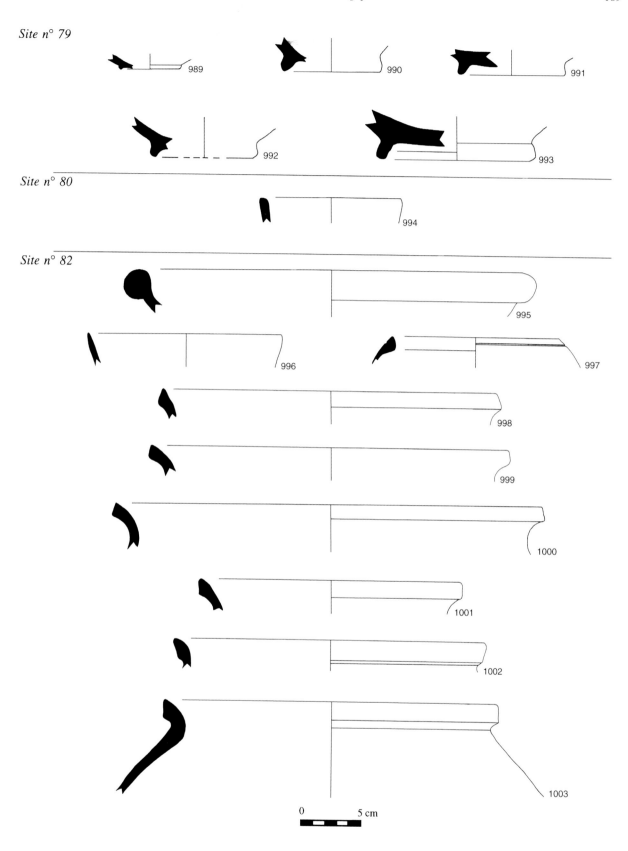

Site n° 80

Site n° 82

0   5 cm

*Pl. 76 - Sites n°ˢ 79 (**989-993**), 80 (**994**) et 82 (**995-1003**).*

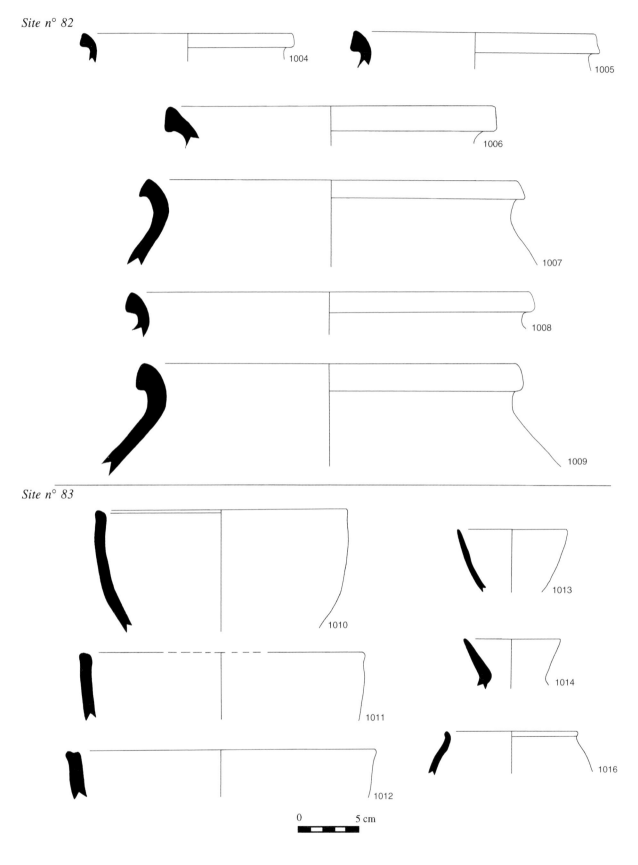

Site n° 82

Site n° 83

0   5 cm

*Pl. 77 - Sites n° 82 (**1004-1009**) et 83 (**1010-1016**).*

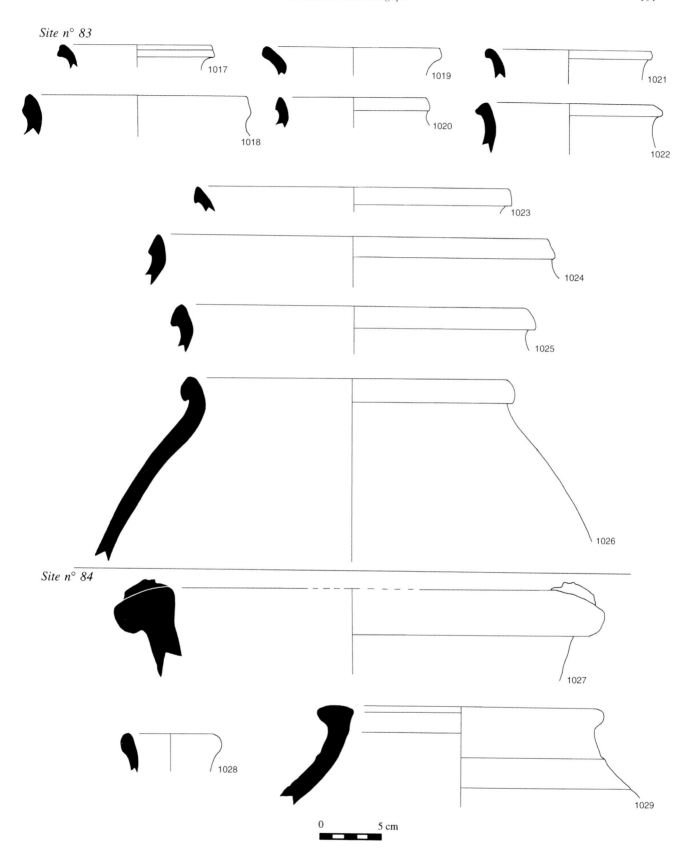

Site n° 83

1017
1019
1021
1018
1020
1022
1023
1024
1025
1026

Site n° 84

1027
1028
1029

0   5 cm

Pl. 78 - Sites n°ˢ 83 (**1017-1026**) et 84 (**1027-1029**).

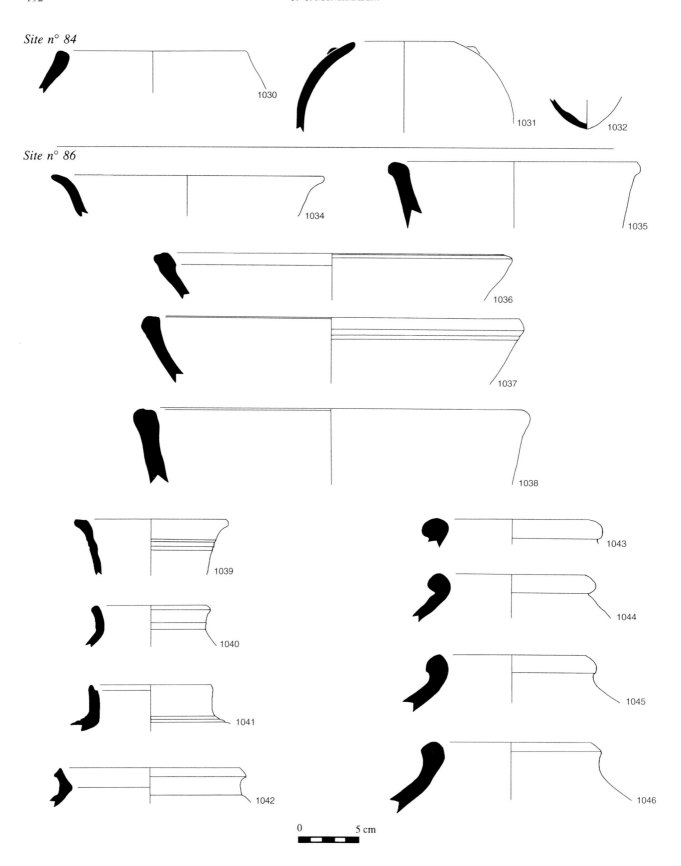

*Pl. 79 - Sites n°ˢ 84 (**1030-1032**) et 86 (**1034-1046**).*

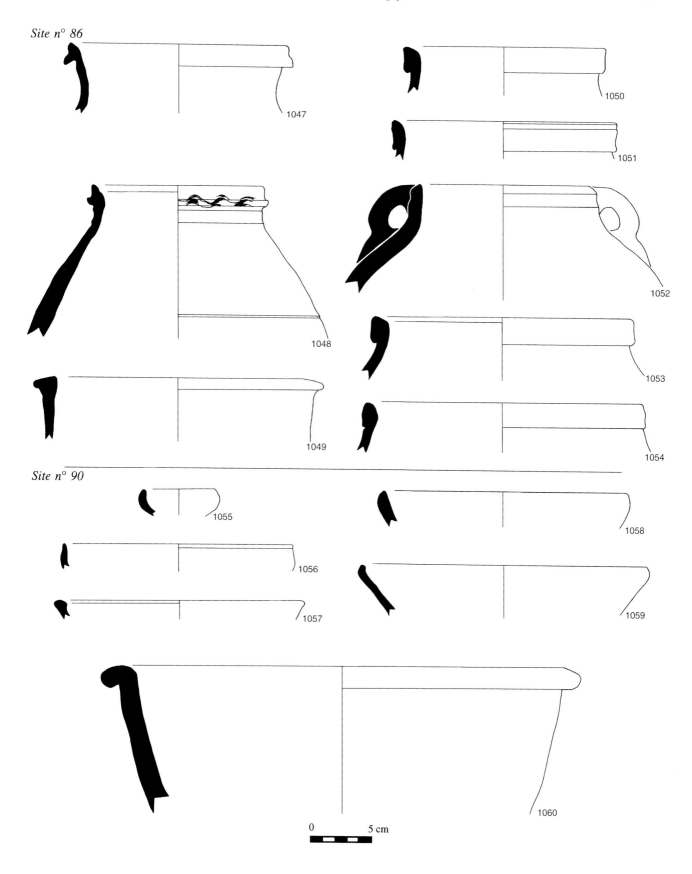

Site n° 86

Site n° 90

0   5 cm

*Pl. 80 - Sites nᵒˢ 86 (**1047-1054**) et 90 (**1055-1060**).*

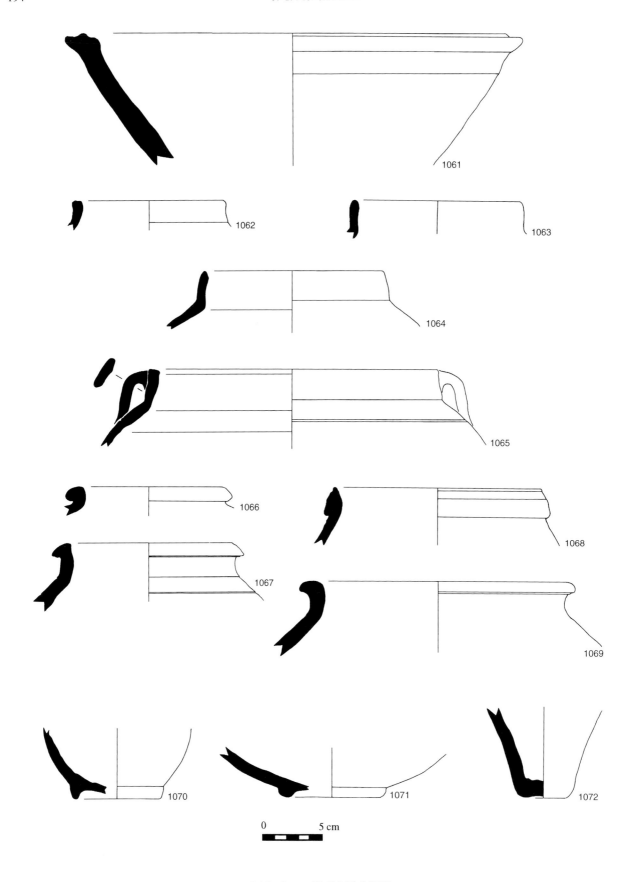

0   5 cm

*Pl. 81 - Site n° 90 (**1061-1072**).*

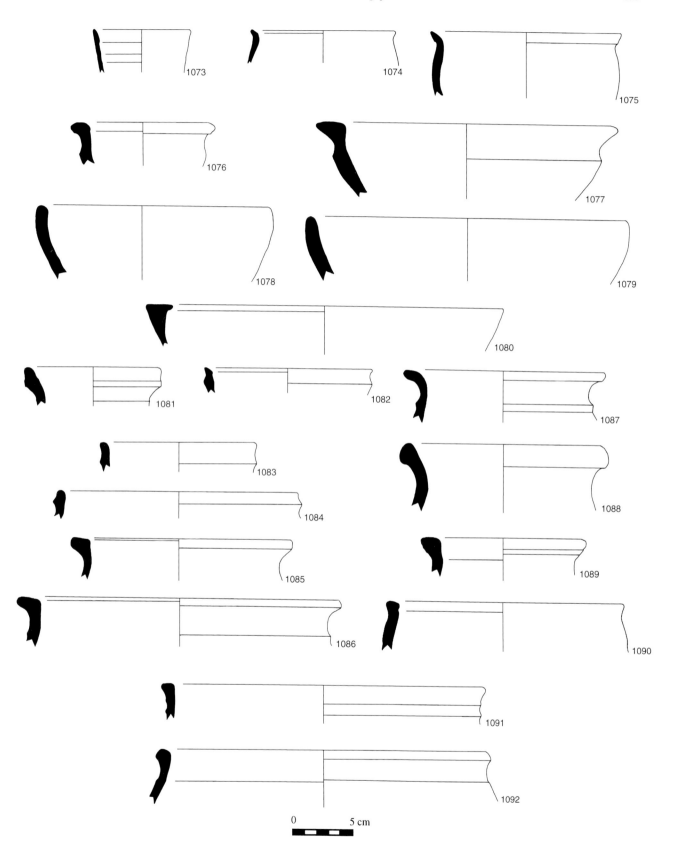

*Pl. 82 - Site n° 91 (**1073-1092**).*

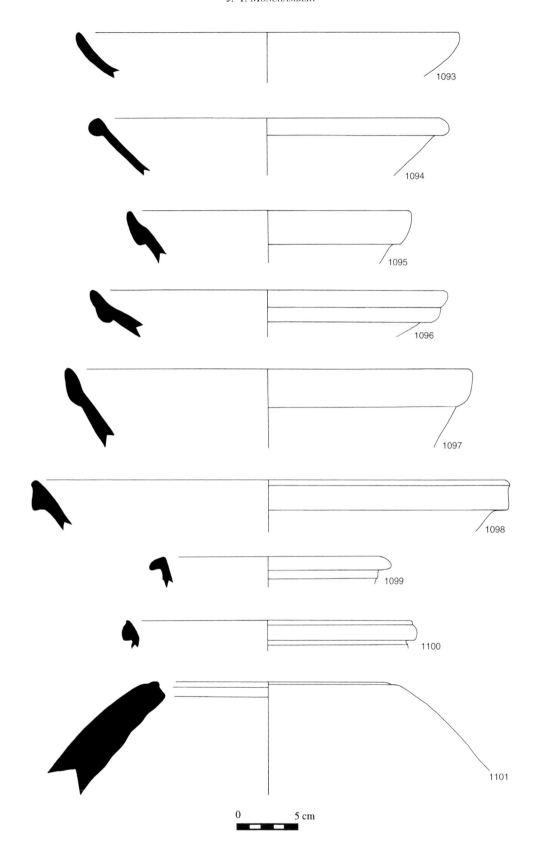

*Pl. 83 - Site n° 92 (**1093-1101**).*

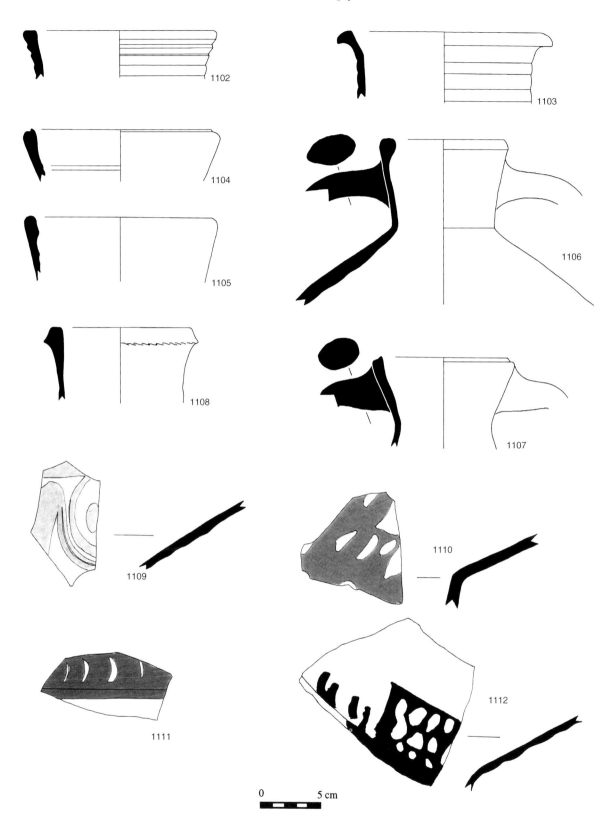

*Pl. 84 - Site n° 92 (**1102-1112**).*

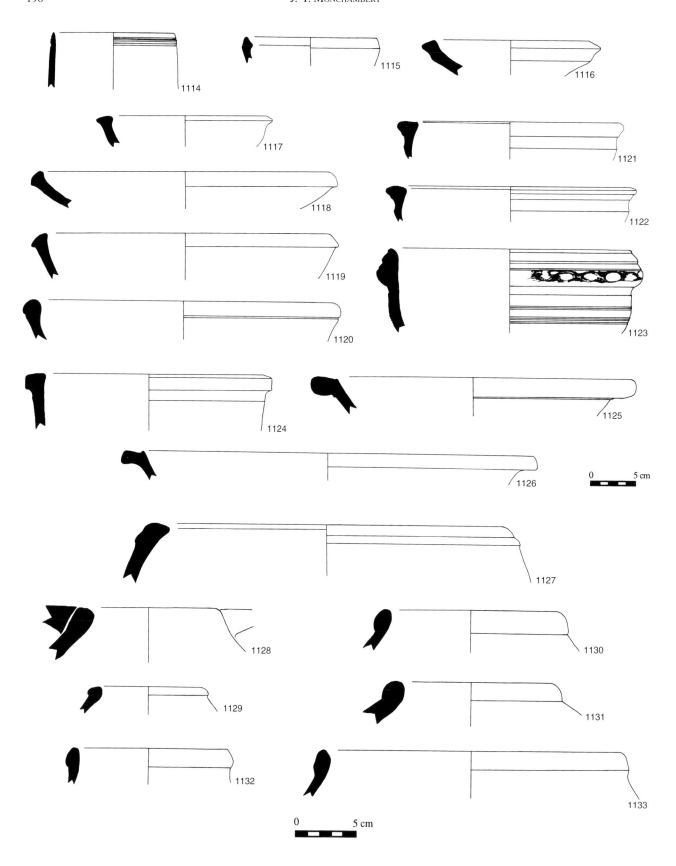

*Pl. 85 - Site n° 93 (**1114-1133**).*

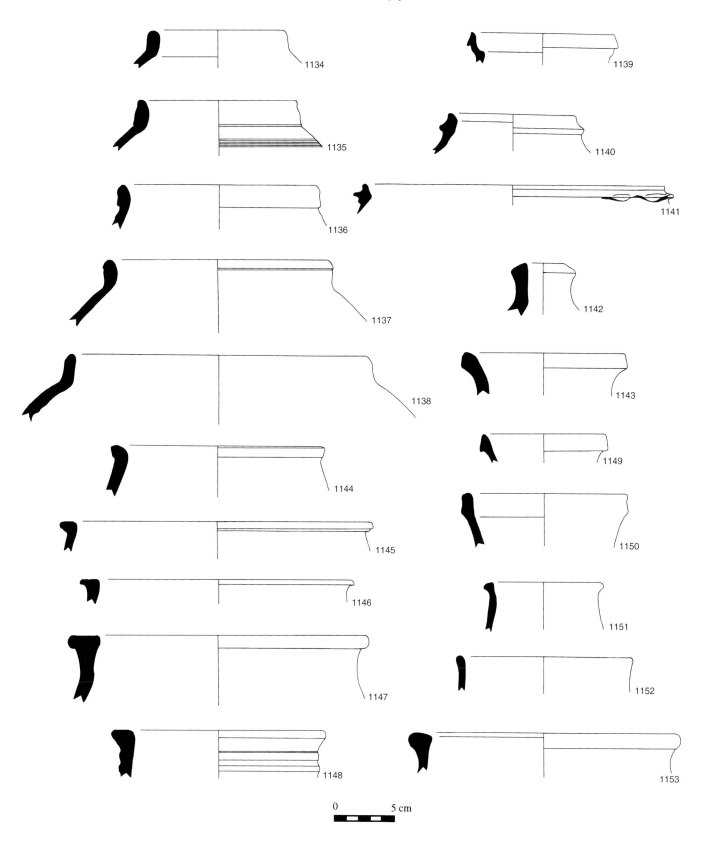

*Pl. 86 - Site n° 93 (**1134-1153**).*

Site n° 93

Site n° 94

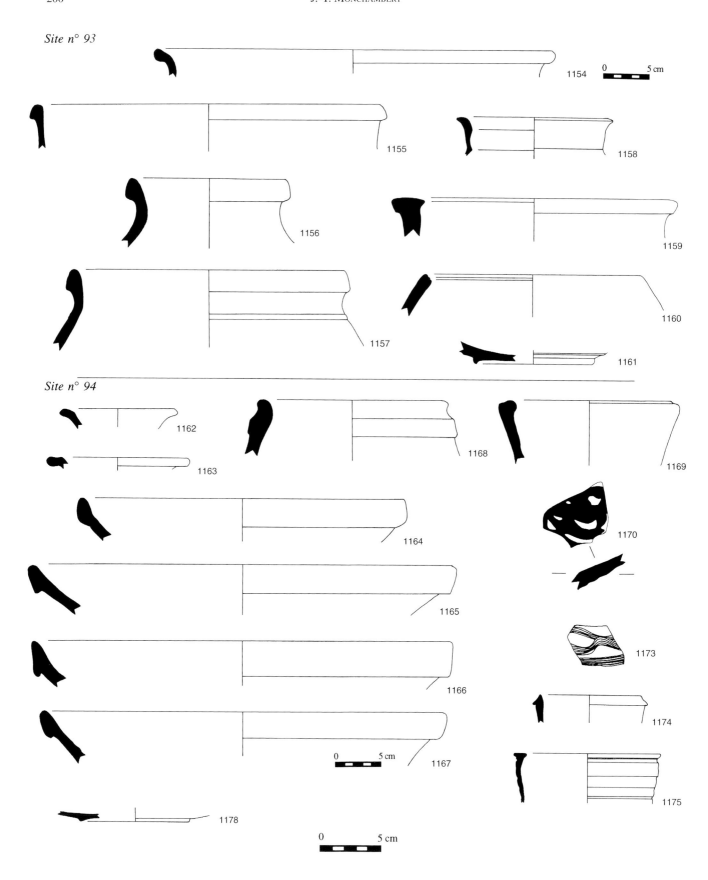

*Pl. 87 - Sites n°ⁱˢ 93 (**1154-1161**) et 94 (**1162-1178**).*

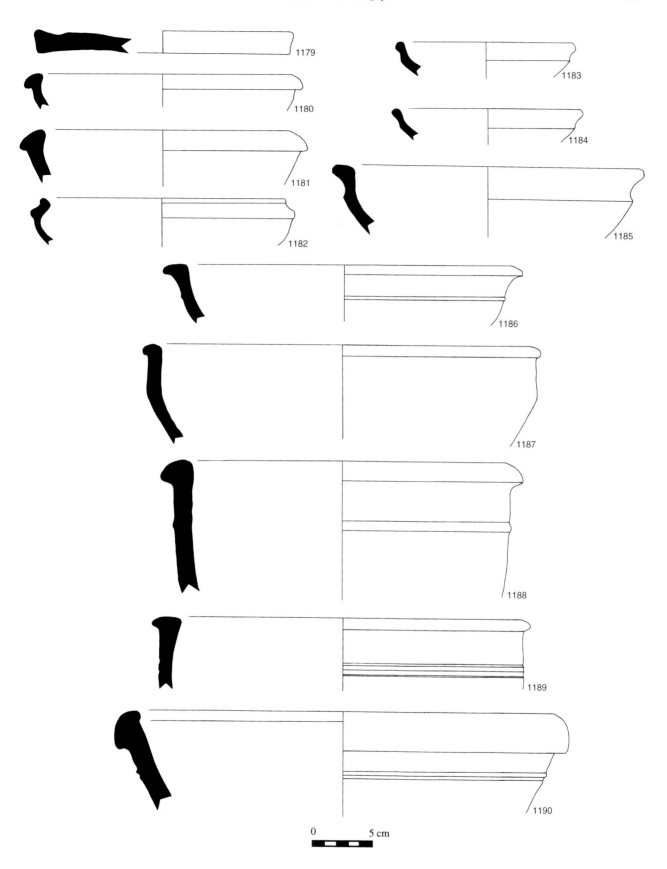

*Pl. 88 - Site n° 95 (**1179-1190**).*

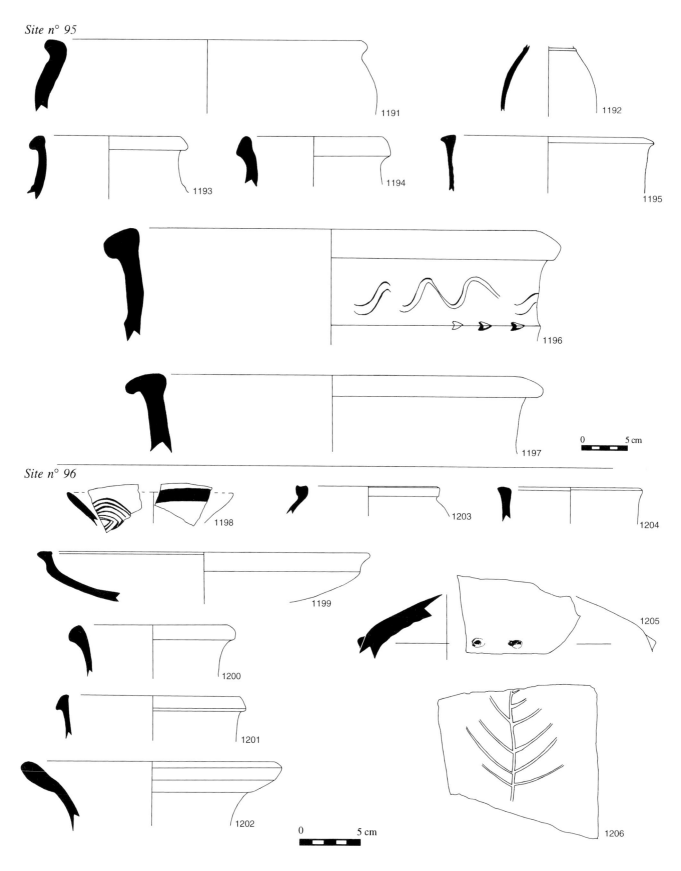

*Pl. 89 - Sites nᵒˢ 95 (**1191-1197**) et 96 (**1198-1206**).*

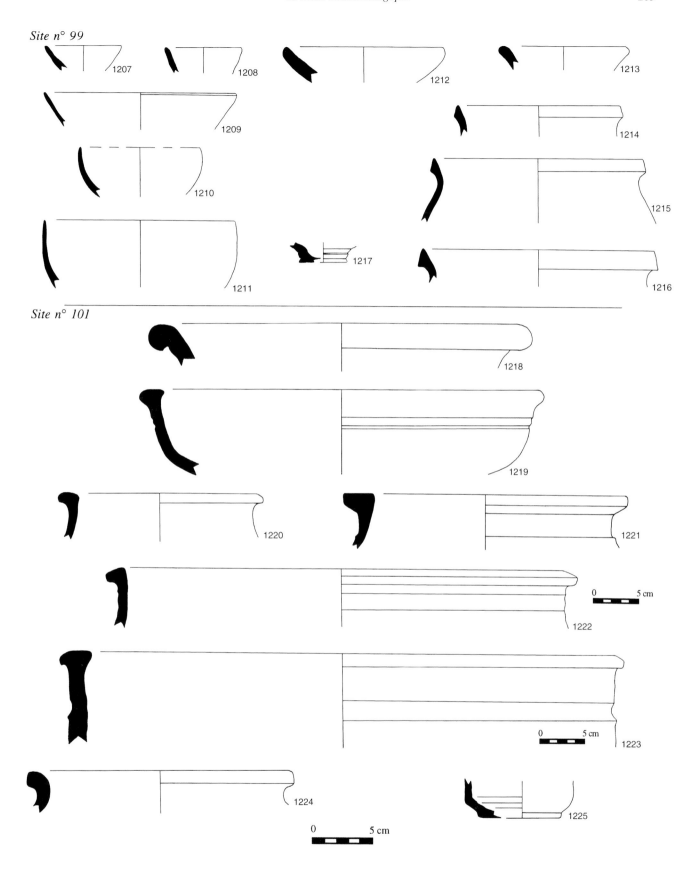

Site n° 99

1207
1208
1212
1213
1209
1214
1210
1215
1211
1217
1216

Site n° 101

1218
1219
1220
1221
1222
1223
1224
1225

0 5 cm

*Pl. 90 - Sites n°ˢ 99 (**1207-1217**) et 101 (**1218-1225**).*

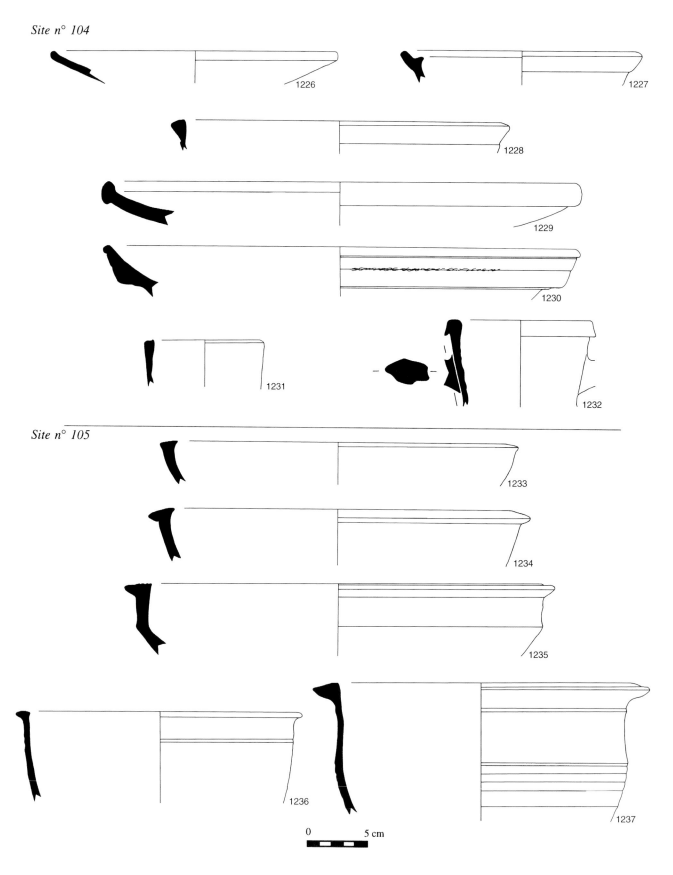

*Pl. 91 - Sites nᵒˢ 104 (**1226-1232**) et 105 (**1233-1237**).*

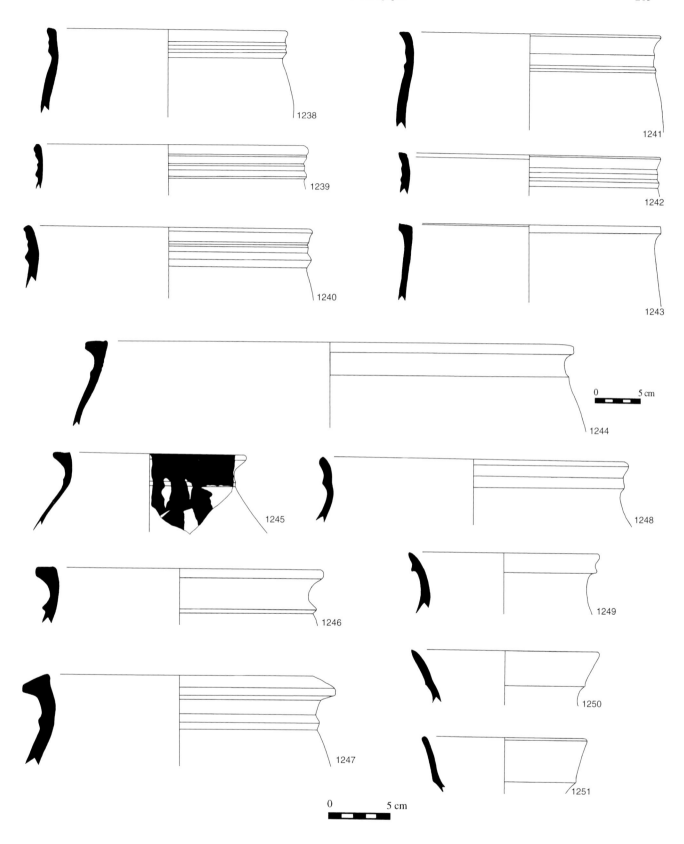

*Pl. 92 - Site n° 105 (**1238-1251**).*

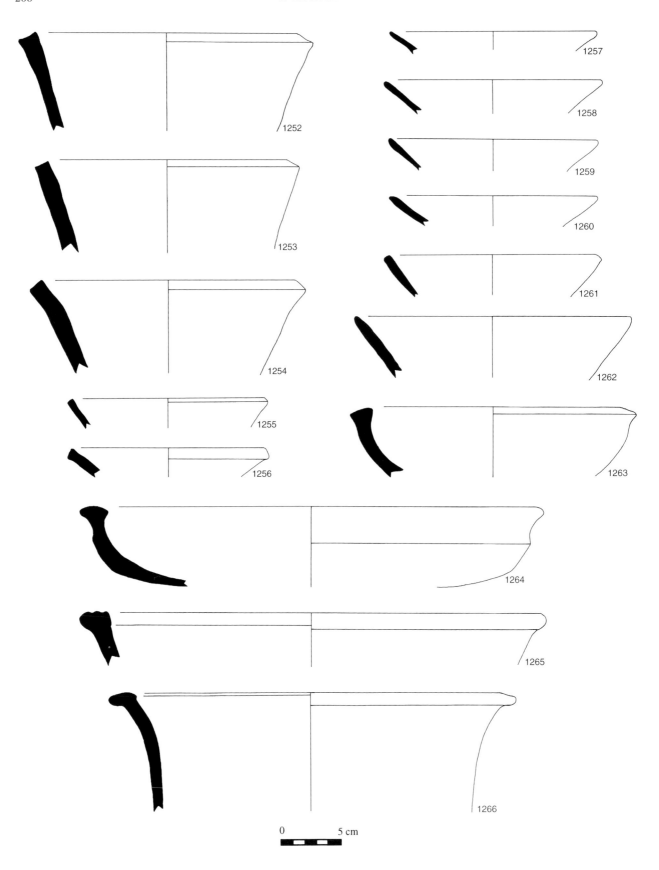

0   5 cm

*Pl. 93 - Site n° 109 (**1252-1266**).*

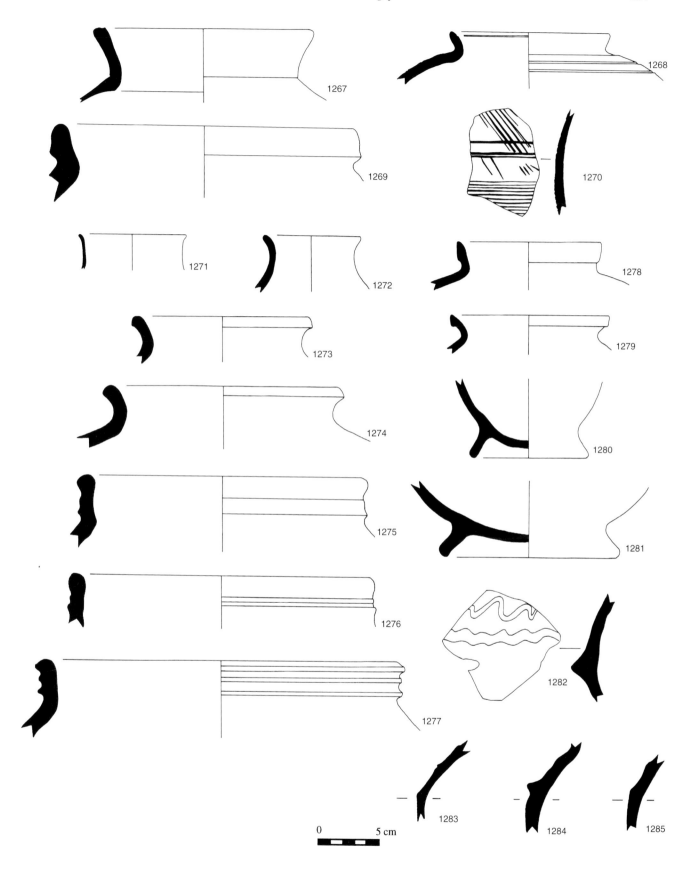

*Pl. 94 - Site n° 109 (**1267-1285**).*

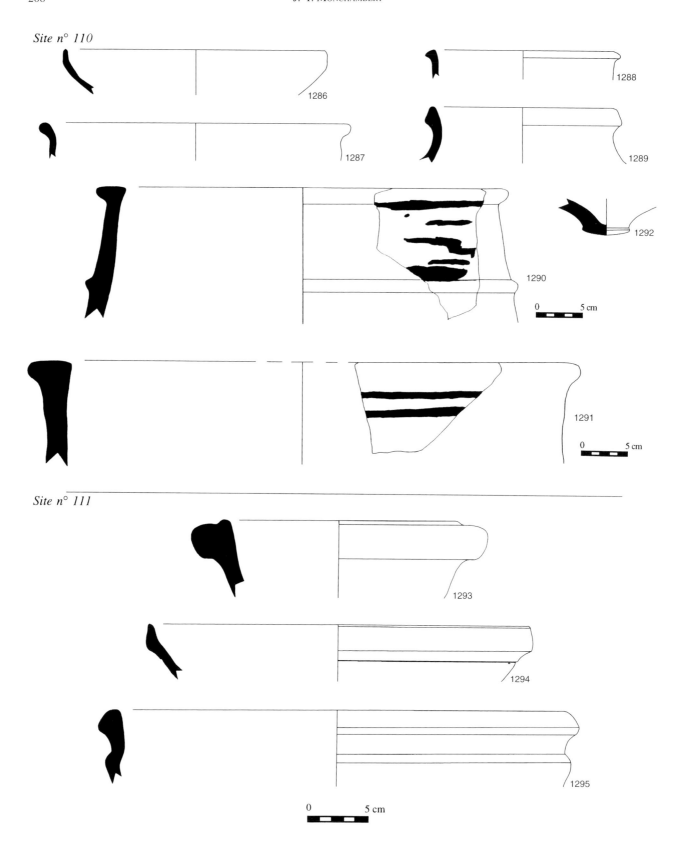

*Pl. 95 - Sites nᵒˢ 110 (**1286-1292**) et 111 (**1293-1295**).*

Site n° 111

Site n° 112

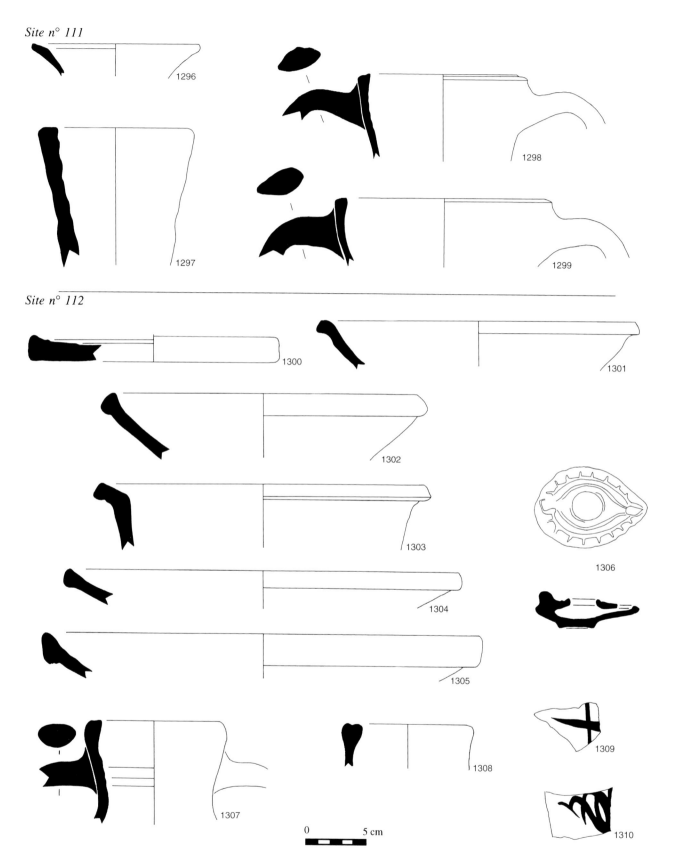

0   5 cm

*Pl. 96 - Sites n⁰ˢ 111 (**1296-1299**) et 112 (**1300-1310**).*

Site n° 113

Site n° 115

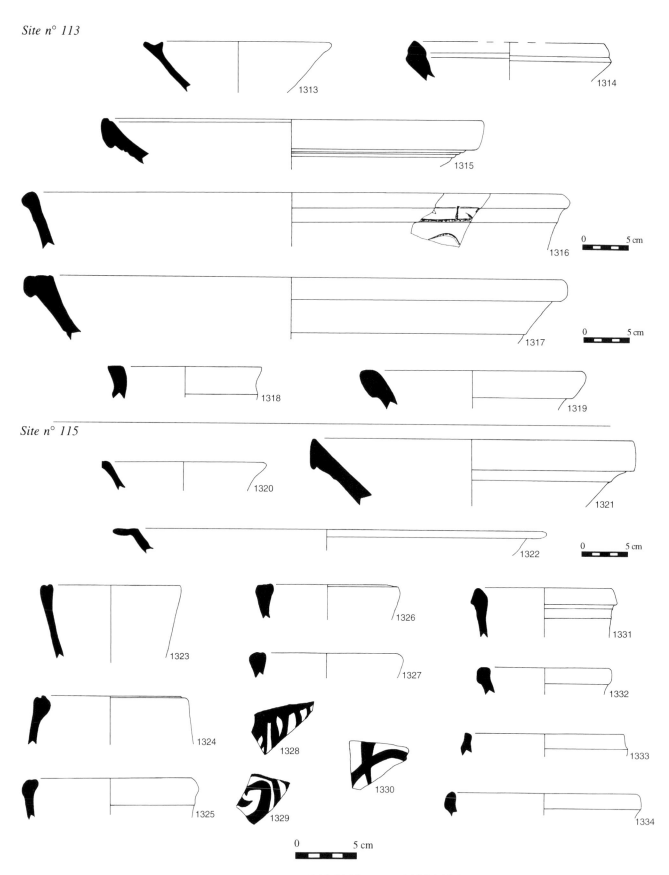

*Pl. 97 - Sites n°ˢ 113 (**1313-1319**) et 115 (**1320-1334**).*

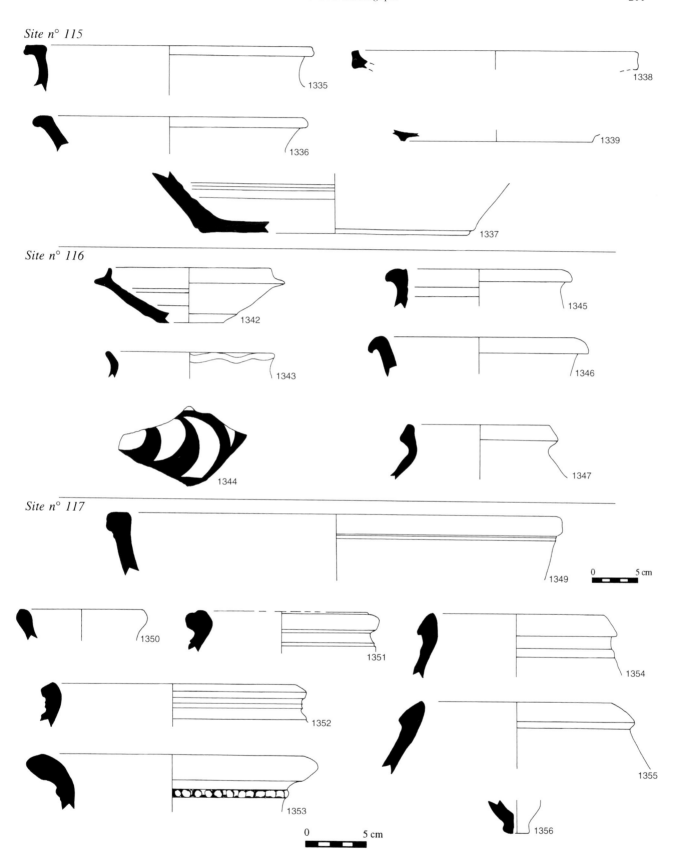

*Pl. 98 - Sites n°s 115 (**1335-1339**), 116 (**1342-1347**) et 117 (**1349-1356**).*

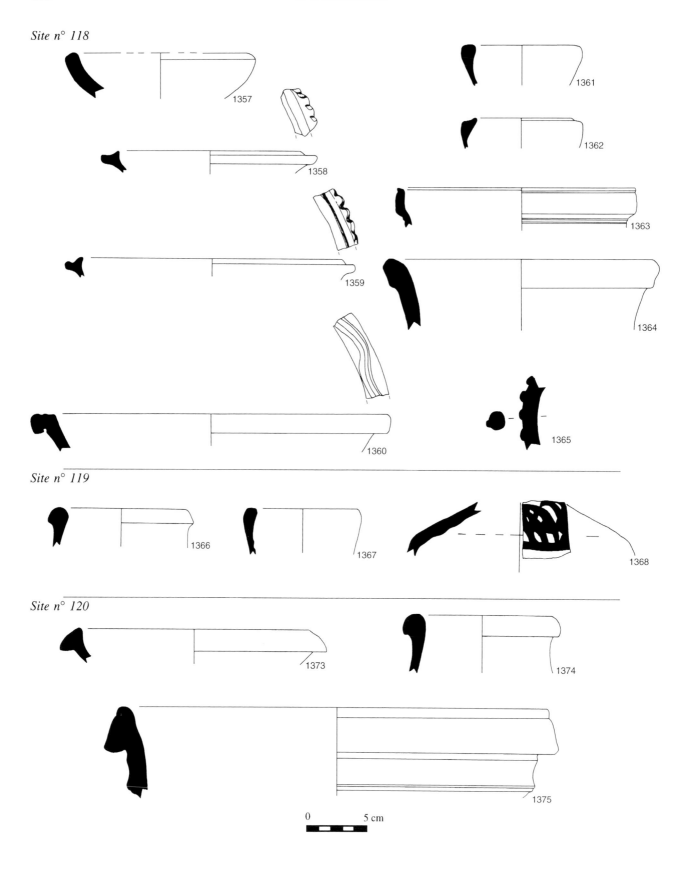

*Pl. 99 - Sites n°ˢ 118 (**1357-1365**), 119 (**1366-1368**) et 120 (**1373-1375**).*

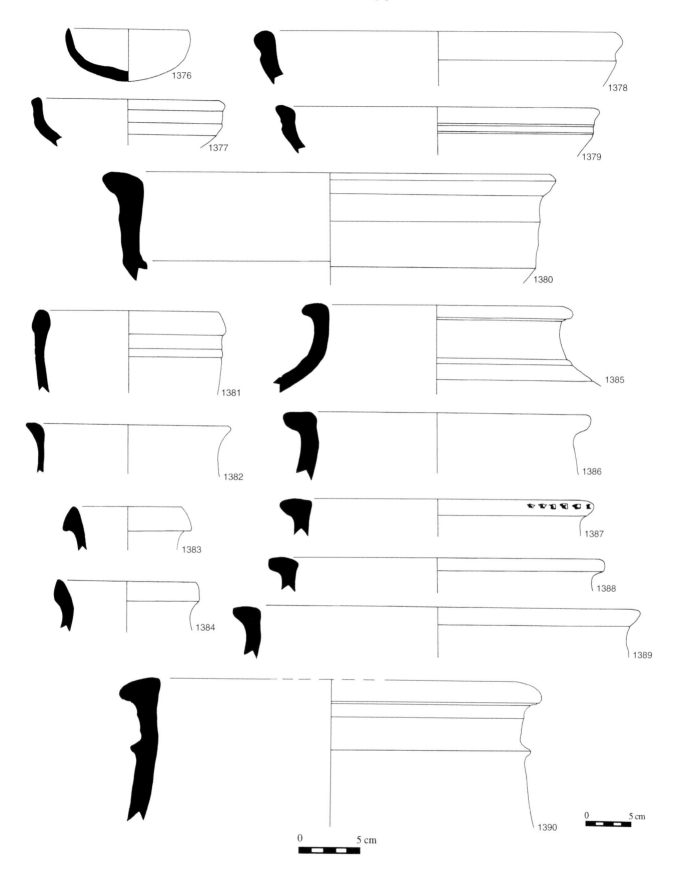

*Pl. 100 - Site n° 121 (**1376-1390**).*

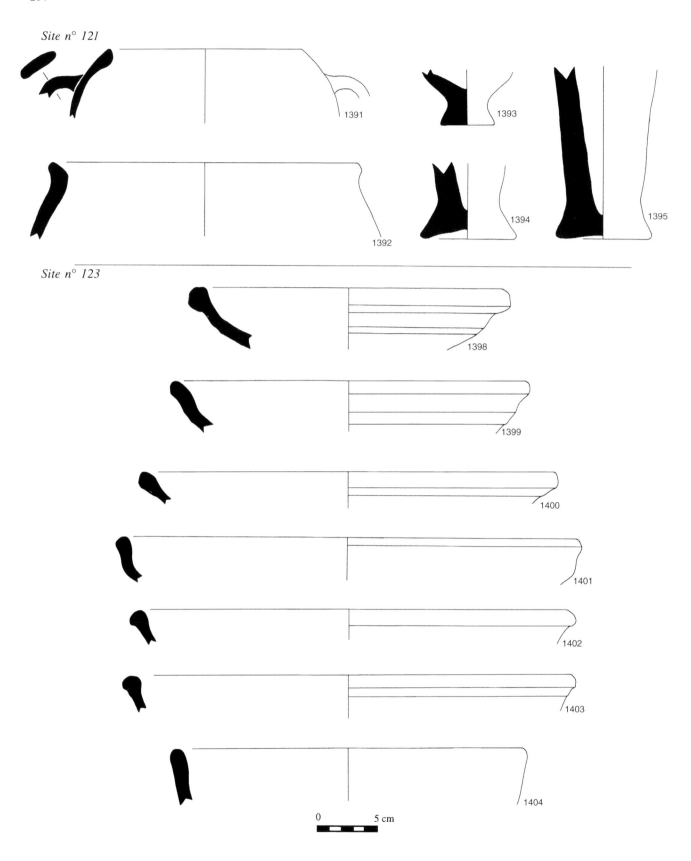

*Pl. 101 - Sites n°ˢ 121 (**1391-1395**) et 123 (**1398-1404**).*

Site n° 124

Site n° 126

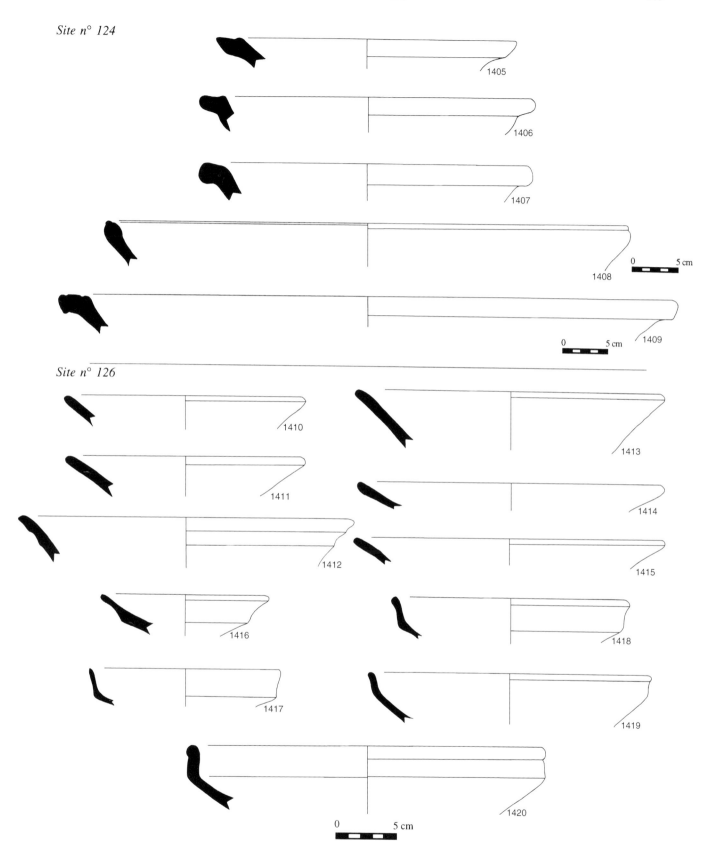

*Pl. 102 - Sites n°s 124 (**1405-1409**) et 126 (**1410-1420**).*

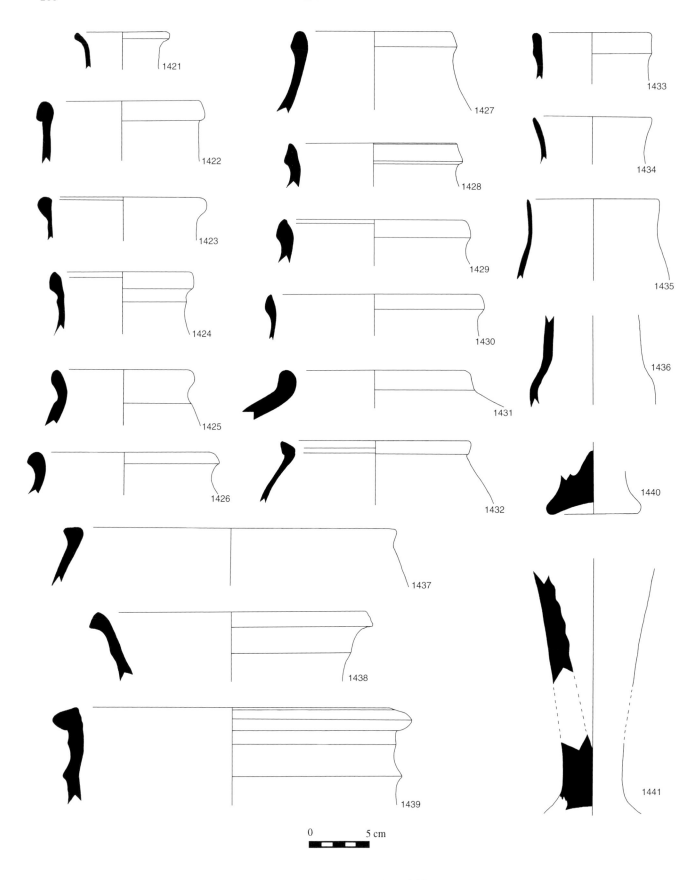

*Pl. 103 - Site n° 126 (**1421-1441**).*

Site n° 127

Site n° 128

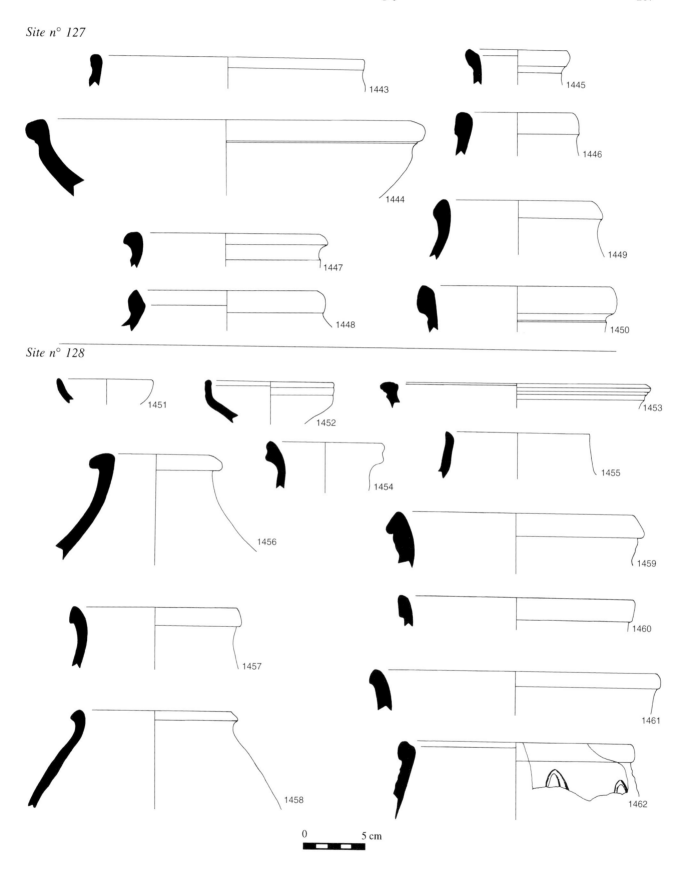

0   5 cm

*Pl. 104 - Sites n°ˢ 127 (**1443-1450**) et 128 (**1451-1462**).*

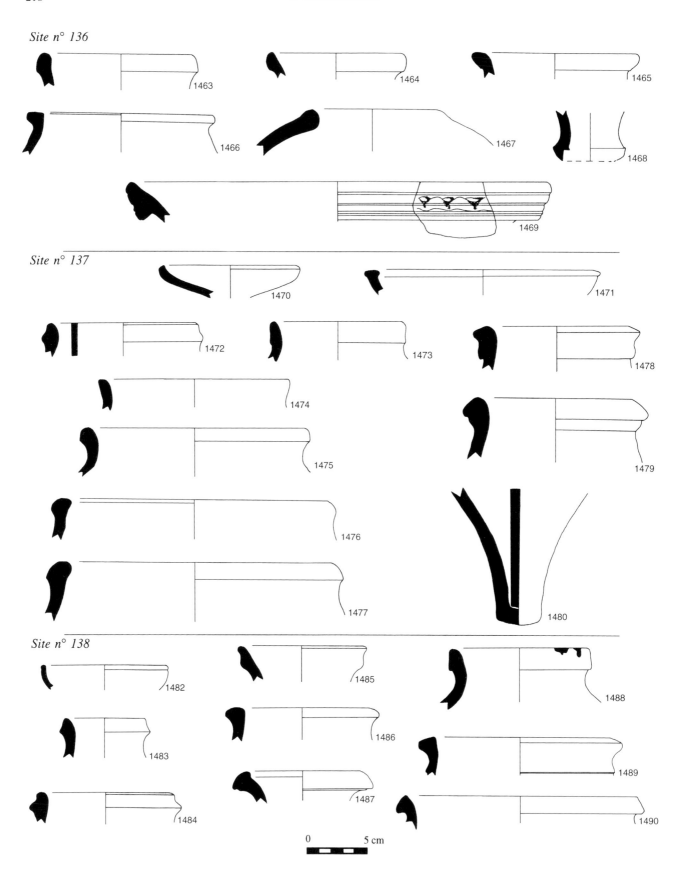

*Pl. 105 - Sites nᵒˢ 136 (**1463**-**1469**), 137 (**1470**-**1480**) et 138 (**1482**-**1490**).*

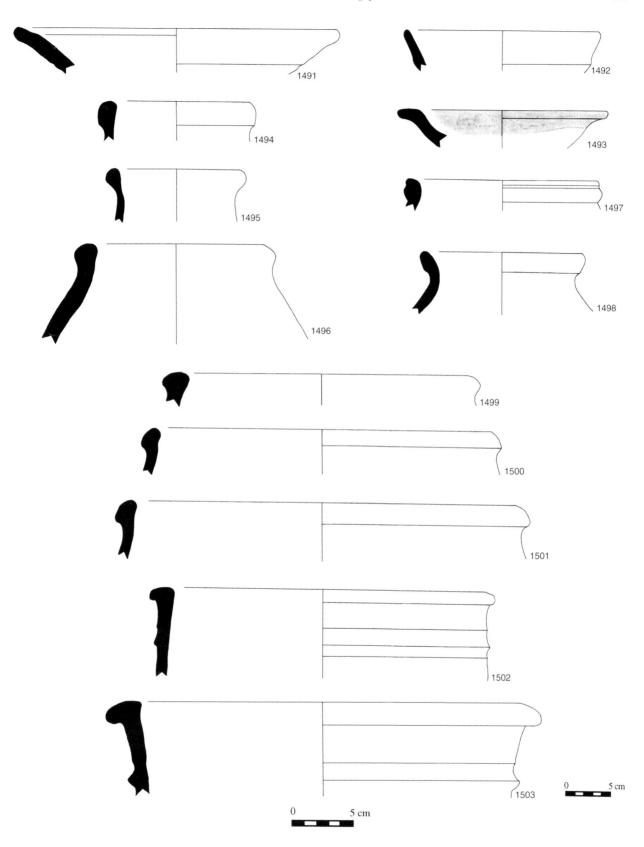

*Pl. 106 - Site n° 139 (**1491-1503**).*

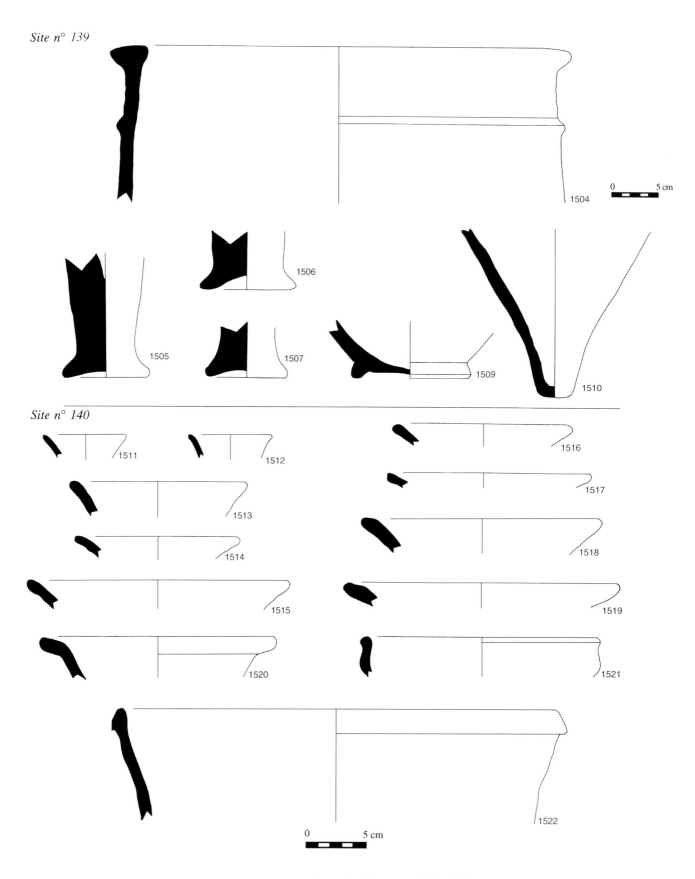

*Pl. 107 - Sites nᵒˢ 139 (**1504-1510**) et 140 (**1511-1522**).*

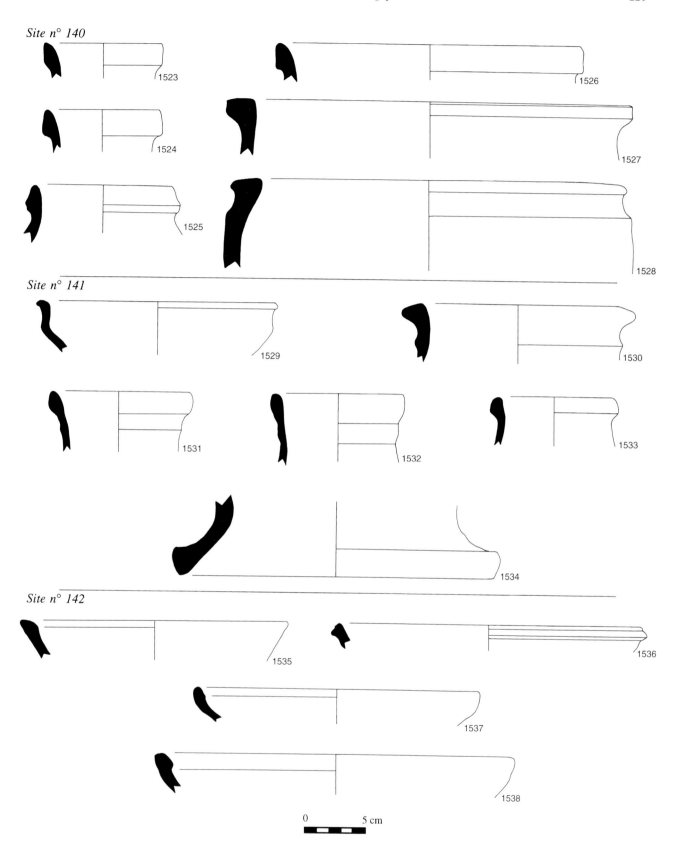

Site n° 140

1523

1524

1525

1526

1527

1528

Site n° 141

1529

1530

1531

1532

1533

1534

Site n° 142

1535

1536

1537

1538

0   5 cm

Pl. 108 - Sites n° 140 (*1523-1528*), 141 (*1529-1534*) *et* 142 (*1535-1538*).

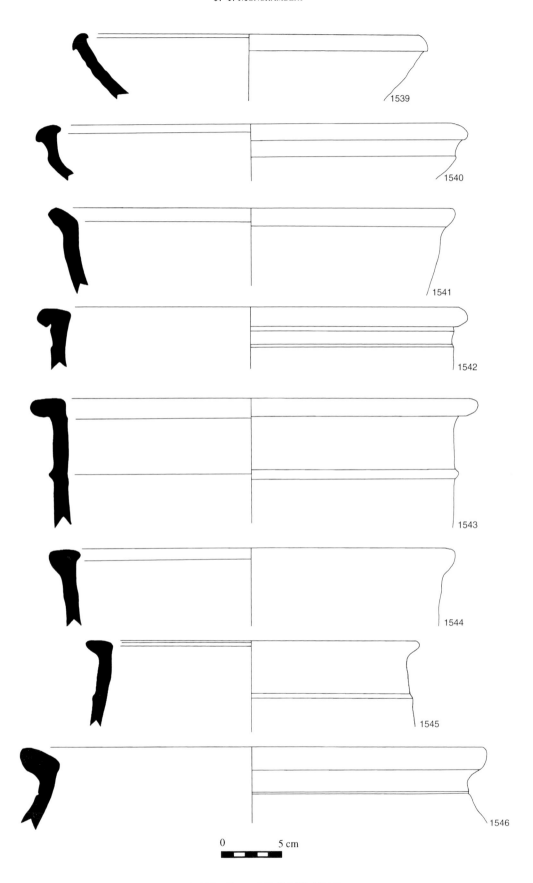

0   5 cm

*Pl. 109 - Site n° 142 (**1539-1546**).*

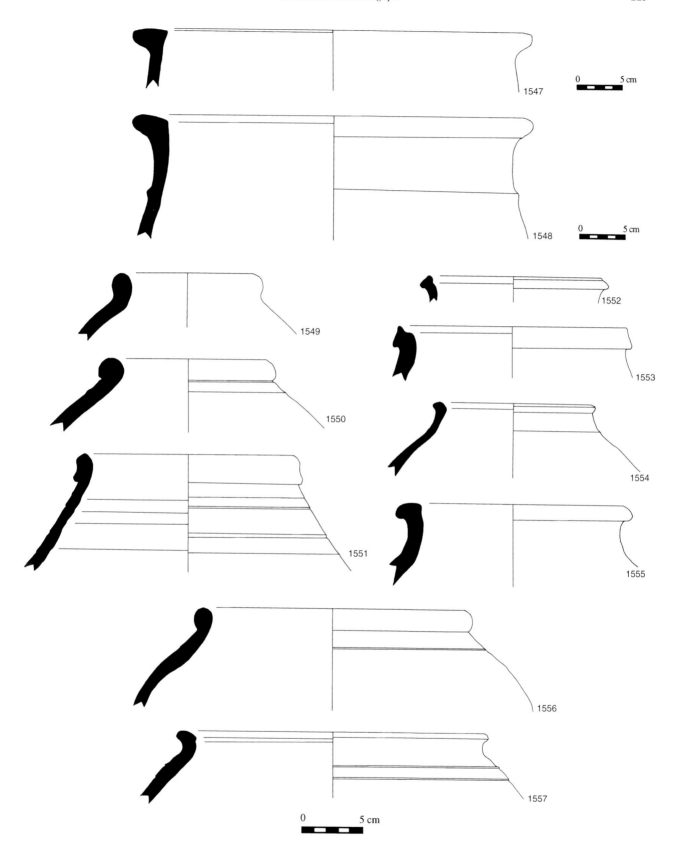

*Pl. 110 - Site n° 142 (**1547-1557**).*

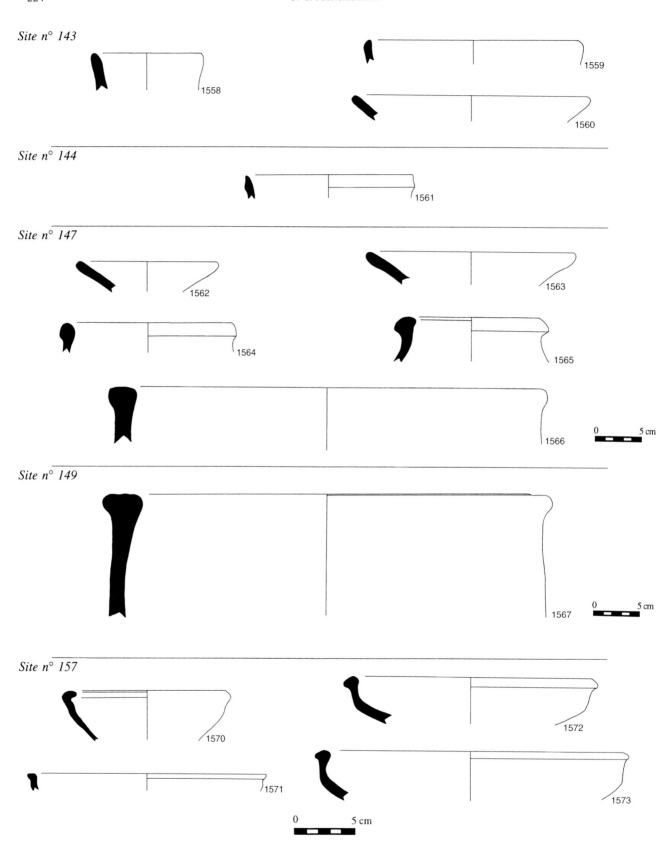

Site n° 143

1558

1559

1560

Site n° 144

1561

Site n° 147

1562

1563

1564

1565

1566

0   5 cm

Site n° 149

1567

0   5 cm

Site n° 157

1570

1571

1572

1573

0   5 cm

*Pl. 111 - Sites n°ˢ 143 (**1558-1560**), 144 (**1561**), 147 (**1562-1566**), 149 (**1567**) et 157 (**1570-1573**).*

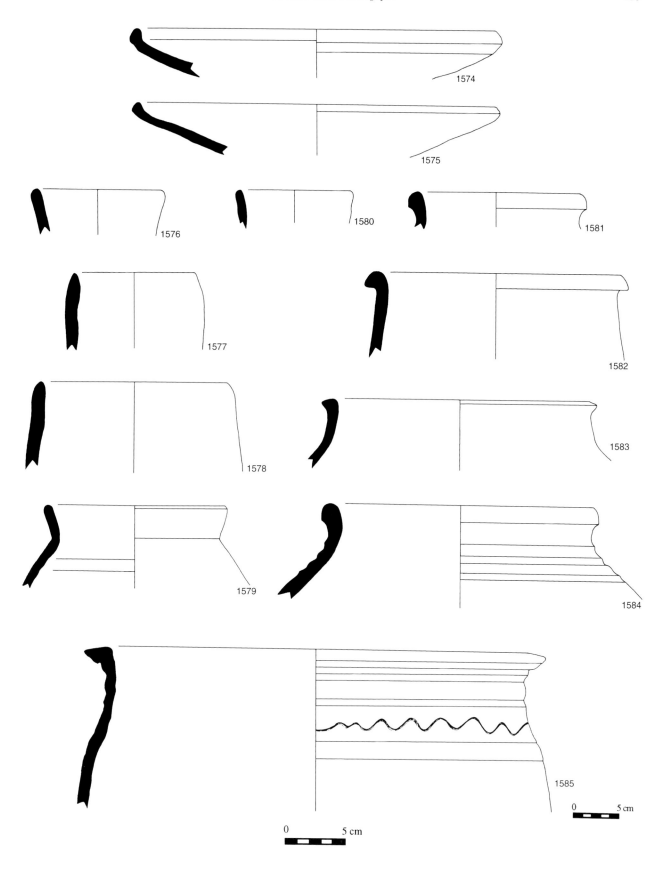

*Pl. 112 - Site n° 157 (**1574-1585**).*

Site n° 158

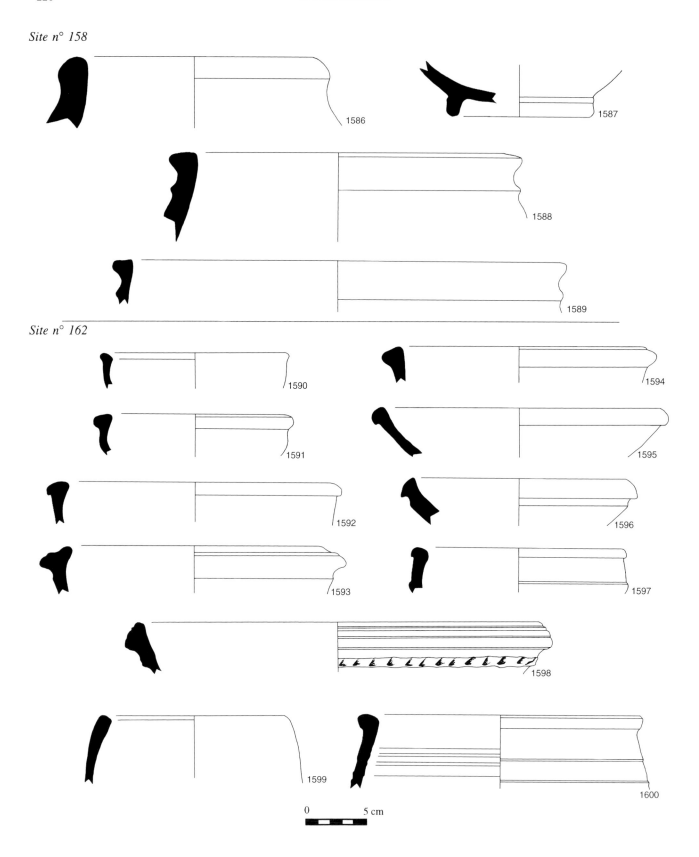

Site n° 162

0   5 cm

*Pl. 113 - Sites nᵒˢ 158 (**1586-1589**) et 162 (**1590-1600**).*

Site n° 162

Site n° 168

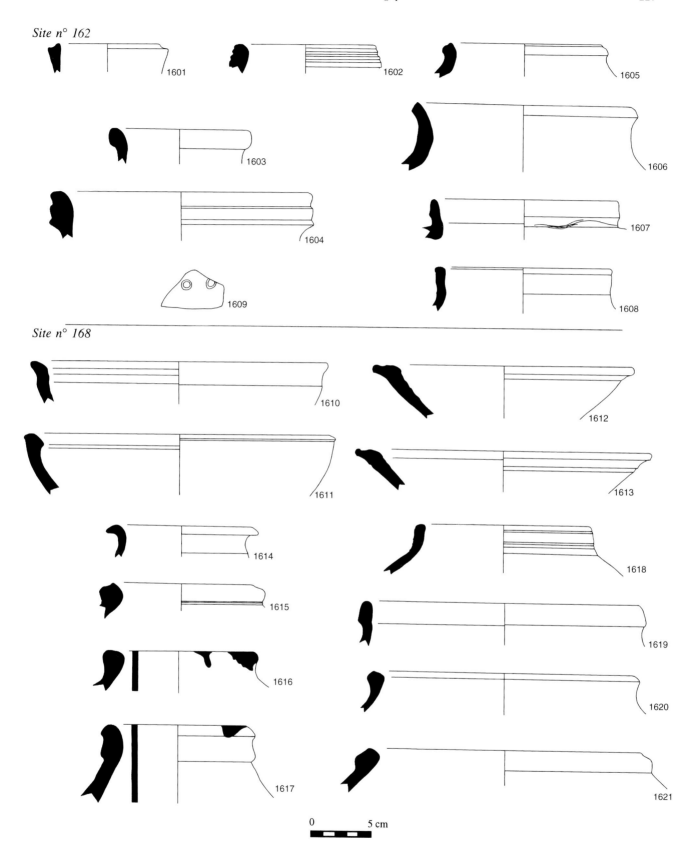

*Pl. 114 - Sites nᵒˢ 162 (**1601-1609**) et 168 (**1610-1621**).*

Site n° 171

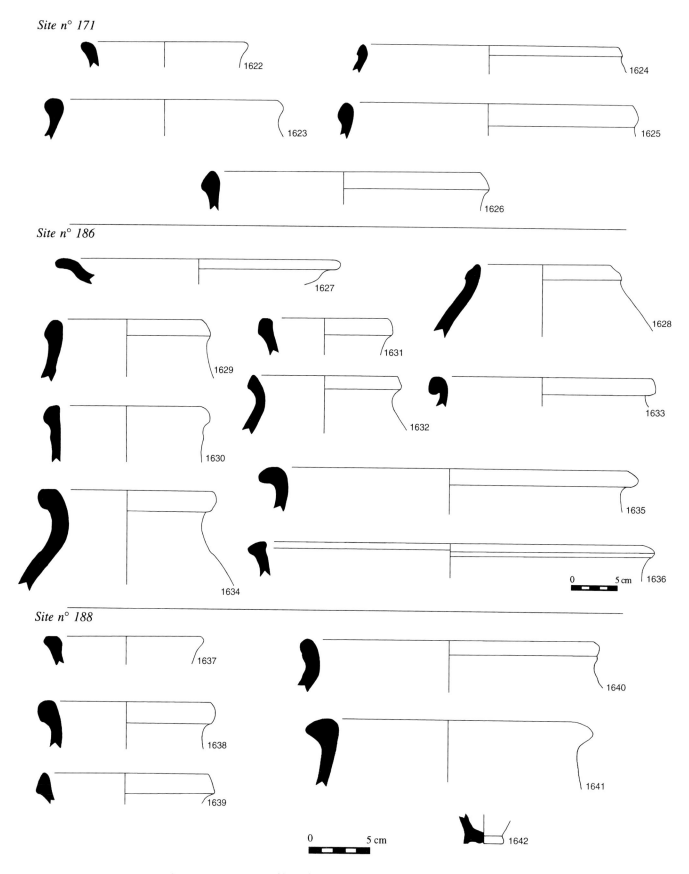

*Pl. 115 - Sites nᵒˢ 171 (**1622-1626**), 186 (**1627-1636**) et 188 (**1637-1642**).*

Site n° 189

Site n° 195

Site n° 200

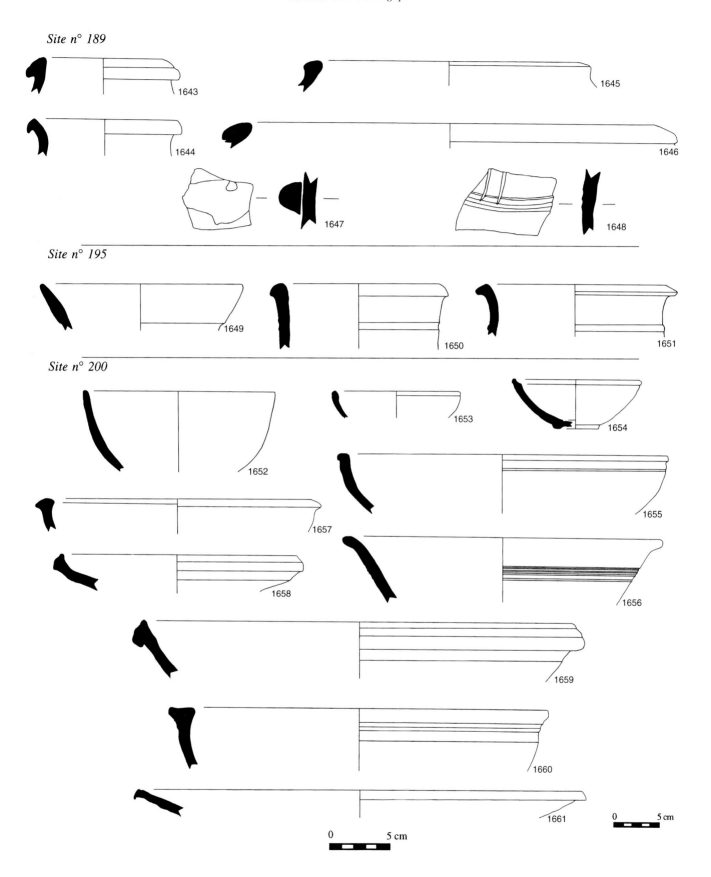

0   5 cm

0   5 cm

*Pl. 116 - Sites n°ˢ 189 (**1643-1648**), 195 (**1649-1651**) et 200 (**1652-1661**).*

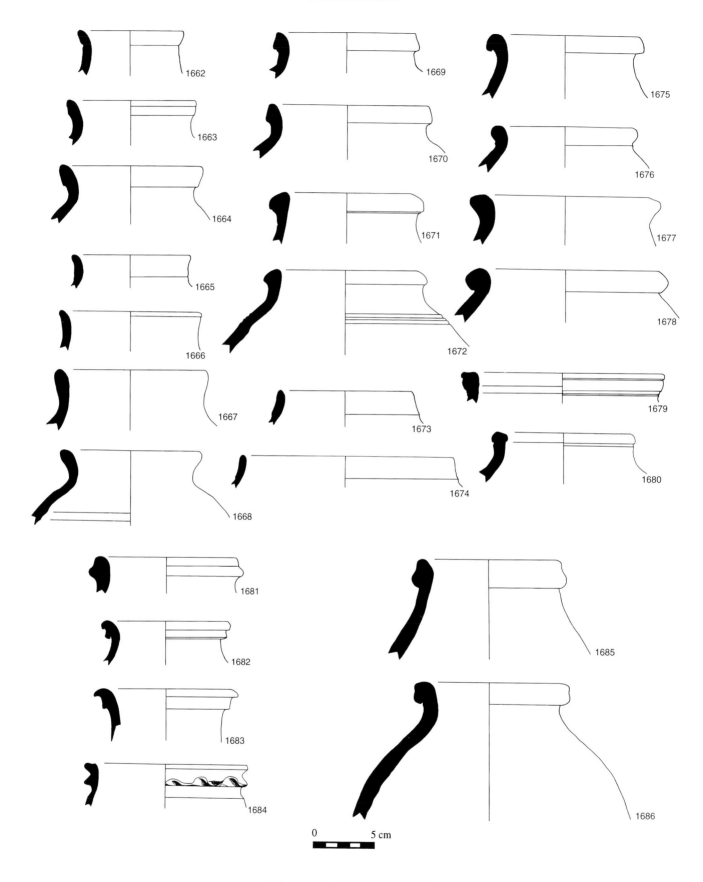

*Pl. 117 - Site n° 200 (**1662-1686**).*

Site n° 200

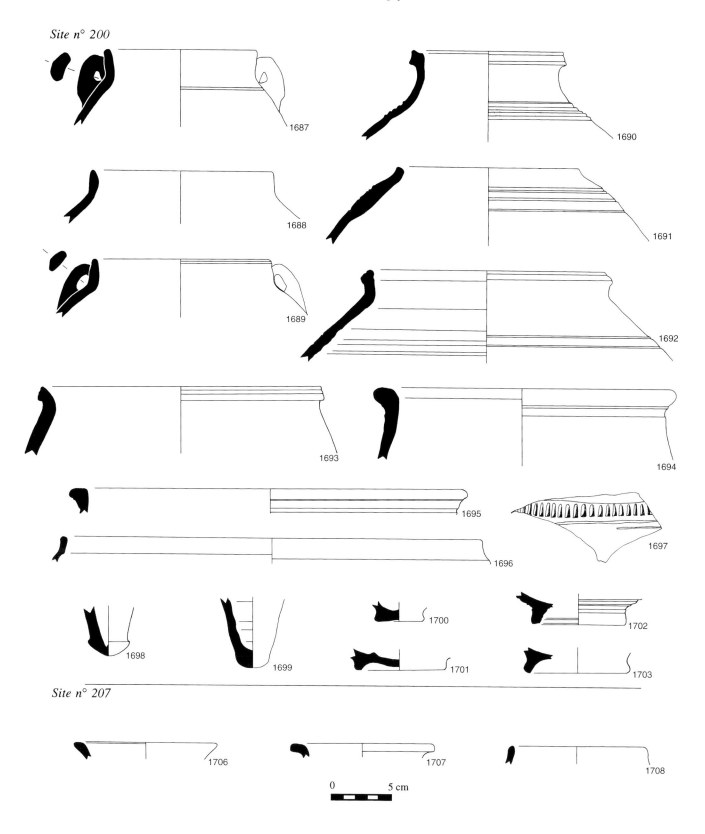

Site n° 207

Pl. 118 - Sites nᵒˢ 200 (**1687-1703**) et 207 (**1706-1708**).

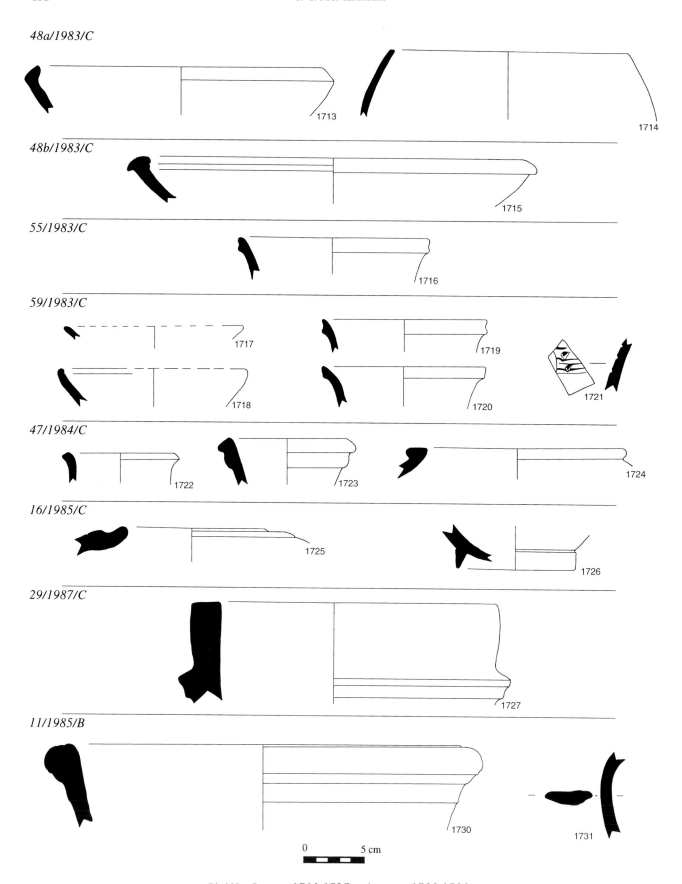

48a/1983/C

1713
1714

48b/1983/C

1715

55/1983/C

1716

59/1983/C

1717
1719
1721
1718
1720

47/1984/C

1722
1723
1724

16/1985/C

1725
1726

29/1987/C

1727

11/1985/B

1730
1731

0   5 cm

*Pl. 119 - Canaux (**1713-1727**) et barrage (**1730-1731**).*

23/1987/P

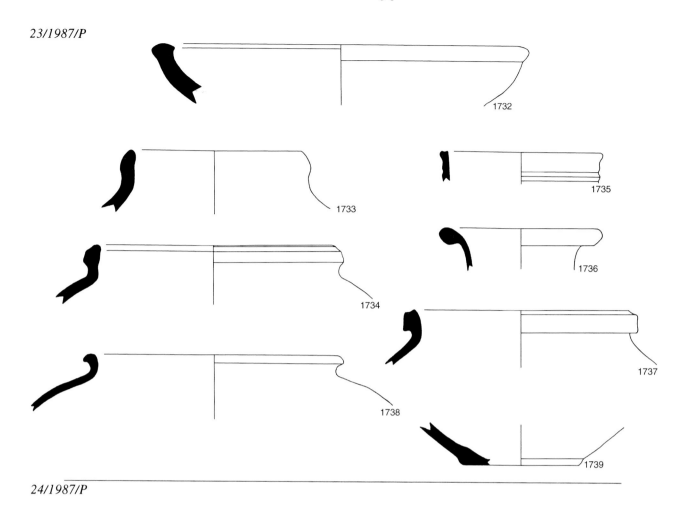

24/1987/P

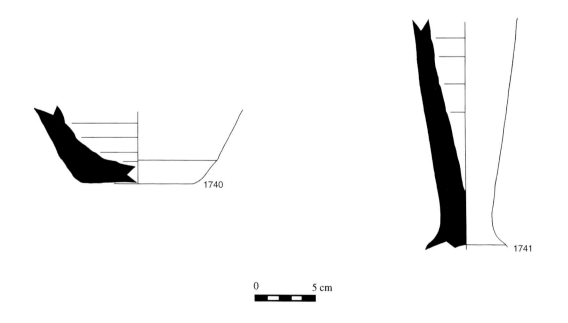

0   5 cm

*Pl. 120 - Coupes dans gravières (**1732-1741**).*

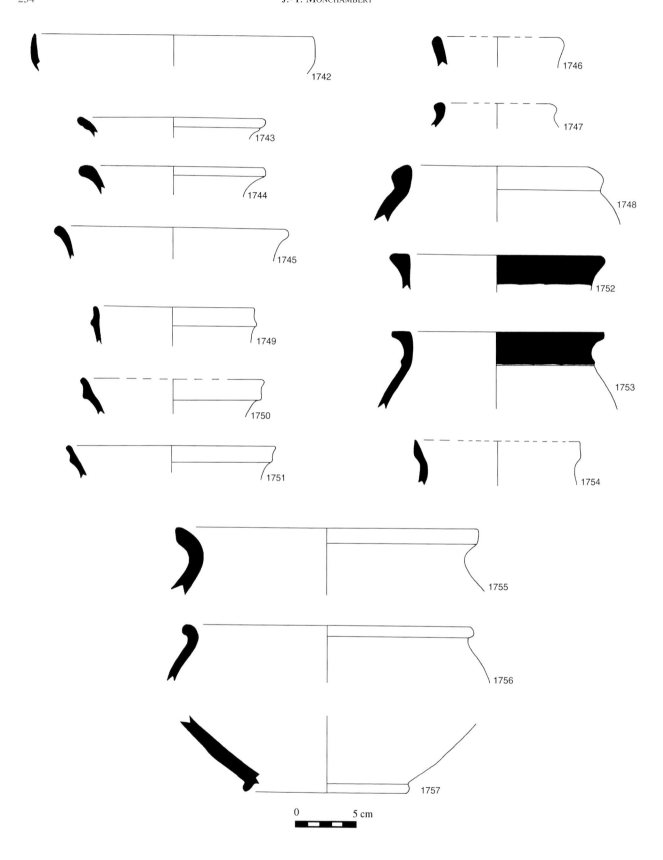

*Pl. 121 - Formation alluviale d'El Jurdi Sharqi (**1742-1757**).*

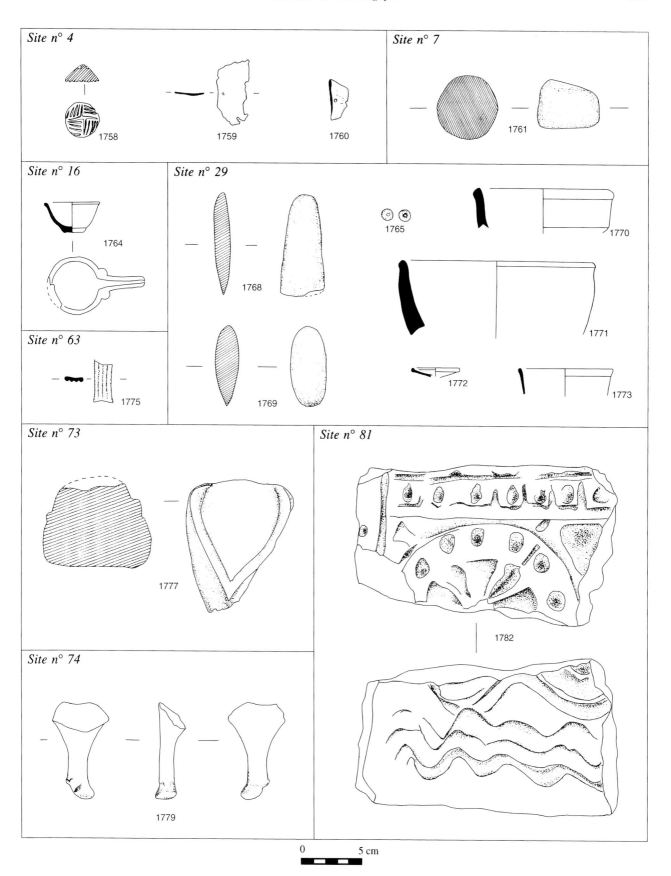

Pl. 122 - Les miscellanées (*1758-1782*).

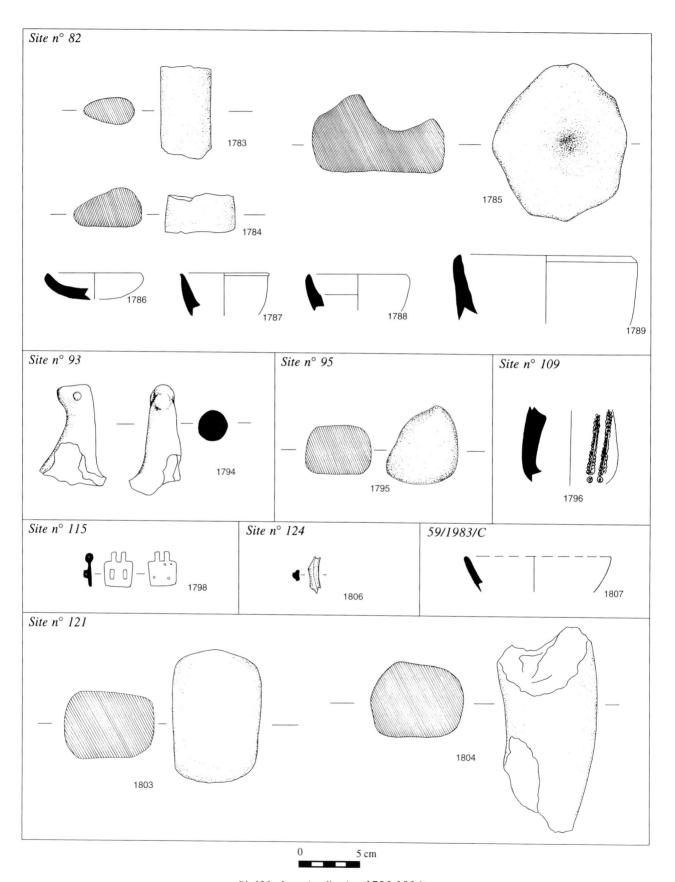

Pl. 123 - Les miscellanées (*1783-1804*).

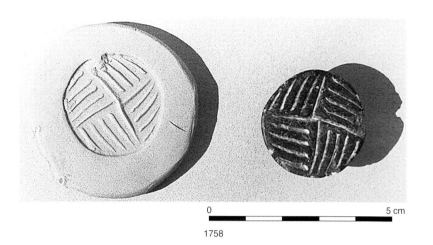

1758

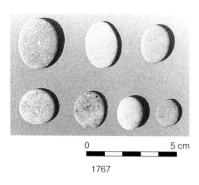

1767

1764

1768

1769

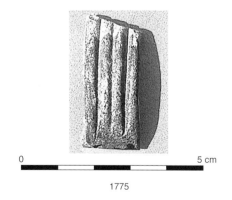

1775

1776

*Pl. 124 - Les miscellanées (**1758-1776**).*

0   5 cm

1777

0   5 cm

1779

1782

0   5 cm

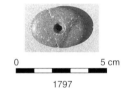

0   5 cm

1797

0   5 cm

1780

0   5 cm

1798

*Pl. 125 - Les miscellanées (**1777-1798**).*

ANNEXE 3. *Testimonia*

Jean-Yves MONCHAMBERT

REMARQUES PRÉLIMINAIRES

Les sources anciennes qui mentionnent la région étudiée dans cet ouvrage sont relativement nombreuses, mais, pour certaines d'entre elles, d'un accès difficile, en l'absence notamment d'édition récente et/ou de traduction française. Il nous a semblé intéressant et utile de rassembler ici en un corpus unique l'ensemble de ces documents. Deux remarques préalables cependant s'imposent :

1. Nous avons choisi de ne commencer véritablement ce corpus qu'au Ier millénaire av. J.-C., dans la mesure où les documents du IIIe millénaire av. J.-C. sont très lacunaires et que la documentation du IIe, constituée presque exclusivement des archives de Mari, est trop abondante pour être citée intégralement. Il sera possible au lecteur de se reporter aux publications de ces archives, essentiellement la collection ARM (Archives Royales de Mari) en cours de parution. Un choix de lettres a été récemment publié [1], qui donne un aperçu de cette documentation, pour laquelle les problèmes de lecture, de traduction et, *a fortiori*, d'interprétation sont considérables et incitent à la plus extrême prudence quant aux conclusions qui en sont tirées.

Néanmoins, ce choix fait l'objet de quelques rares exceptions ; nous donnons en effet ci-dessous quatre textes du IIIe millénaire av. J.-C. ainsi qu'une petite sélection de documents du début du IIe millénaire, qui touchent à la toponymie ou qui sont particulièrement éloquents sur le système des canaux et sur les problèmes liés à leur fonctionnement à l'époque de prospérité de Mari.

En revanche, la documentation à partir de la seconde moitié du IIe millénaire est beaucoup plus réduite ; elle se limite essentiellement, pour ce qui est des documents cunéiformes, aux annales des souverains assyriens. La littérature grecque et latine, quant à elle, fournit des données clairsemées, habituellement difficiles à réunir, qui éclairent l'histoire de la région et sont d'ailleurs parfois les seuls éléments d'information en notre possession ;

2. Nous avons choisi de présenter ces documents à la fois dans une traduction française qui facilite leur compréhension et, pour les textes grecs et latins, dans leur version d'origine, afin de permettre au lecteur d'interroger le cas échéant les sources elles-mêmes. Les traductions françaises sont, dans un certain nombre de cas, reprises d'ouvrages existants et le nom du traducteur est alors indiqué après la traduction. Pour un nombre non négligeable de textes, il n'existait pas de traduction française. Elle a alors été effectuée par nos soins.

Remarques concernant les signes utilisés :

( ) : mot (ou lettre) ajouté
<...> : lacune
[...] : passage supprimé
souligné : mot (ou lettre) restitué (en partie ou totalement) à partir des signes ou des lettres lisibles
{ } : autre traduction

LES TEXTES SUMÉRIENS ET AKKADIENS

Texte 1 (IRSA IC5b) [2]

<...> E-ana-tuma, le prince de Lagaš, qui subjugue les pays (au nom) de Nin-Ğirsu, <...> vainquit Kiš, Akšak (et) Mari <...>.

Texte 2 (IRSA IIA1a) [3]

<...> Mari et l'Élam se tenaient devant Sargon, le roi du pays <...>.

1 - J.-M. DURAND, *Les documents épistolaires du palais de Mari. Tome I*, Littératures anciennes du Proche-Orient 16, Éditions du Cerf, Paris, 1997. *Les documents épistolaires du palais de Mari, Tome II*, Littératures anciennes du Proche-Orient 17, Éditions du Cerf, Paris, 1998. *Les documents épistolaires du palais de Mari, Tome III*, Littératures anciennes du Proche-

Orient 18, Éditions du Cerf, Paris, 2000.
2 - E. SOLLBERGER et J.-R. KUPPER, *Inscriptions royales sumériennes et akkadiennes*, Littératures anciennes du Proche-Orient 3, Éditions du Cerf, Paris, 1971.
3 - *Ibid.*

Texte 3 (IRSA IIA1b) [4]

<...> Sargon se prosterna en prière à Tuttul devant Dagān. (Dagān) lui donna le pays supérieur : Mari, Yarmuti, Ibla, jusqu'à la forêt de Cèdres et aux Monts d'argent <...>.

Texte 4 (IRSA IIIE5a) [5]

Ilum-išar, le vice-roi de Mari, a fait descendre Ḫubur à la porte de Mer.

Texte 5 (IRSA IVF6a) [6]

Yaḫdun-Lim, le fils de Yaggid-Lim, le roi de Mari, de Tuttul et du pays de Ḫana, le roi fort qui tient en domination les rives de l'Euphrate, Dagan proclama ma royauté. Il me donna l'arme puissante qui terrasse les rois mes ennemis, et (ainsi) sept rois, les pères de Ḫana, qui avaient combattu contre moi, je les fis prisonniers, j'annexai leur pays, j'effaçai les blessures des rives de l'Euphrate et je fis demeurer mon pays en paix.

J'ouvris des canaux, je supprimai le puiseur d'eau dans mon pays. Je bâtis le mur de Mari et je creusai son fossé. Je bâtis le mur de Terqa et je creusai son fossé. En outre, dans des terres brûlées, en un lieu de soif, où jamais un roi quelconque n'avait bâti de ville, moi, j'en conçus le désir et je bâtis une ville. Je creusai son fossé. Je la nommai « Dûr-Yaḫdun-Lim ». Puis je lui ouvris un canal et je le nommai « Išim-Yaḫdun-Lim ». J'agrandis mon pays, j'affermis les fondements de Mari et de mon pays : ainsi, j'établis mon nom pour l'éternité.

Texte 6 (ARM III, 1) [7]

À mon seigneur, dis ceci : ainsi (parle) Kibri-Dagan, ton serviteur. Depuis cinq jours, à Bît-Iaptaḫarna, j'ai entrepris l'ouvrage du canal Išîm-Iaḫdun-Lim. Mais cette besogne que j'exécute n'est pas mince ; c'est une besogne très abondante qu'il y a. Les palabres à son sujet sont nombreuses et les travailleurs qui sont à l'ouvrage tiennent des conciliabules ; ils ne sont pas à la hauteur de ma tâche. La besogne est abondante ; le terrain où je travaille est en triste état. Si les eaux sont coupées, le pays de mon seigneur aura faim. Le travail (fait) n'est pas considérable.

Texte 7 (ARM III, 4) [8]

l. 6 sq. : (Voilà) six jours que nous avons entrepris le travail à l'embouchure du canal. Le septième jour, vers Zanipâtim nous dirigerons (les eaux). À Zanipâtim, la digue dont j'ai parlé à mon seigneur, nous la ferons en deux jours. Le dixième jour, nous amènerons les eaux. Dans la ville de notre seigneur Iaḫdun-Lim nous arrêterons les eaux, de sorte que la ville de notre seigneur puisse irriguer.

Texte 8 (ARM III, 76) [9]

l. 12 : J'ai remis en bon état le canal Išim-Iaḫdulim et moi-même dans son lit je vais faire brûler les joncs.

Texte 9 (ARM III, 79 = LAPO 793) [10]

l. 7 : À propos du travail du canal Išîm-Iaḫdulim que je fais faire, au mois d'Ab, le cinquième jour, j'ai entrepris ce travail. Ce travail est très considérable ; je dois arracher beaucoup de *kalakam* {LAPO : *je vais faire procéder à de très grands travaux de creusement*}. À ce canal, le clayonnage-*muballiṭṭum*, qui <...> le conduit vers le Grand Canal, n'existe plus, si bien qu'il a sectionné le conduit vers le Grand Canal {LAPO : *la barrière-muballittum qui évacuait le limon argileux vers le fleuve n'existe plus et cela a fait que le limon (en) a rétréci (le cours) du côté du fleuve*}. J'ai entrepris ce travail depuis en face de Zanipâtim ; je n'ai cessé de <...> sur deux coudées <...> coudées <...> <... plusieurs lignes perdues...> Dûr-Iaḫdulim <...> et ce district pourront irriguer. <...> avec mes hommes depuis là-bas je prendrai (en main) le lit du canal, de sorte que, en dix jours, jusqu'à Terqa, je moissonnerai les roseaux et les joncs, et là où un fourré me gênera, je (l)'arracherai {LAPO : *là où se présentera à moi du rétrécissement, je l'enlèverai*}. Quelqu'un qui sache irriguer, il n'y en a pas ; pour autant (qu'il y ait) des hommes habiles et des *muškênu* expérimentés, je ferai exécuter un travail solide {LAPO : *je ferai faire un travail solide en sorte que l'eau d'arrosage ne soit nulle part refusée et que les particuliers ne connaissent point la famine*}. En outre, que mon seigneur envoie des ordres catégoriques à Baḫdi-Lim et à Iaqqim-Addu, afin que, jusqu'à ce que j'arrive en face de Terqa, ils ne licencient pas leurs hommes.

Texte 10 (ARM XIII, 123) [11]

l. 23 : Autre affaire. En aval de Bît-Zaḫran, le canal Išim-Iaḫdun-Lim s'est rompu ; j'ai rassemblé les habitants de Terqa, puis j'ai placé Iazraḫ-Dagan à leur tête et je (les) ai envoyés.

4 - E. SOLLBERGER et J.-R. KUPPER, *Inscriptions royales sumériennes et akkadiennes*, Littératures anciennes du Proche-Orient 3, Éditions du Cerf, Paris, 1971.

5 - *Ibid.*

6 - *Ibid.*

7 - J.-R. KUPPER, *Correspondance de Kibri-Dagan, gouverneur de Terqa*, ARM III, Paris, 1950.

8 - *Ibid.*

9 - *Ibid.*

10 - *Ibid.* et J.-M. DURAND, *Les documents épistolaires du palais de Mari. Tome II*, Littératures anciennes du Proche-Orient 17, Éditions du Cerf, Paris, 1998.

11 - G. DOSSIN, J. BOTTÉRO, M. BIROT, M. L. BURKE, J.-R. KUPPER et A. FINET, *Textes divers*, ARM XIII, Paris, 1964.

Texte 11 (A.250) [12]

Dis à mon seigneur : ainsi parle Sûmû-Hadû : « On avait retenu l'eau en direction de Dîr : à cause des bateaux qui doivent transporter les céréales, on avait bloqué, depuis l'amont, (toutes) les rigoles d'irrigation, et (le niveau de) l'eau était alors monté (dans le canal). Mais hier, à la nuit tombante, l'eau a fini par ouvrir une brèche en amont du pont qui est à la prise avec le Balih, là où se trouve une conduite forcée. Aussitôt, malgré ma maladie, je me suis levé, j'ai enfourché mes ânes et je suis allé détourner le flot par un système de dérivation. Puis je suis revenu arrêter l'eau dans le Balih. Au petit matin, j'ai entrepris d'effectuer la réparation : je vais (re)faire la conduite forcée, à la suite de quoi je me mettrai à entasser de la terre. Cette brèche a provoqué une ouverture de 2 cannes de haut en bas, sur une largeur de 4 cannes. À la première veille de la nuit, j'aurai fini d'obstruer cette brèche et je pourrai (de nouveau) laisser passer l'eau. Mon seigneur ne doit vraiment pas s'inquiéter ! Par ailleurs, j'ai écrit aux diverses localités que j'avais détourné (le cours de) l'eau pendant la nuit. À Appân, Humsân et Šehrum, on a alors retenu l'eau et il n'y a pas eu la moindre inondation. Quant à moi, j'en ai (maintenant) pour un an avec la maladie que j'ai contractée ! »

Texte 12 (A.454) [13]

Le district de Saggarâtum est arrosé par le canal Išîm-Yahdun-Lim et le district de Mari est arrosé par le Canal-de-Mari. Est-il normal que le district de Saggarâtum, abandonnant son travail, s'en aille vers ce canal et que ce soit le district de Terqa qui s'en aille vers un canal d'amont ? Je suis arrivé au canal Išîm-Yahdun-Lim. L'officier de ce canal a (déjà) choisi un terrain de « soixante cordes ». Maintenant une troupe de 200 à 300 hommes doit prendre des provisions pour 3 ou 4 jours et mon Seigneur doit l'envoyer au Canal-de-Mari afin de venir à bout rapidement de ce travail. Je ramènerai les villes qui boivent au canal Išîm-Yahdun-Lim, Samânum, Terqa, Rasayyûm, « Les Jardins » (Kirêtum) et Kulhîtum. C'est moi qui partirai vers (la partie d')amont (du) canal (Išîm-Yahdun-Lim). Le travail de Sammêtar sera fait en trois jours. Je partirai (donc) vers (la partie d')amont (du) canal (Išîm-Yahdun-Lim) et les charrues inoccupées du palais ou des particuliers, en 6 jours <...>.

Texte 13 (ARM XXVI, 16) [14]

J'ai envoyé cette tablette de moi, à mon seigneur, (alors que j'étais arrivé) à Dûr-Yahdun-Lim. Aujourd'hui, la Reine arrivera au soir, à Dûr-Yahdun-Lim. Or, Asqudum m'a ainsi écrit : « Faites porter à Tilla-zibim un repas pour la Reine et les gens de la noce, depuis Dûr-Yahdun-Lim ». Or, moi, n'étant pas d'accord, j'ai fait entrer la Reine à Dûr-Yahdun-Lim. La nef a attendu à Ganibâtum, les *ša temmenni* étant à Hurrân. J'ai eu peur des Benjaminites et je ne les avais pas envoyés à Ganibâtum. C'est à partir de Hurrân qu'ils feront route par nef. Elle résidera un jour à Dûr-Yahdun-Lim ; le lendemain, à Zibnâtum, le troisième jour à Terqa, le quatrième jour à Ṣuprum elle arrivera. À Ṣuprum elle passera la nuit, puis se lèvera avant d'entrer à Mari avant le cinquième jour. De nuit, ainsi donc <...>.

Texte 14 (ARM XXVI, 158) [15]

l. 8 : (La région qui va) depuis Amattum jusqu'à Saggarâtum, sur la rive gauche, depuis Ša-Hiddân jusqu'à Dûr-Yahdun-Lim, sur la rive droite, (pour) ce mois-ci, jusqu'à son terme, pour le salut de ce district, j'ai pris les présages. Les présages que j'ai obtenus, pour les jours qu'ils concernent sont sains.

LES ANNALES ASSYRIENNES [16]

ANNALES DE TUKULTĪ-NINURTA Iᵉʳ

Texte 15 (RIMA II, A.0.78.23, 69-70)

J'ai placé sous mon pouvoir les pays de Mari, Hana, Rapiqu.

ANNALES DE TIGLAT-PILESER Iᵉʳ

Texte 16 (RIMA II, A.0.87.4, l. 41-42)

Lors de cette campagne, je marchai vers le pays de Suhu. Je conquis, depuis la ville de Sapiratu, une île sur l'Euphrate, jusqu'à la ville de Hindānu, toutes les villes du pays de Suhu.

ANNALES D'AŠŠUR-BĒL-KALA

Texte 17 (RIMA II, A.0.89.1, 14-16)

Tukultī-Mēr, roi du pays de Mari <...> grand, est entré. <...> Sur l'ordre du dieu Aššur, <mon seigneur>, j'ai marché

12 - B. Lafont, « Nuit dramatique à Mari », in J.-M. Durand (éd.), *Florilegium marianum* I, *Recueil d'études en l'honneur de Michel Fleury*, Mémoires de NABU 1, Paris, 1992, p. 93-105.

13 - J.-M. Durand, Problèmes d'eau et d'irrigation au royaume de Mari : l'apport des textes anciens, in B. Geyer (éd.), *Techniques et pratiques hydro-agricoles traditionnelles en domaine irrigué. Approche pluridisciplinaire des modes de culture avant la motorisation en Syrie*, actes du colloque de l'IFAPO, Damas 1987, BAH CXXXVI, vol. 1, Geuthner, Paris, 1990,

p. 124.

14 - J.-M. Durand, *Archives épistolaires de Mari*, I/1, ARM XXVI, ERC, Paris, 1988.

15 - *Ibid.*

16 - La traduction des textes extraits des annales des rois assyriens est une adaptation de la traduction anglaise par K.A. Grayson du texte assyrien (*Assyrian Rulers of the Early First Millenium BC*, I *[1114-859 BC]*, RIMA II, University of Toronto Press, Toronto, 1991).

vers le pays de Mari <...>. Le pays de Mari <...> j'ai déporté sa population.

Texte 18 (RIMA II, A.0.89.2, ii. 5-6)

<...> une seconde fois j'ai marché vers le pays de Mari <...>.

ANNALES D'ADAD-NĪRĀRĪ II

Texte 19 (RIMA II, A.0.99.2, 115-119)

Parti de Dūr-aduklimmu, j'ai marché vers le pays de Laqê, jusqu'à Zūriḫ tenue par Baratara, un homme de Bīt-Ḫalupê. J'ai reçu de sa part tribut et taxes. J'ai poursuivi jusqu'à la ville du dénommé Ḫarānu et ai reçu tribut et taxes. J'ai marché jusqu'à Sirqu qui se trouve sur l'autre rive de l'Euphrate et que tient Mudadda, le Laqêen. J'ai reçu tribut, taxes, la propriété de son palais, des bœufs, des ânes-*agālu*, ainsi que tribut et taxes du pays de Laqê dans toute son étendue en amont et en aval. J'ai reçu le tribut de Ḫindānu. Je rapportai le tout à Aššur, ma ville.

ANNALES DE TUKULTĪ-NINURTA II

Texte 20 (RIMA II, A.0.100.5, 82-103)

Parti de Ḫindānu, j'ai coupé à travers les montagnes en direction de l'Euphrate avec <...> des haches en fer et je suis passé à travers. J'ai établi mon campement et j'ai passé la nuit à Nagiatu. Parti de Nagiatu, je me suis approché de la prairie d'Aqarbānu. J'ai reçu le tribut de Mudadda, le Laqêen : 200 moutons, 30 bœufs, des céréales, de la paille, du pain, de la bière. J'ai établi mon campement et j'ai passé la nuit. Parti d'Aqarbānu, je me suis approché de Ṣupru. J'ai reçu le tribut de Ḫamatāiia, le Laqêen : 200 moutons, 50 bœufs, du pain, de la bière, des céréales, de la paille. Parti à midi, j'ai établi mon campement et passé la nuit à Arbatu. J'ai reçu le tribut de Ḫarānu, le Laqêen : 200 moutons, 30 bœufs, du pain, de la bière, des céréales, de la paille. Parti d'Arbatu, j'ai établi mon campement et passé la nuit dans la plaine. Parti de la plaine, je me suis approché de Sirqu. J'ai reçu le tribut de Mudadda, l'homme de la ville de Sirqu : 3 mines d'or, 7 mines d'argent pur, *x* talents d'étain, 40 vases en bronze, un talent de myrrhe, *x* centaines de moutons, *x* cent-quarante bœufs, 20 ânes, 20 oiseaux, du pain, de la bière, des céréales, de la paille, du fourrage. Pendant que j'étais dans le district de Sirqu, j'ai reçu le tribut de Ḫarānu, le Laqêen : 3 mines d'or, 10 mines d'argent, 30 vases en bronze, 6 talents d'étain, 500 moutons, cent *x* bœufs, 20 ânes. J'ai établi mon campement et passé la nuit à Sirqu. Sirqu se trouve sur l'autre rive de l'Euphrate. Parti de Sirqu, j'ai établi mon campement et passé la nuit dans la prairie de l'Euphrate près de Rummunina, où se trouve le canal du Ḫabur. Parti de Rummunina, je me suis approché de Sūru de Bīt-Ḫalupê,

qui se trouve le long du Ḫabur. 20 mines d'or, 20 mines d'argent, 32 talents d'étain, 130 talents de bronze, 100 ustensiles en bronze, une cuve, 150 vêtements tissés, un talent de laine pourpre, de l'albâtre, un (?) talent de <...>, 4 mines de préparation d'antimoine, 2 talents de fer, de l'huile de premier choix, 1 200 moutons, 100 bœufs, <...>, *x* canards, ses deux sœurs avec leur riche dot : voilà le tribut de Ḫamatāiia, le Laqêen.

ANNALES D'AŠŠURNASIRPAL II

Texte 21 (RIMA II, A.0.101.1, iii 6-12)

Parti de Dūr-katlimmu, j'ai établi mon camp et passé la nuit à Bīt-Ḫalupê. J'ai reçu le tribut de la ville de Bīt-Ḫalupê, de l'argent, de l'or, de l'étain, des vases en bronze, des vêtements en lin avec un décor multicolore, des bœufs et des moutons. Parti de Bīt-Ḫalupê, j'ai établi mon campement et passé la nuit à Sirqu. J'ai reçu le tribut des gens de Sirqu, de l'argent, de l'or, de l'étain, des vases, des bœufs et des moutons. Parti de Sirqu, j'ai établi mon campement et passé la nuit à Ṣupru. J'ai reçu le tribut des gens de la ville de Ṣupru, de l'argent, de l'or, de l'étain, des vases, des bœufs et des moutons. Parti de Ṣupru, j'ai établi mon campement et passé la nuit à Naqarabānu. J'ai reçu le tribut de la ville de Naqarabānu, de l'argent, de l'or, de l'étain, des vases, des bœufs et des moutons. Parti de Naqarabānu, j'ai établi mon campement et passé la nuit avant Ḫindānu — Ḫindānu se trouve sur l'autre rive de l'Euphrate. J'ai reçu le tribut des gens de la ville de Ḫindānu, de l'argent, de l'or, de l'étain, des vases, des bœufs et des moutons.

Texte 22 (RIMA II, A.0.101.1, iii 26-50)

Alors que j'étais à Kalhu, on me fit ce rapport : « tous les gens du pays de Laqê, la ville de Ḫindānu et le pays de Suḫu se sont révoltés et ont traversé l'Euphrate ». Le dix-huitième jour du mois de Sivan, je partis de Kalhu. Après avoir traversé le Tigre, je pris à travers le désert et m'approchai de la ville de Sūru de Bīt-Ḫalupê. Je construisis mes propres bateaux dans la ville de Sūru et me dirigeai vers l'Euphrate. J'allai jusqu'aux détroits de l'Euphrate. Je conquis les villes de Ḫenti-ili et de Azi-ili, les Laqêens. Je les massacrai, emportai des captifs, rasai, détruisis, brûlai leurs villes. Au cours de cette campagne, je fis demi-tour, rasai, détruisis, brûlai les villes qui sont sur cette rive de l'Euphrate et qui appartiennent au pays de Laqê et au pays de Suḫu, depuis l'embouchure du Ḫabur jusqu'à la ville de Ṣibatu du pays de Suḫu. Je m'emparai de leurs moissons. Je passai au fil de l'épée 470 de leurs combattants. J'en pris trente vivants et les empalai sur des pieux. Je traversai l'Euphrate à la ville de Ḫaridu au moyen des bateaux que j'avais faits, de radeaux et d'outres qui s'étaient déplacés en même temps le long de la route. Suḫu, Laqê et Ḫindānu, confiants dans la masse de leur charrerie, de leurs troupes et dans leur force, rassemblèrent 6 000 hommes et m'attaquèrent pour me faire la guerre et livrer bataille. Je me battis et leur infligeai une défaite. Je détruisis leur charrerie, je passai 6 500 de leurs hommes armés au fil de l'épée et le reste d'entre eux mourut de soif dans le désert. Je conquis, depuis la ville de Ḫaridu du pays de Suḫu jusqu'à la ville de Kipinu, les villes du Ḫindānu et de Laqê qui sont sur l'autre rive. Je les massacrai, emmenai des prisonniers, rasai, détruisis et brûlai leurs villes. Azi-ili, le Laqêen, confiant dans sa propre force, franchit le fleuve à la ville de Kipinu. Je me battis avec lui et de Kipinu je lui amenai une défaite. Je massacrai mille de ses combattants, détruisis sa charrerie, emmenai beaucoup de prisonniers et emportai ses dieux. Pour sauver sa vie, il se dirigea vers une montagne escarpée, le Mont Bisuru, dans la direction de l'Euphrate. Le lendemain, je le poursuivis. Je passai au fil de l'épée le reste de ses soldats, et leurs restes, la montagne et l'Euphrate les dévorèrent. Je le poursuivis jusqu'aux villes de Dummetu et d'Azmu, villes du Bīt-Adini. Je passai au fil de l'épée le reste de ses troupes et emportai un butin de valeur, des bœufs, des moutons, qui, comme les étoiles dans le ciel, étaient innombrables. En ce temps, je déportai Ilâ, le Laqêen, ses chars attelés et 500 de ses hommes. Je les emmenai dans mon pays d'Aššur. Je conquis, rasai, détruisis et brûlai les villes de Dummetu et d'Azmu. Je sortis des défilés de l'Euphrate.

Au cours de cette campagne, je fis demi-tour. Azi-ili disparut en face de mes puissantes armes afin de sauver sa vie. Je déportai Ilâ, le sheikh du pays de Laqê, ses troupes et ses chars avec leurs équipages. Je les emmenai dans ma ville d'Aššur. J'enfermai Ḫemti-ili le Laqêen dans sa ville. Avec l'aide d'Aššur, mon Seigneur, il fut effrayé en face de mes armes puissantes, de ma bataille acharnée et de ma puissance parfaite et je reçus la propriété de son palais, de l'argent, de l'or, de l'étain, du bronze, des vases en bronze, des vêtements avec un décor multicolore, son butin de valeur. En plus, je leur imposai plus de tribut et de taxes que jamais auparavant. En ce temps, je tuai 40 taureaux très sauvages sur l'autre rive de l'Euphrate. Je capturai huit taureaux sauvages vivants. Je tuai vingt autruches. Je capturai vingt autruches vivantes. Je fondai deux villes sur l'Euphrate, une sur cette rive de l'Euphrate, que j'appelai Kār-Aššurnasirpal, une sur l'autre rive de l'Euphrate, que j'appelai Nēbarti-Aššur.

LES TÉMOIGNAGES DES AUTEURS GRECS, LATINS ET BYZANTINS

AMMIEN MARCELLIN

Texte 23 (XXIII, v, 1-8) [17]

1. Tendens inperator agili gradu Cercusium principio mensis Aprilis ingressus est, munimentum tutissimum et fabre politum. Cuius moenia Abora et Euphrates ambiunt flumina, uelut spatium insulare fingentes. 2. Quod Diocletianus exiguum ante hoc et suspectum, muris turribusque circumdedit celsis, cum in ipsis barbarorum confiniis interiores limites ordinaret. [...] 4. Iulianus uero dum moratur apud Cercusium, ut per naualem Aborae pontem exercitus et omnes sequellae transirent [...]. 5. Statimque transgressus pontem auelli praecepit. [...] 6. Postridie aduenit [...] alia classis abunde uehens annonam. 7. Profecti exinde Zaithan uenimus locum, qui olea arbor interpretatur. Hic Gordiani imperatoris longe conspicuum vidimus tumulum. [...] 8. Ubi cum pro ingenita pietate consecrato principi parentasset pergeretque ad Duram, desertum oppidum, procul militarem cuneum conspicatus, stetit inmobilis, eique dubitanti quid ferrent offertur ab eis inmanissimi corporis leo.

1. L'empereur, progressant d'une marche rapide vers Cercusium, entra au début du mois d'avril dans cette place fort sûre, bâtie selon toutes les règles de l'art. Ses murailles sont entourées par les fleuves du Khabour et de l'Euphrate, qui donnent au site la configuration d'une presqu'île. 2. Dioclétien a entouré cette place, jusque là exiguë et peu sûre, de tours et de murs élevés, au temps où, aux confins même des pays barbares, il organisait les défenses frontalières en profondeur [...] 4. Mais tandis que Julien s'attardait à Cercusium, le temps de faire franchir le Khabour sur le pont de bateaux à l'armée et à tous ses équipages [...]. 5. Aussitôt le fleuve passé, il fit couper le pont. [...] 6. Il arriva le lendemain [...] une autre flotte abondamment chargée de vivres. 7. Partis de là, nous parvînmes à Zaithan, localité dont le nom se traduit olivier. Nous y aperçûmes, bien visible de loin, le tombeau de l'empereur Gordien. [...] 8. Quand il y eut, selon sa piété naturelle, sacrifié aux mânes d'un prince divinisé, Julien marchait en direction de Doura, une place abandonnée, quand, apercevant au loin une troupe de soldats, il fit halte et demeura immobile ; il se demandait ce qu'ils apportaient, quand ils lui présentent un lion de taille gigantesque. (Trad. J. Fontaine)

Texte 24 (XXIII, v, 15-17) [18]

15. Fracto igitur, ut ante dictum est, ponte cunctisque transgressis, imperator antiquissimum omnium ratus est militem adloqui. [...] Ipse aggere glebali adsistens [...] talia ore sereno disseruit [...]. 17. « [...] redissetque pari splendore iunior Gordianus, cuius monumentum nunc uidimus honorate [...] ni factione Philippi, praefecti praetorio [...], in hoc ubi sepultus est loco, uulnere impio cecidisset ».

15. Quand le pont fut donc coupé, ainsi qu'il a été dit plus haut, et que toutes les troupes eurent traversé, l'empereur

---

17 - *Histoire*, t. IV, 1 (livres XXIII-XXV), 1re partie, édité par J. Fontaine, Les Belles Lettres, Paris, 1977.

18 - *Ibid.*

estima qu'avant tout, le plus urgent était de s'adresser à la troupe. [...] Lui-même debout devant eux sur une levée de terre [...] tint d'un air serein ces propos [...]. 17. « [...] et Gordien le jeune, dont nous venons de voir avec respect le monument funèbre, en fût revenu avec pareil éclat [...] s'il n'était tombé sous des coups impies, par les intrigues de Philippe, préfet du prétoire [...], en ce lieu même où il est enseveli ». (Trad. J. Fontaine)

Texte 25 (XXIV, i, 1-6) [19]

1. Candente iam luce Assyrios fines ingressus. [...] 2. [...] Ipse uero medios pedites regens, quod erat totius roboris firmamentum, dextra legiones aliquas cum Neuitta supercilia fluminis praestringere iussit Euphratis. Cornu uero laeuum cum equitum copiis Arintheo tradidit et Hormisdae, ducendum confertius per plana camporum et mollia. [...] 3. [...] Ut decimo paene lapide postremi dispararentur a signiferis primis. [...] 4. [...] Classis autem licet per flumen ferebatur adsiduis flexibus tortuosum, nec residere nec praecurrere sinebatur. 5. Emenso itaque itinere bidui, prope ciuitatem uenimus Duram desertam, marginibus amnis inpositam. In quo loco greges ceruorum plures inuenti sunt, quorum alii confixi missilibus, alii ponderibus intisi remorum, ad satietatem omnes pauerunt ; pars maxima natatu adsueta ueloci, alueo penetrato, incohibili cursu euasit ad solitudines notas. 6. Exin dierum quattuor itinere leui peracto, [...] Lucillianus comes [...] mittitur Anathan munimentum expugnaturus.

1. Il pénétra en territoire assyrien aux premiers feux du jour. [...] 2. [...] Quant à lui, il commandait en personne l'infanterie, qui formait au centre le point d'appui de toutes ses forces, cependant qu'à droite, il donna ordre à quelques légions, avec Névitta, de longer les hautes rives de l'Euphrate. Pour l'aile gauche, il la confia à Arintheus et Hormisdas, avec les troupes de cavalerie, pour les mener en formation serrée à travers des terrains plats, ou de faible relief. [...] 3. [...] Il y avait presque dix milles entre l'arrière-garde et les porte-enseignes de tête. [...] 4. [...] Quant à la flotte, en dépit des méandres continuels, qui faisaient serpenter le fleuve sur lequel elle voguait, on ne la laissait prendre ni retard ni avance. 5. C'est ainsi qu'au bout d'une marche de deux jours, nous parvînmes auprès de la ville abandonnée de Doura, sise sur les berges du fleuve. On découvrit en ce lieu plusieurs hardes de cerfs : les uns transpercés de projectiles, les autres assommés à grands coups de rames, ils nourrirent toute l'armée à satiété ; mais la plus grande partie, accoutumée à nager rapidement, pénétra dans le cours du fleuve, et sans qu'on pût l'arrêter dans sa course, s'échappa vers ses déserts familiers. 6. Ensuite, au terme d'une marche sans encombres de quatre jours, [...] le comte Lucillien est envoyé [...] pour emporter d'assaut le fort d'Anathan. (Trad. J. Fontaine)

ARRIEN

Texte 26 (*Anabase d'Alexandre*, VII, 19, 3) [20]

Ἐκεῖ δὲ ξυμπηχθείσας αὖθις καταπλεῦσαι ἐς Βαβυλῶνα.

Après avoir été réassemblés là, ils (les bateaux) avaient descendu le fleuve jusqu'à Babylone.

Texte 27 (*Parthica*, frag. 8 [Stéph. Byz., *s.v.*]) [21]

Φάλγα, κώμη μέση Σελευκείας τῆς Πιερίας καὶ τῆς ἐν Μεσοποταμίᾳ Ἀρριανὸς ἐν ι΄ Παρθικῶν. Ἡ δὲ φάλγα γλώσσῃ τῇ ἐπιχωρίῳ τὸ μέσον δηλοῖ.

Phalga, bourg situé à mi-distance de Séleucie de Piérie et de celle en Mésopotamie. Arrien dans le livre 10 des *Parthica*. Phalga signifie le milieu dans la langue du pays.

AURELIUS VICTOR (PS.)

Texte 28 (*Epitome de Caesaribus*, 27, 2-3) [22]

Gordianus [...] imperavit annos sex. 2. Apud Ctesiphontem a Philippo praefecto praetorio, accensis in seditionem militibus, occiditur anno uitae undeuicesimo. 3. Corpus eius, prope fines Romani Persicique imperii positum, nomen loco dedit Sepulcrum Gordiani.

Gordien régna six ans. 2. Près de Ctésiphon, au cours d'une sédition militaire allumée par le préfet du prétoire Philippe, il fut tué dans sa dix-neuvième année. 3. Son corps fut enseveli près de la frontière entre les Empires romain et perse, ce qui fit donner à l'endroit le nom de Tombeau de Gordien « Sepulcrum Gordiani ». (Trad. M. Festy)

CHRONICON PASCHALE

Texte 29 (P.271) [23]

Ὁ αὐτὸς Δέκιος βασιλεὺς ἤγαγεν ἀπὸ τῆς Ἀφρικῆς λέοντας φοβεροὺς καὶ λεαίνας, καὶ ἀπέλυσεν εἰς τὸ λίμιτον ἀνατολῆς, ἀπὸ Ἀραβίας καὶ Παλαιστίνης ἕως τοῦ Κιρκησίου κάστρου, πρὸς τὸ ποιῆσαι γενεάν, διὰ τοὺς βαρβάρους Σαρακηνούς.

19 - *Histoire*, t. IV, 1 (livres XXIII-XXV), 1ʳᵉ partie, édité par J. Fontaine, Les Belles Lettres, Paris, 1977.
20 - *Anabasis Alexandri, Books V-VII ; Indica*, édité par P. A. Brunt, The Loeb Classical Library, London/Cambridge (Mass.), 1983.
21 - *Flavius Arrianus*, II : *Scriptora minora et fragmenta*, édité par

A. G. Roos, Leipzig, 1967.
22 - *Abrégé des Césars*, édité par M. Festy, Les Belles Lettres, Paris, 1999.
23 - *Chronicon Paschale* I, édité par L. Dindorf, Corpus Scriptorum Historiae Byzantinae, Bonn, 1832, p. 504.

L'empereur Dèce lui-même amena d'Afrique des lions terribles et des lionnes et les libéra vers l'orient, depuis l'Arabie et la Palestine jusqu'au camp de Kirkésion, pour qu'ils se reproduisent, à cause des barbares Saracènes.

COSMOGRAPHE DE RAVENNE

Texte 30 (II, 13) [24]

Dura Nicanoris

Doura de Nicanor

DIODORE

Texte 31 (XIV, 81, 4) [25]

Ἐκεῖθεν εἰς Θάψακον τῆς Συρίας πορευθεὶς ἀνὰ τὸν Εὐφράτην ποταμὸν ἔπλευσεν εἰς Βαβυλῶνα.

De là (la Cilicie), il (Conon) traversa la Syrie jusqu'à Thapsaque, puis naviguà sur l'Euphrate jusqu'à Babylone.

DION CASSIUS

Texte 32 (Historiae romanae, 75, 21, 9) [26]

Μετὰ δὲ ταῦτα ὁ Σεβῆρος ἐκστρατεύει κατὰ τῶν Πάρθων. Ἀσχολουμένου γὰρ αὐτοῦ ἐς τοὺς ἐμφυλίους πολέμους, ἐκεῖνοι [...] τήν τε Μεσοποταμίαν εἷλον, [...] καὶ μικροῦ καὶ τὴν Νίσιβιν ἐχειρώσαντο, εἰ μὴ Λαῖτος αὐτήν, πολιορκούμενος ἐν αὐτῇ, διεσώσατο. Ἀφικόμενος δὲ ἐς τὴν προειρημένην Νίσιβιν ὁ Σεβῆρος [...]. Πλοῖα κατασκευάσας ὁ Σεβῆρος ἐν τῷ Εὐφράτῃ, καὶ πλέων τε καὶ βαδίζων παρ' αὐτόν, διὰ τὸ εἶναι λίαν ὀξύτατα καὶ ταχινὰ καὶ εὖ ἐσταλμένα (τῆς παρὰ τὸν Εὐφράτην ὕλης, καὶ τῶν ἐκεῖσε χωρίων, ἄφθονον διδούσης αὐτῷ τὴν τῶν ξύλων χορηγίαν) τὰ κατασκευασθέντα, ταχέως τήν τε Σελεύκειαν καὶ τὴν Βαβυλῶνα ἐκλειφθείσας ἔλαβε.

Après cela, Sévère mène une expédition contre les Parthes. En effet, pendant que ce dernier était occupé par des guerres civiles, ceux-ci [...] s'étaient emparés de la Mésopotamie [...] et il s'en serait fallu de peu qu'ils prissent Nisibis si Laetus, qui y était assiégé, ne l'avait sauvée. Sévère arriva à Nisibis (dont il vient d'être question) [...]. Sévère fit construire des bateaux sur l'Euphrate, et tout à la fois naviguant et marchant le long du fleuve, il s'empara promptement de Séleucie et de Babylone abandonnées, parce

que les bateaux construits (la forêt près de l'Euphrate et celle des terres situées de ce côté lui avaient fourni un approvisionnement en bois abondant) étaient extrêmement vifs et rapides et bien conçus.

EUSÈBE DE CÉSARÉE (SAINT JÉRÔME)

Texte 33 (Chronica, ann. 246) [27]

Gordianus admodum adolescens, Parthorum natione superata, cum victor reverteretur ad patriam, fraude Philippi praefecti praetorii haud longe a Romano solo interfectus est. Gordiano milites tumulum aedificant, qui Euphrati imminet, ossibus ejus Romam revectis.

Gordien tout jeune, après avoir vaincu le peuple parthe, revenait en vainqueur vers sa patrie, lorsqu'il fut tué du fait de la perfidie de Philippe, le préfet du prétoire, non loin du sol romain. Les soldats édifient pour Gordien un tumulus qui domine l'Euphrate, tandis que ses ossements furent rapportés à Rome.

EUTROPE

Texte 34 (Breu. IX, 2, 3) [28]

Rediens haud longe a Romanis finibus interfectus est fraude Philippi, qui post eum imperauit. Miles ei tumulum uicesimo miliario a Circesio, quod castrum nunc Romanorum est Euphratae imminens, aedificauit, exequias Romam reuexit, ipsum Diuum appellauit.

Sur le chemin du retour, il (Gordien) fut tué non loin de la frontière romaine par suite de la trahison de Philippe qui régna après lui. Les soldats lui édifièrent un tombeau à vingt milles de Circesse, qui est aujourd'hui un château fort romain surplombant l'Euphrate ; ils rapportèrent ses restes à Rome et il fut appelé Divin. (Trad. J. Hellegouarc'h)

EVAGRIUS

Texte 35 (Hist. Eccl., V, 9) [29]

Ὁ δὲ Χοσρόης, ἐπεὶ αὐτάρκως αὐτῷ τὰ εἰς τὸν πόλεμον ἐξηυτρέπιστο, Ἀδραμαὰν μὲν διαπορεύσας μέχρι τινὸς καὶ τὸν Εὐφράτην ἀνὰ τὴν σφετέραν γῆν διαβιβάσας, εἰς τὴν Ῥωμαίων ἐπικράτειαν ἤφιει διὰ τοῦ καλουμένου Κιρκησίου. Τὸ δὲ Κιρκήσιόν ἐστι πόλισμα Ῥωμαίοις ἐπικαιρότατον πρὸς ταῖς ἐσχατιαῖς τοῦ πολιτεύματος

24 - Ravennatis Anonymii Cosmographia et Guidonis Geographica, édité par M. Pinder et G. Parthey, Berlin, 1860. Ravennatis Anonymii Cosmographia et Guidonis Geographica, édité par J. Schnetz, Berlin, 1940 (reproduit dans O. CUNTZ et J. SCHNETZ, Itineraria Romana, vol. II, 1990).
25 - Bibliothèque Historique, XIV, édité par M. Bonnet et E. R. Bennett, Les Belles Lettres, Paris, 1997.
26 - Dionis Cassii Cocceiani historiarum romanorum quae supersunt, vol. IV (liber LXXV, Severus XXI), édité par F. G. Sturz, Leipzig, 1824.

27 - Œuvres complètes de Saint Jérôme, t. XII : Eusebii Chronica, édité par M. l'abbé Bareille, Louis Vivès, Paris, 1884.
28 - Abrégé d'Histoire romaine, édité par J. Hellegouarc'h, Les Belles Lettres, Paris, 1999.
29 - The Ecclesiastical History of Evagrius with the scholia, réimpression de l'édition de 1898, édité par J. Bidez et L. Parmentier, Adolf M. Hakkert-Publisher, Amsterdam, 1964.

κείμενον· ὅπερ ὀχυρὸν οὐ μόνα τὰ τείχη ποιεῖ εἰς ἄπειρον ὕψος ἐπαιρόμενα, ἀλλὰ καὶ Εὐφράτης καὶ Ἀβόρας οἱ ποταμοὶ κυκλοῦντες καί ὥσπερ ἀπονησοῦντες τὴν πόλιν. Αὐτὸς δὲ σὺν τοῖς ἀμφ' αὐτὸν τὸν Τίγρητα διαβὰς ποταμὸν ἐπὶ τὴν Νίσιβιν τὴν ἔλασιν ἐποιεῖτο. [...] Ὁ μὲν οὖν Ἀδαρμαάνης ἔχων ἀξιόλογον στρατὸν Περσῶν τε καὶ Σκηνητῶν βαρβάρων, ἐπεὶ τὸ Κιρκήσιον παρήμειψεν, παντοίως τοῖς Ῥωμαίων ἐλυμήνατο πράγμασι ἐμπιπρὰς ἀποκτεινννύς, οὐδὲν μέτριον ἐννοῶν ἢ πράττων· αἱρεῖ τε φρούρια καὶ κώμας πολλὰς οὐδενὸς ἀπιστάντος, πρῶτα μὲν ὅτι γε ἦρχεν οὐδείς, εἶθ' ὅτι καὶ τῶν στρατιωτῶν πρὸς τοῦ Χοσρόου κατὰ τὸ Δάρας ἐναποκλεισθέντων ἐπ' ἀδείας αἵ τε προνομαὶ καὶ αἱ ἔφοδοι ἐγίγνοντο.

Après s'être bien préparé à la guerre, Chosroès fit avancer Adramaan, lui fit franchir l'Euphrate vers son propre territoire et lança une expédition contre l'empire romain en passant par le lieu que l'on appelle Kirkésion. Kirkésion est une ville très importante pour les Romains, située aux confins de l'empire : non seulement les murs qui s'élèvent à une hauteur considérable la fortifient, mais aussi les fleuves Euphrate et Khabour qui entourent la ville et en font comme une île. Lui-même, avec ses troupes, franchit le Tigre et marcha vers Nisibis. [...] Adarmaanès donc, avec une troupe considérable de Perses et de barbares Scénètes, passa devant Kirkésion, puis ravagea complètement les possessions des Romains en incendiant et en tuant ; il pensait et agissait sans la moindre mesure ; il s'empare de nombreuses places fortes et villages sans rencontrer de résistance, d'abord parce que précisément personne ne commandait, ensuite parce que l'enfermement des soldats à Dara par Chosroès avait supprimé tout risque pour le pillage et les attaques.

Texte 36 (*Hist. Eccl.*, VI, 17) [30]

Ἐγκαθιστῶσι δὲ μετ' αὐτὸν βασιλέα Χοσρόην τὸν τούτου παῖδα, καθ' οὗ Βάραμος ἐπιστρατεύει μετὰ τῶν ἀμφ' αὐτόν. Ὧιπερ ὑπαντιάζει μὲν ὁ Χοσρόης μετά τινος οὐκ ἀξιολόγου δυνάμεως, καὶ φεύγει, τοὺς οἰκείους ὁρῶν ἐθελοκακοῦντας. Ἀφικνεῖται δὲ κατὰ τὸ Κιρκήσιον, ὥς γε αὐτὸς ἔφη, τὸν θεὸν τῶν Χριστιανῶν ἐπικαλεσάμενος ἐκεῖσε τὸν ἵππον ἀπιέναι ἔνθα ἂν πρὸς αὐτοῦ ὁδηγοῖτο. Ἀφίκετο δὲ σὺν καὶ ταῖς γυναιξὶ καὶ παισὶ νεόγνοις δύο καί τισι Περσῶν τῶν εὐγενῶν, οἵπερ αὐτῷ ἐθελονταὶ κατηκολούθουν· κἀκεῖθεν πρὸς βασιλέα Μαυρίκιον πρεσβεύεται.

Ils établissent après lui comme roi Chosroès son fils, contre lequel Varam lance une expédition avec ses troupes.

Chosroès marche à sa rencontre, accompagné d'une troupe peu importante, et s'enfuit en voyant la lâcheté des siens. Il parvient à proximité de Kirkésion, après avoir, comme il le dit lui-même, supplié le dieu des chrétiens de laisser aller son cheval là où il le mènerait à Lui. Il arriva avec ses femmes, ses deux nouveau-nés et quelques Perses de la noblesse qui l'accompagnaient de leur plein gré ; et de là, il envoie une ambassade auprès de l'empereur Maurice.

Festus

Texte 37
(*Abrégé des hauts faits du peuple romain*, 22, 2) [31]

Isque rediens uictor de Perside fraude Philippi, qui praefectus praetorio eius erat, occisus est. Milites ei tumulum in uicensimo miliario a Circensio castro, quod nunc exstat, aedificauerunt atque exequias eius Romam cum maxima uenerationis reuerentia deduxerunt.

Revenant vainqueur de Perse, Gordien fut assassiné du fait de la perfidie de Philippe, son préfet du prétoire. Les soldats lui construisirent un tertre funéraire à vingt milles de l'actuel camp de Circesium, et ils conduisirent sa dépouille à Rome avec les plus grands témoignages d'une respectueuse vénération. (Trad. M.-P. Arnaud-Lindet)

Georges de Chypre

Texte 38
(*Descriptio Orbis Romani*, éd. Gelzer, ou *Opuscule géographique*, éd. Honigmann, 907-[908]) [32]

907 Κιρκήσιον	Κιρκησία
[908]	Μέχρι τῶν ὦδέ ἐστι τὸ πλήρωμα Μεσοποταμίας καὶ ἀρχὴ τῆς γῆς Περσίδος

907 Kirkésion	Kirkésia
[908]	Vers ces lieux se trouvent la fin de la Mésopotamie et le début de la Perse

Hérodote

Texte 39 (I, 185) [33]

καὶ νῦν οἳ ἂν κομίζωνται ἀπὸ τῆσδε τῆς θαλάσσης ἐς Βαβυλῶνα, καταπλέοντες [ἐς] τὸν Εὐφρήτην ποταμὸν [...]

Et maintenant, ceux qui se rendent de notre mer à Babylone, pendant qu'ils descendent l'Euphrate [...] (Trad. Ph.-E. Legrand)

30 - *The Ecclesiastical History of Evagrius with the scholia*, réimpression de l'édition de 1898, édité par J. Bidez et L. Parmentier, Adolf M. Hakkert-Publisher, Amsterdam, 1964.
31 - *Abrégé des hauts faits du peuple romain*, édité par M.-P. Arnaud-Lindet, Les Belles Lettres, Paris, 1994.
32 - *Georgii Cyprii Descriptio Orbis Romani*, édité par H. Gelzer, Teubner,

Leipzig, réimpr. Rodopi, Amsterdam, 1890, réimpr. 1970. *Le Synekdèmos d'Hiéroklès et l'opuscule géographique de Georges de Chypre*, édité par E. Honigmann, Bruxelles, 1939.
33 - *Histoires, Livre I Clio*, édité par Ph.-E. Legrand, Les Belles Lettres, Paris, 1970.

HISTOIRE AUGUSTE

Texte 40 (XXXIV, 2) [34]

Gordianum sepulchrum milites apud Circesium castrum fecerunt in finibus Persidis.

Les soldats élevèrent un tombeau à Gordien près de Circesium, déjà en territoire perse. (Trad. A. Chastagnol)

ISIDORE DE CHARAX

Texte 41 (*Étapes Parthiques*) [35]

Εἶτα βασίλεια (?), Ἀρτέμιδος ἱερόν, Δαρείου κτίσμα, κωμόπολις· ἐνταῦθα Σεμιράμιδός ἐστι διῶρυξ, καὶ λίθοις πέφρακται ὁ Εὐφράτης, ἵνα στενοχωρούμενος ὑπερκλύζηι τὰ πεδία· θέρους μέντοι ναυαγεῖ τὰ πλοῖα ‹σχοῖνοι ζ›. Εἶτα Ἀλλάν, κωμόπολις, σχοῖνοι δ. ἔνθεν Βηονάν, Ἀρτέμιδος ἱερόν, σχοῖνοι δ. Εἶτα Φάλιγα κώμη πρὸς τῶι Εὐφράτηι (λέγοιτο δ᾽ ἂν Ἑλληνιστὶ μεσοπορικόν), σχοῖνοι ϛ. Ἀπὸ Ἀντιοχείας ἕως τούτου σχοῖνοι ρκ· ἐντεῦθεν δὲ ἐπὶ Σελεύκειαν τὴν πρὸς τῶι Τίγριδι σχοῖνοι ρ. παράκειται δὲ τῆι Φάλιγα κωμόπολις Ναβαγάθ, καὶ παραρρεῖ αὐτὴν ποταμὸς Ἀβούρας, ὃς ἐμβάλλει εἰς τὸν Εὐφράτην· ἐκεῖθεν διαβαίνει τὰ στρατόπεδα εἰς τὴν κατὰ τοὺς Ῥωμαίους πέραν. Εἶτα Ἄσιχα κώμη σχοῖνοι δ. Ἔνθεν Δοῦρα, Νικάνορος πόλις, κτίσμα Μακεδόνων (ὑπὸ δὲ Ἑλλήνων Εὔρωπος καλεῖται), σχοῖνοι ϛ. Εἶτα Μερρὰν ὀχύρωμα, κωμόπολις, σχοῖνοι ε. Εἶτα Γιδδάν, πόλις, σχοῖνοι ε.

Puis Basileia, temple d'Artémis, fondation de Darius, bourg urbain ; là se trouve le canal de Sémiramis ; l'Euphrate est obstrué par des pierres en sorte qu'il se resserre et inonde les champs ; en été cependant, les bateaux font naufrage, ‹7 schoenes›.

Puis Allan, bourg urbain, 4 schoenes.

Puis Beonan, temple d'Artémis, 4 schoenes.

Puis Phaliga, bourg sur l'Euphrate (on dirait en grec *mesoporikon* « à mi-parcours »), 6 schoenes ; d'Antioche jusqu'à cet endroit, il y a 120 schoenes ; de là à Séleucie du Tigre, 100 schoenes ;

Près de Phaliga se trouve le bourg urbain de Nabagath, le long duquel coule le Khabour, qui se jette dans l'Euphrate ; de là les armées traversent vers la rive qui fait face aux Romains.

Puis le bourg d'Asikha, 4 schoenes.

De là, Doura, ville de Nicanor, fondation des Macédoniens, (elle est appelée Europos par les Grecs), 6 schoenes.

Puis Merrhan, lieu fortifié, bourg urbain, 5 schoenes.

Puis Giddan, ville, 5 schoenes. (D'après trad. M.-L. Chaumont)

MALALAS

Texte 42 (*Chronographie*, 13, 2-5) [36]

2. Κἀκεῖθεν (= ἐκ Κάρρων) εὗρε δύο ὁδούς, μίαν ἀπάγουσαν εἰς τὴν Νίσιβιν πόλιν, οὖσάν ποτε Ῥωμαίων, καὶ ἄλλην ἐπὶ τὸ Ῥωμαϊκὸν κάστρον τὸ λεγόμενον Κιρκήσιον, κείμενον εἰς τὸ μέσον τῶν δύο ποταμῶν τοῦ Εὐφράτου καὶ τοῦ Ἀββορᾶ· ὅπερ ἔκτισε Διοκλητιανός, βασιλεὺς Ῥωμαίων [...]. 3. Καὶ κατέφθασεν ὁ αὐτὸς Ἰουλιανὸς τὸ Κιρκήσιον κάστρον· καὶ ἐάσας καὶ ἐν τῷ Κιρκησίῳ κάστρῳ ὅσους εὗρεν ἐγκαθέτους στρατιώτας ἑξακισχιλίους, προσθεὶς αὐτοῖς καὶ ἄλλους ὁπλίτας ἄνδρας τετρακισχιλίους [...]. 4. Καὶ ἐξῆλθεν ἐκεῖθεν καὶ παρῆλθε τὸν Ἀββορὰν ποταμὸν διὰ τῆς γεφύρας, τῶν πλοίων φθασάντων εἰς τὸν Εὐφράτην ποταμόν· ὧντινων πλοίων ὑπῆρχεν ὁ ἀριθμὸς χιλίων διακωσίων πεντήκοντα. 5. Καὶ συναθροίσας τὸν ἴδιον αὐτοῦ στρατόν [...], ἀνελθὼν ἐν ὑψηλῷ βήματι δι᾽ ἑαυτοῦ προσεφώνησε τῷ στρατῷ [...]· καὶ εὐθέως ἐμβαίνειν εἰς τὰ πλοῖα ἐπέτρεψεν, εἰσελθὼν καὶ αὐτὸς ὁ βασιλεὺς εἰς τὸ εὐτρεπισθὲν αὐτῷ πλοῖον.

2. Il trouva à cet endroit (Carrhes) deux routes : l'une menait à la ville de Nisibis, qui appartint jadis aux Romains, l'autre en direction de la place forte romaine nommée Circésion, située entre les deux fleuves Euphrate et Aboras, et qui avait été fondée par Dioclétien [...]. 3. Ensuite le même Julien arriva à la place forte de Circésion ; ensuite il laissa aussi dans la place forte de Circésion les six mille soldats qu'il y avait trouvés en garnison et leur adjoignit encore d'autres légionnaires au nombre de quatre mille [...]. 4. Ensuite il partit de là et franchit l'Aboras par le pont, cependant que les navires arrivaient dans l'Euphrate ; ces navires étaient au nombre de mille deux cent cinquante. 5. Ensuite, il rassembla son armée [...], monta sur une haute estrade et s'adressa en personne à l'armée [...] ; ensuite il leur donna aussitôt l'ordre de prendre place dans les navires, puis l'empereur lui-même s'embarqua dans le navire qui avait été préparé pour lui. (Trad. F. Paschoud)

J. D. MANSI

Texte 43 (*Sacrorum Conciliorum ... Collectio*, t. 7, col. 432) [37]

Ἀβραάμιος ἐπίσκοπος Κιρκηνσίου ὁρίσας ὑπέγραψα.

Abraham évêque de Kirkension, après m'être déterminé, j'ai signé.

34 - *Histoire Auguste*, édité par A. Chastagnol, Paris, 1994.

35 - F. JACOBY, *Die Fragmente der griechischen Historiker*, III C, Brill, Leyde, 1958, p. 779-780.

36 - *Chronographie* (extrait), in Zosime, *Histoire nouvelle*, Appendice A, édité par F. Paschoud, Les Belles Lettres, Paris, 1979, p. 242.

37 - J. D. MANSI, *Sacrorum Conciliorum nova et amplissima Collectio, Tomus septimus : Ab anno CCCCLI ad annum CCCCXCII inclusive*, Graz (réimp.), [1759-1798], 1960.

Nicéphore Calliste Xanthopoulos

Texte 44 (*Historiae*, XVII, 38) [38]

Ἐπεὶ δ' ὁ Χοσρόης καλῶς τὰ πρὸς τὸν πόλεμον
ἐπηρτίσατο, τὸν Οὐαδααρμάνην μέχρι τινὸς διελάσας καὶ
τὸν Εὐφράτην ἀνὰ τὴν σφετέραν διαβιβάσας γῆν, διὰ
τοῦ καλουμένου Κιρκησίου ἐς τὴν Ῥωμαίων ἤφει γῆν.
Ἔστι δὲ τὸ Κιρκήσιον τοῦτο πολίχνιόν τι λίαν
ἐπικαιρότατον, πρὸς τῷ τέρματι τῆς Ῥωμαίων κείμενον
γῆς· ὀχυρὸν τὰ μάλιστά ἐστι, τείχη στερρότατα
περιβεβλημένον, καὶ ἐς πολύ τι ὕψος αἰρόμενα. Ἀλλὰ
μὴν καὶ ὁ ποταμὸς Εὐφράτης καὶ Ἀβόρας περικύκλῳ
ῥέοντες, καὶ ὥσπερ τοῦτο ἀπονησοῦντες, ἄμαχον
ἀπεργάζονται. Αὐτὸς δὲ σὺν τοῖς ἀμφ' αὐτὸν τὸν Τίγρητα
διαβὰς ποταμόν, ὅσον τάχος ἐλαύνων ἐπὶ τὴν Νίσιβιν
ἧκεν, ὑπὸ Μαρκιανῷ πολιορκουμένην. [...] Οὐαδααρμάνης
δὲ ἄρην πνέοντα στρατὸν ἐπαγόμενος, οὐ Περσῶν μόνον,
ἀλλὰ καὶ βαρβάρων οἳ Σκηνῆται καλοῦνται, τὸ Κιρκήσιον
παραμείβων, ὡς πλεῖστον τοῖς Ῥωμαίων διελυμήνατο
πράγμασι. Καὶ τὸ μὲν καίων, τὸ δὲ καὶ κτιννύς, καὶ
μηδὲν μέτριον διανοούμενος ἢ πράττων κατὰ πολλὴν ἤδη
τοῦ κωλύσοντος ἐρημίαν, οὐκ ἐλάχιστα φρούρια εἷλε·
καὶ τὸ μὲν ὅτι οὐδεὶς ἦρχεν· ἔπειτα καὶ τῶν ὀφειλόντων
μάχεσθαι κατὰ τὸ Δάρας φρούριον ἀποκεκλεισμένων, ἐπ'
ἀδείας ποιεῖν ὃ βούλεται προὔκειτο.

Après s'être bien préparé à la guerre, Chosroès fit
avancer Ouadaarmanès, lui fit franchir l'Euphrate vers son
propre territoire et lança une expédition vers le territoire
romain en passant par le lieu que l'on appelle Kirkésion. Ce
Kirkésion est une petite ville de la plus extrême importance,
située près de l'extrémité du territoire romain : elle est très
bien fortifiée, ceinte d'une muraille très solide qui s'élève à
une très grande hauteur. De plus, les fleuves Euphrate et
Khabour qui coulent tout autour et en font comme une île, la
rendent imprenable. Chosroès lui-même, avec ses troupes,
franchit le Tigre et, avançant au plus vite, arriva à Nisibis
qui était assiégée par Marcianos. [...] Ouadaarmanès
conduisait une armée respirant la guerre, formée non
seulement de Perses, mais aussi de barbares qui s'appellent
Scénètes ; il passa devant Kirkésion et ravagea complètement
les possessions des Romains. Par le feu et par le fer, sans la
moindre retenue en pensées et en actes en raison de l'absence
déjà importante de résistance, il prit un nombre non
négligeable de places fortes ; d'une part parce que personne
ne commandait ; ensuite, ceux qui étaient chargés de
combattre une fois enfermés dans la place forte de Dara, il
était libre de faire ce qu'il voulait.

Texte 45 (*Historiae*, XVIII, 20) [39]

Γνοὺς δὲ Χοσρόης Βάραμον ἐπιστρατεύοντα κατ' αὐτοῦ,
μετ' ἀξιολόγου κατ' ἐκείνου ἔπεισι τῆς δυνάμεως ἔν τινι
πεδίῳ τοῦ Ζαβᾶ ποταμοῦ. Ὁρῶν δὲ τοὺς οἰκείους
ἐθελεκακοῦντας, καὶ Βαράμῳ μὲν προσκειμένους, ἐκείνῳ
δὲ φρονοῦντας ἐπίβουλα, πολλοὺς διεχρήσατο· καὶ τοῦ
πλήθους ταραχθέντος ἀνακράτος ἐπὶ τὸ Κιρκήσιον ἔφευγε
σύναμα γυναικὶ καὶ τέκνοις δυσὶ νεογνοῖς, καὶ τισι Περσῶν
εὐγενείᾳ τῶν πολλῶν διαφέρουσιν, οἳ ἐθελονταὶ τούτῳ
εἵποντο. Ἐκεῖσε δὲ παρεγένετο, ὥς γε αὐτὸς διηγήσατο,
τὸν τῶν Χριστιανῶν Θεὸν σωτῆρα καὶ ὁδηγὸν
ἐπικαλεσάμενος· κἀκεῖσέ τε τὸν ἵππον ἀνεῖναι ὁμόσε χωρεῖν,
ἔνθα ἂν πρὸς αὐτοῦ ὁδηγοῖτο· ἐκεῖθέν τε πρὸς Μαυρίκιον
πρεσβείαν ἔστελλε, Πρόβου ὡς ἔσχε τὰ συμβάντα μηνύοντος.

Sachant que Varam menait une expédition contre lui,
Chosroès s'avance contre lui avec une troupe considérable
dans une plaine près du fleuve Zab. Mais voyant les siens se
conduire lâchement — ils se joignaient à Varam et
imaginaient de surcroît des pièges contre lui —, il en fit
périr un grand nombre. Ce fut la débandade de la plus grande
partie de son armée, puis la fuite éperdue vers Kirkésion,
avec sa femme et ses deux nouveau-nés, et avec ceux des
Perses distincts de la masse par leur origine noble qui le
suivaient de leur plein gré. Il parvint en ce lieu, comme lui-
même le raconta, après avoir invoqué le dieu des Chrétiens
comme sauveur et guide, lui jurant de laisser aller son cheval
là où il le mènerait à Lui. De là il envoya une ambassade à
Maurice, tandis que Probos l'informait de la situation.

Texte 46 (*Historiae*, XVIII, 25) [40]

Τηνικαῦτα δὲ καὶ Γολινδοὺχ ἡ μάρτυς [...] εἰς τὰ
Ῥωμαίων ὅρια γενομένη ἐν τῷ Κιρκησίῳ τε καὶ τῷ Δάρας,
καὶ τοῖς μέρεσι τῶν Ἱεροσολύμων ἐφίστατο· θέαμα ξένον
ἅπασι τοῖς πιστοῖς ὁρωμένη, ἅτε δὴ ζῶντι σώματι, τὰ
τοῦ Χριστοῦ περιάγουσα στίγματα.

C'est à cette époque-là aussi que Golindouch, la martyre,
[...] arrivée aux frontières du monde romain à Circesium et
à Daras, s'arrêta aussi sur le territoire de Jérusalem ; on la
vit, spectacle insolite pour tous les croyants, porter sur son
corps encore vivant les stigmates du Christ.

Notitia Dignitatum

Texte 47 (*Or.* XXXV, 24-25) [41]

praefectus legionis quartae Parthicae, Circesio
<...>, Apatna

---

38 - Ἐκκλησιαστικὴ ἱστορία βιβλία IH, Teubner, Leipzig, 1630.
Nicephorii Callisti Xanthopuli Ecclesiasticae Historiae, édité par
J.-P. Migne, P. G. 147, Brepols.
39 - *Ibid.*

40 - *Ibid.*
41 - *Notitia Dignitatum omnium tam civilium quam militarium in partibus
orientis et occidentis*, édité par O. Seeck, Berlin, Frankfurt am Main, 1876
(1962).

préfet de la legio IV Parthica, à Circesium
<...>, Apatna

OROSE

Texte 48 (*Histoires* VII, 19, 5) [42]

Igitur Gordianus ingentibus proeliis aduersum Parthos prospere gestis suorum fraude haud longe a Circesso super Euphraten interfectus est.

Donc, après avoir livré avec bonheur des batailles considérables contre les Parthes, Gordien fut tué du fait de la trahison des siens, non loin de Circessos sur l'Euphrate. (Trad. M.-P. Arnaud-Lindet)

PLINE

Texte 49 (*Hist. Nat.* V, xxi, 89) [43]

A Sura autem proxime est Philiscum oppidum Parthorum ad Euphraten ; ab eo Seleuciam dierum decem nauigatio, totidemque fere Babylonem.

Très près de Sura se trouve Philiscum, une place forte parthe sur l'Euphrate ; de là à Séleucie le voyage par le fleuve dure dix jours, et à peu près autant jusqu'à Babylone.

POLYBE

Texte 50 (V, 48, 16) [44]

Πολλὴν δὲ ποιησάμενος ἐπιμέλειαν ἐνταῦθα τοῦ στρατοπέδου καὶ παρακαλέσας τὸ πλῆθος ὥρμησε πρὸς τὰς ἑξῆς πράξεις, καὶ τὴν μὲν Παραποταμίαν μέχρι πόλεως Εὐρώπου κατέσχε, τὴν δὲ Μεσοποταμίαν ἕως Δούρων.

Là (à Séleucie-sur-le-Tigre), quand il (Molon) eut bien soigneusement reposé son armée et encouragé la troupe, il reprit la suite des opérations et conquit la Parapotamie jusqu'à la ville d'Europos, la Mésopotamie jusqu'à Doura. (Trad. P. Pédech)

PROCOPE

Texte 51 (*Bell. pers.* II, 5, 1-3) [45]

1. ᾔει δὲ οὐ κατὰ τὴν μέσην τῶν ποταμῶν χώραν, ἀλλὰ τὸν Εὐφράτην ἐν δεξιᾷ ἔχων. 2. ἔστι δὲ τοῦ ποταμοῦ ἐπὶ θάτερα Ῥωμαίων φρούριον ἔσχατον ὃ Κιρκήσιον ἐπικαλεῖται, ἐχυρὸν ἐς τὰ μάλιστα ὄν, ἐπεὶ Ἀβόρρας μὲν ποταμὸς μέγας ἐνταῦθα τὰς ἐκβολὰς ἔχων τῷ Εὐφράτῃ

ἀναμίγνυται, τὸ δὲ φρούριον τοῦτο πρὸς αὐτῇ που τῇ γωνίᾳ κεῖται ἣν δὴ τοῖν ποταμοῖν ἡ μίξις ποιεῖται. 3. καὶ τεῖχος δὲ ἄλλο μακρὸν τοῦ φρουρίου ἐκτὸς χώραν τὴν μεταξὺ ποταμοῦ ἑκατέρου ἀπολαμβάνον τρίγωνον ἐνταῦθα ἀμφὶ τὸ Κιρκήσιον ἐπιτελεῖ σχῆμα.

1. Il avança non pas à travers la région entre les fleuves, mais en ayant l'Euphrate à sa droite. 2. Il y a sur l'autre rive du fleuve le dernier poste gardé des Romains qui s'appelle Kirkésion, qui est extrêmement bien défendu, puisque d'une part le Khabour, une grande rivière qui a là son embouchure, se mélange à l'Euphrate, et que d'autre part, ce poste est situé à l'angle même que forme la jonction des deux cours d'eau. 3. Et un autre grand mur à l'extérieur de la place forte, isolant la région entre les deux cours d'eau, complète là la forme de triangle autour de Kirkésion.

Texte 52 (*De aedificiis*, II, 6, 1-11) [46]

1. Ἦν δὲ Ῥωμαίων φρούριον παρὰ ποταμὸν Εὐφράτην ἐν τοῖς Μεσοποταμίας ἐσχάτοις, ἵνα δὴ Ἀβόρρας ποταμὸς τῷ Εὐφράτῃ ἀναμιγνύμενος τὴν ἐκβολὴν ἐνταῦθα ποιεῖται. 2. τοῦτο Κιρκήσιον μὲν ὀνομάζεται, βασιλεὺς δὲ αὐτὸ Διοκλητιανὸς ἐν τοῖς ἄνω χρόνοις ἐδείματο. 3. Ἰουστινιανὸς δὲ τανῦν βασιλεὺς χρόνου τε μήκει εὑρὼν συντριβὲς γεγονός, ἀπημελημένον δὲ καὶ ἄλλως ἀφύλακτον ὄν, ἐς ὀχύρωμα βεβαιότατον μετεστήσατο, πόλιν τε διεπράξατο μεγέθει καὶ κάλλει περιφανῆ εἶναι. 4. Διοκλητιανὸς μὲν γὰρ τηνικάδε τὸ φρούριον πεποίηται τοῦτο οὐχ ὅλον ἐν κύκλῳ τείχει περιβαλών, ἀλλὰ μέχρι μὲν ἐς ποταμὸν Εὐφράτην ἐπεξαγαγὼν τὴν τοῦ περιβόλου οἰκοδομίαν καὶ πύργον ἑκατέρωθι ἀπεργασάμενος ἔσχατον, ἀπολιπὼν δὲ τὴν ἐνθένδε τοῦ χωρίου πλευρὰν ἀτείχιστον ὅλως, ἀποχρῆναι, οἶμαι, τὸ τοῦ ποταμοῦ ὕδωρ ἐς τὸ τοῦ φρουρίου ὀχύρωμα τῇδε ἡγούμενος. 5. προϊόντος δὲ χρόνου τὸν ἔσχατον πύργον, ὃς δὴ ἐτέτραπτο πρὸς ἄνεμον νότον, τὸ τοῦ ποταμοῦ ῥόθιον παραξύον ἐνδελεχέστατα κατέσεισεν ὅλον, ἔνδηλός τε ἦν ὡς, εἰ μὴ βοηθοίη τις ὅ τι τάχιστα, καταπεσεῖται αὐτίκα δὴ μάλα. 6. ἐφάνη τοίνυν Ἰουστινιανὸς βασιλεὺς τοῦτο πρὸς τοῦ θεοῦ κεκομισμένος ἀξίωμα, πάσης ἐπιμελεῖσθαι καὶ ὡς ἔνι μάλιστα μεταποιεῖσθαι τῆς Ῥωμαίων ἀρχῆς· 7. ὃς δὴ οὐ μόνον τὸν πεπονθότα πύργον ἐσώσατο, ἀνοικοδομησάμενος αὐτὸν μυλίῳ λίθῳ καὶ φύσει σκληρῷ, ἀλλὰ καὶ τοῦ φρουρίου τὴν ἀτείχιστον πλευρὰν ξύμπασαν ὀχυρωτάτῳ περιβέβληκε τείχει, διπλασιάσας αὐτῇ πρὸς τῷ ποταμῷ τὴν ἐκ τοῦ περιβόλου ἀσφάλειαν. 8. πρὸς ἐπὶ τούτοις δὲ καὶ προτείχισμα ἐχυρώτατον προσεποίησεν αὐτὸς τῇ πόλει, καὶ διαφερόντως οὗ δὴ τοῖν ποταμοῖν ἡ ἐς ἀλλήλους

---

42 - *Histoires (contre les Païens)*, t. III (livre VII), édité par M.-P. Arnaud-Lindet, Les Belles Lettres, Paris, 1991.

43 - *Natural History II, Libri III-VII*, édité par H. Rackham, The Loeb Classical Library, London/Cambridge (Mass.), 1942 (1969).

44 - *Histoires, livre V*, édité par P. Pédech, Les Belles Lettres, Paris, 1977.

45 - *Procopius I. History of the Wars, Books I and II*, édité par H. B. Dewing, The Loeb Classical Library, London/Cambridge (Mass.), 1961.

46 - *Procopius VII. Buildings. General Index to Procopius*, édité par H. B. Dewing, The Loeb Classical Library, London/Cambridge (Mass.), 1961.

ἐπιμιξία τρίγωνον ἀποτελεῖ σχῆμα, ταύτῃ τε τὰς ἐνθένδε
τῶν πολεμίων ἐπιβουλὰς ἀπεκρούσατο. 9. καὶ στρατιωτικῶν
δὲ καταλόγων ἄρχοντα τῇδε καταστησάμενος, ὃν δοῦκα
καλοῦσι, διηνεκὲς ἐνταῦθα καθιζησόμενον, ἀποχρῶν
φυλακτήριον πεποίηκεν εἶναι τῇ τῆς πολιτείας ἀρχῇ. 10. καὶ
τὸ βαλανεῖον δέ, ὅπερ δημοσίᾳ τὴν χρείαν τοῖς τῇδε
ᾠκημένοις παρέχεται, ἀνόνητον ὅλως τῇ τοῦ ποταμοῦ
ἐπιρροῇ γεγενημένον ἐνεργεῖν τε τὰ ξυνειθισμένα οὐκέτι
ἔχον, ἐς τὸν νῦν ὄντα μετέθηκε κόσμον. 11. ὅσα μὲν γὰρ
αὐτοῦ ἀπεκρέματο πρότερον ἐπὶ στερρᾶς τῆς οἰκοδομίας
ἑστῶτα κατὰ τὸ τῶν λουτρῶν τῇ χρείᾳ συνοῖσον (ὧν δὴ
ἔνερθε τὸ πῦρ καίεται, χυτρόποδάς τε καλεῖν αὐτὰ
νενομίκασι), ταῦτα δὴ ἅπαντα τῇ τοῦ ὕδατος ἐπιρροῇ
ἀποκείμενα πρόσθεν εὑρών, καὶ ἀπ' αὐτοῦ τὴν χρείαν τῷ
βαλανείῳ διεφθαρμένην, λίθων μὲν αὐτὸς ἐμπεδώσας
ἐπιβολαῖς ὅσα πρότερον ἀπεκρέματο, ᾗπέρ μοι εἴρηται,
ἑτέραν καθύπερθεν ἀποκρεμάσας οἰκοδομίαν, ἵνα δὴ
ἀπρόσοδα τῷ ποταμῷ ἐστιν, ἀνεσώσατο τὴν ἐνθένδε
εὐπάθειαν τοῖς τῇδε φρουροῖς. τὰ μὲν δὴ τοῦ Κιρκησίου
ἐς τόνδε τὸν τρόπον δεδημιούργηται τῷ βασιλεῖ τούτῳ.

1. Il y avait une place forte des Romains en bordure de
l'Euphrate aux confins de la Mésopotamie, là où la rivière
Khabour se mêle à l'Euphrate et a son embouchure. 2. On
l'appelle Kirkésion et l'empereur Dioclétien l'édifia il y a
longtemps. 3. Justinien, l'actuel empereur, qui la trouva
endommagée par tout ce temps, totalement négligée et, en
outre, non gardée, la transforma en une forteresse très sûre
et fit en sorte que la ville fût d'une taille et d'une beauté
manifestes. 4. En effet, Dioclétien, en son temps, avait
construit cette place forte en l'entourant d'un mur qui ne
formait pas un cercle complet : il avait étendu jusqu'à
l'Euphrate la construction du rempart, édifiant une tour à
chacune des deux extrémités et avait laissé ce côté-ci de la
place forte complètement dépourvu de rempart, pensant,
d'après moi, que l'eau du fleuve suffirait comme fortification
de la place de ce côté-ci. 5. Le temps passant, la dernière
tour qui était exposée au vent du sud était sans cesse ébranlée
sur toute sa hauteur par les remous du fleuve qui
l'atteignaient, et il était évident que si personne n'intervenait
au plus vite, elle ne tarderait pas à s'écrouler.

6. Survint donc l'empereur Justinien, chargé au nom de
Dieu de l'honneur de veiller sur la totalité de l'Empire romain
et de l'étendre autant qu'il est possible. 7. Oui, lui, non
seulement il sauva la tour qui était endommagée en la
reconstruisant avec de la pierre à meule dure naturellement,
mais encore il entoura d'un mur très solide le côté non fortifié
de la place forte, doublant la sécurité donnée par l'enceinte
de celle qu'offrait le fleuve. 8. Ajoutez à cela que c'est lui
aussi qui fit construire en plus pour la ville un avant-mur
très solide, et tout particulièrement au point où la jonction
des deux fleuves ferme la forme du triangle : il prévint ainsi
les tentatives ennemies de ce côté. 9. Après y avoir installé

un commandant des troupes que l'on appelle Duc, destiné à
s'y établir de façon permanente, il fit en sorte que la garnison
fût adaptée à l'administration de la circonscription. 10. Les
bains aussi, qui servaient à l'usage public des habitants du
lieu, étaient devenus tout à fait inutiles à cause du
débordement du fleuve et ne pouvaient plus servir à leur
usage habituel ; il leur donna leur beauté actuelle. 11. Car
toutes les parties surélevées qui étaient auparavant établies
sur une construction solide selon ce qui devait servir au
besoin des bains (c'est en dessous que brûle le feu et l'on a
coutume de les appeler « chytropodes »), tout cela, il le
trouva déjà hors d'usage à cause d'un débordement de l'eau,
et de ce fait les bains totalement inutilisables ; avec des
rangées de pierres, il affermit ce qui, comme je l'ai dit, était
auparavant surélevé et éleva au-dessus une nouvelle
construction, afin que le fleuve ne pût l'atteindre ; il redonna
ainsi le plaisir des bains aux soldats qui étaient là en garnison.
C'est de cette manière que cet empereur réalisa les travaux
à Kirkésion.

PTOLÉMÉE

Texte 53 (V, 17) [47]

Μεσοποταμίας θέσις

Position de la Mésopotamie

§ 3· Ποταμοὶ δὲ διαρρέουσι τὴν χώραν ἀπὸ τῶν
εἰρημένων ὀρέων ἐκτρεπόμενοι, ἄλλοι τε καὶ ἔτι ὁ
καλούμενος Χαβώρας,

οὗ αἱ μὲν πηγαὶ ἐπέχουσι μοίρας	οδ	λζ΄ δ"
ἡ δὲ πρὸς τὸν Εὐφράτην συναφή	οδ	λε΄
καὶ ὁ καλούμενος Σαοκόρας ποταμός,		
οὗ αἱ μὲν πηγαὶ ἐπέχουσι μοίρας	οε	λζ΄ L"
ἡ δὲ πρὸς τὸν Εὐφράτην συναφὴ τοῦ		
ποταμοῦ ἐπέχει μοίρας	ος	λδ

Des rivières coulent à travers la région en s'écartant des
montagnes qui viennent d'être mentionnées, en particulier
celle qui s'appelle le Khabour, dont les sources se trouvent
aux degrés 74° et 37° 15' et la jonction avec l'Euphrate 74°
et 35°, et la rivière appelée Saokoras, dont les sources se
trouvent aux degrés 75° et 37° 30' et la jonction de la rivière
avec l'Euphrate se trouve aux degrés 76° et 34°.

§ 5· Πόλεις δέ εἰσιν ἐν τῇ Μεσοποταμίᾳ καὶ κῶμαι
παρὰ μὲν τὸν Εὐφράτην ποταμὸν αἵδε·
[...]

Νικηφόριον	ογ΄ ιβ"	λε΄ γ"
Μαγούδα	ογ΄ δ"	λε΄ ς"
Χαβώρα	οδ	λε΄ ς"
Θέλδα	οδ΄ δ"	λδ L" δ"
Ἀφφαδάνα	οδ΄ L"	λδ L" ιβ"
Βανάκη	οδ΄ L" δ"	λδ γ" ιβ"

47 - Claudii Ptolemaei Geographia, vol. I, 2, édité par C. Müller, Paris, 1901.

Ζεῖθα	οε´ ϛ"	λδ´ γ"
Βεθαῦνα	οϛ´	λδ´ δ"
Ῥεσκίφα	οϛ´	λδ

Les villes et villages qui sont en Mésopotamie le long de l'Euphrate sont les suivants :

[...]

Nicephorion	73° 5'	35° 20'
Magouda	73° 15'	35° 10'
Chabora	74°	35° 10'
Thelda	74° 15'	34° 45'
Aphphadana	74° 30'	34° 35'
Banakè	74° 45'	34° 25'
Zeitha	75° 10'	34° 20'
Bethauna	76°	34° 15'
Rescipha	76°	34°

§ 7· ἐν δέ τῇ ἄλλῃ Μέσῃ χώρᾳ πόλεις αἵδε·

[...]

Ἀπφαδάνα	οδ´	λε´ L"

Dans le reste de la région située au milieu (se trouvent) les villes suivantes :

Apphadana	74°	35° 30'

Texte 54 (V, 18) [48]

Ἀραβίας Ἐρήμου θέσις

Position de l'Arabie Déserte

§ 3· Πόλεις δέ εἰσιν ἐν τῇ χώρᾳ καὶ κῶμαι παρὰ μὲν τὸν Εὐφράτην ποταμὸν αἵδε·

[...]

Βίρθα	ογ´ γο"	λε´
Γάδειρθα	ογ´ L"γ"	λδ´ L"δ"
Αὐζάρα	οδ´ ιβ"	λδ´ L"
Αὐδάτθα	οδ´ δ"	λδ´ γ"
Ἀδδάρα	οδ´ γ"	λδ´ ϛ"
Βαλαγαία	οε´	λδ
Φάργα	οε´ γο"	λδ

Les villes et villages qui sont dans cette région le long de l'Euphrate sont les suivants :

[...]

Birtha	73° 40'	35°
Gadirtha	73° 50'	34° 45'
Auzara	74° 5'	34° 30'
Audattha	74° 15'	34° 20'
Addara	74° 20'	34° 10'
Balagaia	75°	34°
Pharga	75° 40'	34°

Strabon

Texte 55 (Géographie, 16, i, 27-28) [49]

27. ἔστι δ' ἀπὸ τῆς διαβάσεως μέχρι Σκηνῶν ἡμερῶν πέντε καὶ εἴκοσιν ὁδός. [...] παρέχουσι δ' αὐτοῖς οἱ Σκηνῖται τήν τε εἰρήνην καὶ τὴν μετριότητα τῆς τῶν τελῶν πράξεως, ἧς χάριν φεύγοντες τὴν παραποταμίαν διὰ τῆς ἐρήμου παραβάλλονται, καταλιπόντες ἐν δεξιᾷ τὸν ποταμὸν ἡμερῶν σχεδόν τι τριῶν ὁδόν. οἱ γὰρ παροικοῦντες ἑκατέρωθεν τὸν ποταμὸν φύλαρχοι, χώραν οὐκ εὔπορον ἔχοντες, ἧττον δὲ ἄπορον νεμόμενοι, δυναστείαν ἕκαστος ἰδίᾳ περιβεβλημένος ἴδιον καὶ τελώνιον ἔχει, καὶ τοῦτ' οὐ μέτριον.

28. ὅριον δ' ἐστὶ τῆς Παρθυαίων ἀρχῆς ὁ Εὐφράτης καὶ ἡ περαία· τὰ δ' ἐντὸς ἔχουσι Ῥωμαῖοι καὶ τῶν Ἀράβων οἱ φύλαρχοι μέχρι Βαβυλωνίας, οἱ μὲν μᾶλλον ἐκείνοις, οἱ δὲ τοῖς Ῥωμαίοις προσέχοντες, οἷσπερ καὶ πλησιόχωροί εἰσιν· ἧττον μὲν Σκηνῖται οἱ νομάδες οἱ τῷ ποταμῷ πλησίον, μᾶλλον δ' οἱ ἄπωθεν καὶ πρὸς τῇ εὐδαίμονι Ἀραβίᾳ.

27. De la traversée (de l'Euphrate) à Scenæ, le voyage est de 25 jours. [...] À l'égard (des marchands), les Scénites sont pacifiques et modérés dans la perception des taxes ; c'est pour cela qu'ils fuient la route en bordure du fleuve et se risquent à travers le désert, laissant à leur droite le fleuve à environ trois jours de route. En effet, les phylarques qui habitent le long du fleuve sur ses deux rives, occupent une région certes sans grandes ressources, mais qui ne leur rapporte pas moins que d'autres : chacun a son propre pouvoir, qu'il s'est attribué pour son compte, et sa propre perception de taxes, et cela sans modération.

28. L'Euphrate et la rive opposée forment la frontière de l'Empire parthe. Les territoires situés en deçà sont tenus par les Romains et, jusqu'à Babylone, par les phylarques des Arabes, dont les uns sont plus dévoués aux Parthes, les autres aux Romains, dont ils sont les voisins ; le sont moins (dévoués aux Romains) les nomades Scénites qui sont proches du fleuve, et le sont davantage ceux qui en sont éloignés et qui se trouvent à proximité de l'Arabie Heureuse.

Théophane

Texte 56
(Chronographia, éd. Classen 409, 8 et suiv. ; éd. de Boor 265, 21 et suiv.) [50]

Κόσμου ἔτη ͵ϛπ´ τῆς θείας σαρκώσεως ἔτη φπ´ (...) ὁ δὲ Χοσρόης ἠπόρει τί δράσοι, ἐνίων μὲν συμβουλευόντων αὐτῷ πρὸς Τούρκους χωρεῖν, ἑτέρων δὲ πρὸς Ῥωμαίους. ὁ δὲ Χοσρόης τοῦ ἵππου ἐπιβὰς καὶ τὸν χαλινὸν ἐάσας

48 - Claudii Ptolemaei Geographia, vol. I, 2, édité par C. Müller, Paris, 1901.
49 - The Geography, vol. VII, édité par H. L. Jones, The Loeb Classical Library, London/Cambridge, 1961.

50 - Theophanis Chronographia, édité par J. Classen, Corpus Scriptorum Historiae Byzantinae, Bonn, 1839. Chronographia I, édité par C. de Boor, Teubner, Leipzig, 1883. Chronographia II, édité par C. de Boor, Teubner, Leipzig, 1885.

προστάττει πᾶσιν ἕπεσθαι τοῖς τοῦ ἵππου κινήμασιν. ὁ δὲ ἵππος ἐπὶ τὰ Ῥωμαϊκὰ μέρη ἀπεκίνησε, καὶ πρὸς τὸ Κερκέσιον παραγίνεται· καὶ πρέσβεις ἐκπέμπει τὴν ἑαυτοῦ ἄφιξιν κατάδηλον Ῥωμαίοις ποιούμενος.

L'année du monde 6080, l'année de la divine incarnation 580 [...], Khosroès était dans l'embarras ; les uns lui conseillaient d'aller chez les Turcs, les autres chez les Romains. Khosroès monte alors sur son cheval, lâche la bride et ordonne à tous de suivre les mouvements du cheval. Le cheval s'éloigna vers les territoires romains et arrive aux alentours de Kerkesion ; Khosroès envoie alors des ambassadeurs pour informer les Romains de son arrivée.

THÉOPHYLACTUS DE SIMOCATTE

Texte 57 (Historiae, III, 10, 6-8) [51]

6. ὁ δὲ τῶν Περσῶν βασιλεὺς Χοσρόης ὁ πρεσβύτερος, ἄρας ἐκ Βαβυλῶνος ἅμα Μηδικῷ στρατοπέδῳ, Τίγριν διανηξάμενος, εἰσβαλών τε περὶ τὴν ἔρημον καὶ δι' ἐκείνης στρατοπεδευσάμενος, ἵνα μὴ Ῥωμαίοις κατάδηλος ἐπιστρατευσάμενος γένηται, ἧκε πλησίον Ἀβάρων, χωρίου τινὸς Περσικοῦ· ἀπῴκιστο δὲ τοῦτο Κιρκησίου, τοῦ Ῥωμαίων πολίσματος, πέντε ὁδὸν ἡμερῶν. 7. καὶ τὸν μὲν Ἀδορμαάνην οὕτω καλούμενον στρατηγόν, τὸν Εὐφράτην διαπεραιωσάμενον ποταμὸν ἐκπέμπει τὴν Ῥωμαίων λῃσόμενον, ἕξ δ' αὐτῷ χιλιάδας ὁπλιτικοῦ συνεξέπεμπεν· αὐτὸς δ' ὁ τῶν Περσῶν βασιλεὺς παραμείβων τὸν Ἀββορὰν ποταμὸν ἐξαπιναίως ἐπιστῆναι τοῖς τὴν Νίσιβιν πολιορκοῦσι Ῥωμαίοις ἐπαλαμήσατο. 8. ὁ μὲν οὖν Ἀδορμαάνης πλησίον τοῦ Κιρκησίου γενόμενος καὶ τὸν Εὐφράτην διαβὰς ποταμὸν τὴν Ῥωμαίων γῆν προ-ενεμεύσατο· οὐδενὸς δὲ τῇ Περσικῇ ἐνδημίᾳ ἀντι-περιισταμένου σοφίσματος, ὅπως ἐγκοπὴν προκοπῆς τὰ τῶν βαρβάρων σχοίη κινήματα, ὁ Ἀδορμαάνης ἀφικνεῖται εἰς τὰ περὶ τὴν Ἀντιόχειαν πόνων ἐκτός.

6. Le roi des Perses, Chosroès l'Ancien, quitta Babylone avec son armée mède, traversa le Tigre, pénétra dans le désert et y campa, afin que les Romains ne s'aperçoivent pas de son expédition contre eux ; il arriva près d'Abarrôn, une place forte perse ; ce lieu était éloigné de Kirkésion, la ville des Romains, de cinq jours de route. 7. Il envoie alors le général du nom d'Adormanès de l'autre côté de l'Euphrate pour piller le territoire des Romains, lui adjoignant six mille hommes de l'infanterie ; quant à lui-même, le roi des Perses, longeant le Khabour, il entreprit de fondre subitement sur les Romains qui assiégeaient Nisibis. 8. Adormanès arriva à proximité de Kirkésion, traversa l'Euphrate et ravagea le pays des Romains. Aucun plan n'étant opposé à l'occupation perse

pour interrompre la progression des barbares, Adormanès arrive sans difficulté dans les environs d'Antioche.

Texte 58 (Historiae, III, 17, 5) [52]

θέρους δὲ περιόντος αὖθις (ὁ Μαυρίκιος) κατὰ τὴν ἑῴαν ἀφίκετο εἴς τε Κιρκήσιον πόλισμα Ῥωμαίων πανστρατιᾷ. εἶτα διὰ τῆς ἐρήμου τὸ λοιπὸν τῆς Ἀραβίας εἰς τὴν Βαβυλωνίαν ἠπείγετο γῆν ἀφικέσθαι, εἶτα τὸν πόλεμον παρακλέψαι τῇ ἀγχινοίᾳ τοῦ ἐγχειρήματος. συνείπετο δὲ τούτῳ ὁ τῶν νομάδων βαρβάρων ἡγούμενος, Ἀλαμούνδαρος ὄνομα αὐτῷ· ὃν φασι κατάδηλον τῷ Περσῶν βασιλεῖ τὴν τῶν Ῥωμαίων ἐπιστασίαν ποιήσασθαι· ἀπιστότατον γὰρ καὶ ἀλλοπρόσαλλον τὸ Σαρακηνικὸν φῦλον καθέστηκε, πάγιόν τε τὸν νοῦν καὶ τὴν γνώμην πρὸς τὸ σῶφρον ἱδρυμένην οὐκ ἔχον. καὶ οὖν ἐκ τούτου ὁ τῶν Περσῶν βασιλεὺς ἐπὶ Καλλίνικον πόλιν τὸν πόλεμον μετεφύτευεν, Ἀδορμαάνην χειροτονήσας τῆς ἐκτάξεως κηδεμόνα οὐκ ἀφυέστατον.

Au début de l'été (après avoir passé l'hiver à Césarée de Cappadoce), (Maurice) partit vers l'est, vers la ville de Kirkésion, avec toute l'armée des Romains. Ensuite, traversant le reste de l'Arabie par le désert, il se hâta d'atteindre la terre babylonienne, puis de prendre par surprise l'ennemi par la vivacité de son attaque. L'accompagnait le chef des nomades barbares, du nom d'Alamundar, lequel, c'était clair, dit-on, surveillait les Romains pour le compte du roi des Perses. La tribu des Saracènes en effet, c'est un fait établi, était on ne peut plus infidèle et versatile, n'ayant ni suite dans les idées ni constance dans l'esprit de modération. Ainsi donc, après cela, le roi des Perses transféra la guerre à proximité de la ville de Kallinikon, après avoir nommé Adormanès chef des manœuvres, ce dont il était fort loin d'être incapable.

Texte 59 (Historiae, IV, 10, 4-5) [53]

4. ταύτην δὲ (τὴν ἔρημον) διανύσας καὶ τὸν Εὐφράτην ποταμὸν παραμείψας τῶν Ἀβορέων καὶ Ἀνόθων πλησιάζει φρουρίοις· ταῦτα δ' ὑπὸ τὸ Περσικὸν ἐφορολογεῖτο πολίτευμα. ἀπάρας δ' ἐντεῦθεν Χοσρόης ἀφικνεῖται ἐπὶ τὰ Κιρκησίου ἐχόμενα πόλεως. 5. δέκα δὲ σημείοις ἀγραυλιζόμενος ἀπεκπέμπει ἀγγέλους εἰς τὸ Κιρκήσιον, παραδηλῶν τὴν ἄφιξιν καὶ τὰς νεωτέρας τύχας καὶ τὴν ἐς τὸν Καίσαρα καταφυγήν, τήν τε ἐς τὰ οἴκοι κάθοδον ἐξαιτούμενος ἠξίου συμμαχικὸν ἀπὸ Ῥωμαίων ἀποίσεσθαι.

4. Après avoir traversé (le désert) et franchi l'Euphrate, il se rapproche des forteresses des Aboréens et des Anéens ; elles payaient tribut à l'administration perse. S'éloignant de

---

51 - Theophylacti Simocattae Historiarum Libri octo, édité par I. Bekker, Bonn, 1834 ; Theophylacti Simocattae Historiae, édité par C. de Boor, Teubner, Leipzig, 1887, réédité par P. Wirth, Teubner, Leipzig, 1972.

52 - Ibid.
53 - Ibid.

là, Khosroès arrive aux limites du territoire de la ville de Kirkésion. 5. Il passe la nuit à dix milles et envoie des messagers à Kirkésion pour faire part de son arrivée, de ses récents malheurs et de sa fuite vers César ; et comme il souhaitait rentrer dans son pays, il demandait une proposition d'alliance de la part des Romains.

Texte 60 (*Historiae*, V, 1, 2) [54]

καὶ οὖν (ὁ Βαρὰμ) τὸν Μιραδουρὶν ἐς τὸ Ἀνάθων φρούριον τὸ πρὸς τῷ Κιρκησίῳ παρὰ τὸν Εὐφράτην ᾠκοδομημένον ἐξέταττεν μετὰ πλήθους δυνάμεως.

Et (Baram) envoya Miradouris avec une importante force à la place forte des Anéens qui était établie à proximité de Kirkésion sur l'Euphrate.

XÉNOPHON

Texte 61 (*Anabase*, I, 5, 1-7) [55]

1. Ἐντεῦθεν ἐξελαύνει διὰ τῆς Ἀραβίας τὸν Εὐφράτην ποταμὸν ἐν δεξιᾷ ἔχων σταθμοὺς ἐρήμους πέντε παρασάγγας τριάκοντα καὶ πέντε. Ἐν τούτῳ δὲ τῷ τόπῳ ἦν μὲν ἡ γῆ πεδίον ἅπαν ὁμαλὲς ὥσπερ θάλαττα, ἀψινθίου δὲ πλῆρες· εἰ δέ τι καὶ ἄλλο ἐνῆν ὕλης ἢ καλάμου, ἅπαντα ἦσαν εὐώδη ὥσπερ ἀρώματα· δένδρον δ' οὐδὲν ἐνῆν, 2. θηρία δὲ παντοῖα, πλεῖστοι ὄνοι ἄγριοι, πολλαὶ δὲ στρουθοὶ αἱ μεγάλαι· ἐνῆσαν δὲ καὶ ὠτίδες καὶ δορκάδες· [...] 4. Πορευόμενοι δὲ διὰ ταύτης τῆς χώρας ἀφικνοῦνται ἐπὶ τὸν Μάσκαν ποταμόν, τὸ εὖρος πλεθριαῖον. Ἐνταῦθα ἦν πόλις ἐρήμη, μεγάλη, ὄνομα δ' αὐτῇ Κορσωτή· περιερρεῖτο δ' αὕτη ὑπὸ τοῦ Μάσκα κύκλῳ. Ἐνταῦθ' ἔμειναν ἡμέρας τρεῖς καὶ ἐπεσιτίσαντο. 5. Ἐντεῦθεν ἐξελαύνει σταθμοὺς ἐρήμους τρισκαίδεκα παρασάγγας ἐνενήκοντα τὸν Εὐφράτην ποταμὸν ἐν δεξιᾷ ἔχων, καὶ ἀφικνεῖται ἐπὶ Πύλας. Ἐν τούτοις τοῖς σταθμοῖς πολλὰ τῶν ὑποζυγίων ἀπώλετο ὑπὸ λιμοῦ· οὐ γὰρ ἦν χόρτος οὐδὲ ἄλλο οὐδὲν δένδρον, ἀλλὰ ψιλὴ ἦν ἅπασα ἡ χώρα· οἱ δὲ ἐνοικοῦντες ὄνους ἀλέτας παρὰ τὸν ποταμὸν ὀρύττοντες καὶ ποιοῦντες εἰς Βαβυλῶνα ἦγον καὶ ἐπώλουν καὶ ἀνταγοράζοντες σῖτον ἔζων. 6. Τὸ δὲ στράτευμα ὁ σῖτος ἐπέλιπε. [...] Κρέα οὖν ἐσθίοντες οἱ στρατιῶται διεγίγνοντο. 7. Ἦν δὲ τούτων τῶν σταθμῶν οὓς πάνυ μακροὺς ἤλαυνεν, ὁπότε ἢ πρὸς ὕδωρ βούλοιτο διατελέσαι ἢ πρὸς χιλόν.

1. De là (l'Araxe), Cyrus fait à travers l'Arabie, en ayant l'Euphrate à sa droite, cinq étapes dans le désert, trente-cinq parasanges. En cette contrée, la terre n'était qu'une plaine, unie comme la mer et couverte d'absinthe. Si l'on trouvait quelque autre végétation, dans les broussailles ou dans les chaumes, toutes ces plantes étaient parfumées comme des aromates ; cependant, il n'y avait pas un seul arbre, 2. mais, en revanche, des bêtes sauvages de toutes sortes, des onagres en grand nombre, beaucoup d'autruches. On trouvait aussi des outardes et des gazelles. [...] 4. En traversant cette contrée, on arriva au Mascas, rivière d'un plèthre de large. Là était une ville abandonnée, considérable, du nom de Corsoté. Elle était arrosée par le Mascas qui l'encerclait. Les Grecs y restèrent trois jours et s'approvisionnèrent. 5. De là Cyrus fait dans le désert treize étapes, quatre-vingt-dix parasanges, en ayant l'Euphrate à sa droite, et il arrive à Pylae. Pendant ces étapes beaucoup de bêtes de somme moururent de faim. Il n'y avait, en effet, ni herbe, ni arbre d'aucune sorte ; tout le pays était nu. Les habitants tiraient du sol, le long du fleuve, des pierres qu'ils travaillaient et dont ils faisaient des meules qu'ils portaient et vendaient à Babylone, les échangeant contre les aliments dont ils se nourrissaient. 6. L'armée manqua de vivres. [...] Les soldats ne subsistèrent qu'en mangeant de la viande. 7. Il y eut quelques-unes de ces étapes qui furent fort longues, chaque fois que Cyrus voulait arriver là où il y avait de l'eau ou du fourrage. (Trad. P. Masqueray)

ZOSIME

Texte 62 (III, XII, 3 - XIV, 2) [56]

XII. 3. δυοῖν τοίνυν ἐντεῦθεν ὁδοῖν προκειμέναιν, τῆς μὲν διὰ τοῦ ποταμοῦ Τίγρητος καὶ πόλεως Νισίβιος ταῖς Ἀδιαβηνῆς σατραπείαις ἐμβαλλούσης, τῆς δὲ διὰ τοῦ Εὐφράτου καὶ τοῦ Κιρκησίου (φρούριον δὲ τοῦτο κυκλούμενον ὑπό τε τοῦ Ἀβώρα ποταμοῦ καὶ αὐτοῦ τοῦ Εὐφράτου, τοῖς δὲ Ἀσσυρίων ὁρίοις συναπτόμενον), σκεπτομένου τε τοῦ βασιλέως ποτέρα τούτων χρήσασθαι δέοι πρὸς τὴν διάβασιν, ἔφοδος ἀπηγγέλθη Περσῶν ὡς καταδραμόντων τόπους Ῥωμαίοις ὑποχειρίους. XIII. 1. [...] ἐξορμήσας δ' ἐκ Καρρῶν καὶ τὰ ἐν μέσῳ διαδραμὼν φρούρια μέχρι Καλλινίκου, κἀκεῖθεν ἐλθὼν ἐπὶ τὸ Κιρκήσιον [...], διαβὰς τὸν Ἀβώραν ποταμὸν ἔπλει διὰ τοῦ Εὐφράτου, νεὼς ἐπιβάς. [...] 3. Οὔσης δὲ τοιαύτης (τῆς) τοῦ στρατοῦ τάξεως, ἀπό τινος βήματος ὁ βασιλεὺς πᾶσιν ὁμοῦ τὰ καθήκοντα [...] τὴν ἐπὶ Πέρσας εἰσβολὴν ἐποιήσατο. [...] XIV. 1. Εἰσβαλόντι τοίνυν εἰς τὰ Περσῶν ὅρια τῷ βασιλεῖ τὸ μὲν εὐώνυμον εἶχεν ἡ ἵππος, συμπαραθέουσα τῇ ᾐόνι τοῦ ποταμοῦ, τῶν δὲ πεζῶν μοῖρα τὸ δεξιὸν [...]. 2. Ἑξήκοντα δὲ προελθὼν σταδίους εἴς τι χωρίον Ζαυθὰ προσαγορευόμενον ἦλθε, καὶ ἐντεῦθεν εἰς Δοῦρα, ἴχνος μὲν ὡς ἄρα ποτὲ πόλις ἦν φέρουσαν, τότε δὲ ἔρημον· οὗ Γορδιανοῦ τοῦ βασιλέως ἐδείκνυτο τάφος· ἔνθα καὶ πλῆθος ἐλάφων φανὲν οἱ στρατιῶται

54 - *Theophylacti Simocattae Historiarum Libri octo*, édité par I. Bekker, Bonn, 1834 ; *Theophylacti Simocattae Historiae*, édité par C. de Boor, Teubner, Leipzig, 1887, réédité par P. Wirth, Teubner, Leipzig, 1972.
55 - *Anabase*, t. I, livres I-III, édité par P. Masqueray, Les Belles Lettres, Paris, 1959.
56 - *Histoire nouvelle*, t. II, 1ʳᵉ partie (livre III), édité par F. Paschoud, Les Belles Lettres, Paris, 1979.

κατατοξεύσαντες ἅλις ἐχρήσαντο τῇ ἐκ τούτων τροφῇ·
σταθμοὺς δ᾽ ἐντεῦθεν διελθὼν τέσσαρας εἴς τι χωρίον
ἀφίκετο· Φαθούσας ὄνομα τούτῳ.

XII. 3. Or, à partir de là (Carrhes), deux itinéraires
s'offraient, l'un par le fleuve Tigre et la ville de Nisibis,
débouchant dans les satrapies d'Adiabène, l'autre par
l'Euphrate et Circésion (c'est une place forte entourée par
le fleuve Aboras et l'Euphate lui-même, toute proche de la
frontière assyrienne) ; tandis que l'empereur examinait lequel
des deux itinéraires il convenait d'emprunter pour sa marche,
on lui annonce que les Perses attaquaient : ils faisaient des
incursions, disait-on, dans des territoires soumis aux
Romains. [...] XIII. 1. Il partit de Carrhes, passa rapidement
par les places fortes qui se trouvaient sur sa route jusqu'à
Callinicon, de là continua sur Circésion [...], puis traversa le
fleuve Aboras et emprunta la voie fluviale de l'Euphrate
après s'être embarqué. [...] 3. L'armée une fois disposée de
cette manière, l'empereur, du haut d'une estrade, leur adressa
à tous ensemble les paroles de circonstance [...], puis entreprit
l'invasion de la Perse. [...] XIV. 1. L'empereur pénétra donc
à l'intérieur des frontières perses, ayant sur sa gauche la
cavalerie qui s'avançait le long de la rive du fleuve et sur sa
droite une partie de l'infanterie [...]. 2. Il avança de soixante
stades et parvint dans un endroit nommé Zautha, puis de là à
Dura, qui conservait des vestiges prouvant qu'il y avait eu
une fois une ville, mais qui était alors déserte : on y montrait
le tombeau de l'empereur Gordien ; les soldats y aperçurent
aussi une foule de cerfs qu'ils abattirent à coups de flèches
et dont ils profitèrent pour se nourrir à satiété ; de là il couvrit
quatre étapes et parvint dans un endroit qui se nomme
Phathousas. (Trad. F. Paschoud)

LES INSCRIPTIONS GRECQUES ET LATINES

Texte 63 (*P. Dura* 60B) [57]

Marius Maximus trib(unis) et praef(ectis) et praepositis
n(umerorum) salutem.

Quid scripserim Minicio Martiali proc(uratori)
Aug(ustorum) n(ostrorum) et notum haberetis adplicui. Opto
bene valeatis.

Ex(emplum).

Curae tibi sit et quaesturas n(umerorum) per quos transit
Goces legatus Parthorum missus ad d(ominos) n(ostros)
fortissimos Imp(eratores) secundum morem xenia ei offere.
Quid autem in quoque numero erogaveris scribe mihi.

 Gazica
 Appadana
 Dura

Eddana
Biblada

Marius Maximus aux tribuns, aux préfets et aux préposés
des unités, salut.

J'ai joint la copie de ce que j'ai écrit à Minicius Martialis,
le procurateur de nos Augustes, pour votre information.
J'espère que vous allez bien.

Copie.

Veillez à ce que les questeurs des unités par lesquelles
passe Goces, l'ambassadeur des Parthes envoyé à nos maîtres
les très vaillants empereurs, lui offrent, selon l'habitude,
l'hospitalité. Écrivez-moi ce que vous avez dépensé dans
chaque unité.

Gazica
Appadana
Dura
Eddana
Biblada

Texte 64 (*SEG* VII, 743b) [58]

Ἔτους νφʹ, μηνὸς | Ξανδικοῦ λʹ κατέβη | ἐφ᾽ ὑμῶν
Πέρσης.

L'année 550, le 30 du mois Xandicos, le Perse nous
attaqua.

Texte 65 (*Res Gestae diui Saporis*,
version grecque, l. 12 et 17) [59]

12. καὶ ἐν ἐκείνῃ τῇ μιᾷ ἀγωγῇ ⟨ἐκρατήσαμεν⟩ ἀπὸ
τοῦ ἔθνους Ῥωμαίων καστέλλους τε καὶ πόλεις· [...]
17. Δοῦραν πόλιν σὺν τῇ περιχώρῳ, Κορκουσίωνα σὺν τῇ
περιχώρῳ.

12. Et dans cette première campagne, je m'emparai aux
dépens des Romains des places fortes et des villes suivantes :
[...] 17. la ville de Doura et ses alentours, la ville de Circesium
et ses alentours.

CHRONOGRAPHIE SYRIAQUE

Bar Hebraeus

Texte 66 (*Chronography*, I, VI, 38) [60]

After Ptolemy Philadelphus, Ptolemy Euergetes
(reigned) twenty-six years. And in that year Seleucus
Kalonikus reigned in Syria twenty years. And he built
Kalonikus, Raḳḳâh and Ḳarḳîsôn (Circesium).

57 - C. B. WELLES, R. O. FINK, J. F. GILLIAM, *The Excavations at Dura-Europos. Final Report* V, *Part* I. *The Parchments and Papyri*, New Haven, Yale University, 1959.
58 - *Supplementum Epigraphicum Graecum* VII.
59 - E. HONIGMANN et A. MARICQ, *Recherches sur les Res Gestae Divi Saporis*, 1953, p. 13.
60 - *The Chronography of Bar Hebraeus Gregory Abû'l-Faraj 1225-1286, The son of Aaron, the hebrew physician commonly know as Bar Hebraeus*, vol. 1 : traduction, vol. 2 : texte syriaque, édité par E. A. Wallis Budge, Amsterdam, 1932 (1976).

ANNEXE 4. Liste générale des sites

No	Carré	Nom	Type	Datation
1	O20	Tell Hariri	site d'habitat et site funéraire	Matériel des fouilles : Bronze ancien, Bronze moyen, Bronze récent, néo-assyrien, classique (séleucide).
2	O20	Tell Medkūk	site de type non déterminé	Céramique : Bronze moyen. Parrot : basse époque [classique].
3	O20	Tell Mankut	site de type non déterminé	Céramique : Bronze ancien ?
4	O17	Er Ramādi	site d'habitat	Céramique : Uruk, Bronze ancien, Bronze moyen, classique (romain). Sceau : Uruk. Beyer : Obeid, Uruk, Bronze ancien, Bronze moyen.
5	P19	Es Saiyāl 1	site funéraire ?	Céramique : Bronze ancien ?, Bronze moyen ?
6	P18	Es Saiyāl 3	site d'habitat	Céramique : classique (hellénistique, parthe).
7	P20	Ta'as el 'Ashāir	site d'habitat	Céramique : classique (hellénistique, parthe).
8	N19	Tell el Khinzīr	site de type non déterminé	Non daté.
9	O17	Tell Abu Hasan	site d'habitat	Céramique : Bronze ancien, Bronze moyen, Bronze récent ?, néo-assyrien, classique (hellénistique, romain), romain tardif.
1 0	N16	Tell Jubb el Bahra	site d'habitat	Céramique : Bronze moyen.
1 1	N16	Tell Khaumat Hajīn	site d'habitat	Céramique : Bronze moyen, néo-assyrien.
1 2	N17	Tell Halīm Asra Hajīn	site d'habitat	Céramique : Bronze moyen ?, classique (hellénistico-parthe), romain tardif.
1 3	O19	Es Saiyāl 6	site funéraire ?	Non daté.
1 4	P18	Es Saiyāl 5	site d'habitat	Céramique : Halaf ?, Bronze ancien ?, Bronze moyen, classique (hellénistico-parthe).
1 5	P18	Es Saiyāl 2	site d'habitat	Céramique : Bronze moyen, classique (parthe).
1 6	I10	Jebel Masāikh	site d'habitat	Céramique : Bronze moyen, néo-assyrien, classique (parthe), islamique. Rouault : Halaf, néo-assyrien, parthe, islamique. Simpson : milieu du Ier millénaire av. J.-C. à parthe, médiéval [islamique].
1 7	L16	Sālihīye 1	site funéraire	Non daté.
1 8	Q21	Es Sūsa 1	site funéraire	Tombeau : romain. Alentours (cf. **56**) : Bronze ancien, classique (romano-parthe), romain tardif.
1 9	N18	Tell Bani	site de type non déterminé	Non daté.
2 0	M17	El Kita'a 1	site d'habitat	Céramique : islamique.
2 1	O20	Ghabra	site d'habitat	Céramique : Bronze ancien, Bronze moyen.
2 2	L15	Qal'at es Sālihīye	site d'habitat	Matériel des fouilles : classique (hellénistique, parthe, romain), romain tardif.
2 3	C4	Tell Guftān	site d'habitat	Céramique : islamique.
2 4	D5	Mōhasan 2	site d'habitat	Céramique : islamique.
2 5	D5	Mōhasan 1	site d'habitat	Céramique : Bronze moyen, islamique.
2 6	D5	Mōhasan 3	site d'habitat	Céramique : islamique.
2 7	G10	El Hirāmi 1	site d'habitat	Céramique : islamique.
2 8	D6	Mōhasan 4	site d'habitat	Céramique : islamique.

No	Carré	Nom	Type	Datation
29	C3	Tell es Sinn (Tell Marrāt)	site d'habitat et site funéraire	Outillage : néolithique (PPNB). Céramique : classique (hellénistique) ?, romain tardif. Roodenberg : PPNB, byzantin [romain tardif].
30	E5	Tell Hrīm	site d'habitat	Céramique : islamique.
31	G7	Safāt ez Zerr 1	site d'habitat	Céramique : romain tardif, islamique.
32	G7	Safāt ez Zerr 2	site d'habitat	Céramique : Bronze moyen, néo-assyrien, classique (parthe), romain tardif, islamique.
33	C2	Hatla 1	site d'habitat	Céramique : romain tardif.
34	D4	Et Tābīye 1	site d'habitat	Céramique : romain tardif.
35	B3	Jafra	site d'habitat	Céramique : islamique.
36	E6	Tell Qaryat Medād	site d'habitat	Céramique : islamique.
37	E7	Es Salu 1	site d'habitat	Céramique : islamique.
38	E7	Es Salu 2	site d'habitat	Céramique : islamique.
39	E7	Es Salu 3	site d'habitat	Céramique : islamique.
40	E6	Abu Leil 1	site d'habitat	Céramique : islamique.
41	F9	Tell ed Dāūdīye	site d'habitat	Céramique : islamique. Simpson : médiéval [islamique].
42	F7	Tell ez Zabāri	site d'habitat	Céramique : islamique.
43	G10	El Hirāmi 2	site d'habitat	Céramique : islamique.
44	I11	El Graiye 1	site d'habitat	Céramique : islamique.
45	I10	El Graiye 2	site d'habitat	Reimer : Uruk moyen et récent. Simpson : Obeid, Uruk récent, milieu du IIᵉ millénaire av. J.-C. [Bronze moyen].
46	D6	Abu Leil 2	site d'habitat	Céramique : islamique.
47	G11	Sreij 1	mosquée	Céramique : islamique. Simpson : médiéval [islamique].
48	H10	Maqbarat el 'Owuja	site d'habitat	Céramique : islamique. Simpson : médiéval [islamique].
49	I11	El Graiye 3	site d'habitat	Céramique : Bronze moyen, néo-assyrien, postérieur ? Simpson : parthe/sassanide, médiéval ancien ? [islamique ancien ?].
50	F8	Buqras 1	site d'habitat	Matériel des fouilles : néolithique (PPNB).
51	G9	Meyādīn	site d'habitat et site funéraire	Simpson : médiéval [islamique].
52	G10	Er Rheiba	site d'habitat et forteresse	Matériel des fouilles : islamique. Simpson : médiéval [islamique].
53	G11	Mazār 'Ain 'Ali	mosquée	Céramique : islamique. Simpson : médiéval [islamique].
54	I12	El 'Ashāra	site d'habitat	Matériel des fouilles : Bronze ancien, Bronze moyen, Bronze récent, néo-assyrien, islamique. Simpson : idem + Obeid ?
55	P18	Es Saiyāl 4	site d'habitat	Non daté.
56	Q21	Es Sūsa 2	site funéraire	Céramique : Bronze ancien, Bronze moyen, classique (romano-parthe), romain tardif (cf. **18**).
57	Q20	Es Sūsa 3	site d'habitat	Céramique : Obeid.
58	Q21	Bāqhūz 1	site d'habitat	Matériel des fouilles : Samarra.
59	O17	Abu Hasan 2	site funéraire	Céramique : néo-assyrien, classique (romano-parthe), romain tardif ?
60	Q21-Q22	Bāqhūz 2	site funéraire	Matériel des fouilles : Bronze moyen, classique (romain).
61	H8	Maqbarat et Tāme	site d'habitat	Céramique : islamique. Simpson : médiéval ancien, médiéval et ottoman [islamique].
62	G7	Maqbarat Shheil	site d'habitat	Céramique : islamique.
63	G8	Maqbarat Graiyet 'Abādish	site d'habitat et site funéraire	Céramique : classique (hellénistique/parthe). Simpson : néo-assyrien, parthe ? [classique].
64	H9	Dībān 1 (Tell Krah)	site d'habitat	Céramique : Uruk, Bronze moyen, néo-assyrien ?, islamique. Ergenzinger et Kühne : Bronze ancien, néo-assyrien. Simpson : parthe/sassanide [classique], médiéval et ottoman ? [islamique].
65	H9	Dībān 2	site d'habitat	Céramique : islamique.
66	I9	Dībān 3	site d'habitat	Céramique : néo-assyrien, islamique.

No	Carré	Nom	Type	Datation
6 7	I10	Taiyāni 1	site d'habitat	Céramique : Obeid ?, fin Uruk/début Bronze ancien, classique (romain), islamique. Simpson : parthe [classique], médiéval [islamique].
6 8	J12	Jebel Mashtala	site d'habitat	Céramique : Bronze moyen ?, Bronze récent, classique (romain). Buccellati et Kelly-Buccellati : fin IIe millénaire, début Ier millénaire ? [Bronze récent, néo-assyrien ?]. Rouault : kassite [Bronze récent]. Simpson : kassite [Bronze récent], parthe ? [classique].
6 9	K12	El Jurdi Sharqi 1	site d'habitat et site funéraire	Céramique : néo-assyrien, classique (hellénistique). Simpson : néo-assyrien.
7 0	K14	Maqbarat el Ma'ādi (Tell Abu Hammām)	site d'habitat	Céramique : classique (hellénistique, romain). Simpson : parthe/sassanide [classique].
7 1	L13	Hasīyet el Blāli	site d'habitat	Céramique : classique (hellénistique, romano-parthe). Simpson : néo-assyrien, séleucide [classique].
7 2	K12	El Jurdi Sharqi 2	site d'habitat	Céramique : néo-assyrien.
7 3	K13	Tell Marwāniye	site d'habitat	Céramique : Bronze récent, néo-assyrien, islamique. Simpson : sassanide [romain tardif], médiéval ancien [islamique].
7 4	K13	El Jurdi Sharqi 3	site d'habitat	Céramique : Bronze récent ?, néo-assyrien, perse ?
7 5	G6	Buseire 1	site d'habitat	Céramique : classique (hellénistique ?, romano-parthe), romain tardif, islamique. Ergenzinger et Kühne : Bronze ancien.
7 6	M15	Sālihīye 2	noria	Islamique (XXe s., et antérieur ?).
7 7	hors carte	Dheina 7	barrage	Non daté.
7 8	M17	El Kita'a 2	site funéraire	Céramique : Bronze ancien ou Bronze moyen.
7 9	M17	El Kita'a 3	site funéraire	Céramique : Bronze moyen.
8 0	L16	Dheina 1	site d'habitat	Céramique : islamique ?
8 1	hors carte	Dheina 2	site d'habitat	Céramique : islamique.
8 2	hors carte	Dheina 3	site d'habitat	Vaisselle non céramique : néolithique (PPNB ?). Céramique : Bronze ancien (DA 1), islamique.
8 3	hors carte	Dheina 4	site d'habitat	Céramique : Uruk, Bronze ancien (DA 1).
8 4	I9	Dībān 4	site d'habitat	Céramique : Bronze ancien ?, Bronze moyen ?
8 5	I9	Dībān 5	site d'habitat	Céramique : islamique.
8 6	I11	Darnaj	site d'habitat	Céramique : classique (hellénistique, romain). Simpson : médiéval [islamique].
8 7	G10	Mazār esh Shebli	site funéraire	Islamique. Simpson : médiéval [islamique].
8 8	F10	Mazār Sheikh Anīs	site funéraire	Islamique. Simpson : médiéval [islamique].
8 9	A3	Deir ez Zōr 1	site d'habitat	Islamique.
9 0	J13	El Jurdi Sharqi 4	site d'habitat	Céramique : néo-assyrien, classique (hellénistique, parthe ?).
9 1	D4	Et Tābīye 2	site d'habitat	Céramique : Bronze moyen.
9 2	E4	Jedīd 'Aqīdat 1	site d'habitat	Céramique : classique (romain), romain tardif.
9 3	H8	Shheil 1	site d'habitat	Céramique : classique (parthe, romain), islamique. Simpson : sassanide [romain tardif], médiéval et ottoman [islamique].
9 4	G6	Ali esh Shehel 1	site funéraire	Céramique : romain tardif.
9 5	I10	Taiyāni 2	site d'habitat	Céramique : Bronze récent, néo-assyrien. Simpson : parthe/sassanide [classique, romain tardif].
9 6	I10	Taiyāni 3	site d'habitat	Céramique : Halaf ?, Bronze moyen ?
9 7	F9	Buqras 2	site d'habitat ?	Islamique ?
9 8	F9	El Bel'ūm	site d'habitat	Céramique : islamique.
9 9	O20	Haddāma 1	site funéraire	Céramique : Bronze ancien (DA 1).
1 0 0	H9	El Hawāij 1	site d'habitat	Céramique : islamique.
1 0 1	H9	Dībān 6	site d'habitat	Céramique : Bronze moyen, islamique. Simpson : parthe/sassanide ? [classique/romain tardif ?], médiéval [islamique].

Nº	Carré	Nom	Type	Datation
102	hors carte	Dheina 5	site d'habitat	Non daté.
103	hors carte	Dheina 6	site d'habitat	Non daté.
104	G7	Buseire 2	site d'habitat	Céramique : romain tardif, islamique.
105	E6	Es Salu 5	site d'habitat	Céramique : Bronze moyen.
106	E6	Abu Leil 3	site d'habitat ?	Céramique : islamique.
107	I10	Taiyāni 4	site d'habitat	Céramique : islamique.
108	E7	Es Salu 4	site d'habitat	Céramique : islamique.
109	H9	Dībān 7	site d'habitat	Céramique : Uruk, Bronze ancien, Bronze moyen.
110	I10	Taiyāni 5	site d'habitat	Céramique : classique (hellénistique).
111	I10	Taiyāni 6	site d'habitat	Céramique : romain tardif, islamique ? Simpson : parthe/sassanide [classique, romain tardif].
112	G6	El Fleif 1	site d'habitat et site funéraire	Céramique : romain tardif, islamique.
113	G6	El Fleif 2	site d'habitat	Céramique : romain tardif ?, islamique.
114	G6	El Fleif 3	site d'habitat	Céramique : islamique.
115	C3	Mazlūm 1	site d'habitat	Céramique : romain tardif, islamique.
116	C3	Mazlūm 2	site d'habitat	Céramique : romain tardif.
117	G6	El Fleif 4	site d'habitat	Céramique : romain tardif ?, islamique.
118	G6	Rweshed 1	site d'habitat	Céramique : romain tardif, islamique.
119	G6	El Fleif 5	site d'habitat	Céramique : romain tardif, islamique.
120	F5	Es Sabkha 1	site funéraire	Céramique : néo-assyrien ?
121	G7	Shheil 2	site d'habitat	Céramique : Bronze récent, néo-assyrien.
122	G7	Mazār Sheikh Ibrāhīm	site d'habitat	Céramique : islamique.
123	H10	Dībān 8	site d'habitat	Céramique : préislamique non déterminé, islamique.
124	I11	El Graiye 4	site d'habitat	Céramique : islamique. Simpson : médiéval ancien ? [islamique]
125	J12	Maqbarat Fandi	site d'habitat	Céramique : islamique.
126	K13	Abu Hardūb 1	site d'habitat	Céramique : Bronze récent.
127	K13	Abu Hardūb 2	site d'habitat	Céramique : Bronze récent.
128	L14	Jīshīye	site d'habitat	Céramique : Bronze récent ?, néo-assyrien ?, classique (parthe) ?
129	A2	Deir ez Zōr 2	noria	Islamique (XXe s., et antérieur ?).
130	G6	Rweshed 2	noria	Islamique (XXe s., et antérieur ?).
131	G6	El Baghdadī	noria	Islamique (XXe s., et antérieur ?).
132	G6	Er Rāshdi 1	noria	Islamique (XXe s., et antérieur ?).
133	G6	El Masri	noria	Islamique (XXe s., et antérieur ?).
134	G6	El Lawzīye 1	noria	Islamique (XXe s., et antérieur ?).
135	G6	El Lawzīye 2	noria	Islamique (XXe s., et antérieur ?).
136	M15	El Bahra	site d'habitat	Céramique : préislamique non déterminé, islamique.
137	M14	Kharāij 1 (Tell el Zaatar)	site d'habitat	Céramique : classique (hellénistique/parthe).
138	M14	Kharāij 2	site d'habitat	Céramique : classique (romano-parthe) ?
139	L14	Hasīyet ʿAbīd	site d'habitat	Matériel lithique : Obeid. Céramique : Bronze moyen ?, Bronze récent, néo-assyrien ?, classique (hellénistique/parthe) ? Geyer et Besançon : Obeid (matériel lithique).
140	M14	Tell es Sufa	site d'habitat	Céramique : Bronze moyen ?, Bronze récent.
141	N16	Hajīn 1	site funéraire	Céramique : néo-assyrien ?, perse ?
142	O17	Hajīn 2	site d'habitat	Céramique : Bronze moyen, néo-assyrien ?, classique (hellénistique/parthe).
143	O21	Bkīye	site funéraire	Non daté.
144	O20	Haddāma 2	site funéraire	Céramique : Bronze moyen ?
145	L16	Dheina 8	site funéraire ?	Non daté.
146	H9	Dībān 9	site d'habitat	Céramique : islamique.
147	M14	Hasīyet er Rifān	site d'habitat	Céramique : classique (romano-parthe) ?
148	G5	Atou Ammayy	site d'habitat	Céramique : islamique.

No	Carré	Nom	Type	Datation
1 4 9	C2	Hatla 2	site funéraire ?, site d'habitat ?	Céramique : classique (hellénistique/parthe).
1 5 0	G5	Es Sabkha 2	site d'habitat	Céramique : islamique.
1 5 1	H9	El Hawāij 2	site d'habitat ?	Céramique : islamique ?
1 5 2	I9	Dībān 10	site d'habitat	Céramique : islamique.
1 5 3	L15	Sālihīye 3	levées de terre	Non daté.
1 5 4	H10	Mahkān 1	site d'habitat	Céramique : islamique. Simpson : médiéval [islamique].
1 5 5	N17	Hajīn 3	noria	Islamique (et antérieur ?).
1 5 6	N18	El Musallakha	site funéraire ?	Non daté.
1 5 7	Q21	Es Sūsa 4	site d'habitat	Céramique : Bronze moyen.
1 5 8	I11	Maqbarat Wardi	site d'habitat	Céramique : préislamique ?, islamique.
1 5 9	H11	Mahkān 2	site d'habitat	Céramique : islamique.
1 6 0	G10	Et Ta'as el Jāiz	site d'habitat	Céramique : islamique.
1 6 1	L15	Mazār el Arba'in	site funéraire	Islamique.
1 6 2	I9	Dībān 11	site d'habitat	Céramique : néo-assyrien, romain tardif ?, islamique.
1 6 3	H8	Tell Boubou	site d'habitat	Céramique : islamique.
1 6 4	G6	Ali esh Shehel 2	site d'habitat	Céramique : islamique.
1 6 5	H7	Safāt ez Zerr 3	site d'habitat	Céramique : islamique.
1 6 6	H7	Safāt ez Zerr 4	site d'habitat	Céramique : islamique.
1 6 7	G7	Safāt ez Zerr 5	site d'habitat	Céramique : islamique.
1 6 8	G8	Shheil 5	site d'habitat	Céramique : classique (romain) ?, romain tardif ?, islamique.
1 6 9	G7	Er Rweiha 1	site d'habitat	Céramique : islamique.
1 7 0	G7	Er Rweiha 2	site d'habitat	Céramique : islamique.
1 7 1	H8	Shheil 6	site d'habitat ?	Non daté.
1 7 2	G7	Shheil 7	site d'habitat	Céramique : islamique.
1 7 3	H8	Shheil 8	site d'habitat	Céramique : islamique.
1 7 4	H8	Shheil 9	site d'habitat	Céramique : islamique.
1 7 5	H8	Shheil 10	site d'habitat	Céramique : islamique.
1 7 6	H8	Shheil 11	site d'habitat	Céramique : islamique.
1 7 7	H8	Shheil 12	site d'habitat	Céramique : islamique.
1 7 8	H8	Shheil 13	site d'habitat	Céramique : islamique.
1 7 9	H8	Shheil 14	site d'habitat	Céramique : islamique.
1 8 0	H8	Shheil 15	site d'habitat	Céramique : islamique.
1 8 1	H8	Shheil 16	site d'habitat	Céramique : islamique.
1 8 2	H8	Shheil 17	site d'habitat ?	Islamique ?
1 8 3	I9	Dībān 12	site d'habitat	Céramique : islamique.
1 8 4	I9	Dībān 13	site d'habitat	Céramique : islamique.
1 8 5	H9	Dībān 14	site d'habitat	Céramique : islamique.
1 8 6	H9	Dībān 15	site d'habitat	Céramique : néo-assyrien.
1 8 7	H8	Dībān 16	site d'habitat	Céramique : islamique.
1 8 8	H8	Dībān 17	site d'habitat	Céramique : néo-assyrien ?.
1 8 9	H9	Dībān 18	site d'habitat	Céramique : préislamique ?, islamique.
1 9 0	H8	Shheil 18	site d'habitat	Céramique : islamique.
1 9 1	H8	Shheil 19	site d'habitat	Céramique : islamique.
1 9 2	G6	Ali esh Shehel 3	site d'habitat	Céramique : islamique.
1 9 3	H8	Shheil 20	site d'habitat	Céramique : islamique.
1 9 4	G6	Er Rāshdi 2	site d'habitat	Céramique : islamique.
1 9 5	G6	Er Rāshdi 3	site d'habitat	Céramique : néo-assyrien, islamique.
1 9 6	G6	Er Rāshdi 4	site d'habitat	Céramique : islamique.
1 9 7	H9	Dībān 19	site d'habitat	Céramique : islamique.
1 9 8	E7	Wādi el Balīn	site d'habitat	Céramique : islamique.
1 9 9	I9	Dībān 20	site d'habitat	Céramique : islamique.
2 0 0	I10	Dībān 21	site d'habitat	Céramique : classique (parthe), islamique.
2 0 1	F8	Zabāri 2	site d'habitat	Céramique : islamique.
2 0 2	H11	El Graiye 5	site d'habitat	Simpson : médiéval [islamique].
2 0 3	J14	El Kishma	site funéraire	Simpson : DA III [Bronze ancien].

N°	Carré	Nom	Type	Datation
204	I13	Dablān	site d'habitat	Simpson : sassanide [romain tardif], médiéval ancien [islamique].
205	H11	El Graiye 6	site d'habitat	Simpson : parthe/sassanide [classique/romain tardif], médiéval ancien ? [islamique].
206	H11	El Graiye 7	site d'habitat	Simpson : pré-médiéval (séleucide ou parthe ?) [classique].
207	C3	Hatla 3	site d'habitat	Céramique : romain tardif.
208	G11	Sreij 2	*qanāt*	Islamique ?
209	L15	Sālihīye 4	site funéraire	Islamique.

ANNEXE 5. Tableau récapitulatif des datations

Nº de site	Néol. acéram.	Néol. à céram.	Halaf	Obeid	Uruk	Bronze ancien	Bronze moyen	Bronze récent	Néo-assyrien	Classique	Romain tardif	Islamique	Non daté
1						▲■	▲■	▲■	▲■	▲■			
2							◆						
3					✧								
4				▲	▲	▲	▲			▲			
5						❑	❑						
6										▲			
7										▲			
8													✧
9						▲	▲	Δ	▲	▲	▲		
10							▲						
11							▲		▲				
12							Δ			▲	▲		
13													
14			Δ			Δ	▲			▲			
15							▲			▲			
16			▲				▲		▲			▲	
17										■			
18										■			
19													✧
20												▲	
21						▲	▲						
22										▲■			
23												▲	
24												▲	
25							▲					▲	
26												▲	
27												▲	
28												▲	
29	▲									▲■	▲		
30												▲	
31											▲	▲	
32							▲		▲	▲	▲	▲	
33												▲	
34											▲		
35												▲	
36												▲	
37												▲	
38												▲	
39												▲	
40												▲	
41												▲	
42												▲	
43												▲	

Légende

▲	site d'habitat (datation assurée)	Δ	site d'habitat (datation incertaine)
■	site funéraire (datation assurée)	❑	site funéraire (datation incertaine)
◆	site de type indéterminé (datation assurée)	✧	site de type indéterminé (datation incertaine)
✳	noria	○	autre type de site

N° de site	Néol. acéram.	Néol. à céram.	Halaf	Obeid	Uruk	Bronze ancien	Bronze moyen	Bronze récent	Néo-assyrien	Classique	Romain tardif	Islamique	Non daté
44												▲	
45				▲	▲		▲						
46												▲	
47												○	
48												▲	
49							▲		▲	△		△	
50	▲	▲											
51												▲	
52												▲	
53													
54				△		▲	▲	▲	▲□	□		▲■	
55													△
56						■	■			■	■		
57					▲								
58		▲											
59									■	■	□		
60							■			■			
61												▲	
62												▲	
63									▲■	▲■		▲	
64				▲		▲	▲		△	▲		▲	
65												▲	
66									▲			▲	
67				△	▲	▲				▲		▲	
68							△	▲		▲			
69									▲■	▲■			
70										▲			
71									▲	▲			
72									▲				
73								▲	▲			▲	
74								△	▲				
75						▲				▲	▲	▲	
76												✳	
77													○
78							□	□					
79								■					
80												△	
81												▲	
82	▲						▲					▲	
83					▲		▲						
84						△	△						
85												▲	
86										▲			
87												■	
88												■	
89												▲	
90									▲	▲			
91							▲						
92										▲	▲		
93										▲■		▲	
94											■		
95								▲	▲				
96			△				△						
97												△	
98												▲	
99						■							
100												▲	

Légende

▲	site d'habitat (datation assurée)	△	site d'habitat (datation incertaine)
■	site funéraire (datation assurée)	□	site funéraire (datation incertaine)
◆	site de type indéterminé (datation assurée)	✧	site de type indéterminé (datation incertaine)
✳	noria	○	autre type de site

N° de site	Néol. acéram.	Néol. à céram.	Halaf	Obeid	Uruk	Bronze ancien	Bronze moyen	Bronze récent	Néo-assyrien	Classique	Romain tardif	Islamique	Non daté
101							▲					▲	
102													△
103													△
104											▲	▲	
105							▲						
106												▲	
107												▲	
108												▲	
109						▲	▲	▲					
110										▲			
111											▲	△	
112											▲■	▲	
113											△	▲	
114												▲	
115											▲	▲	
116											▲		
117											△	▲	
118											▲	▲	
119											▲	▲	
120									□				
121									▲	▲			
122												▲	
123												▲	
124												▲	
125												▲	
126								▲					
127								▲					
128								△	△	△			
129												✷	
130												✷	
131												✷	
132												✷	
133												✷	
134												✷	
135												✷	
136												▲	
137										▲			
138										△			
139					▲			△	▲	△	△		
140								△	▲				
141									□				
142								▲		△	▲		
143													□
144								□					
145													□
146												▲	
147										△			
148												▲	
149										▲			
150												▲	
151												△	
152												▲	
153													○
154												▲	
155												✷	
156													□
157								▲					

Légende

▲	site d'habitat (datation assurée)	△	site d'habitat (datation incertaine)
■	site funéraire (datation assurée)	□	site funéraire (datation incertaine)
◆	site de type indéterminé (datation assurée)	✧	site de type indéterminé (datation incertaine)
✷	noria	○	autre type de site

N° de site	Néol. acéram.	Néol. à céram.	Halaf	Obeid	Uruk	Bronze ancien	Bronze moyen	Bronze récent	Néo-assyrien	Classique	Romain tardif	Islamique	Non daté
158												▲	
159												▲	
160												▲	
161												■	
162									▲		Δ	▲	
163												▲	
164												▲	
165												▲	
166												▲	
167												▲	
168										Δ	Δ	▲	
169												▲	
170												▲	
171													Δ
172												▲	
173												▲	
174												▲	
175												▲	
176												▲	
177												▲	
178												▲	
179												▲	
180												▲	
181												▲	
182												Δ	
183												▲	
184												▲	
185												▲	
186									▲				
187												▲	
188									Δ				
189												▲	
190												▲	
191												▲	
192												▲	
193												▲	
194												▲	
195									▲			▲	
196												▲	
197												▲	
198												▲	
199												▲	
200										▲		▲	
201												▲	
202												▲	
203							■						
204												▲	
205										▲		▲	
206										Δ			
207											▲		
208												○	
209												■	

Légende

▲	site d'habitat (datation assurée)	Δ	site d'habitat (datation incertaine)
■	site funéraire (datation assurée)	❐	site funéraire (datation incertaine)
◆	site de type indéterminé (datation assurée)	✧	site de type indéterminé (datation incertaine)
✳	noria	○	autre type de site

ANNEXE 6. Liste alphabétique des sites

Nom	Nº	Carré
Abu Hardūb 1	126	K13
Abu Hardūb 2	127	K13
Abu Hasan 2	59	O17
Abu Leil 1	40	E6
Abu Leil 2	46	D6
Abu Leil 3	106	E6
Ali esh Shehel 1	94	G6
Ali esh Shehel 2	164	G6
Ali esh Shehel 3	192	G6
Atou Ammayy	148	G5
Bāqhūz 1	58	Q21
Bāqhūz 2	60	Q21-Q22
Bkīye	143	O21
Buqras 1	50	F8
Buqras 2	97	F9
Buseire 1	75	G6
Buseire 2	104	G7
Dablān	204	I13
Darnaj	86	I11
Deir ez Zōr 1	89	A3
Deir ez Zōr 2	129	A2
Dheina 1	80	L16
Dheina 2	81	hors carte
Dheina 3	82	hors carte
Dheina 4	83	hors carte
Dheina 5	102	hors carte
Dheina 6	103	hors carte
Dheina 7	77	hors carte
Dheina 8	145	L16
Dībān 1	64	H9
Dībān 2	65	H9
Dībān 3	66	I9
Dībān 4	84	I9
Dībān 5	85	I9
Dībān 6	101	H9
Dībān 7	109	H9
Dībān 8	123	H10
Dībān 9	146	H9
Dībān 10	152	I9
Dībān 11	162	I9
Dībān 12	183	I9
Dībān 13	184	I9
Dībān 14	185	H9
Dībān 15	186	H9
Dībān 16	187	H8

Nom	Nº	Carré
Dībān 17	188	H8
Dībān 18	189	H9
Dībān 19	197	H9
Dībān 20	199	I9
Dībān 21	200	I10
El 'Ashāra	54	I12
El Baghdadī	131	G6
El Bahra	136	M15
El Bel'ūm	98	F9
El Fleif 1	112	G6
El Fleif 2	113	G6
El Fleif 3	114	G6
El Fleif 4	117	G6
El Fleif 5	119	G6
El Graiye 1	44	I11
El Graiye 2	45	I10
El Graiye 3	49	I11
El Graiye 4	124	I11
El Graiye 5	202	H11
El Graiye 6	205	H11
El Graiye 7	206	H11
El Hawāij 1	100	H9
El Hawāij 2	151	H9
El Hirāmi 1	27	G10
El Hirāmi 2	43	G10
El Jurdi Sharqi 1	69	K12
El Jurdi Sharqi 2	72	K12
El Jurdi Sharqi 3	74	K13
El Jurdi Sharqi 4	90	J13
El Kishma	203	J14
El Kita'a 1	20	M17
El Kita'a 2	78	M17
El Kita'a 3	79	M17
El Lawzīye 1	134	G6
El Lawzīye 2	135	G6
El Masri	133	G6
El Musallakha	156	N18
Er Ramādi	4	O17
Er Rāshdi 1	132	G6
Er Rāshdi 2	194	G6
Er Rāshdi 3	195	G6
Er Rāshdi 4	196	G6
Er Rheiba	52	G10
Er Rweiha 1	169	G7
Er Rweiha 2	170	G7

Nom	Nº	Carré
Es Sabkha 1	120	F5
Es Sabkha 2	150	G5
Es Saiyāl 1	5	P19
Es Saiyāl 2	15	P18
Es Saiyāl 3	6	P18
Es Saiyāl 4	55	P18
Es Saiyāl 5	14	P18
Es Saiyāl 6	13	O19
Es Salu 1	37	E7
Es Salu 2	38	E7
Es Salu 3	39	E7
Es Salu 4	108	E7
Es Salu 5	105	E6
Es Sūsa 1	18	Q21
Es Sūsa 2	56	Q21
Es Sūsa 3	57	Q20
Es Sūsa 4	157	Q21
Et Ta'as el Jāiz	160	G10
Et Tābīye 1	34	D4
Et Tābīye 2	91	D4
Ghabra	21	O20
Haddāma 1	99	O20
Haddāma 2	144	O20
Hajīn 1	141	N16
Hajīn 2	142	O17
Hajīn 3	155	N17
Hasīyet 'Abīd	139	L14
Hasīyet el Blāli	71	L13
Hasīyet er Rifān	147	M14
Hatla 1	33	C2
Hatla 2	149	C2
Hatla 3	207	C3
Jafra	35	B3
Jebel Masāikh	16	I10
Jebel Mashtala	68	J12
Jedīd 'Aqīdat 1	92	E4
Jīshīye	128	L14
Kharāij 1	137	M14
Kharāij 2	138	M14
Mahkān 1	154	H10
Mahkān 2	159	H11
Maqbarat el Ma'ādi	70	K14
Maqbarat el 'Owuja	48	H10
Maqbarat et Tāme	61	H8
Maqbarat Fandi	125	J12
Maqbarat Graiyet 'Abādish	63	G8
Maqbarat Shheil	62	G7
Maqbarat Wardi	158	I11
Mazār 'Ain 'Ali	53	G11
Mazār el Arba'in	161	L15
Mazār esh Shebli	87	G10
Mazār Sheikh Anīs	88	F10
Mazār Sheikh Ibrāhīm	122	G7
Mazlūm 1	115	C3
Mazlūm 2	116	C3
Meyādīn	51	G9
Mōhasan 1	25	D5
Mōhasan 2	24	D5
Mōhasan 3	26	D5
Mōhasan 4	28	D6

Nom	Nº	Carré
Qal'at es Sālihīye	22	L15
Rweshed 1	118	G6
Rweshed 2	130	G6
Safāt ez Zerr 1	31	G7
Safāt ez Zerr 2	32	G7
Safāt ez Zerr 3	165	H7
Safāt ez Zerr 4	166	H7
Safāt ez Zerr 5	167	G7
Sālihīye 1	17	L16
Sālihīye 2	76	M15
Sālihīye 3	153	L15
Sālihīye 4	209	L15
Shheil 1	93	H8
Shheil 2	121	G7
Shheil 5	168	G8
Shheil 6	171	H8
Shheil 7	172	G7
Shheil 8	173	H8
Shheil 9	174	H8
Shheil 10	175	H8
Shheil 11	176	H8
Shheil 12	177	H8
Shheil 13	178	H8
Shheil 14	179	H8
Shheil 15	180	H8
Shheil 16	181	H8
Shheil 17	182	H8
Shheil 18	190	H8
Shheil 19	191	H8
Shheil 20	193	H8
Sreij 1	47	G11
Sreij 2	208	G11
Ta'as el 'Ashāir	7	P20
Taiyāni 1	67	I10
Taiyāni 2	95	I10
Taiyāni 3	96	I10
Taiyāni 4	107	I10
Taiyāni 5	110	I10
Taiyāni 6	111	I10
Tell Abu Hasan	9	O17
Tell Bani	19	N18
Tell Boubou	163	H8
Tell ed Dāūdīye	41	F9
Tell el Khinzīr	8	N19
Tell es Sinn	29	C3
Tell es Sufa	140	M14
Tell ez Zabāri	42	F7
Tell Guftān	23	C4
Tell Halīm Asra Hajīn	12	N17
Tell Hariri	1	O20
Tell Hrīm	30	E5
Tell Jubb el Bahra	10	N16
Tell Khaumat Hajīn	11	N16
Tell Mankut	3	O20
Tell Marwāniye	73	K13
Tell Medkūk	2	O20
Tell Qaryat Medād	36	E6
Wādi el Balīn	198	E7
Zabāri 2	201	F8

Annexe 7. Liste numérique des sites

No	Nom	Carré
1	Tell Hariri	O20
2	Tell Medkūk	O20
3	Tell Mankut	O20
4	Er Ramādi	O17
5	Es Saiyāl 1	P19
6	Es Saiyāl 3	P18
7	Ta'as el 'Ashāir	P20
8	Tell el Khinzīr	N19
9	Tell Abu Hasan	O17
10	Tell Jubb el Bahra	N16
11	Tell Khaumat Hajīn	N16
12	Tell Halīm Asra Hajīn	N17
13	Es Saiyāl 6	O19
14	Es Saiyāl 5	P18
15	Es Saiyāl 2	P18
16	Jebel Masāikh	I10
17	Sālihīye 1	L16
18	Es Sūsa 1	Q21
19	Tell Bani	N18
20	El Kita'a 1	M17
21	Ghabra	O20
22	Qal'at es Sālihīye	L15
23	Tell Guftān	C4
24	Mōhasan 2	D5
25	Mōhasan 1	D5
26	Mōhasan 3	D5
27	El Hirāmi 1	G10
28	Mōhasan 4	D6
29	Tell es Sinn	C3
30	Tell Hrīm	E5
31	Safāt ez Zerr 1	G7
32	Safāt ez Zerr 2	G7
33	Hatla 1	C2
34	Et Tābīye 1	D4
35	Jafra	B3
36	Tell Qaryat Medād	E6
37	Es Salu 1	E7
38	Es Salu 2	E7
39	Es Salu 3	E7
40	Abu Leil 1	E6
41	Tell ed Dāūdīye	F9
42	Tell ez Zabāri	F7
43	El Hirāmi 2	G10
44	El Graiye 1	I11

No	Nom	Carré
45	El Graiye 2	I10
46	Abu Leil 2	D6
47	Sreij 1	G11
48	Maqbarat el 'Owuja	H10
49	El Graiye 3	I11
50	Buqras 1	F8
51	Meyādīn	G9
52	Er Rheiba	G10
53	Mazār 'Ain 'Ali	G11
54	El 'Ashāra	I12
55	Es Saiyāl 4	P18
56	Es Sūsa 2	Q21
57	Es Sūsa 3	Q20
58	Bāqhūz 1	Q21
59	Abu Hasan 2	O17
60	Bāqhūz 2	Q21-Q22
61	Maqbarat et Tāme	H8
62	Maqbarat Shheil	G7
63	Maqbarat Graiyet 'Abādish	G8
64	Dībān 1	H9
65	Dībān 2	H9
66	Dībān 3	I9
67	Taiyāni 1	I10
68	Jebel Mashtala	J12
69	El Jurdi Sharqi 1	K12
70	Maqbarat el Ma'ādi	K14
71	Hasīyet el Blāli	L13
72	El Jurdi Sharqi 2	K12
73	Tell Marwāniye	K13
74	El Jurdi Sharqi 3	K13
75	Buseire 1	G6
76	Sālihīye 2	M15
77	Dheina 7	hors carte
78	El Kita'a 2	M17
79	El Kita'a 3	M17
80	Dheina 1	L16
81	Dheina 2	hors carte
82	Dheina 3	hors carte
83	Dheina 4	hors carte
84	Dībān 4	I9
85	Dībān 5	I9
86	Darnaj	I11
87	Mazār esh Shebli	G10
88	Mazār Sheikh Anīs	F10

No	Nom	Carré
89	Deir ez Zōr 1	A3
90	El Jurdi Sharqi 4	J13
91	Et Tābīye 2	D4
92	Jedīd 'Aqīdat 1	E4
93	Shheil 1	H8
94	Ali esh Shehel 1	G6
95	Taiyāni 2	I10
96	Taiyāni 3	I10
97	Buqras 2	F9
98	El Bel'ūm	F9
99	Haddāma 1	O20
100	El Hawāij 1	H9
101	Dībān 6	H9
102	Dheina 5	hors carte
103	Dheina 6	hors carte
104	Buseire 2	G7
105	Es Salu 5	E6
106	Abu Leil 3	E6
107	Taiyāni 4	I10
108	Es Salu 4	E7
109	Dībān 7	H9
110	Taiyāni 5	I10
111	Taiyāni 6	I10
112	El Fleif 1	G6
113	El Fleif 2	G6
114	El Fleif 3	G6
115	Mazlūm 1	C3
116	Mazlūm 2	C3
117	El Fleif 4	G6
118	Rweshed 1	G6
119	El Fleif 5	G6
120	Es Sabkha 1	F5
121	Shheil 2	G7
122	Mazār Sheikh Ibrāhīm	G7
123	Dībān 8	H10
124	El Graiye 4	I11
125	Maqbarat Fandi	J12
126	Abu Hardūb 1	K13
127	Abu Hardūb 2	K13
128	Jīshīye	L14
129	Deir ez Zōr 2	A2
130	Rweshed 2	G6
131	El Baghdadī	G6
132	Er Rāshdi 1	G6
133	El Masri	G6
134	El Lawzīye 1	G6
135	El Lawzīye 2	G6
136	El Bahra	M15
137	Kharāij 1	M14
138	Kharāij 2	M14
139	Hasīyet 'Abīd	L14
140	Tell es Sufa	M14
141	Hajīn 1	N16
142	Hajīn 2	O17
143	Bkīye	O21
144	Haddāma 2	O20
145	Dheina 8	L16
146	Dībān 9	H9
147	Hasīyet er Rifān	M14
148	Atou Ammayy	G5
149	Hatla 2	C2

No	Nom	Carré
150	Es Sabkha 2	G5
151	El Hawāij 2	H9
152	Dībān 10	I9
153	Sālihīye 3	L15
154	Mahkān 1	H10
155	Hajīn 3	N17
156	El Musallakha	N18
157	Es Sūsa 4	Q21
158	Maqbarat Wardi	I11
159	Mahkān 2	H11
160	Et Ta'as el Jāiz	G10
161	Mazār el Arba'in	L15
162	Dībān 11	I9
163	Tell Boubou	H8
164	Ali esh Shehel 2	G6
165	Safāt ez Zerr 3	H7
166	Safāt ez Zerr 4	H7
167	Safāt ez Zerr 5	G7
168	Shheil 5	G8
169	Er Rweiha 1	G7
170	Er Rweiha 2	G7
171	Shheil 6	H8
172	Shheil 7	G7
173	Shheil 8	H8
174	Shheil 9	H8
175	Shheil 10	H8
176	Shheil 11	H8
177	Shheil 12	H8
178	Shheil 13	H8
179	Shheil 14	H8
180	Shheil 15	H8
181	Shheil 16	H8
182	Shheil 17	H8
183	Dībān 12	I9
184	Dībān 13	I9
185	Dībān 14	H9
186	Dībān 15	H9
187	Dībān 16	H8
188	Dībān 17	H8
189	Dībān 18	H9
190	Shheil 18	H8
191	Shheil 19	H8
192	Ali esh Shehel 3	G6
193	Shheil 20	H8
194	Er Rāshdi 2	G6
195	Er Rāshdi 3	G6
196	Er Rāshdi 4	G6
197	Dībān 19	H9
198	Wādi el Balīn	E7
199	Dībān 20	I9
200	Dībān 21	I10
201	Zabāri 2	F8
202	El Graiye 5	H11
203	El Kishma	J14
204	Dablān	I13
205	El Graiye 6	H11
206	El Graiye 7	H11
207	Hatla 3	C3
208	Sreij 2	G11
209	Sālihīye 4	L15

ANNEXE 8

I. TABLEAU SYNOPTIQUE DES PRINCIPALES ÉPOQUES DE RÉFÉRENCE

Années réelles	Années BP	Phases archéologiques	Périodisation
700000		Paléolithique inférieur	
		Paléolithique moyen	
	± 30000 BP	Paléolithique supérieur	Aurignacien du Levant
jusque 17500 av. J.-C. cal.	jusque 16500 BP		Kébarien
17500-12300 av. J.-C. cal.	16500-12200 BP		Kébarien géométrique
12300-11000 av. J.-C. cal.	12200-11000 BP	Épipaléolithique	Natoufien ancien
11000-10000 av. J.-C. cal.	11000-10200 BP		Natoufien récent et final
10000-9700 av. J.-C. cal.	10200-10100 BP		Khiamien
9700-8700 av. J.-C. cal.	10100-9600 BP	Protonéolithique	PPNA
8700-8200 av. J.-C. cal.	9600-9200 BP		PPNB ancien
8200-7550 av. J.-C. cal.	9200-8500 BP		PPNB moyen
7550-6900 av. J.-C. cal.	8500-8000 BP	Néolithique à céramique	PPNB récent
6900-6500 av. J.-C.			Proto-Hassuna
6500-6000 av. J.-C.		Néolithique à céramique	Hassuna
6200-5700 av. J.-C.			Samarra
6000-5100 av. J.-C.			Halaf
5100-3700 av. J.-C.		Obeid	Obeid
3700-3100 av. J.-C.		Uruk	Uruk ancien et moyen
3100-2900 av. J.-C.			Uruk récent
2900-2000 av. J.-C.			Bronze ancien
2000-1600 av. J.-C.		Âge du Bronze	Bronze moyen
1600-1200 av. J.-C.			Bronze récent
1200-330 av. J.-C.		Âge du Fer	
330-113 av. J.-C.			Hellénistique
113 av. J.-C.-165 apr. J.-C.		Époque classique	Parthe
165-330 apr. J.-C.			Romain
330-637 apr. J.-C.		Époque romaine tardive	Romain tardif
après 637		Époque islamique	

Les dates sont données ici à titre indicatif.

Références : pour l'Épipaléolithique et le Néolithique : CAUVIN *et al.* 1997 ;
pour le Néolithique à céramique et le Chalcolithique : HUOT 1994 ;
pour les périodes d'Uruk et de l'âge du Bronze : MARGUERON 1991 et MARGUERON et PFIRSCH 1996.
Calibrations d'après EVIN 1995 et com. pers.

II. TABLEAU SYNOPTIQUE DES PÉRIODES HISTORIQUES DE RÉFÉRENCE

Années	Phases archéologiques	Époques	Années
2900-2000 av. J.-C.	Bronze ancien	Dynasties archaïques	2900-2350
		Akkad	2350-2250
		Guti	2250-2111
		Ur III	2111-2003
2000-1600 av. J.-C.	Bronze moyen	Isin-Larsa	2003-1850
		Paléobabylonienne	1850-1600
1600-1200 av. J.-C.	Bronze récent	Kassite (Babylonie)	1600-1200
		Médio-assyrienne	1365-1000
1200-330 av. J.-C.	Âge du Fer	Néo-assyrienne	1000-606
		Néobabylonienne	606-539
		Perse achéménide	539-330
330 av. J.-C.-330 apr. J.-C.	Époque classique	Hellénistique	330-113
		Parthe	113 av.-165 apr.
		Romaine	165-330
330-637 apr. J.-C.	Romain tardif	Romaine tardive	330-637
après 637	Islamique	Islamique	après 637

Les dates sont données ici à titre indicatif.

Pour l'âge du Bronze, nous utilisons, malgré ses imperfections, la chronologie moyenne, la plus couramment admise. Une nouvelle chronologie, que l'on peut qualifier d'ultra-courte, a été récemment proposée par H. Gasche, J. A. Armstrong, S. W. Cole et V. G. Gurzadyan (1998). Elle entraîne un rajeunissement d'environ un siècle des dates antérieures au milieu du IIᵉ millénaire et permet de résoudre un certain nombre de problèmes chronologiques et historiques. Toutefois, son utilisation nécessiterait un réexamen préalable de nombreuses données pour la fin du IIIᵉ millénaire et le début du IIᵉ. En attendant que des études complémentaires viennent confirmer le bien-fondé de cette nouvelle chronologie et établissent le système chronologique du IIIᵉ millénaire, nous avons préféré garder la chronologie moyenne.

BIBLIOGRAPHIE

CAUVIN J., CAUVIN M.-C., HELMER D., WILLCOX G.
1997   L'homme et son environnement au Levant nord entre 30000 et 7500 BP, *Paléorient : Paléoenvironnement et sociétés humaines au Moyen-Orient de 20000 BP à 6000 BP*, n° 23/2, p. 51-69.

EVIN J.
1995   Possibilité et nécessité de la calibration des datations C-14 de l'archéologie du Proche-Orient, *Paléorient* 21/1, p. 5-16.

GASCHE H., ARMSTRONG J. A., COLE S. W., GURZADYAN V. G.
1998   *Dating the Fall of Babylon. A Reappraisal of Second-Millenium Chronology*, Chicago.

HUOT J.-L.
1994   *Les premiers villageois de Mésopotamie. Du village à la ville*, A. Colin, Paris.

MARGUERON J.-Cl.
1991   *Les Mésopotamiens, T. 1, Le temps et l'espace*, A. Colin, Paris.

MARGUERON J.-Cl., PFIRSCH L.
1996   *Le Proche-Orient et l'Égypte antiques*, Hachette, Paris.

ANNEXE 9. Notice des cartes hors-texte

Jacques BESANÇON (†) et Bernard GEYER

Cinq cartes hors-texte à l'échelle du 1:50 000 présentent de manière synthétique les résultats des prospections géo-archéologiques effectuées dans la vallée de l'Euphrate syrien entre Deir ez Zōr et Abu Kemāl. Y sont représentés tous les éléments qui étaient cartographiables, qu'ils soient d'ordre géographique (relief, hydrographie, formes et formations) ou archéologique (sites et aménagements).

Notre but était de réaliser une carte qui mette en relation ces deux types de données, afin de produire plus un document de réflexion qu'une simple synthèse graphique de nos observations.

Le fond de carte, constitué des courbes de niveaux ainsi que des principales routes et agglomérations, a été établi à partir des cartes au 1:50 000 réalisées par le GERSAR dans le cadre du projet « Development of the Lower Euphrates Valley ». Les cinq coupures utilisées, révisées en 1975, avaient été établies à partir des cartes italiennes au 1:25 000, levées en 1959 et publiées en 1960.

Ce sont ces dernières cartes qui ont été utilisées sur le terrain afin d'y noter nos propres relevés et observations, l'ensemble ayant été reporté sur le fond au 1:50 000 pour publication.

La cartographie réalisée nous propose une réalité à un moment donné, en fait un état « actuel » de la vallée. C'est à partir de cet « instantané » que peuvent être développés des raisonnements concernant les états antérieurs. Les éléments géographiques sont représentés tels qu'ils apparaissaient en 1975 : ce fait est surtout important pour le fleuve dont le débit et donc la dynamique ont été modifiés par la construction du barrage de Tabqa, achevée en 1976, et des barrages turcs. La totalité des vestiges archéologiques repérés — sites et aménagements — sont représentés, toutes périodes confondues. Leur état est celui des années 1980, durant lesquelles nous avons effectué nos prospections. Cette précision n'est pas inutile, car les lourds travaux d'aménagement hydro-agricole qui ont été effectués par la suite dans la vallée, et qui sont à l'origine des « prospections de sauvetage » que nous avons effectuées, ont profondément modifié la topographie du fond de vallée (aplanissements, nivellements, construction de canaux et de routes, creusement de drains) et ont favorisé un essor démographique important qui s'est traduit par une augmentation considérable des surfaces bâties. Nombre de sites parmi les plus petits ont aujourd'hui disparu, recouverts ou arasés ; d'autres, plus importants, ont été partiellement sinon totalement détruits, soit parce qu'ils « gênaient » la mise en œuvre des aménagements, soit parce qu'ils ont servi de carrière pour des matériaux de tout-venant, soit enfin parce que la tentation a été trop grande d'entreprendre des fouilles clandestines « au bulldozer ». Parmi les nombreux sites ainsi attaqués et qui ont été partiellement détruits, on peut citer, pour exemple, dans la seule alvéole de Dībān, d'amont en aval, Maqbarat Graiyet 'Abādish (**63**), Dībān 3 (**66**), Dībān 7 (**109**), Dībān 1 (**64**), Jebel Masāikh (**16**).

Le milieu naturel est représenté essentiellement au travers de ses deux éléments les plus significatifs, d'une part le fleuve et, au moins partiellement, sa dynamique, d'autre part les formes et les formations alluviales et colluviales, pléistocènes et holocènes.

Trois états du fleuve ont été cartographiés qui correspondent à son cours en 1975 (relevés GERSAR), en 1959 (cartes italiennes), et enfin en 1922 (reconnaissance du fleuve par Ch. Héraud [1]) lorsque les relevés de l'époque étaient suffisamment précis. La visualisation de l'évolution du lit mineur (déplacements, glissements et recoupements des méandres), la cartographie des limites du lit majeur épisodique (zone de divagation des méandres) permettent de faire apparaître la dynamique du fleuve et les points d'équilibre de son cours.

Les formes et formations quaternaires qui constituent les grandes lignes du relief de la vallée et de ses abords, et qui sont, avec l'accès à l'eau, un des éléments essentiels permettant d'expliquer les différences constatées dans l'occupation du sol et la mise en valeur, ont été distinguées en fonction de leur nature et, chaque fois que c'était possible, de leur âge.

---

1 - Ch. Héraud, *Une mission de reconnaissance de l'Euphrate en 1922. Première partie : les cartes*, IFEAD, PIFD 132, Damas, 1988.

Pour les sites archéologiques, les seules distinctions que nous avons retenues concernent leur fonction, lorsque celle-ci était évidente (mosquée ou site funéraire), et leur mode d'usage dans les cas où une occupation temporaire semblait évidente. Dans tous les autres cas, nous avons préféré utiliser le terme d'implantation humaine, sans autre précision. Une catégorie de type non déterminé a cependant été créée pour quatre sites particuliers, hors normes, et dont la fonction reste énigmatique. Quant aux aménagements cartographiés, ils ont tous un lien avec l'adduction d'eau ou l'agriculture, souvent les deux. Les deux barrages mentionnés dans le texte ne sont pas représentés car extérieurs à la région cartographiée.

Hormis la couleur rouge, utilisée ponctuellement ou linéairement pour représenter les sites archéologiques et les aménagements, et le noir, utilisé pour le fond de carte, les couleurs en à-plat ou en trames, nuances de bleu et de vert, ont été utilisées pour différencier des potentiels agricoles : le vert pour les zones cultivables, le bleu pour les surfaces vouées aux seuls pâturages ou liées à l'eau [2].

Les nuances de vert, du plus foncé au plus clair, introduisent une notion de pérennité de l'utilisation des surfaces. Ainsi, le vert foncé, qui correspond à la terrasse holocène ancienne Q_{0a}, couvre les surfaces les plus anciennement exploitables, depuis au moins l'époque de Halaf, en même temps que les plus rarement atteintes par les crues. Le vert moyen désigne des espaces disponibles depuis l'âge du Bronze récent (Q_{0b}), déjà plus fréquemment inondés. Le vert clair correspond aux terrasses « historiques » (Q_{00}), les plus récentes, donc aisées à mettre en valeur, mais souvent perturbées par les déplacements des méandres et les débordements du fleuve. Dans les deux premiers cas, il s'agit de surfaces minimales, peu à peu réduites du fait des sapements opérés par le fleuve : les terroirs agricoles correspondants, potentiellement exploités dans le passé sous réserve de mise en œuvre des moyens d'irrigation adéquats, étaient donc plus étendus. À l'opposé, l'ensemble Q_{00} est représenté au maximum de son extension.

Les trames de bleu indiquent des surfaces non cultivables, cette restriction pouvant être due soit à l'impossibilité d'irriguer, soit à la présence à l'affleurement de dalles calcaires ou de croûtes gypseuses. Des cas particuliers sont à distinguer dans des espaces *a priori* non cultivables : fonds d'oueds affluents, dolines ou cônes récents sont favorisés du fait de conditions édaphiques particulières et apparaissent donc en vert. À l'opposé, sur le plancher holocène, très généralement exploitable, apparaissent des trames ou des surcharges en bleu. Les premières correspondent à des pointements de galets et de graviers de la formation Q_{tt}, non mis en valeur. Les secondes correspondent soit à des dépressions fermées, mal drainées, soit à des modelés éoliens, eux aussi difficilement exploitables.

L'ensemble permet de se faire une idée des surfaces exploitables selon les époques considérées, sous réserve de prendre en considération, pour chaque époque, les éléments disponibles du peuplement et les techniques hydro-agricoles mises en œuvre.

2 - Pour des raisons de coût de la publication, nous avons été limités à de la quadrichromie (noir, rouge, vert, bleu) et nous n'avons donc pas introduit de distinction entre ces deux derniers ensembles, jugeant qu'ils étaient bien différenciés par leur nature.

LISTE DES FIGURES ET PLANCHES

Table des matières

المحتويات

المعهد الفرنسي للشرق الاوسط

عمان - بيروت - دمشق

المكتبة الأثرية والتاريخية – المجلد ١٦٦

معهد الآثار الفرنسي للشرق الأدنى

بعثة ماري الأرخيولوجيّة – الجزء السادس

وادي الفرات السوري الأسفل

من العصر الحجري الحديث حتّى ظهور الإسلام:
جغرافيا، أرخيولوجيا وتاريخ

المجلد الثاني : الملحقات

بإدارة

برنار جيير

و

جان إيڤ مونشامبير

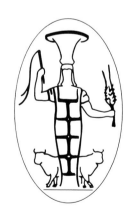

مجلد طبع بمساعدة المديرية العامة للتعاون العالمي والتطور
في وزارة الخارجية الفرنسية

بيروت
٢٠٠٣

Impression : Dar el Kotob, Beyrouth, Liban

وادي الفرات السوري الأسفل

من العصر الحجري الحديث حتّى ظهور الإسلام:
جغرافيا، أرخيولوجيا وتاريخ

المجلد الثاني : الملحقات

DS 99 .M3 M57 v. 6 pt.2

Geyer, Bernard.

La basse vall´ee de
l'Euphrate Syrien

GENERAL THEOLOGICAL SEMINARY
NEW YORK

DATE DUE

			Printed in USA

HIGHSMITH #45230